黄土高原水土保持防治措施对位配置研究

张　富　余新晓　景亚安　石观海　等编著

黄河水利出版社

内 容 提 要

本书以黄土高原水土保持防治措施对位配置为主线,在试验研究基础上,系统论述了黄土高原水土保持情况,水土流失治理措施对位配置的理论基础、原理与方法,小流域综合治理措施对位配置规划、径流调控体系与防治措施对位配置,并论述了自然植被生态修复、水土流失预防监督及开发建设项目水土保持方案编制等我国水土保持工作的新进展。可供水土保持工作者及相关学科的科技人员参阅,也可作为大专院校相关专业师生的参考书。

图书在版编目(CIP)数据

黄土高原水土保持防治措施对位配置研究/张富等编著.—郑州:黄河水利出版社,2007.4
ISBN 978－7－80734－197－0

Ⅰ.黄… Ⅱ.张… Ⅲ.黄土高原－水土保持－综合治理－研究 Ⅳ.S157.2

中国版本图书馆 CIP 数据核字(2007)第 041235 号

组稿编辑:雷元静 电话:0371－66024764

出 版 社:黄河水利出版社
　　　　　地址:河南省郑州市金水路 11 号　　邮政编码:450003
发行单位:黄河水利出版社
　　　　　发行部电话:0371－66026940　　传真:0371－66022620
　　　　　E-mail:hhslcbs@126.com
承印单位:河南省瑞光印务股份有限公司
开本:787 mm×1 092 mm　1/16
印张:27.75
字数:676 千字
版次:2007 年 4 月第 1 版　　　　　　印数:1—1 500
　　　　　　　　　　　　　　　　　　　印次:2007 年 4 月第 1 次印刷

书号:ISBN 978－7－80734－197－0/S·90　　　　定价:85.00 元

《黄土高原水土保持防治措施对位配置研究》
编著人员及资助单位

主　编　张　富

副主编　余新晓　景亚安　石观海

编著者（以姓氏笔画为序）

　　　　石观海　孙兰东　吴　岚　肖　洋　余新晓

　　　　杨新兵　张　富　岳永杰　赵克荣　高　涵

　　　　景亚安　鲁绍伟

制　图　卫晓琳

资助单位

　　　　甘肃省人事厅"甘肃省培养造就跨世纪学术技术
　　　　　带头人和创新人才工程专项基金"
　　　　中共定西市委组织部"定西市人才开发专项资金"

序一

　　科学技术的进步促进了现代社会变革,迅速而深刻地改变了世界的面貌和人类的生活,把人类的物质文明和精神文明推上新台阶,与其同时也带来了一系列负面问题:人与自然关系极度异化。不由使人想起恩格斯的警告:"我们不要过分陶醉于我们人类对自然界的胜利。"

　　中国古代"天人合一"的思想认为人与自然是一体的。秦汉时儒家思想家子思在《中庸》中认为:"致中和,天地位焉,万物育焉。"意即只要人们不把自己喜怒哀乐强加于外界,那么天地万物都能各安其所,各遂其生了。老子哲学开创了中国哲学自然主义先河,《道德经》说:"道大,天大,地大,人亦大。域中有四大,而人居其一焉。人法地,地法天,天法道,道法自然。"意即人只居宇宙四大之一,人在顺应着外界。这位先哲似乎在说,宇宙中万事万物的规律是自发的,无始无终的,是不随人们的意志而改变的。自然界不仅是人类生命之源,更是人类价值之源。人类的社会性固然高于自然性,但它本身却深深植根于自然界之中,它是自然界开出的花朵,却不是自然界之上的主宰。人的主体性不是表现在对自然界的认识、改造方面,而是表现在如何完成自然界的"生生之德"或"生生之道"。但是随着人类认识自然、改造自然、满足自身发展需求能力的不断增强,人类越来越把自己摆在世界的主宰地位,向自然界索取的欲望愈益膨胀。极度的索取,导致人口过快增长,粮食供应短缺,生态环境日益恶化,反过来日益威胁人类的生存。天人对抗终于演变为举世关注的全球性问题。

　　水土资源是人类赖以生存的基本物质条件,是经济社会发展的基础资源。合理利用与有效保护水土资源是维系生态系统良性发展的前提基础,是实现经济社会可持续发展的基本保障,是协调人口、资源、环境和经济社会发展需求矛盾的有效手段。

　　黄河流域自有人居住以来,随着农业耕垦活动的不断强化,滥伐滥垦,加上战争破坏,流域内天然植被长期处于持续不断的破坏之中,至新中国成立时已被破坏殆尽。黄土高原成为我国水土流失最严重的地区,同时也是世界上水土流失最严重的地区之一,惊心动魄的水土流失成为威胁当地生态安全和经济社会可持续发展的重要因素。虽然新中国建立后国家投入大量的人力、物力和财力对流域内 19.45 万 km^2 的水土流失面积进行了初步治理,使 1 000 多万农民解决了温饱和农村生活用水问题,缓解了"三料"(肥料、饲料、燃料)俱缺的困难,但尚有27.4万多平方公里的水土流失面积需要治理。况且由于对自然生态规律认识不清,忽视当地自然资源特别是气候特点和林草中的生物学、生态学特性,不同地形部位林草种选择不当致使植物严重缺水,以及植被管护跟不上等原因,植被建设中"成活率低,保存率低,效益低","种树不成林或成林不成材"的现象普遍存在。至1999年底该区造林多年保存率只有15%左右,其中水土保持重点小流域也仅为30%左右。因此,水土保持小流域综合防治体系科学组装、措施结构优化及措施对位配置理论化研究已成为我国水土保持小流域治理走向高、深、细的主要难题和关键。

1984年甘肃省定西水土保持试验站针对这一重要技术问题,以生态学生态位理论为指导,开展了"小流域地形小气候、土壤水分特征及治理措施对位配置研究"课题,1988年得出了水土保持治理措施对位配置的研究成果,标志着治理措施的配置已从主观布设治理措施到按自然规律对位配置各项治理措施,实现了认识和实践上的飞跃。之后十多年来对黄土高原水土保持综合治理防治措施对位配置的深入研究,引进现代生态学生态位理论,运用中国古代"天人合一"、"天地位焉,万物育焉","道法自然","自然而然,周而不殆"的唯物辩证思想,从多层次多方位对黄土高原生态环境问题进行了广泛细致的探索,目前已经取得了可喜的进展,此书就是该项研究的结晶。

该项研究以人与自然和谐发展的全面小康社会为目标,在社会发展需求位方面从物质文化、智能文化、规范文化、精神文化四个层面入手,在自然资源位方面从水热气候要素、地质地貌、植物与土壤、水资源入手,按照生态位的能级、层次分布原则,根据水土保持工作的内容(预防监督、综合治理、生态修复、监测预报)所对应的环境资源位与工作对象需求位的适宜性分析,进行对位配置。把水土保持综合治理对位配置的系统化问题从宏观对位——流域发展需求位与环境资源位的对位配置、空间对位——防治措施与其所需立地条件的对位配置、技术对位——实施的防治措施与所需实施技术的对位配置、管理对位——服务对象(人或事)需求与管理功能的对位配置、时序对位——实施步骤或程序与实施条件的对位配置五个方面进行了论述。提出了通过水土保持防治措施对位配置,挖掘生态元产生最大的生态效能,使小流域生态系统达到"万物有位层位有序,人与自然和谐相处,治理措施对位配置,各居其位各尽其效"的终极目标。

本书特色在于研究者在广泛搜集黄土高原水土保持综合治理研究成果的基础上,把水土保持综合治理作为一个社会经济巨系统,对黄土高原水土保持防治措施进行了系统的研究,得出了系统的结论——将水土保持对位配置的概念由植物措施生育条件的对位配置扩展到社会经济领域,把水土保持对位配置定义为通过研究发展主体所处的环境资源位与发展主体对环境资源的需求位之间的发展变化规律,按照生态位的能级分布层次,逐维分析环境资源分布特征对发展主体的胁迫程度及适宜性,协调资源位和需求位之间的关系,选择与环境资源位特征相适宜的发展主体,或者改变环境资源位使其满足发展主体所需的生态位条件,达到生物需求位与环境资源位相互适宜、相互吻合。

　　本书的出版发行,对黄土高原水土保持生态环境建设的理论研究和实际操作都将起到积极的指导或推进作用,为我国水保事业做了一件好事。希望有志于黄土高原生态环境建设的同仁,尤其是基层的年轻同仁也多做这样针对性强的有理有据的研究,不断促进黄土高原水土保持生态环境建设工作向更高层面提升。

中国工程院院士

2006 年 12 月 12 日

序二

　　黄土高原是世界上最为严重的水土流失地区之一,地跨干旱、半干旱和半湿润三个气候带,其中年降水量在300~550mm的半干旱和半湿润易旱地区占到总土地面积的70%以上,是黄土高原的主体,主要分布于黄土丘陵沟壑区,黄土高塬沟壑区和长城沿线风沙区。其中,黄土丘陵的大部分属于典型的半干旱区。黄土高原半干旱区的特点可归结为:①生态环境极为脆弱,严重的水土流失和频繁的干旱同时发生;②土地类型多样,天然植被、人工林草、旱作农田并存,适宜于综合发展;③降水量处于允许从事正常农田生产的下限,由于盲目开垦,造成土地利用不合理,引发恶性循环。黄土高原与世界其他国家半干旱地区相比有一些不利之处,主要表现在:①人口密度大,每平方公里50~250人;②坡耕地比例高,丘陵区约占到耕地的80%;③水土流失更为剧烈,严重地区侵蚀量超过5 000t/(km²·a)。因此,面临如此复杂的情况,要做好黄土高原的水土保持工作,为发展当地经济和根治黄河服务,必须坚持综合治理的方针。

　　实现水土资源的充分保持和合理利用是黄土高原水土保持综合治理的全面含义和直接目标。为此,必须寻求保护水土资源和提高土地生产力的结合点,采取使两者同时受益的关键技术。治理经验证明,建设以水平梯田和淤地坝为主的基本农田,因地制宜地发展经济林果,以及扩大人工饲草地、促进农牧业结合,同属实现上述目标的成功结合点。比较而言,前者两种技术推行较顺利,在大量发展人工草地、促进农牧结合方面,至今仍存在不少问题,需要进一步研究解决。

　　1999年国家开始启动"退耕还林"政策以来,黄土高原水土保持综合治理与研究进入了一个新的发展阶段,在人工治理与自然恢复相结合,雨水保持与集雨补灌相结合,以及从以改造环境为主到改造环境与改良生物体并重,从以小流域为单元综合治理扩展到更大区域统筹治理等方面都取得了显著成就,其中通过封山禁牧实施植被自然恢复的做法已取得了突破性进展,被认为是黄土高原半干旱区植被恢复的一条主要途径。

　　定西位于甘肃中部,属典型的半干旱黄土丘陵沟壑区,由于干旱少雨、水土流失严重,人民生活长期处于贫困状态,历史上就曾以"陇中苦瘠甲于天下"而闻名于世。新中国建立后,在国家的关怀下,定西各级政府确立了水土保持在当地国民经济发展中的战略基础地位，把水土保持工作作为改变当地生产、生活的突破口来抓。1993年定西县在全国率先提出"水保立县"战略；在科学研究方面，基于地形、地貌变化、气候特征、土壤水分状况及相应的治理措施，提出了水土保持防治措施对位配置的思路；基于典型小流域水土保持开发性扶贫途径研究，总结、实践了径流调控工程，推动了我国水土保持小流域综合治理理论——径流调控理论的产生。可以说，水土保持在定西得到了长足发展，同时涌现出一批热心水土保持事业的领导者，产生了一批敬业务实的科技人员。

本书作者张富等长期扎根定西，深入基层，从事水土保持科研和推广工作，并不断加以总结提高；同时他们参阅了大量有关文献资料，吸取了我国水土保持科研方面的一些新成就，编著了《黄土高原水土保持防治措施对位配置研究》一书。我认为，他们编著此书有着丰富的实践基础和一定的理论依托，实难能可贵。

这本书以水土保持防治措施对位配置为主线，从黄土高原自然与社会经济条件、水土保持历史与变革、水土流失综合治理、水土保持预防监督、水土保持生态修复等角度，系统阐述了黄土高原，特别是黄土高原半干旱地区水土保持小流域综合治理的成果经验，是对勤劳智慧的定西人民在水土保持工作中创造性贡献的总结。这些成果与经验的推广，势必对黄土高原乃至全国的水土保持生态建设起到积极的借鉴意义和推动作用。当然，科学技术的发展是一项无穷尽的继往开来的事业，艰巨复杂的水土保持科学研究更是面临着许许多多新的问题，需要我们进一步去发现、去探索、去解决。当代社会经济的可持续发展越来越依靠科学技术的进步，水土保持作为一门综合性极强的科学技术也不例外。相信本书的出版，将有益于水保战线上的广大读者，并对黄土高原水土保持科技事业的发展做出应有的贡献。

中国工程院院士　山仑

2006 年 10 月 10 日

前　言

据研究,全新世以来,黄土高原进入侵蚀的发展期。唐代以前仍然属于自然侵蚀,唐以后人类活动影响加剧,使侵蚀过程复杂化,并使侵蚀加速,侵蚀率日益提高。如全新世中期(距今 6 000~3 000 年),年侵蚀量大约是 10.75 亿 t,全新世晚期为 11.6 亿 t,自然加速侵蚀率为 7.9%;1494~1855 年为 13.3 亿 t,较前一时期增加 14.6%,扣除 7.9% 的自然加速率,人类加速侵蚀率为 6.7%;1919~1949 年为 16.8 亿 t,较前一时期增加 26.3%,人类加速侵蚀率为 18.4%;20 世纪 70 年代末达到 22.3 亿 t,较前一时期增加 32.9%,人类加速侵蚀率为 25%。如果说黄土高原近 2 000 年来植被区系逐渐由亚热带森林与暖温带草原变化为暖温带落叶阔叶林、温带森林草原、温带草原与温带灌木草原,那么有史以来随着农业耕垦活动的不断强化,加上战争破坏,天然植被长期处于持续不断的破坏之中,至新中国成立时原始植被破坏殆尽,说明人类活动是造成水土流失现象不断加剧的最活跃、最主要的因素。

新中国成立后,国家投入大量的人力、物力和财力进行水土流失治理,取得了显著成效。但由于对自然规律认识不清和急于求成的主观愿望,忽视了当地自然资源特别是气候特点及林草生物学、生态学特性(例如不同地形部位林草种选择不当、植物需水严重不足、植被管护跟不上等等),从而导致黄土高原植被覆盖率仅达 19%,植被建设中"三低两不"(成活率低,保存率低,效益低;种树不成林,成林不成材)现象普遍存在。据调查,该区造林多年保存率只有 15% 左右,其中水土保持重点小流域也仅为 30% 左右。黄土丘陵沟壑区郁闭度小于 0.4 的稀疏林分占总林分的 55%,总体蓄积量为低下或极低下的占 80%。

20 世纪 80 年代以来,我国水土保持工作进入了一个以小流域为单元进行治理的崭新的发展阶段。20 多年来,全国先后开展小流域治理 3.8 万多条,初步治理水土流失面积 92 万 km²,涌现出一大批高水平的治理典型,为面上治理提供了丰富的治理实践经验。如何使这些实践经验上升为理论,特别是如何尽快完成小流域综合防治体系科学组装、小流域综合治理措施结构优化以及小流域综合防治措施对位配置理论研究,已成为我国水土保持小流域治理走向高、深、细的主要难题和关键。1984 年,在甘肃省水土保持局局长马劲烈、原定西地区水土保持试验站站长马朴真的大力支持和关怀下,甘肃省定西地区水土保持试验站以生态学生态位理论为指导,开展了"小流域地形小气候、土壤水分特征及治理措施对位配置研究",1988 年提出了水土保持防治措施对位配置的原则和方法。水利部水土保持司原司长郭廷辅认为,这项成果的取得标志着治理措施的配置已从主观布设治理措施到按自然规律对位配置各项治理措施,这是认识和实践上的飞跃。要求将研究的领域由植物措施向社会经济领域扩展,并使之系统化、理论化。一石激起千层浪,对位配置理论和方法的提出,引起了广大水保界同仁的极大关注。之后,随着不同学科特别是生态位理论研究热点的兴起,各科研机构对水土保持综合治理措施配置的适宜性从多层次、多方位进行了有益的探索,从而为对位配置的系统化和理论化打下了良好的理论与实证基础。

小流域是一个景观生态系统,是地球表层不同地段自然要素与人文要素的功能统一体,是诸多自然和人文要素相互作用、相互影响而共同组成的地域复合系统。黄土高原植物措施对位配置有两个必须遵循的前提条件:一是植被建设作为区域发展的重要组成部分,必须在一个能够满足当地区域社会发展的、可持续的、人与自然和谐的总体规划之下进行;二是植被建设必须按照科学的自然观,遵循自然植被分布及其变化规律,充分考虑自然植被的分布与其所处地区自然环境因子(地理位置、气候、土壤、海拔、地质等)之间的有机联系。

古代黄土高原植被的变迁,为我们绘制了一幅动态变化的蓝图,而现存自然植被的水平与垂直分布为我们提供了可供借鉴的范本。但是仅仅了解这些是不够的。因为自然植被在长期的人为破坏之后,不仅被破坏地的土地利用结构发生了巨大的变化,而且其自然环境条件,包括地形小气候也相应发生了巨变,也就是说,原来适宜当地自然地形、气候的植物种(种群),在其生境发生变化之后,其适宜性因其自身特点的差异而产生了分化,这就要求对被破坏地自然资源环境特别是地形小气候环境的变化幅度,以及植物种(群)生态适宜度重新做出评价,只有当植物所处立地条件所形成的环境资源位与植物生育所需的生态位相适应达到对位配置时,才能发挥出其相应的社会经济生态效益,达到人们进行植被建设的目的。

水土保持防治措施对位配置,就是通过研究发展主体防治措施所处的环境资源位与发展主体或生物对环境资源的需求位之间的发展变化规律,按照生态位的能级分布层次,逐维分析环境资源分布特征对发展主体或生物发展条件的胁迫程度限制性因子或适宜性,协调资源位和需求位之间的关系,选择与环境资源位相适宜的发展主体或生物种,或者改变环境资源位使其满足发展主体或生物所需的生态位条件,达到生物需求位与环境资源位相互适应、相互吻合——对位配置。水土保持防治措施对位配置反映了发展主体(或生物体)对环境资源依赖关系和环境资源位对适宜发展主体(或生物种及其适宜种群)的规定性,通过生态元,产生最大的生态效能,使小流域生态系统达到“万物有位层位有序,人与自然和谐相处,治理措施对位配置,各居其位各尽其效”的目标。

2005 年,中央组织部、教育部、科技部、中国科学院实施“西部之光”访问学者进修计划,本人被选派到北京林业大学水土保持学院进行了为期一年的进修,并于 2006 年 3 月考取了北京林业大学水土保持与荒漠化防治专业的博士研究生。在进修和博士在读期间,选择了水土保持防治措施对位配置理论方法研究方向,在导师余新晓教授的悉心指导和同仁的大力支持下,对水土保持防治措施对位配置理论方法进行了系统化、理论化研究,在社会各界的大力支持下,将本人与合作者的研究成果进行了汇集。

本书的编纂初衷是面向基层第一线,原则是集理论性与实践性、知识性与资料性于一体。全书 60 多万字,由黄土高原水土保持情况、水土保持防治措施对位配置的理论基础、水土保持防治措施对位配置的理论与方法、水土保持防治措施系统化对位配置、水土保持防治措施新进展五部分 16 章组成。第一部分论述了黄土高原水土保持情况,主要介绍了黄土高原的自然地理概况、水土流失及危害、水土保持分区和水土流失防治的经验与教训。第二部分是水土保持防治措施对位配置的理论基础,主要介绍了气候学与地形小气候基础、植物生理学与逆境生理生态学基础、生态位理论及其应用研究进展等与水土保持综合治理措施对位配置密切相关的相邻学科领域的基础理论。第三部分是水土保持防治措施对位配置的理论与方法,介绍水土保持防治措施对位配置原理、黄土高原水土保持植物措施对位配置、小流域治理的技术效应和结构效应、水土保持效益指标体系及其量化分析等水土保持防治措施对位配置的理论、方法及其研究方法和研究范例。第四部分论述水土保持防治措施系统化对位配置，从小流域水土保持对位配置规划、小流域径流调控体系与治理措施对位配置、小流域治理植物措施与工程措施的对位配置三个侧面介绍了进行小流域水土保持防治措施对位配置的宏观对位、技术对位主要方法和内容。第五部分介绍水土保持防治措施新进展，主要从自然植被生态修复、建设项目人为水土流失防治等两个侧面，反映了近年来水土保持最新进展和研究成果。文稿经六次修改，由张富、赵克荣统稿完成。

水土保持防治措施对位配置成果问世后，水利部水土保持司原司长郭廷辅、段巧甫，中国工程院院士关君蔚、山仑等对其深化研究倾注了大量心血，提出了许多宝贵意见和建议。关君蔚、山仑院士还在百忙中为本书作序。本书在撰写过程中，还得到了北京林业大学水土保持学院庞有祝、王栋、朱清科、张洪江、张炎、孙向阳，《中国水土保持》编辑部李西民、李艳霞、张培虎、赵文礼，中国科学院、水利部水土保持研究所杨勤科，黄河水利委员会黄河上中游管理局喻权刚等的诸多帮助；甘肃省定西市水土保持工作总站的卫晓琳、侯艳红、安小妹、陈怀东、朱正军、关志华、许富珍，甘肃省定西市水土保持科学研究所边琳等同志协助本人进行了大量的原始数据录入工作。本书在出版过程中，甘肃省人事厅将本书列为"甘肃省培养造就跨世纪学术技术带头人和创新人才工程专项基金"资助项目，中共定西市委组织部也从"定西市人才开发专项资金"中拿出一定经费给予资助。对以上单位及同志给予的多方面的大力支持与帮助，在此一并表示衷心的感谢！并借此机会，对中共定西市委组织部、定西市人事局各位领导，以及在甘肃省水土保持战线上奋斗的同志们，对我几十年如一日的支持、关怀表示衷心的感谢。

由于作者水平有限，错误在所难免，恳请同仁不吝指教。

张　富

2006 年 10 月于北京林业大学

目 录

第一编　黄土高原水土保持情况

第二编　水土保持防治措施对位配置的理论基础

第三编　水土保持防治措施对位配置的理论与方法

第四编　水土保持防治措施系统化对位配置

第五编　水土保持防治措施新进展

第一编 黄土高原水土保持情况

第一章 黄土高原概况

第一节 概 述

在我们辽阔的国土中央,有一块古老的土地,这就是黄土高原(见图 1-1)。千万年来,我们的祖先在这里繁衍生息,辛勤劳动,创造了中华民族悠久的文明历史。

黄河流域黄土高原地区(以下简称黄土高原地区)西起日月山,东至太行山,南靠秦岭,北抵阴山,涉及青海、甘肃、宁夏、内蒙古、陕西、山西、河南 7 省(区)50 个地(州、市、盟),317 个县(市、区、旗),总人口 8 742 万,农业人口 6 908 万。总面积 64.2 万 km^2,其中水土流失面积 45.4 万 km^2(水蚀面积 33.7 万 km^2、风蚀面积 11.7 万 km^2),平均每年输入黄河泥沙 16 亿 t,是我国乃至世界上水土流失最严重、生态环境最脆弱的地区。

地理学上把海拔高度超过 2 000m,顶面比较平坦开阔,周边坡度陡峻的地形称为高原。我国有四大高原即云贵高原、黄土高原、内蒙古高原和青藏高原。黄土高原顶面高程不仅远远超过 2 000m,而且它是由黄土堆积在基岩上形成的,与其他三大高原相比较,它具有独特的黄土景观。高原上黄土连续分布,层系完整,厚度超过 100m,最厚处可达 200~300m,是世界黄土之冠。

黄土高原的地形是:站在高处举目远眺,天地相连,有如平地;低头俯瞰,沟谷如网,丘陵连绵。其实,黄土高原的地形是丰富多姿的,不仅有馒头状的丘陵,绵延数百公里的长梁,还有像洛川塬、董志塬那样地平如镜的平塬,不仅有稷王山和紫金山那样突起于"海洋"中的岩岛,还有像六盘山、吕梁山那样逶迤连绵的山脉,其地势剖面见图 1-2。

黄土高原属于暖温带地区。虽然东部距海并不十分遥远,但是它本身地势高拔,又有太行山和秦岭山脉横卧于东、南两侧,阻断了海洋上来的云雨,使得黄土高原降水量较少,蒸发量很大,成为温带大陆性季风气候。

第二节 自然条件

黄土高原地区总的地势是西北高、东南低。六盘山以西地区海拔 2 000~3 000m;六盘山以东、吕梁山以西的陇东、陕北、晋西地区为典型的黄土高原,海拔 1 000~2 000m;吕梁

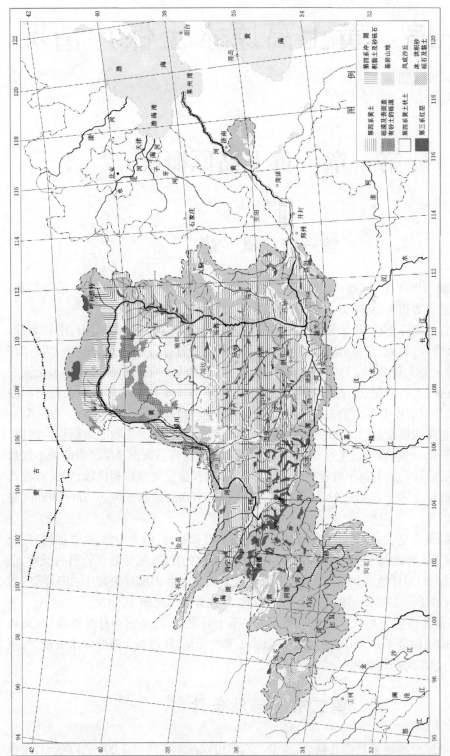

图 1-1 黄河流域黄土分布图(资料来源:泾河流域数据中心)

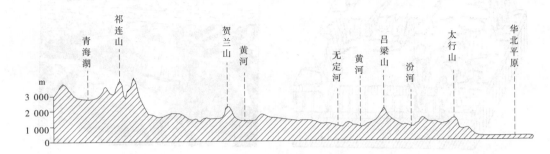

图 1-2　黄土高原地势剖面图

山以东、太行山以西的晋中、晋东北地区由一系列的山岭和盆地构成,海拔 500~1 000m,个别山岭超过 1 000m。该区宏观地貌类型有丘陵、高塬、阶地、平原、沙漠、干旱草原、高地草原、土石山地等,其中山区、丘陵区、高塬区占 2/3 以上。东南部主要为黄土丘陵沟壑区和黄土高塬沟壑区,西北部主要为风沙、干旱草原和高地草原区;银川平原、河套平原、汾渭平原地形相对平缓。

一、地貌

(一)地貌类型

主要有黄土沟间、黄土沟谷和独特的黄土潜蚀地貌。

1．黄土沟间地貌

黄土沟间地貌又称黄土谷间地,包括黄土塬、梁、峁、墹地、坪地等。黄土塬、梁、峁是黄土地貌的主要类型。

(1)黄土塬。黄土塬为顶面平坦宽阔的黄土高地,又称黄土平台,其顶面平坦,边缘倾斜 3°~5°,周围为沟谷深切,它代表黄土的最高堆积面。目前面积较大的塬有陇东董志塬、陕北洛川塬和甘肃会宁的白草塬。塬的成因多样,或是在山前倾斜平原上黄土堆积所成,如秦岭中段北麓和六盘山东麓的缓倾斜塬(称为靠山塬);或是河流高阶地被沟谷分割而成,如晋西乡宁、大宁一带的塬;或是在平缓分水岭上黄土堆积形成,如延河支流杏子河中游的杨台塬;或是在古缓倾斜平地上由黄土堆积形成,如董志塬、洛川塬;或是黄土堆积面被新构造断块运动抬升成塬(称为台塬),如汾河和渭河下游谷地两侧的塬(图 1-3)。黄土梁为长条状的黄土丘陵。梁顶倾斜 3°~10°者为斜梁,梁顶平坦者为平梁,丘与鞍状交替分布的梁称为峁梁。平梁多分布在塬的外围,是黄土塬为沟谷分割生成,又称破碎塬(图 1-4)。

(2)黄土峁。黄土峁是被沟谷分割的块状或馒头状黄土丘(图 1-5)。峁顶的面积不大,以 3°~10°向四周倾斜,并逐渐过渡为坡度 15°~30°的峁坡。若干个峁大体排列在一条线上的为连续峁,单个的叫孤立峁。连续峁大多是河沟流域的分水岭,由黄土梁侵蚀演变形成,或者是受黄土下伏基岩面形态控制生成。

(3)其他黄土沟间地貌。墹地为老沟谷(距今 10 万年左右形成)中由黄土堆积而未经现代沟谷分割的平坦谷,即黄土墹(图 1-6)。墹地被现代沟谷分割,称为破墹。其中面积较大地块称为坪地,即黄土坪。

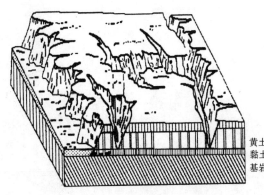

黄土
黏土
基岩

图 1-3　黄土塬地貌块状图

图 1-4　黄土梁地貌素描图

图 1-5　黄土峁地貌素描图

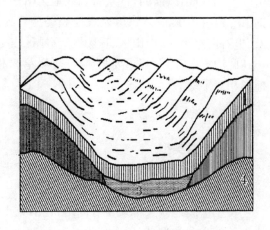

图 1-6　黄土峒地貌断块图

2. 黄土沟谷地貌

黄土沟谷有细沟、浅沟、切沟、悬沟、冲沟、坳沟(干沟)和河沟等 7 类。前 4 类是现代侵蚀沟,后 2 类为古代侵蚀沟。冲沟有的属于现代侵蚀沟,有的属于古代侵蚀沟,时间的分界线大致是中全新世(距今 3 000～7 000 年)。

(1)细沟。细沟深数厘米,最大可达 10～20cm,宽 10cm,最大可达数十厘米,纵比降与所在地面坡降一致。大暴雨后,细沟在农耕坡地上密如蛛网。

(2)浅沟。浅沟深 0.5～1.0m,宽 2～3m,纵比降略大于所在斜坡的坡降,横剖面呈倒人字形,在垦耕历史越久、坡度与坡长越大的坡面上,其数目越多。它是由梁、峁坡地水流从分水岭向下坡汇集、侵蚀的结果。如果浅沟的汇水面积较小未能发育成切沟,汇集于浅沟中的水流汇入沟谷地时,常在谷缘线下方陡崖上侵蚀成半圆筒形直立状沟,称为悬沟。

(3)切沟。切沟深 1～2m,最大可达十几米,宽 2～3m,最大可达数十米。纵比降略小于所在斜坡坡降,横剖面呈"V"字形,沟坡和沟床不分,沟头有高 1～3m 陡坎。它是坡面径流集中侵蚀的产物,或由潜蚀发展而成,多出现在梁、峁坡下部或谷缘线附近,其沟头常与浅沟相连。

(4)冲沟。冲沟深 10～50m,宽 20～100m,纵剖面微向上凹,横剖面呈"V"字形,其谷缘线附近常有切沟或悬沟发育。老冲沟的谷坡上有坡积黄土,沟谷平面形态呈瓶状,沟头接近分水岭;新冲沟无坡积黄土,平面形态为楔形,沟头前进速度较快。大多数冲沟由切沟发展而成。

(5)河沟。河沟是大型的侵蚀沟,已成为河流的重要支流。河沟沟底切穿黄土层,进入基岩之中,沟床纵剖面呈一条上凹的弧形曲线,沟底长年流水,沟坡上多发生滑坡。河沟是流水在黄土堆积覆盖了的古沟谷洼地里切割产生的,故称之为承袭沟谷(图1-7)。

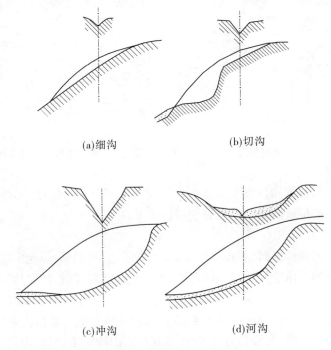

(a)细沟　　　　　　　(b)切沟

(c)冲沟　　　　　　　(d)河沟

图1-7　黄土沟谷的发育过程

(6)坳沟。坳沟又称干沟。它和河沟是古代侵蚀沟在现代条件下的侵蚀发展。它们的纵剖面都呈上凹形,横剖面为箱形,谷底有近代流水下切生成的"V"字形沟槽。坳沟和河沟的区别是:前者仅在暴雨期有洪水水流,一般没有沟阶地;后者多数已切入地下水面,沟床有季节性或常年性流水,有沟阶地断续分布。

3.黄土潜蚀地貌

流水由地面径流沿着黄土中的裂隙和孔隙下渗进行潜蚀,破坏了黄土的原有结构或使土粒流失,产生洞穴,最后引起地面崩塌。这种地貌包括以下类型:

(1)黄土碟。黄土碟为湿陷性黄土区碟形洼地,由流水下渗侵蚀黄土,在重力的影响下土层逐渐压实,引起地面沉陷而成。其形状为圆形,深1至数米,直径10~20m,常形成在平缓的地面上。

(2)黄土陷穴。黄土陷穴为黄土区漏陷溶洞(图1-8),由流水沿黄土层节理裂隙进行潜蚀作用而成,多分布在地表水容易汇集的沟间地边缘和谷坡。根据形态分为3种:①漏斗状陷穴,口大底小,深度不超过10m;②竖井状陷穴,呈井状,深度可达20~30m;③串珠状陷穴,几个陷穴连续分布成串珠状,各陷穴的底部常有孔道相通。它与黄土碟不同,各种陷穴都有地下排水道和出水口。两个或几个陷穴由地下通道不断扩大,使通道上方的土体不断塌落,未崩塌的残留土体形如桥梁,称为黄土桥(图1-9)。

(3)黄土柱。黄土柱为黄土沟边的柱状残留土体。由流水不断地沿黄土垂直节理进行侵蚀和潜蚀以及黄土的崩塌作用形成,有圆柱状、尖塔形,高度一般为数米到十多米(图1-9)。

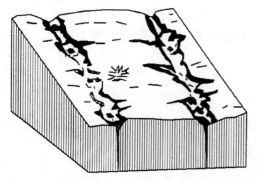

图1-8 黄土中的陷穴　　　图1-9 黄土桥与黄土柱素描图

(二)地貌特征

黄土高原上的六盘山和吕梁山把整个高原划割为三个大的区域,即陇中高原,陇东、陕北、晋西高原,山西高原。其地貌特点分别叙述如下。

1.陇中高原

陇中高原位于六盘山以西、祁连山以东,南界秦岭,北界景泰、天祝一带的山岭。平面上为北西向伸长的菱形。由于始终被山脉环绕,中部地势相对较低,故又称陇中盆地。陇中高原东界六盘山,走向北北西,南端直抵渭河,北端接南华山,逐渐没于黄河。山体由砂岩、页岩构成,山脊海拔高度超过2 400m,主峰约3 000m,习惯上把六盘山以东称为陇东,以西称为陇中。高原的南界秦岭,海拔高度2 500~3 000m,山岭重重叠叠,山间分布着宽谷盆地。高原西界祁连山,向东逐渐降低并分裂为数支,北支香山、毛毛山和马雅山,在白银、中卫一带过黄河与屈吴山相遇,海拔高度2 500m;中支从兰州附近过黄河成为兴隆山和马啣山,海拔高度2 900~3 600m。

陇中高原西北高、东南低,一般海拔高度1 800~2 000m,大部分为黄土所覆盖,成为黄土丘陵地形。黄河从高原流过,黄河及其支流河谷狭窄,水流湍急,在穿过基岩山地处往往形成峡谷,如刘家峡、柴家峡、桑园峡、红山峡、黑山峡等。而当流经松散岩层时,则形成河谷盆地。渭河发源于渭源县鸟鼠山,沿秦岭北麓东流。兴隆山、马啣山至华家岭是横贯高原的一道隆起地带,西端基岩裸露,东端则黄土覆盖,是黄河与渭河之间的分水岭。分水岭以北河流皆汇入黄河,以南河流则流进渭河。陇中高原较大河流及发育有3~4级阶地,第二级阶地一般较宽阔,是村镇和居民点密集分布区;第三、四级阶地被黄土覆盖,并受冲沟切割成为不连续的台地或梁状丘陵,如兰州黄河两岸的五泉山和白塔山。陇中高原有许多河谷小盆地,如八宝川、兰州、靖远、秦安、甘谷等处的盆地。最著名的如兰州盆地,东西长35km,南北宽仅2~5km,西起柴家峡,东至桑园峡,中部狭窄成葫芦状。兰州盆地是黄河长期侵蚀形成的,黄河两岸基座式阶地达五级之多。最高级阶地高出河水面300余米,其基岩面代表着陇中第四纪初期最重要的剥蚀夷平地面,即甘肃期夷平面。盆地南侧皋兰山、北侧九峰台,实际上都是一些被沟谷切割破坏了的黄土残塬丘陵地形。九峰台黄土堆积厚达355m,

是整个黄土高原黄土堆积最厚的地方。九峰台周围被沟谷分割,成为一个平顶黄土峁,峁顶方圆不过数百米,它代表着陇中黄土堆积的高原面,高出黄河600余米。

陇中黄土高原黄土堆积厚度一般为100m,华家岭以北较厚,某些地方可达200～300m。黄土地貌以兴隆山至华家岭隆起带为界,可以划分为南北两大部分。北部为巨厚黄土充填的古老盆地,沟谷分割形成黄土塬、黄土平梁和平顶峁地形。黄土塬分布于湟水中游西宁附近,庄浪河中游华藏寺以北和祖厉河中下游流域,其面积不大,分割破碎,沟谷切割深度可达200m。另外,北祁连山东部分支围绕形成的山间盆地,如香山与贺家山之间的贺家集盆地,乱山子与南华山之口的海原盆地。它们是洪流堆积物充填的古老盆地,被黄土覆盖后仍保持其平坦地形,很少为现代沟谷切割。注入黄河的支流,其河源只伸到盆地的边缘。黄土平梁主要分布于马啣山与南华山之间祖厉河中游流域,黄土平顶峁则集中分布于黄河两岸各主要支流的下游地区。在这些地区沟谷切割深度大,谷坡陡峭,沟谷侵蚀作用十分活跃。兴隆山至华家岭隆起带以南地区,是黄土覆盖第四纪以前丘陵形成的承袭性黄土梁、峁丘陵。这里黄土堆积较薄,谷坡稍缓,谷形开阔,现代沟谷发育较差,因而在渭河及其支流葫芦河上游常可见到黄土覆盖古河谷形成的长条状宽阔洼地,即黄土峒地,以及由近期冲沟切割峒地形成的黄土坪地。在这些黄土梁峁地区,黄土斜梁多分布于陇西、通渭一线西北,黄土峁则分布于该线东南,以秦安为中心。在葫芦河以东的六盘山西麓,是洪积扇经流水分割,又被晚期黄土覆盖所形成的黄土斜梁地形。

整个陇中高原黄土地形以梁、峁丘陵为主,梁、峁之比例又以梁为最多,这也是区别于黄土高原其他区域的最显著特征。在梁峁丘陵区的定西,沟谷密度为2.8～4.6km/km²,地面分割度25%～49%。沟间地高差150～200m,最大可达250m;沟谷深度30～60m,最大达80～100m,因而黄土地形起伏达到200～300m。这些地区沟谷边坡常发生滑坡,摧毁村庄,破坏农田。

2.陇东、陕北和晋西高原

陇东、陕北和晋西高原的东、南、西三面被吕梁山、秦岭和六盘山环绕,北边以长城与鄂尔多斯高原为界,平面上呈马蹄形。东界吕梁山作北北东走向,绵延400余公里,主要为变质岩、石灰岩和花岗岩侵入体构成,大部分坡面覆盖着黄土。山脊海拔2 000～2 500m,主峰关帝山海拔2 791m。南界秦岭海拔2 000～3 000m,主峰太白山海拔3 767m。秦岭山脉是黄河与长江流域的分水岭,也是黄土分布的南界。西界六盘山,六盘山以东有小关山和崆峒山,海拔1 600～2 400m,山势较为和缓。长城沿线是黄沙滚滚的风沙区,也是黄土分布的北界,并有沙丘南侵掩盖黄土的现象。北部白于山东西向延伸,海拔1 900m,为黄土所覆盖,与横山成为北部黄河与南部渭河之间的分水岭。黄龙山走向北北西,北部多为黄土覆盖,南端出露砂岩、页岩层,海拔1 500～2 000m,向北延伸与劳山相连,构成北洛河与黄河的分水岭。子午岭的走向、岩性和高程与黄龙山类似,是泾河与北洛河的分水岭。习惯上把子午岭以西称为陇东,以东称为陕北。关中北山是一系列沿北东东方向分布的石灰岩和砂、页岩山头,海拔1 000～1 500m,由西向东有岐山、五峰山、九嵕山、嵯峨山、药王山、将军山、金织山、尧山、金粟山和梁山等。它们各自独立,出露于黄土塬之上,犹如海洋上的群岛。晋西岚漪河以北为大片石灰岩溶蚀山丘,海拔1 800m,山丘间溶蚀宽谷洼地则为黄土填充。临县西北有火成岩体构成的紫金山,高程达1 824m。

陇东、陕北和晋西高原高程1 000～1 500m,地势向东南倾斜,黄土堆积层深厚,故而发育了黄河及其支流渭河、泾河等典型的树枝状水系,其干流及主要支流均已切割基岩。黄河在晋陕间由北向南飞泻于峡谷之中,直抵秦岭而折向东流,峡谷长 700km,落差竟达 500 余米。河谷两岸悬崖峭壁,上面覆盖着少量黄土。黄河在穿越吕梁山尾闾龙门山时,形成著名的龙门峡谷和壶口爆布。壶口瀑布乃是黄河上唯一的大瀑布,宽达 30m,深约 50m。在历史上,瀑布以每年 3.3m 的速度向上游退却,在基岩河床上切割出宽 30～50m 的深槽。黄河过龙门则进入渭河、汾河下游平原,河谷突然展宽,形成东西宽 10～20km 的谷地,水流减缓并分汊,出现一连串的心滩。渭河是黄河最大的支流,穿六盘山尾闾陇山,出宝鸡峡进入关中平原,在潼关注入黄河。渭河南岸支流发源于秦岭北坡,水系密集而短小,其中以坝河最大,北岸支流来自黄土高原,虽然稀少但较长,如泾河和北洛河等,因而渭河水系很不对称。泾河、北洛河水系呈不对称树枝状,格局展布于高原面上,主流穿越关中北山形成峡谷。泾、洛、渭河及其主要支流河谷均有 3～4 级阶地,村镇城市多位于第二级阶地面上。沿主要河流分布着许多小型河谷盆地,一些县城就位于这样的盆地里,如黄河府谷和无定河米脂盆地,三川河离石盆地,延河延安盆地,北洛河甘泉盆地,泾河平凉和彬县盆地等。其中彬县盆地位于泾河中游各主要支流的汇合处,长 15km,宽 2～3km,泾河蜿蜒于其中,河床低于高原面 400 多米。谷坡上发育有三级基座阶地,第一级阶地高出河水面 10～20m,第二级阶地高出河水面 120m,第三级阶地高出河水面 260m,县城位于第一级阶地的后缘。盆地北侧黄土高原面比较完整,南侧则是长达数十公里的黄土残塬或平梁。

陇东、陕北、晋西高原面积广大,地形和缓,山脉少,黄土堆积最为完整,且分布连续,一般厚度 150～200m,各种黄土地貌十分齐全。陇东泾河中游为完整的黄土塬,被泾河支流分割为董志塬、泾川塬、合水塬、正宁塬、长武塬、枸邑塬等,总面积超过 1 万 km² 。塬面高程 1 200～1 600m,塬面平坦,土壤深厚,当地群众有"八百里秦川,比不上董志塬边"之说,庆阳以北至白于山,环县与华池之间,为黄土残塬区,塬面切割破碎,沟谷从四面八方嵌入塬的中心,切割深度 300～400m。环县、镇原以西至大罗山山麓,是黄土塬经沟谷剧烈切割形成的黄土平梁区。泾河各支流两岸则有黄土平顶峁状丘陵分布、陇东其余地区如六盘山、子午岭的山麓地带则是以斜梁为主的黄土梁峁丘陵地形。环县西、北的泾河各支流河塬地区,分布着黄土峒地和黄土坪地。

陕北北洛河中游黄陵、洛川、富县一带为完整的黄土塬,海拔 1 000～1 400m,以洛川塬最为典型,塬面坡度仅 1°～3°。宜川与延长之间,白于山与长城之间是残塬丘陵,地面十分破碎,黄土塬面仅有零星小片残存。延安以北至佳县,即无定河、清涧河、延河中下游流域,是以黄土峁为主的丘陵地形。峁呈圆锥状或馒头状,各不相连,沟谷密度极大,地面坡度陡峻。其余广大地区如富县以北至白于山,吴旗至安塞之间是黄土梁状丘陵区,梁大沟深,切割深度达 200～300m。吴旗、靖边一带、白于山两侧有黄土峒地和黄土坪出现。总体来看,陕北在延安以北为承袭古地形特征的黄土梁峁丘陵地形;延安以南为真正代表黄土高原堆积面的黄土塬,以及由黄土塬切割转变来的残塬和黄土平梁、平顶峁地形。

晋西在吉县、隰县、石楼一带有黄土塬分布,但是其面积小,远不如洛川塬那样完整。接近黄河岸则已切割成为黄土平梁和峁地形。在石楼以北至岚漪河,为黄土梁状丘陵地形。岚漪河以北至长城黄土盖层与石灰岩丘陵相间,近黄河有黄土峁状丘陵分布。在偏关、河曲一带风力作用较强,沙黄土受风力吹蚀,并有流动性小型沙丘覆盖于黄土之上。

秦岭与北山之间的关中盆地,是黄土高原南缘的断层陷落盆地。盆地西起宝鸡峡口,东到潼关港口,全长 360km,从宝鸡峡起由西向东逐渐展宽,西安附近南北宽度达 80km。关中盆地南、西、北三侧皆为山脉环绕,东有黄河天险,周围仅有涵谷关、武关、大散关、萧关、金锁关等峡谷隘口与外界通连,故称关中。因其位于渭河下游,又称为渭河下游盆地。盆地内西安东部有火成岩构成的骊山独立于平原之上,海拔达 1 300m。渭河在临潼以上为游荡性河床,水流分汊,多有心滩分布,临潼以下为自由曲流,河床蜿蜒曲折地流动于松散堆积物之上。河床两岸有两级河流阶地,阶地以上又有多级黄土台塬。西安市就位于渭河南岸第二级阶地后缘和一级黄土台塬的前缘。沿秦岭北麓和北山南麓又有洪积扇构成的洪积倾斜平原,与阶地或台塬相连接。

关中盆地内黄土地貌主要为 3~4 级黄土台塬。这些黄土台塬呈阶梯状分布,高于渭河水面 100~400m,塬面平坦完整,很少受到冲沟的切割。渭河北侧黄土塬连续分布,在泾河口以东远离河床,塬面上分布着长条状凹陷,如富平蒲城塬、澄城合阳塬。泾河口以西黄土塬逼近渭河河床,塬面十分宽阔,如扶风岐山塬,乾县礼泉塬。渭河南侧神乐塬、少陵塬、渭南塬塬面十分完整,而铜仁塬则是黄土斜梁状丘陵地形。黄土台塬边坡陡峭,滑坡频频发生,宝鸡到扶风之间 70km 黄土台塬边坡是有名的滑坡带,滑坡威胁着陇海铁路及宝鸡峡总灌渠的安全。白鹿塬东侧则为长 25km 的滑坡带,屡有滑坡摧毁村庄、窑洞的事件发生。

3. 山西高原

山西高原指吕梁山以东、太行山以西的地区。它并不是一个完整的高原,而是由一系列山岭与盆地构成的高地。山地上部基岩出露,山坡和山间盆地则为黄土所覆盖,因而仍属黄土高原的范围。高原东界太行山,由砂、页岩和石灰岩构成,主体走向北北东,山脊海拔 1 500~2 000m。东侧以极其高峻的断层与华北平原相连接。从平原仰望太行山,非常雄伟,及至登上山脊,转而成为平缓的高原形态。太行山有许多峡谷险关,如平型关,娘子关、峻极关等,是进入山西的必经之地。太行山南段西侧平行排列着太岳山。太岳山由砂、页岩构成,宽仅 10~20km,海拔 1 500m,是沁水与汾河的分水岭。其中段称霍山,由石灰岩构成,宽 30km,主峰高达 2 550m。太岳山南端与中条山相连。中条山走向北东,是涑水与黄河的分水岭,由变质岩构成,宽仅 10~15km,主峰高程 1 900m,其南北两侧均为断裂沉陷带,山坡异常陡峻。涑水与汾河之间有孤山和稷王山,是黄土围绕的两个孤立山头,海拔超过 1 000m。太行山北端转为北东方向,向西北有一系列平行排列的山脉,如系舟山、五台山、恒山和洪涛山。它们都是沿断层隆起的山地,两山之间则为深陷的盆地。五台山由变质岩构成,海拔 3 000m 左右。恒山是五岳之一,由石灰岩、变质岩构成,海拔 2 000m,北坡悬崖突起,峡谷如削,南坡稍缓。

山西高原主要河流汾河发源于北部管涔山,向西南流动,在河津汇入黄河,全程 570 多公里,流经太原和临汾两大断陷盆地,其余段落则为峡谷地形。涑水发育在孤山、稷王山与断层隆起带与中条山隆起带之间的断陷盆地里,河谷宽广,河水却是涓涓细流,在蒲州流入黄河。据考证,涑水河谷原为汾河的流路,由于孤山、稷王山断块隆升,使汾河改道北流入黄河,造成涑水河细流与宽谷不相适应的现象,如今在闻喜一带保留着汾河的古老河谷形态和河床砾石层。高原东南有沁河、漳河、滹沱河等穿越太行山,流向华北平原。高原东北有南洋河、桑干河等分别发育在一群斜列平行的断陷盆地里。这类盆地如大同盆地、应县盆地、代县盆地等。考察证明滹沱河原来向南流入太原盆地,是汾河的上源,后来由于石岭关一带沿断层隆起,迫使滹沱河突然转向东流,穿太行山而出。在山西高原众多的盆地中,以太原盆地最大,长 150km,宽 40～50km,海拔 700～800m。盆地边缘有明显的断层崖与山地相接,这些断层崖受沟谷切割,形成断层三角形崖面,沿断层线有泉眼分布,山麓有许多洪积扇发育。盆地中部是冲积平原,外侧则有黄土台塬分布。高原北部大同盆地第四纪不断有火山活动,形成 20 多座火山锥,并且有玄武岩流、火山渣覆盖黄土的现象。高原东北诸盆地与沿汾河、涑水的盆地和关中盆地相连,是黄土高原上最大的断裂沉陷带。由于各个断层频繁活动,历史上多有地震发生。

山西高原黄土厚度较小,一般 50～100m,在晋西南有达 150m 的剖面。黄土主要分布于各盆地之内的平原上和山坡下部,以沁漳高原分布最广且相连成片。太行山西麓长治盆地,海拔 1 000m,黄土层虽已受沟谷切割,但多还保持黄土塬面貌。石太铁路线经过的寿阳盆地,黄土厚 15m 左右,被沟谷切割成为梁状丘陵地形。阳泉、黎城、晋城、沁县等小盆地亦发育有黄土丘陵地形。从晋西南经过晋中到晋东北各断陷盆地,黄土覆盖早期河湖堆积物,多形成数级黄土台塬,山麓地带多表现为以梁为主的黄土丘陵地形。

二、气候

黄土高原地区属温带大陆性季风气候,冬春季受极地干冷气团影响,寒冷干燥多风沙;夏秋季受西太平洋副热带高压和印度洋低压影响,炎热多暴雨。多年平均降水量为 464.1mm,总的趋势是从东南向西北递减,东南部 600～700mm,中部 300～400mm,西北部 100～200mm。以 400mm 降水量等值线为界,可将黄土高原地区划分为三个大的气候区,即:西北部为干旱区,中部为半干旱区,东南部为半湿润区。

东南部半湿润区:主要位于河南西部、陕西关中、山西南部,年均气温 8～14℃,降水量 600～800mm,干燥指数 1.0～1.5,夏季温暖,盛行东南风,雨热同季。该区的范围与落叶阔叶林带大体一致。

中部半干旱区:包括黄土高原大部分地区,主要位于晋中、陕北、陇东和陇西南部等地区,年均气温 4～12℃,年降水量 400～600mm,干燥指数 1.5～2.0,夏季风渐弱,蒸发量远大于降水量。该区的范围与草原带大体一致。

西北部干旱区:主要位于长城沿线以北,陕西定边—宁夏同心、海原以西。年均气温 2～8℃,年降水量 100～300mm,干燥指数 2.0～6.0。气温年较差、月较差、日较差均增大,大陆性气候特征显著。风沙活动频繁,风蚀沙化作用剧烈。该区的范围与荒漠草原带大体一致。

(一)光能

黄土高原地区太阳辐射年总量为 5 亿～63 亿 J/m²,除稍低于新疆和青藏高原外,高于全国其他地区。太阳辐射年总量随纬度而变化,自南而北逐渐增加,50 亿 J/m² 的等值线在千阳、陇县、长武、宜君一线,60 亿 J/m² 的等值线则在东胜、盐池一线。但在晋陕蒙接壤区有一个高值区,在庆阳、平凉、固原则有一个低值区。全区光合作用有效辐射为 22.5 亿～27 亿 J/m²,由南向北递增,这一数值可以满足作物生长发育的需求。但是,由于生产水平较低和水分不足,光能利用率仅为 1%～1.5%,远低于其他高产区(3%～5%)。全区年日照时数为 2 200～3 000 小时,日照百分率 50%～70%,亦由南向北递增。可见,本区光能资源丰富,为绿色植物的光合作用提供了丰富的能源,但目前光能利用率很低,开发潜力大。

(二)热量

黄土高原地区年均气温 5～12.5℃,由南向北递减,年均气温 8℃ 的等值线在离石、神木、榆林、志丹、华池、平凉一线,线南为暖温带,线北为温带。最冷月份为 1 月,平均气温 −10～−2℃;最热月份为 7 月,平均气温 22～26℃。≥10℃ 的活动积温 2 000～4 000℃,≥10℃ 的持续日数 140～200d。海拔和地形对气温的影响较显著,六盘山、吕梁山等山地因海拔较高,气温下降,导致植被出现垂直变化。晋陕之间黄河峡谷地带,受地形影响,其温度高于周围地区。本区不仅热量充足,而且温差较大,年均较差达 26～34℃,且越向北年较差越大。日较差也十分明显,最大在 6～7 月,可达 10～16℃。昼夜温差明显有利于植物生长过程中干物质的积累和培育优质果品。

(三)降水

黄土高原地区多年平均降水量 300～700mm,由东南向西北递减。由于受季风影响,降水多集中在 7～9 月,占全年降水量的 70% 左右,生长季(4～9 月)降水量 200～500mm,占全年降水量的 65%～80%,且此时温度较高,形成雨热同季,有利植物生长。冬春季降水量少,仅分别占年降水量的 2%～4% 和 14%～22%,常有春旱发生,不利于春季造林。年干燥度 1.3～3.5,由东南向西北递增。农田最大蒸散量 750～950mm,以子午岭地区为最低,不足 800mm。农田水分亏缺 200～700mm,由南向北递增,子午岭地区则为一低亏缺区。降水年际变化大,丰水年的降水量为枯水年的 3～4 倍;年内分布不均,且以暴雨形式为主。每年夏秋季节易发生大面积暴雨,24 小时暴雨笼罩面积可达 5 万～7 万 km²。尤其在东胜、神木一带,是我国北方的暴雨区,往往一场暴雨的雨量可占全年降水量的 1/4～1/2,引起严重的水土流失。河口镇至龙门、泾洛渭汾河、伊洛沁河为三大暴雨中心。形成的暴雨有两大类,一类是在西风带内,受局部地形条件影响,形成强对流而导致的暴雨,范围小、历时短、强度大,如 1981 年 6 月 20 日陕西省渭南地区的暴雨强度达 267mm/h。另一类是受西太平洋副高压的扰动而形成的暴雨,面积大、历时较长、强度更大,如 1977 年 7、8 月,在晋陕蒙接壤地区出现了历史罕见的大暴雨,笼罩面积达 2.5 万 km²,安塞(7 月 5 日,225mm)、子洲(7 月 27 日,210mm)、平遥(8 月 5 日,365mm),暴雨中心内蒙古乌审旗的木多才当(8 月 1 日)10 小时雨量高达 1 400mm。

三、土壤

黄土地层按其形成时期先后,可分为午城黄土(Q_1)、离石黄土(Q_2)、马兰黄土(Q_3)和全新世现代黄土(Q_4)。全新世黄土由现代风积而成,是形成本区土壤的主要母质。在这种母质上发育起来的主要地带性土壤有褐土、黑垆土和栗钙土。

(一)褐土、娄土地带

本带位于黄土高原水土流失区南部,其北界起自吕梁山南端,过黄河、经黄龙、沿铜川到关山北端折向天水、武山一线。主要土壤有褐土、娄土。褐土分布于东南部,呈东北—西南走向。气候条件为暖温带半湿润气候,年均降水量 580～700mm,年均气温 >10℃,干燥度 1.2～1.5。自然植被主要为夏绿阔叶林,现低缓丘陵几乎全部被垦为农田,水土流失严重。成土母质为黄土,其他尚有石灰岩、砂页岩等风化残积物。

河谷盆地为黄土、坡积物和洪积物。褐土保水保肥性能好,呈中性—微碱性反应,适宜多种作物生长,但有机质含量低,氮、磷不足。尤其在耕种后,有机质含量降至 1% 以下,全氮含量在 0.6～3.0g/kg,全磷含量虽达 1.0～4.09g/kg,但由于碳酸钙的固定作用,有效性低。土壤质地黏重,易板结。

塿土是区内主要的耕作土壤,也是古老的耕作土种之一。它是褐土经长期人为耕种熟化、施肥覆盖后形成的特殊土壤。塿土一般耕层质地较轻,多为中壤,熟化程度高,富含石灰,团聚体稳定,耕性良好,与褐土相比,供水、供肥能力明显提高。

此带土壤垂直分布的建谱土壤为淡棕壤和淋溶褐土,垂直带谱为褐土、塿土、淋溶褐土、淡棕壤、山地草甸土。

(二)黑垆土、黄绵土地带

本带南接褐土地带,北界东起雁北、和林格尔,经准格尔旗沿陕蒙边界向西南延伸至靖边,后折向西南而止于兰州。

带内气候为半干旱半湿润气候,年均气温 8～10℃,年均降水量 350～600mm,干燥度 1.2～2.0,植被为草原和落叶阔叶林,成土母质主要为第四纪黄土,也有少量的冲积物。黑垆土的形成过程属草原成土过程,即腐殖质积累和碳酸盐的淋溶淀积过程,但也有森林成土特点——弱度黏化过程。黑垆土土层深厚,多在 2m 以上,腐殖质层 40～80cm,厚者可达 150cm,由南向北递增。有机质含量一般为 1%,碳氮比 7～10。颗粒组成多以粗粉沙为主,占 50%～60%,北部发育在细沙土上的以细沙为主,物理性黏粒含量 20%～50%。全氮含量 0.6～1.0g/kg,全磷含量 1.5～7g/kg,氮不足而磷较丰富。但因富含碳酸钙,磷的有效性较低。土壤容重 1.1～1.2g/cm³,田间持水量 20%～22%,2m 土层可蓄水 500～600mm,土层上松下紧,耕性良好,适种性广,是黄土高原地区优良旱作土壤。

黄绵土分布范围很广,遍及整个黄土高原,但主要分布于水土流失严重的黄土丘陵区。在黄绵土的形成过程中,主要发生着两大基本过程,一是以耕种熟化为主的成土过程,一是以侵蚀为主的地质过程。据此黄绵土又可分成侵蚀型与堆积型两种,但总的说来,都是发生在黄土及黄土状母质上的初育土。侵蚀型黄绵土是由原自然土壤(黑垆土等)的 A 层和 B 层剥蚀出露而形成的。此种土壤水土流失越强,熟化过程越弱,耕层越浅,土壤肥力越低。堆积型黄绵土,其成土过程主要为熟化过程。黄绵土成土作用微弱,土壤剖面均一,呈强石灰反应,土层分化不明显,仅有表层土和底土两个层段组成。毛管孔隙度 30%～50%,总孔隙度 50%～60%,田间持水量 20%～22%,2m 土层可蓄水 400～500mm。土壤有机质含量<1%,全氮含量 0.5～0.7g/kg,全磷含量 1.3～1.6g/kg。

(三)栗钙土、风沙土地带

本带南接黑垆土、黄绵土地带,北达本区区界。栗钙土是黄土高原的主要草原土壤之一。带内气候属温带半干旱大陆性气候,日照丰富,降水量 300～400mm,干燥度>2.0,年均气温 5～8℃。植被以典型草原为主。栗钙土的成土过程主要表现为栗色腐殖质累积和较强的碳酸钙聚积,其强度与深度次于黑钙土,居草原土壤类型的第 2 位。腐殖质层厚度 18～60cm,有机质含量 1%～2%,耕种后含量<1%,钙积层 20～40cm,厚者达 60～70cm,pH 值 7.9～8.7,全氮含量 0.3～1.3g/kg,全磷含量 0.3～1.0g/kg。

风沙土是风沙地区在风成沙性母质上发育的土壤,主要分布于长城沿线及以北地区,在其母质中以固定沙丘为主。风沙土的植被稀疏低矮,以沙生旱生植被为主。风沙土分布在不同的生物气候带,不可避免地受自然地带性环境影响,但由于其独特的成土条件,成土过程常被风蚀和沙压作用打断。受风蚀与再堆积的影响,土壤发育过缓,很难形成十分成熟的土壤和完整的剖面。风沙土多以细沙粒为主,其含量可达90%以上,黏粒3.0%～7.5%。pH值5.1～8.4。土壤贫瘠,有机质含量0.1%～0.6%,全氮含量0.03～0.25g/kg,全磷含量0.6～1.0g/kg。

(四)灰钙土、黄绵土地带

本带位于黄土高原水土流失区的西北端,其东南与黑垆土、黄绵土地带相接。灰钙土是草原向荒漠过渡的一种地带性土壤,其形成与气候条件、山前平原的地貌部位及黄土状母质有关。带内气候属温带干旱大陆性气候,年均降水量300～400mm,干燥度2.5～3.0,年均气温6～10℃。植被为干草原和荒漠草原,由多年生旱生丛生禾草及旱生灌木、半灌木组成,主要植物种有长芒草、短花针茅、戈壁针茅、沙生针茅、骆驼蓬和旱生蒿属植物以及猫儿刺等。

灰钙土的形成过程属草原土壤成土过程,即具有腐殖质的累积过程和碳酸盐的淋溶淀积过程,但这两个过程比之栗钙土和黑垆土有明显减弱。腐殖质层扩散而不集中,其厚度北部20～30cm,南部在黄土母质上发育的可达50～70cm。土壤有机质含量0.5%～1.5%,碳氮比为8～12,通体富含碳酸钙,钙积层位较高,多出现在15～40cm,厚度一般20～60cm。灰钙土组成较粗,粗沙及细沙占60%～80%,全氮含量为0.3～0.7g/kg,全磷含量0.2～0.5g/kg,碱解氮12～35mg/kg,速效磷19～23mg/kg,pH值8.1～8.6,个别可达9.0。由于本地带为黑垆土向荒漠土过渡的中间地带,所以,其间也有黄绵土分布,但多为沙黄绵土。因带内气候干旱多大风,风蚀沙化严重。成土母质为沙黄土,土体疏松,透水性强,保水保墒能力较黄绵土差,但由于凋萎湿度低(2.6%～2.9%),有效水分含量与黄绵土相似,土壤有机质含量一般为0.5%,矿质养分尤其是有效养分含量低。

四、植被

植被的地理分布受综合地理要素如气候、地形、土壤、母质等的制约,集中反映于环境的水热条件。在陆地表面,水分条件受海洋的远近影响,热量条件随纬度的高低而变化,而水热条件的不同组合,导致了气候、植被、土壤等地理分布发生有规律的更替。根据植被地带类型原则以及气候—植被特征的综合分析,黄土高原水土流失区自东南向西北依次分布有森林、森林草原、典型草原和荒漠草原等四个植被带(图1-10)。

(一)森林带

本带位于黄土高原水土流失区东南部,北界始于离石南部,沿西南方向,由石楼过黄河进入陕西,经延川、延安,沿子午岭西麓经志丹南部进入甘肃,折向西经平凉过关山北端,止于天水。包括吕梁山的南段、黄龙山、子午岭、关山等山地。带内气候属温暖半湿润气候,干燥度1.2～1.5,山区为1.0～1.2,年均气温9.0～12.0℃,年均降水量500～650mm。地带性土壤为褐土和紫黑垆土。平原地区农业土壤为长期耕作形成的塿土以及黄绵土。

本带植被以落叶阔叶林为代表,栎类是最重要的标志。其中栓皮栎、麻栎林沿黄河两岸最北界可分布到黄龙山南段,其余地区麻栎林和槲栎林的北界则见于关中北山,再向北则辽东栎林占绝对优势。温性针叶林中以油松、侧柏、白皮松为主。其中喜暖的白皮松林主要生长在南部,但在黄河沿岸可分布到黄龙山北段。天然小乔木有桑、榆、臭椿等,灌丛有黄栌、连翘、丁香、荆条等,在海拔较高处有胡枝子、绣线菊、枸子木、黄刺玫等,坡地上有羊胡子草、

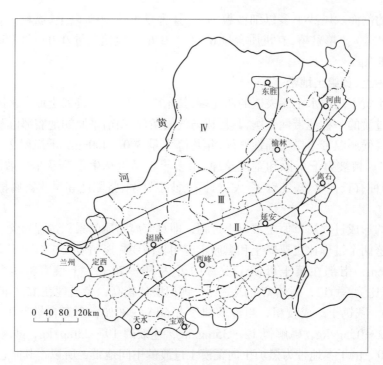

Ⅰ森林带　Ⅱ森林草原带　Ⅲ典型草原带　Ⅳ荒漠草原带

图1-10　黄土高原流失区植被带划分图(吴钦孝,杨文治,1998)

野黄菊、黄菅草、白羊草等组成的草甸。

本带气候温暖,雨量适中,适合农林业生产。农作物以冬小麦、玉米、红薯等为主,二年三熟;林果业发达,黄土高原水土流失区的天然林主要分布于此。适宜人工栽植的树种主要有杨、柳、椿、榆、槐、白蜡、泡桐、油松、侧柏等。适生果树有柿、枣、核桃、花椒、苹果、桃、杏等,其中名特产有枣、柿、苹果、杏等。根据土壤和植被类型的差异以及森林恢复的难易程度,本带又可划分成两个亚带,即森林带南亚带和森林带北亚带,其分界线始于山西蒲县,经吉县西过黄河,入陕西经黄龙、黄陵、彬县、陇县进入甘肃。

南亚带年均降水量550～650mm,年均气温大于10℃,≥10℃活动积温3 000～4 000℃,土壤为褐土,植被以喜暖的栎林(麻栎、槲栎、栓皮栎)为主。北亚带较南亚带干旱,气温低,土壤为紫黑垆土,植被主要为半旱生落叶阔叶林,优势种有山杨、辽东栎、白桦等。由于地貌起伏较大,森林植物条件趋于旱化,故一旦遭到破坏,森林恢复比南亚带困难,将导致严重的水土流失。

(二)森林草原带

本带南接森林带,北界始于神池,由兴县和临县间过黄河至绥德、志丹,经甘肃华池、宁夏固原,越六盘山过华家岭,终止于定西南部,包括北洛河中游、泾河中游、渭河上游、吕梁山中段、子午岭、六盘山等。带内地貌为起伏的黄土丘陵,海拔1 000～1 200m,为半湿润、半干旱气候,干燥度1.4～1.8,年均气温8.5～10℃,年均降水量450～550mm,地带性土壤为黑垆土,山地次生林下土壤为灰褐土。

本带处于森林与典型草原之间的过渡地带,与森林带的最大差别是草原植被占有较大优势,其中具有代表性的有白羊草草原、长芒草－白羊草草原、茭蒿－长芒草草原、长芒草－

兴安胡枝子－杂类草草原。这些草原多分布于黄土丘陵的阳坡、梁顶等显性地域,有时也出现在侧柏林下,使侧柏疏林更具草原化特征。分布较普遍的灌木多为中旱生、旱中生成分,如狼牙刺、扁核木、杠柳等,多为小群聚或构成草原中的稀疏灌木层片。在荫蔽沟谷和地势较高处有丁香、沙棘、绣线菊分布。乔林植被多发育在较高山地和沟谷中,代表类型有油松、辽东栎、白桦、山杨等。自生小乔木有榆树和臭椿等。

带内旱作农业生产较为稳定,作物欠年率 10%～15%。主要作物种类有冬小麦、玉米、糜、谷、马铃薯等。适宜人工栽植的树种阳坡有沙棘、小叶锦鸡儿、山桃、山杏、榆、侧柏等,阴坡有刺槐、杨、油松等。适生果树有枣、苹果、梨、杏等,其中苹果和大枣比较驰名。

(三)典型草原带

本带南接森林草原带,北界始于东胜,经定边、盐池、同心、海原,止于甘肃兰州以南,包括无定河上游、泾河上游、清水河上游、祖厉河上游以及白于山、屈武山等。带内气候为温暖半干旱气候,大部分地区干燥度 1.8～2.2,年均降水量 300～450mm,地貌为缓坡长梁状黄土丘陵,地带性土壤为轻黑垆土和少量的淡栗钙土。

本带草原植被占优势,其中长芒草草原分布最广,其次为艾蒿草原。与森林草原带相比,铁杆蒿草原成分下降,大针茅草原占据一定位置。沙芦草草原在白于山至偏关一带有较多分布。华家岭、白于山和黄土丘陵顶部以百里香、冷蒿等与针茅类组成的草原类型较多,白羊草仅在个别地段出现。神木县尚有小片杜松疏林和臭柏灌丛。覆沙黄土丘陵上有锦鸡儿灌丛和油蒿半灌丛。

带内除河谷平原与河流沿岸适合发展农业外,其他大部为农业不稳定区,欠年率占20%～30%。适宜作物有春小麦、糜、谷、马铃薯、荞麦、黑豆、芸芥等。适宜造林树种不多,四旁可栽植旱柳、小叶杨、榆等,刺槐仅限于在湿润温暖的沟谷中种植。阳坡已不适宜营造乔木林,可栽种柠条等灌木;阴坡可栽植油松、山杏、榆等。果树有葡萄、杏、海红等。

(四)荒漠草原带

本带位于黄土高原水土流失区的西北端,东南接典型草原带,面积较小。气候为半干旱－干旱气候,干燥度 2.2～3.0,年均降水量小于 300mm。地带性土壤为棕钙土和灰钙土,土壤沙性重。因地处黄土区边缘,带内丘陵平缓,谷地开阔,各种类型的短花针茅草原广为分布。由于区域性差异,西部除短花针茅外,还有灌木亚菊、中亚紫宛木等;东部在短花针茅草原中常伴生戈壁针茅、沙生针茅,地形较高处还常生长着长芒草等。在黄土与沙地复合地区,黄土上为短花针茅、戈壁针茅草原,沙地上则生长着苦豆子等。

本带农作物只限于在谷地栽培,产量极不稳定,保证率仅 50%,以春小麦、糜、谷、荞麦,莜麦等为主。乔木仅限于洼地与四旁种植,树种明显减少,仅有沙枣、榆、旱柳、小叶杨等。

五、河流水系

黄土高原地区面积大于 1 000km^2 的直接入黄支流有 48 条,其中水土流失严重、对干流影响较大的支流有洮河、湟水、庄浪河、祖厉河、清水河、浑河、杨家川、偏关河、皇甫川、清水川、县川河、孤山川、朱家川、岚漪河、蔚汾河、窟野河、秃尾河、佳芦河、湫水河、三川河、屈产河、无定河、清涧河、昕水河、延河、汾川河、仕望川、汾河、泾河、北洛河、渭河、伊洛河等 32 条支流,以及内蒙古的"十大孔兑"。

(一)水文泥沙

黄土高原地区的径流主要由暴雨洪水形成,区域差异明显。黄河兰州以上地区多湖泊、沼泽,降雨强度小、历时长、范围广,形成的洪水洪峰小,涨落平缓,含沙量小;兰州至河口镇区间两岸多为沙漠地带,无大的支流汇入,气候干旱,降雨量小,洪水过程更趋平缓;河口镇至花园口区间暴雨洪水频繁、洪峰高、含沙量大、历时短、陡涨陡落。该区间有三大暴雨中心,相应形成河口镇至龙门、龙门至三门峡、三门峡至花园口三大洪水来源区,常常形成大洪水和特大洪水,危害极大,如 1958 年 7 月 17 日由三花区间干支流洪水遭遇形成的特大洪水,花园口站实测洪峰流量 22 300m³/s;窟野河 1959 年实测洪峰流量达 14 000m³/s,最大含沙量达 1 700kg/m³。

(二)黄河泥沙特点

(1)含沙量高、输沙量大。黄河三门峡站多年平均输沙量约 16 亿 t,多年平均含沙量 35kg/m³,实测最大含沙量 911kg/m³(1997 年),均为大江大河之最。河龙区间的皇甫川、孤山川和窟野河,洪水期含沙量常常超过 1 000kg/m³,实测最大含沙量达 1 700kg/m³(窟野河)。

(2)地区分布不均。黄河兰州以上面积占 34%,来沙仅占 9%;河口镇至三门峡区间面积占 17%,来沙占 90%。特别是 7.86 万 km² 的多沙粗沙区,来沙占 65.2%。

(3)年内分配集中,年际变化大。黄河泥沙年内分配极不均匀,汛期 6~9 月沙量占全年的 90%,尤其是 7、8 两个月来沙更为集中,占全年的 71%。黄河沙量的年际变化不均,泥沙往往集中在几个大沙年份,三门峡站最大年输沙量 39.1 亿 t(1993 年),是最小年输沙量 3.75 亿 t(2000 年)的 10.4 倍。

(4)泥沙主要来源于沟道。据皇甫川、清涧河、北洛河流域典型小流域研究结果,沟间地产沙占 20%,沟谷地产沙占 80%。

六、土壤侵蚀

土壤侵蚀是黄土高原最大的环境问题,也是生态环境恶化、生产水平低下、经济发展缓慢的重要原因。

据唐克丽等(1991)研究,黄土高原水土流失区的土壤侵蚀类型可划分成暖温带半湿润落叶阔叶林水力、重力侵蚀带,暖温带半干旱森林草原水力侵蚀带,暖温带半干旱草原风力、水力侵蚀带和温带干旱荒漠草原风力侵蚀带。

(一)暖温带半湿润落叶阔叶林水力、重力侵蚀带

本带位于黄土高原水土流失区南部,其北界在永和、延安、庆阳、镇原、隆德、甘谷一线。带内年降水量 400~700mm,干燥度<1.5,南部地貌以黄土台状地(黄土塬、黄土残塬和黄土台塬)为主,北部则以黄土丘陵为主。陇中、宁南为梁状黄土丘陵,陕北则为黄土丘陵沟壑。黄土分布广泛,厚 50~150m。植被为暖温带落叶阔叶林。因长期人为开垦和过伐等原因,天然林已遭到严重破坏,现仅在子午岭、黄龙山等山地有比较成片的分布。草场因过牧而退化严重。

由于降水量较大,且多暴雨,水力侵蚀成为该带主要侵蚀方式,但因有乔灌林地分布,山地和丘陵土壤侵蚀轻微;黄土塬和黄土台塬,因塬面平坦,土壤侵蚀也相对较轻。而沟谷边缘、河流沿岸的崩塌、滑坡、岸边坍塌却严重,且较普遍。河流输沙模数在 5 000~10 000

$t/(km^2 \cdot a)$。

(二)暖温带半干旱森林草原水力侵蚀带

本带南接半湿润落叶阔叶林水力、重力侵蚀带,北界东起神池,经五寨、临县、绥德、吴旗、环县、固原、会宁,止于定西。

带内地貌以黄土丘陵为主,西部陇中、宁南多为梁状黄土丘陵,东部陕北、晋西以梁峁状黄土丘陵为主。黄土分布广泛,厚达 $50 \sim 100m$,属半干旱森林草原地带。因长期人为破坏,带内植被稀少,仅在山地和沟道有森林植被分布。由于夏秋多暴雨以及地面起伏不平,土质疏松,水力侵蚀强烈,重力侵蚀,洞穴侵蚀、潜蚀、溶蚀也较活跃,侵蚀模数 $5\,000 \sim 20\,000$ $t/(km^2 \cdot a)$。

(三)暖温带半干旱草原风力、水力侵蚀带

本带南界与半干旱森林草原侵蚀带相接,北界始于和林格尔,至东胜折南,沿窟野河南下到神木再折西南,经榆林、横山、定边、同心、靖远,止于兰州北。

带内年均降水量西部小于400mm,东部可达450mm,年蒸发量 $1\,600 \sim 2\,000$mm,干燥度 $1.5 \sim 2.0$,年均大风日数 $5 \sim 10$d。地貌有黄土梁峁、宽谷垌地、黄土残塬、盖沙黄土丘陵和风蚀黄土丘陵等,并有片沙分布。植被以干草原为主,但退化严重,绝大部分地面裸露。该带是我国北方地区暴雨中心,又多大风天气,水蚀风蚀强烈。在干旱年份和季节由风蚀、剥蚀、重力侵蚀搬运而堆积于沟道、河岸、河床内的松散物质,遇暴雨洪水集中下泄,使河流输沙量陡增,侵蚀模数达 $6\,000 \sim 25\,000t/(km^2 \cdot a)$。

(四)温带干旱荒漠草原、半干旱草原风力侵蚀带

本带位于水土流失区的西北端,面积较小。南界与半干旱草原风力、水力侵蚀带相接。带内年均降水量东部小于 400mm,西部小于 300mm,年蒸发量 $2\,000$mm 以上,干燥度 >2.0,除灌溉农业外,基本为荒漠草原、干草原,沙丘沙地广泛分布。全年多大风和沙暴,平均大风日数 10d 以上,东胜可达 50 天,风蚀成为塑造带内地面的主要外营力,风蚀模数达 $5\,000 \sim 10\,000t/(km^2 \cdot a)$。

第三节　社会经济状况

黄土高原地区涉及 7 省(区)的 50 个地(州、市),317 个县(市、区、旗),总人口 8 742 万,农业人口 6 908 万,农业劳力 3 191 万个。该区 39 条支流(片)涉及 7 省(区)的 42 个地(市、盟、州)246 个县(市、区、旗),总人口 6 883 万,其中农业人口 5 322 万。受自然条件和社会经济因素影响,黄土高原地区人口分布不均,东部相对稠密、西部相对稀少,平原阶地区密度最大,塬区和丘陵区次之,山区、风沙区密度最小。黄土高原地区是我国西部大开发的重点地区,但由于水土流失严重,生态环境恶劣,绝大多数地区经济落后、群众生活贫困。

一、自然资源

(一)水资源

黄土高原地区天然径流量为 559.2 亿 m³(花园口站 1919～1975 年系列资料),其中,内流区 11.9 亿 m³;地下水资源量为 360.0 亿 m³。水资源的主要特点有:

(1)水量贫乏。该区面积占全国的 6.7%,而年径流量只占全国的 1%～2%。区域内人均水量 527m³,为全国人均水量的 22%;耕地每公顷平均水量 4 410m³,仅为全国的 16%。

(2)地区分布不均。兰州以上地区径流量占 55.6%,年径流深 100～200mm;兰州到河口镇,年径流深 10～50mm;河口镇到三门峡,年径流深 20～50mm;龙门至三门峡区间面积占 25.4%,径流量只占全河的 19.5%。

(3)年内、年际变化大。该区河川径流主要集中在汛期 6～9 月,占 60%～70%;而非汛期 10 月至次年 6 月来水不足 40%。最大年径流量是最小年的 3～4 倍,花园口最大年径流量为 940 亿 m³,最小年仅为 274 亿 m³。

(4)含沙量高,利用难度大。黄土高原地区的径流多以暴雨洪水形式出现,含沙量高,加上复杂的地形,水资源难以利用。据观测,黄河三门峡站多年平均含沙量 35kg/m³,多条支流洪水含沙量 300～500kg/m³,甚至达 1 000kg/m³ 以上。

(二)土地资源

黄土高原地区总面积 64.2 万 km²,该区山坡地面积大,难利用土地多。据黄考队遥感结果,全区坡度小于 3°的平地仅占 29.6%,其中川平地占平地的 71.5%、高平地占平地的 28.4%、土石山平地占平地的 0.1%,川平地主要分布于宁蒙河套平原、汾渭平原;3°～7°的平坡地占 6.8%,主要分布于黄土丘陵区(占 95%)、土石山区(5%);7°～15°的缓坡地占 16.2%,主要分布于黄土丘陵区(占 66.9%)、土石山区(占 33.1%);15°～25°的斜坡地占 21.4%,其中黄土丘陵区占 61.2%;>25°的陡坡地占 26.0%,其中黄土丘陵区占 17.5%。

黄土高原地区约有耕地 1 300 万 hm²,以坡耕地为主,坡耕地占 62%,基本农田占 38%。坡耕地保水保肥能力差,一般产量仅 375～750kg/hm²,遇干旱就会严重减产,甚至颗粒无收。

该区土地资源分布不平衡,人均土地存在较大差异。土石山区、风沙区、干旱草原区、高地草原区和林区人口稀少,土地面积 31.7 万 km²,人均 1.6～10.0hm²;黄土丘陵沟壑区人口居中,土地面积 21.7 万 km²,人均 0.5～1.7hm²;黄土高塬沟壑区人口较密,土地面积 3.3 万 km²,人均 0.6hm²;平原和阶地区人口稠密,土地面积 7.3 万 km²,人均 0.1～0.3hm²。

(三)矿产资源

黄土高原地区矿产资源丰富,目前探明的矿产有 100 多种,其中,稀土、石膏、玻璃用石英岩、铌、煤、铝土、钼、耐火黏土等储量占全国总储量的 1/3 以上;石油和芒硝储量占全国总储量的 20%～30%;天然碱、硫铁矿、水泥用灰岩、钨、铜、岩金等的储量占全国总储量的 10%～20%。位于晋陕蒙接壤地区的神府、东胜、准格尔、河东四大煤田,储量占全国煤炭总储量的 50%以上;陕甘宁蒙接壤地区的石油、天然气储量也相当丰富,是我国重要的能源重化工基地。

(四)土地利用

黄土高原地区农耕地约 1 300 万 hm²,占总土地面积的 20%;林地约 1 200 万 hm²,占 18%,草地约 1 400 万 hm²,占 22%。农耕地中,坡耕地约 800 万 hm²,占 62%,基本农田约 500 万 hm²,占 38%。不同类型区和不同省区的土地利用差异明显。

二、社会经济

黄土高原地区主要工业企业集中于西安、太原、兰州等大中型城市,其他多数地区工业基础薄弱。该区石油产量约占全国的 1/4,原煤产量占全国的一半以上。近年来,随着煤炭、石油、天然气的大规模开发,带动了相关产业和地方经济的发展。例如,晋陕蒙接壤地区形成了神府、东胜、准格尔、河东四大经济增长中心。但黄土高原地区大多属于资源型工业,高新技术产业还相当落后,工业产值、经济效益均低于全国水平。

黄土高原地区的绝大多数地区以农业经济为主,农业产值中种植业占58.7%,林牧副业仅占41.3%。宁蒙河套平原引黄灌溉历史悠久,汾渭平原是我国小麦、棉花、油料作物的主要产区,农业相对发达。广大丘陵山区水土流失严重,生态环境脆弱,80%以上的耕地经常遭受不同程度的干旱威胁,农业产量低而不稳。

自然灾害频繁,生产力水平低下,加之人口增长过快,黄土高原地区的群众生活仍然贫困,是我国贫困人口的主要集中地区,贫困县约占全国贫困县的1/5,是国家重点扶贫地区之一。群众生活贫困的主要表现是收入低下,人居环境恶劣,生活艰难。

局部地区温饱问题没有得到稳定解决,宁夏南部、甘肃中部和陕西北部的丘陵沟壑区经常要从外地调粮。黄土高原地区的相当一部分地区还缺少燃料、饲料、肥料,存在人畜饮水困难。

参 考 文 献

[1] 唐克丽,等.中国水土保持.北京:科学出版社,2004
[2] 黄春长,等.祖国的黄土高原.北京:科学普及出版社,1987
[3] 张武文,等.地学概论.北京:中国林业出版社,2000
[4] 刘东生,等.黄土高原·农业起源·水土保持.北京:地震出版社,2004
[5] 孟庆枚,等.黄土高原水土保持.郑州:黄河水利出版社,1996
[6] 吴钦孝,杨文治.黄土高原植被建设与持续发展.北京:科学出版社,1998

第二章　水土流失危害及防治

第一节　水土流失的概念

一、水土流失的定义

土地资源是三大地质资源(矿产资源、水资源、土地资源)之一,是人类生产活动最基本的资源和劳动对象。人类对土地的利用程度反映了人类文明的发展,但同时也造成对土地资源的直接破坏,这主要表现为不合理耕垦引起的水土流失、土地沙漠化、土地次生盐碱化及土壤污染等,而其中水土流失尤为严重,这是当今世界面临的又一个严重危机。据估计,世界耕地的表土流失量每年约为230亿t。

水土流失(water and soil loss)在《中国水利百科全书·第一卷》中定义为:在水力、风力、重力等外营力的作用下,水土资源和土地生产力的破坏和损失,包括土地表层侵蚀及水的损失,亦称水土流失。

二、水土流失与土壤侵蚀

《中国大百科全书·水利卷》对土壤侵蚀(soil erosion)的定义为:土壤及其母质在水力、风力、冻融、重力等外营力作用下,被破坏、剥蚀、搬运和沉积的过程。同时该书还指出:土壤在外营力作用下产生位移的物质量,称土壤侵蚀量。单位面积单位时间内的土壤侵蚀量称为土壤侵蚀速度(或土壤侵蚀速率)。在特定时段内通过小流域出口某一观测面的泥沙总量,称为流域产沙量。《中国农业百科全书·水利卷》、《中国水利百科全书·第一卷》和《中国大百科全书·农业卷》对土壤侵蚀也作了类似界定。

1971年美国土壤保持学会把土壤侵蚀解释为:"土壤侵蚀是水、风、冰或重力等营力对陆地表面的磨蚀,或者造成土壤、岩屑的分散与移动"。英国学者 N.W. 哈德逊在《土壤保持》(Soil Conservation,1971)一书中定义为"就其本质而言,土壤侵蚀是一种夷平过程,使土壤和岩石颗粒在外营力的作用下发生运转、滚动或流失。风和水是使颗粒变松和破碎的主要营力"。可以看出,英、美学者对土壤侵蚀的定义既包含了土壤及其母质,也包含了地表裸露岩石,但都忽略了沉积的过程。

随着人们对环境与发展认识的深化,土壤侵蚀紧密与生态环境变化相关,土壤侵蚀定义更应广泛一些,即土壤侵蚀是土壤及其母质和其他地面组成物质,在水力、风力、冻融及重力等外营力作用下的破坏、剥蚀、搬运和沉积过程。

水土流失一词在中国早已被广泛使用,自从土壤侵蚀一词传入国内以后,从广义理解常被用作水土流失的同一语。从土壤侵蚀和水土流失的定义中可以看出,二者虽然存在着共同点,即都包括了在外营力作用下土壤、母质及浅层积岩的剥蚀、搬运和沉积的全过程;但是也有明显差别,即水土流失中包括了在外营力作用下水资源和土地生产力的破坏与损失,而土壤侵蚀中则没有。

虽然水土流失与土壤侵蚀在定义上存在着明显差别,但应该看到因水土流失一词源于我国,科研、教学和生产上使用较为普遍;而土壤侵蚀一词为我国的外来词,其涵义显然狭于水土流失的内容。随着水土保持这一学科发展和成熟,在教学和科研方面人们对二者的差异给予了越来越多的重视,而在生产上人们常把水土流失和土壤侵蚀作为同一语来使用。

第二节 水土流失的现状及危害

一、水土流失的现状及发展趋势

(一)水土流失现状

我国是世界上水土流失最严重的国家之一,土壤侵蚀遍布全国,而且强度高、成因复杂、危害严重,尤以西北的黄土、南方的红壤和东北的黑土最为强烈,侵蚀主要有水蚀、风蚀、冻融侵蚀等类型。据水利部遥感中心 1990 年调查统计,全国土壤侵蚀面积达 492 万 km^2,占国土面积的 51%,其中轻度以上水蚀面积 179 万 km^2、风蚀面积 188 万 km^2、冻融侵蚀 125 万 km^2。详见表 2-1、表 2-2。

表 2-1 全国土壤侵蚀面积统计 (单位:万 km^2)

项目	土壤侵蚀		土壤水蚀		土壤风蚀		冻融侵蚀	
	面积	%	面积	%	面积	%	面积	%
轻度侵蚀	254.03	51.59	91.91	51.23	94.11	50.16	68.01	54.23
中度侵蚀	135.05	27.42	49.78	27.74	27.87	14.86	57.40	45.77
强度侵蚀	47.62	9.67	24.46	13.63	23.17	12.35		
极强度侵蚀	25.76	5.23	9.14	5.08	16.62	8.86		
剧烈侵蚀	29.96	6.08	4.12	2.30	25.84	13.77		
中度以上	238.41	48.41	87.51	48.77	93.30	49.84	57.40	45.77
轻度以上	492.44	100.00	179.42	100.00	187.61	100.00	125.41	100.00

(二)水土流失的发展趋势

根据水利部 2002 年公布的第二次遥感普查结果,我国局部地区水土流失状况明显好转,但是整体形势仍然令人担忧。全国水土流失面积已由 1990 年第一次遥感时的 367 万 km^2,减少为 2000 年的 356 万 km^2,其中水蚀面积 165 万 km^2,风蚀面积 191 万 km^2。遥感调查结果表明,近年来中国水土保持生态建设取得很大成就,10 年来全国水土流失总面积减少 11 万 km^2,预防监督工作得到加强,有效地控制了人为水土流失,特别是多年来开展的水土流失综合治理,使局部地区水土流失状况明显好转。减少的水土流失面积中,水蚀面积由 179 万 km^2 减少到 165 万 km^2,减少了 14 万 km^2,风蚀面积略有增加,由 10 年前的 188 万 km^2 增加到 191 万 km^2。

表 2-2　中国各省(市、区)水土流失状况　　　　(单位:万 km²)

序号	省区	水蚀面积	风蚀面积	流失总面积	序号	省区	水蚀面积	风蚀面积	流失总面积
1	北京	0.48	0.00	0.48	17	江苏	0.92	0.00	0.92
2	天津	0.04	0.00	0.04	18	安徽	2.89	0.00	2.89
3	河北	5.81	1.29	7.10	19	浙江	2.57	0.00	2.57
4	山西	10.77	0.02	10.79	20	江西	4.57	0.02	4.58
5	内蒙古	15.81	64.05	79.86	21	福建	2.11	0.03	2.14
6	辽宁	6.37	0.19	6.56	22	台湾	0.89	0.00	0.89
7	吉林	2.41	1.58	3.99	23	湖北	6.85	0.00	6.85
8	黑龙江	11.26	0.77	12.02	24	湖南	4.72	0.00	4.72
9	陕西	12.04	1.16	13.20	25	广东	1.14	0.00	1.14
10	甘肃	10.69	12.93	23.62	26	海南	0.05	0.00	0.05
11	宁夏	2.29	1.60	3.89	27	广西	1.11	0.00	1.11
12	青海	4.01	14.26	18.27	28	四川	18.42	0.00	18.42
13	新疆	11.38	83.64	95.02	29	贵州	7.67	0.00	7.67
14	河南	6.48	0.00	6.48	30	云南	14.45	0.00	14.45
15	山东	5.04	1.03	6.07	合计	全国	179.42	187.61	367.03
16	西藏	6.21	5.06	11.26					

注:水利部 1993 年发布的资料。

我国水土流失分布范围广、类型多、流失强度大。不论山区、丘陵区、风沙区,还是农村、城市,都存在不同程度的水土流失问题。不仅有水蚀、风蚀,还有冻融侵蚀、重力侵蚀。西部地区,特别是大江大河上中游地区,水土流失严重、生态恶化的趋势尚未得到有效遏制。西部地区由于植被稀疏,降雨量偏少,导致一些流域水量减少,人工种植的林草成活率不高、原生植被枯死,以及草地严重过牧造成的草场沙化、退化和碱化等因素,都加剧了风蚀程度。而乱砍乱伐、乱垦滥挖,内陆河流域不合理的开发,破坏原生植被,一些开发建设项目忽视水土保持,造成了新的人为的水土流失。西部 12 个省(区)10 年间水土流失面积增加了 7 万km²,西北地区的新疆、内蒙古、甘肃、青海成为我国风力侵蚀最为严重的地区,我国风蚀面积扩大的趋势尚未得到有效遏制。按照现在的防治速度,全国宜治理的水土流失面积仍有近 200 万 km² 左右,需要近半个世纪的时间才能得到初步治理。因此,必须充分认识防治水土流失的紧迫性、艰巨性和长期性。

二、水土流失的危害

水土流失在我国的危害已达到十分严重的程度,它不仅造成土地资源的破坏,导致农业生产环境恶化,生态平衡失调,水旱灾害频繁,而且影响各业生产的发展。具体危害如下:

(一)破坏土地资源,蚕食农田,威胁群众生存

土壤是人类赖以生存的物质基础,是环境的基本要素,是农业生产的最基本资源。年复

一年的水土流失,使有限的土地资源遭受严重的破坏,地形破碎,土层变薄,地表物质"沙化"、"石化",特别是土石山区,由于土层流失殆尽、基岩裸露,有的群众已无生存之地。据初步估计,由于水土流失,全国每年损失土地约 13.3 万 hm^2,按每公顷造价 1.5 万元统计,每年就损失 20 亿元。更严重的是,水土流失造成的土地损失,已直接威胁到水土流失区群众的生存,其价值不能单用货币计算。

黄土高原平均每年流失泥沙约 16 亿 t,每年每公顷流失表土 75~120t,严重的超过150t,土壤流失的速度超过成土速度的 5~10 倍,且流失的都是肥土。在土层很薄的陇南山地及土石山区,往往侵蚀成为"土少石头多,陡坡乱石窝"的不毛之地,土地失去利用价值。陕西秦巴山区,大多数耕地在山坡上,约占总耕地的 81%。其中陡坡耕地 37 万 hm^2,占总农耕地的 40.6%。由于陡坡耕地面积大、植被少、暴雨强,所以水土流失灾害猖獗。每年7~9 月份雨季,若遇暴雨,轻则表土流失、肥力减退,重则表土"一洗而光",变成乱石渣或光石板。

(二)削弱地力,加剧干旱发展

由于水土流失,使坡耕地成为跑水、跑土、跑肥的"三跑田",致使土地日益瘠薄,而且土壤侵蚀造成土壤理化性状恶化,土壤透水性、持水力下降,加剧了干旱的发展,使农业生产低而不稳,甚至绝产。资料表明,全国多年平均受旱面积约 2 000 万 hm^2,成灾面积约 700 万hm^2,成灾率达 35%,而且大部分在水土流失严重区,这更加剧了粮食和能源等基本生活资料的紧缺。

水土流失破坏水土资源与生态环境,造成土地贫瘠,降低保土保肥的能力。水土流失地区降水量较少,不能满足雨养作物正常生长所需要的水分,且多以暴雨的形式降落,造成流失量多,干旱更趋严重。甘肃省坡耕地约占总耕地面积的 59%,地力日益减退,土层变薄,农业生产条件恶化,全省 18 个有名的干旱县均位于水土流失区,这里"三年两头旱","年年有干旱"。连以前很少干旱的林区,在近 20 多年里,随着森林的破坏和水土流失的增加,也出现了 19 年干旱,发生几率达 86%。

(三)泥沙淤积河床,加剧洪涝灾害

水土流失使大量泥沙下泄,淤积下游河道,削弱行洪能力,一旦上游来洪量增大,常引起洪涝灾害。新中国建立以来,黄河下游河床平均每年抬高 8~10cm,目前已高出两岸地面4~10m,成为"地上悬河",严重威胁着下游人民生命财产的安全,成为国家的"心腹大患"。近几十年来,全国各地都有类似黄河的情况,随着水土流失的日益加剧,各地大、中、小河流的淤高和洪涝灾害也日益严重。由于水土流失造成的洪涝灾害,全国各地几乎每年都不同程度的发生,不胜枚举,所造成的损失令人触目惊心。

渭河是黄河上最大的一级支流。2003 年 8 月 23 日至 10 月 13 日的 52 天内,累计降雨长达 32 天,其降雨总量在 450~700mm,较历年同期偏多 8.7~1.8 倍。其洪水频率仅为5~15 年一遇,洪峰流量不大,属于中常洪水,但其水位却比历史最高水位高出 0.31~0.51m;全流域有 7 个地(市)33 个县的 158.89 万人、1.48 万 hm^2 农田受灾,直接经济损失达 35.6 亿元。其中,中上游的甘肃省遭遇了暴雨、泥石流等灾害,4 个地(市)21 个县(市)的102.64 万人受灾,水毁农田 4.78 万 hm^2,农作物成灾面积达 5.56 万 hm^2,倒塌房屋 7.15 万间,数千头家畜(禽)死亡,多处道路、水利水保工程毁坏,局部电力、通信中断,城市供水等设施受损,造成 87 人死亡,46 人受伤,直接经济损失 7.6 亿元;下游的陕西省遭遇了前所未有的洪涝灾害,咸阳、西安、渭南三市12个县的56.25万人受灾,紧急撤离转移39万余人,农作物受灾面积达9.19万 hm²,其中绝收面积8.13万 hm²,倒塌房屋18.72万间,6 503处水利设施、17座桥涵、158条558km公路、296km输电线路遭受损毁,20个乡镇卫生院被淹,182所学校的4.9万名学生不能正常上课,直接经济损失达28亿元。

(四)泥沙淤积水库湖泊,降低其综合利用功能

水土流失不仅使洪涝灾害频繁,而且产生的泥沙大量淤积水库、湖泊,严重威胁到水利设施效益的发挥。初步估计,全国各地由于水土流失而损失的水库、山塘库容累计达200亿 m³以上。相当于淤废库容1亿 m³的大型水库200多座,按每立方米库容0.5元计,直接经济损失约100亿元,而由于水量减少造成的灌溉面积、发电量的损失以及库周生态环境的恶化,其经济损失更是难以估计的。

(五)影响航运,破坏交通安全

由于水土流失造成河道、港口的淤积,致使航运里程和泊船吨位急剧降低,而且每年汛期由于水土流失形成的山体塌方、泥石流等造成的交通中断,在全国各地时有发生。据统计,1949年全国内河航运里程为15.77万 km,到1985年减少为10.93万 km,1990年又减少为7万多 km,已经严重影响着内河航运事业的发展。

(六)水土流失与贫困恶性循环,同步发展

我国大部分地区的水土流失是由陡坡开荒、破坏植被造成的,且逐渐形成了"越垦越穷,越穷越垦"的恶性循环,这种情况是历史上遗留下来的。而新中国建立以后,人口增加更快,情况更为严重,水土流失与贫困同步发展。这种情况如不及时扭转,水土流失面积不断扩大,自然资源慢慢枯竭,人口逐渐增多,群众贫困日益加深,后果不堪设想。

综上所述,我国的水土流失是相当严重的,已经给群众生产生活环境和国民经济发展带来了巨大危害,必须尽决加强水土流失区综合治理。

第三节　水土流失的成因

水土流失是自然因素和社会经济因素共同作用的结果。影响水土流失的自然因素有地貌、土壤、降水、植被等,社会经济因素主要是人口产生的对土地资源的掠夺性开发利用、城市发展和工程建设。在自然状态下,土壤侵蚀一般比较缓慢,土壤侵蚀从土壤的自然形成过程取得补偿,土壤系统基本处于平衡状态。而人类不合理的经济活动尤其是对植被的破坏,导致自然生态系统失去平衡,加速了水土流失过程,是水土流失的根本原因。

一、自然因素

(一)地质地形

黄土高原地区大部分被松软的黄土覆盖,其土壤是在黄土母质上发育起来的。其中以黄绵土、灰钙土等土质较多,遇水易松散,湿陷性很强,极易被雨点破坏或被径流带走。山地土壤多为山地棕壤土与山地褐土,虽然可蚀性能较弱,但土层较薄,蓄水有限,极易流失。而且该地区以丘陵沟壑和高原沟壑地形为主,沟道纵横,坡陡沟密,地形破碎,坡度陡峭。一般坡度陡、产流多、流速大、冲刷力也大,为水土流失的形成与发育提供了有利条件。

(二)土壤

黄土是典型的粉砂沉积物,其主要成分是粉砂,尤其是粗粉砂,其次还含有一定量的极细砂及黏粒。按尤尔斯特隆图解,粒径一般为 0.08~0.5mm 的碎屑在水流中极易被起动,而黄土的组成正好在这个范围内,故黄土的抗冲性很差。其次,黄土是由黏土及碳酸盐等物质半胶结而成,其胶结方式主要是接触—基底式,这种胶结物及胶结方式使其遇水极易崩解,从而造成黄土的抗冲能力很弱。另外,黄土的抗剪强度指标特别是内聚力 C 值较低,这也是黄土边坡很易发生滑塌的重要原因之一。加之,黄土垂直节理发育,所以大大小小的崩塌更是易见;黄土含有一定量的黏粒,又为形成干湿风化与冻融风化、发育泻溜创造了条件。这些重力侵蚀、冻融侵蚀等形成的黄土堆积物为沟谷洪流提供了大量极易被输移的泥沙,也为黄土泥流的形成提供了大量松散的固体物质。黄土的孔隙度虽较大,但空隙很小,大多数乃至绝大多数都属于毛管空隙,雨滴击溅后极易堵塞,很不利于黄土的透水入渗,易产生超渗产流,导致水土流失。

(三)降水

黄土高原虽属季风气候区,但距海洋较远,大陆性气候特征。由东南向西北逐渐增强,东南属半湿润气候,中部为半干旱气候类型,西北部属干旱气候类型。大气环流的特点主要是位于西风带内地面低压系统活动频繁,从而造成多暴雨天气。据统计,山西平均年暴雨 5~6 次,陕西 8~9 次,其中有 77%~86% 的暴雨集中于 7~8 月。有的几场暴雨或一场暴雨的雨量相当于多年平均值的数倍。暴雨多、强度大的这种气候特点,极易产生水土流失。如安塞县云召山,1977 年 7 月 5 日至 6 日降暴雨 143.5mm,这次暴雨侵蚀模数达到 28 500t/km²,为该流域多年平均侵蚀模数的 1.94 倍。可见高强度暴雨对黄土高原地区水土流失影响巨大。另外,暴雨又相对集中于陕北、晋西、内蒙古准格尔旗一带,使该区成为黄河泥沙的重要来源之一。

(四)植被

植被对水土流失的影响至关重要,是水土流失强弱的关键因素之一。植被以拦蓄降水,减低雨滴对地表的击溅,削弱降水对土壤表层的破坏;土表的枯枝落叶层和形成的腐蚀质层,可改良土壤,增加通透能力与蓄水量;地下根系有盘结土壤的作用,增加土壤的抗蚀能力。植被对水资源的保护作用,随着植被类型的不同和覆盖度的大小而有显著差异。一般情况是,森林比草地好,茂密的比稀疏的好,针叶林比阔叶林好,天然林草比人工林草好。在一般情况下,森林的林冠能截留 12mm 降水,枯枝落叶层涵养水源的总量可达 30mm 左右;植被较好的林区草原区,侵蚀模数仅为 500t/(km²·a),而荒山秃岭的侵蚀模数可达 5 000 t/(km²·a)上下,有的超过 10 000t/(km²·a)。

(五)新构造运动的影响

黄土高原大体上可分为陇中高原、陇东、陕北、晋西高原和山西高原五个部分。以六盘山为界,东西分异明显。六盘山以西,乌鞘岭以东的陇中高原是一个盆地型高原,新构造运动复杂、区域变化明显,大致以华家岭为界,南部抬升量高于北部。六盘山以东,吕梁山以西的陕北黄土高原也是一个盆地型高原,新构造运动表现为整体抬升,白于山至准格尔旗一带抬升量最大。吕梁山以东,太行山以西的山西高原基底是由山西台背斜发展起来的准平原,喜马拉雅山运动沿构造线断裂抬升,太行山、霍山为正断层式单斜挠起,中条山、吕梁山作地垒式抬升,汾河地堑陷落并受 3 条斜交断层拦截成几个雁式小盆地,如临汾、太原、忻县、运城、长治、榆社、秦阳、大同盆地。处于长城以北的鄂尔多斯风沙高原,是中生代末期以来间歇上升的高原。

总体来说,黄土高原处在上升之中。根据有关资料,250万年来,黄土高原上升了400～500m的高度。黄土高原的不断上升,为其严重的水土流失提供了位能条件,旧的平衡不断被打破,形成新的平衡的趋势使水土流失有可能发生和发展。

二、人为因素

近3 000年来,特别是明代中叶以来,人类活动强烈影响着本区的植被演变,是本区环境演变的主导因素。黄土高原的土壤侵蚀量从公元742年到1980年的1 200余年里,从11.6亿t增加到22.3亿t,增加了近1倍;人口从1 010万增加到7 520万,增加了6 510万人。其中,从公元742～1821年的近1 100年间,侵蚀量仅增加了1.7亿t,人口增加了1 980万;而1820～1980年短短的160年时间里,侵蚀增加量达到了9.0亿t,人口增加量达到了4 530万,说明人为加速侵蚀在现代侵蚀中占据主导地位。

进入20世纪90年代后期,土壤侵蚀量有所下降,由1980年的22.3亿t下降到1996年的16亿t,下降了6.3亿t,说明1980年后黄土高原的水土流失治理取得了一定的成效。但值得注意的是,土壤侵蚀量的减少很大程度上是降水减少所致,一旦降水尤其是暴雨增加,高强度土壤侵蚀的状况仍会频繁出现;同时侵蚀量的绝对值仍很大,侵蚀环境仍未根本改变,水土流失严重的局面依然没有得到有效的控制。

总的来说,从清代中叶之后,伴随着人口的急剧增加,土壤侵蚀量也急剧增加,人类活动对土壤侵蚀发生了极为显著的影响,人为加速侵蚀对生态环境的破坏占据了主导地位。

改革开放以来,随着经济的高速发展,加快了城市化的步伐。城市水土流失问题也变得让人们触目惊心。从全国范围来看,各省市城区都存在不同程度的水土流失。据新疆、山东、河南、安徽、广东、上海、辽宁、黑龙江、江西、福建、广西等11个省(市)的57个市调查,57个市的总面积为79 373.56km^2,水土流失面积19 266.26km^2,占城区总面积的24.3%。其中山东省济南、潍坊、泰安、临沂、日照、莱芜、滕州7市土壤流失量高达187.6万t。河道、排水道的泥沙淤积量累计达69.4万t,年土壤侵蚀模数约6 973t/km^2,是"世界水土流失之最"的黄河中上游地区(年土壤侵蚀模数约3 700t/km^2)的1.88倍。而泰安市高达20 280t/(km^2·a),是黄河中上游地区的5.48倍。广东省调查的12个平原市,1986～1995年人为水土流失面积475.13万km^2,平均每年47.5万km^2,淤积山塘、水库230宗,损失库容1 085.66万m^3;辽宁省的丹东市城区水土流失面积由50年代初期的85km^{2}发展到340km^2,年土壤侵蚀模数由原来的500t/km^{2}增至1 000～1 200t/km^2。

第四节　水土流失防治措施

我国是个多山国家,山地面积占国土面积的2/3;我国又是世界上黄土分布最广的国家,山地丘陵和黄土地区地形起伏,黄土或松散的风化壳在缺乏植被保护情况下极易发生侵蚀。我国大部分地区属于季风气候,降水量集中,雨季降水量常达年降水量的60%～80%,且多暴雨。易于发生水土流失的地质地貌条件和气候条件是造成我国发生水土流失的主要原因。

在黄土高原地区,根据水土流失特点、自然资源、生产水平和社会经济条件,因地制宜地采取一些有效措施,通过全面预防和重点治理,减缓水土流失。

一、水土保持预防监督措施

严重的水土流失成为制约当地社会经济实现可持续发展的重要制约因素。多年的治理实践证明,我们在局部重点地区花大力气治理水土流失的同时,在其他水土流失地区或具有潜在水土流失的地区,人们在生产生活、开发项目建设活动中,产生了新的大面积、高强度的水土流失,在局部地区甚至出现了新增水土流失面积大于治理面积、水土流失不断加剧的现象。因此,在系统总结我国水土保持经验教训的基础上,《中华人民共和国水土保持法》确定了水土保持工作必须坚持"预防为主,全面规划,综合防治,因地制宜,加强管理,注重效益"的方针,把预防保护工作提到首位。必须对森林、草原和水土资源进行有效的保护,进行科学的管理、使用,保持良好的生态环境,避免走西方国家先破坏、后治理的老路。落实预防为主的方针,主要体现在以下几个方面。

(一)加大宣传教育力度,提高全民水土保持意识

向群众进行科学普及教育,增强法制观念和意识,使人们认识水土流失的危害和搞好水土保持、建设良好的生态环境对社会经济发展和提高人民生活水平的重要意义。

(二)依法监督,加强管理,坚决制止人为水土流失的发生

根据《水土保持法》等国家及地方颁布的有关法令、规章制度,制定具体预防和奖励措施。对不合理的破坏植被和水土资源的行为要严加管理,对违反规定的要依法处罚。对工矿、交通等基本建设单位和个人的活动进行监督管理,落实开发建设项目水土保持方案的编报、审批、检查验收力度,防止各类建设项目产生新的水土流失。

(三)重视保护和维护水土保持设施、设备,落实谁破坏谁治理政策

对植被良好、流失轻微地区的水土保持工程、生态植被严加保护和维护,通过人为干预,不断提高水土保持措施的功能和经济效益。加强预防监督和水土保持设施保护,落实谁破坏谁治理的政策。

二、水土保持治理措施

水土保持治理措施主要由工程措施、生物措施和保土耕作措施三大部分构成。

(一)水土保持工程措施

根据兴修目的及其应用条件,水土保持工程可以分为以下四种类型:①山坡防护工程;②沟道治理工程;③山洪和泥石流排导工程;④小型蓄水用水工程。

1.山坡防护工程

坡面在山区农业生产中占有重要地位,斜坡是径流的策源地。水土流失要坡沟兼治,但坡面治理是基础。山坡防护工程的作用在于用改变小地形的方法防止坡地水土流失,将雨水及融雪水就地拦蓄,使其渗入农地、草地或林地,减少或防止形成径流,增加农作物、牧草以及林木可利用的土壤水分。同时,将未能就地拦蓄的坡地径流引入小型蓄水工程。在发生重力侵蚀危险的坡地上,修筑排水工程或支撑建筑物,以防止滑坡。山坡防护工程的措施主要有:梯田、拦水沟埂、水平沟、水平阶、水簸箕、鱼鳞坑、山坡截流沟以及稳定斜坡下部的挡土墙等。

2.沟道治理工程

沟道是坡面径流的汇集地,是小流域的主要产沙地。沟道治理工程的目的,在于防止沟头前进、沟床下切、沟岸扩张,减缓沟床纵坡、调节山洪洪峰流量,减少山洪或泥石流的固体物质含量,使山洪安全排泄,对沟口冲积锥不造成灾害。沟道治理工程的措施主要有:沟头防护工程、谷坊工程,以蓄拦调节泥沙为主要目的的各种拦沙坝,以拦泥淤地、建设基本农田为目的的淤地坝及沟道护岸工程等。

为固定沟床,拦蓄泥沙,防止或减轻山洪及泥石流灾害而在山区沟道中修筑的各种工程措施,谷坊、拦沙坝、淤地坝、小型水库、护岸工程等,称为沟道治理工程。沟床固定工程的主要作用则在于防止沟道底部下切,固定并抬高侵蚀基准面,减缓沟道纵坡,减小山洪流速。沟床的固定对于沟坡及山坡的稳定也具有重要意义。沟床固定工程包括谷坊、防冲槛、沟床铺砌、种草皮、沟底防冲林带等措施。

3.山洪和泥石流排导工程

山洪和泥石流排导工程的作用在于防止山洪或泥石流危害沟口冲积扇上的房屋、工矿企业、道路及农田等具有重大经济意义的防护对象。山洪和泥石流排导工程有排洪沟、导流堤等。

4.小型蓄水用水工程

小型蓄水用水工程的作用在于将坡地径流及地下潜流拦蓄起来,减少水土流失危害,灌溉农田,提高作物产量。其工程包括小水库、蓄水塘坝、涝池、水窖淤滩造田、引洪漫地、引水上山等。

(二)水土保持生物措施

传统的水土保持生物措施主要由林业措施、牧草措施两部分组成。通过提高植被覆盖率,使之有效发挥拦蓄径流,涵养水源,调节河川、湖泊和水库的水文状况,防止土壤侵蚀、改良土壤和改善生态环境,达到控制水土流失的目的。

1.水土保持林业措施

通过无林地造林和有林地管护等林业措施,发挥林地的生产效能,在为水土流失区群众提供燃料、木材、果品及其林副产品的同时,促进农林牧及商品生产的综合发展和森林蓄水保土等生态效能的发挥。根据防护目的所处地形部位的不同,水土保持林可分为:分水岭地带防护林、坡面防护林、侵蚀沟道防护林、沟坡防护林、沟头防护林、护岸护滩林、池溏防护林、水库防护林、护路林、水土保持经济林等。

2.水土保持牧草措施

水土保持牧草措施指在遭受水蚀风蚀的草原和丘陵地区,恢复或重建草场,增加地面覆盖,并以提高草地生产力与合理发展畜牧业相结合为目的的水土保持措施。它包括天然草地封育、改良,建立人工草地和划区轮牧。

天然草地封育指对已退化草地进行封育,停止放牧和其他破坏草地的活动,令其自然恢复。

天然草地改良指对严重退化的草地,采取补播、耕翻、灌溉、施肥等人工辅助办法进行改良。

建立人工草地指在耕地人工播种一年生或多年生牧草而建立的草地。人工草地的产草量较天然草地提高数倍到数十倍。畜牧业比较发达的国家都非常重视建立人工草地。

划区轮牧指根据家畜的种类和数量以及草地的面积和产草量,将草地划分为若干区,实行轮流放牧、适度放牧或轮封轮牧的措施。

3.水土保持生态修复

水土保持生态修复一词是2000年以后在我国出现的,并逐渐被人们广泛认同。水土保持生态修复是指在特定的土壤侵蚀地区,通过解除生态系统所承受的超负荷压力,根据生态学原理,依靠生态系统本身的自组织和自调控能力的单独作用或辅以人工调控能力的作用,使部分受损的生态系统恢复到相对健康的状态。生态修复从根本上讲就是尽力控制人为活动对生态环境的破坏和干扰,减轻生态系统所承受的超负荷压力,增强生态系统自我组织和协调的能力,使其在一定的时空条件下,按照自身生长发育规律,迅速恢复发展。

依据生态修复所依靠的作用力不同,水土保持生态修复可分为以下两类:①生态自然修复,即完全依靠生态系统本身的自组织和自调控能力进行生态修复;②自然和人工共同修复,即以依靠生态系统本身的自组织和自调控能力为主,以人工调控能力为辅进行生态修复。

(三)保土耕作措施

保土耕作措施指就地拦蓄降水,防治水土流失,并保证农业增产稳产而采用改变小地形,或增加地面覆盖的耕作、轮作、栽培和改土培肥等技术措施。其特点在于把保持水土和提高农业生产作为统一体来考虑。

保土耕作措施按其保持水土和增产的作用,分两大类:

第一类,以改变小地形、增加地面粗糙度的水土保持耕作技术措施为主,其主要有等高耕作、畎田、区田、坑田、垄作区田、沟垄种植、水平沟种植、丰产沟等。

第二类,以增加地面覆盖度和增强土壤抗冲抗蚀性为目的的措施为主。例如合理密植,间作套种、等高带状间作、草田轮作、少耕或免耕及残茬覆盖等。

常见的保土耕作措施可分5种:即等高水平耕作法、沟垄耕作法、带状间作、深耕法、草田轮作。

三、强化人口管理

根治水土流失灾害,必须严格控制人口增长率,减轻人口对生态环境的压力,使人口增长量、消费量和自然资源供给量相对平衡发展。控制人口增加,首先要健全和强化各级计划生育机构及人员素质,确保计划生育法令切实执行。其次,各级政府对农民的独生子女应实行优惠政策,即在保健和上学方面予以照顾,以解决农民的后顾之忧。总之,只有把计划生育工作做好,才能缓解人地矛盾,提高人民生活水平,增强防御灾害的能力。

参 考 文 献

[1] 王礼先.水土保持学.北京:中国林业出版社,1995
[2] 张洪江.土壤侵蚀原理.北京:中国林业出版社,2000
[3] 唐克丽,等.中国水土保持.北京:科学出版社,2004
[4] 张胜利,等.黄土高原地区水土流失治理之我见.西北林学院学报,2003,18(1):46~48

第三章　水土保持区划与分区

第一节　水土保持区划

水土保持区划是在自然区划、土壤侵蚀区划的基础上,根据社会经济条件和水土保持现状区域的相同性和分异性,提出区域水土保持的方向、任务和措施的部署。以可持续发展为目标,使区域土壤侵蚀得到有效控制,水土资源得到充分合理利用,以期获得最佳生态效益、经济效益和社会效益。

一、水土保持区划依据和原则

(一)水土保持区划的空间尺度
根据国民经济建设、国土整治、自然区划、大江大河治理区划、土壤侵蚀区划和农业区划的要求,制定不同区域、不同范围的水土保持区划。区划的尺度分级一般有全国性、大江大河流域区划及省(市、区)、地(州、市、盟)、县(市、区、旗)各级水土保持区划。一般小流域不需要进行水土保持区划。

(二)水土保持区划的依据和原则
进行区域或流域的水土保持区划时,必须在查明并拥有区域自然、土壤侵蚀、社会经济资料、图件(航片、卫片)的基础上进行;以自然规律和经济规律为指导,尤其应重视人口密度、土地利用结构、粮食供需、人民生活水平、防灾减灾要求及区域城市工矿、交通、基本建设发展趋势等。例如,地处偏僻的贫困山区和邻近城镇人口密度大的水土流失区,显然属不同类型的水土保持区。流域上游、中游暴雨洪水、滑坡、泥石流灾害的多发区和下游河床淤积、洪水淹没区,其水土保持的方向、任务显然各具特点。

二、水土保持区划方法

(一)水土保持区划的任务和要求
水土保持区划是为水土保持规划、分类、分区指导治理水土流失提供科学依据。水土保持区划人员在掌握现代遥感技术基础上,必须深入实际,调查研究区划地区土壤侵蚀特点、治理现状、群众水土保持经验、区域经济现状和发展趋势及存在问题等,在全面正确分析处理和协调自然资源、社会经济等因素基础上,确定水土保持类型区的划分。因此,水土保持区划工作自始至终应贯彻科学性、实践性和系统性。

(二)水土保持区划的方法
1.准备工作

(1)组建区划工作组,应包括有地方政府和有关业务部门的领导以及有关农、林、牧、水利、水土保持、国土整治或土地规划等方面专业人员组成综合小组。

(2)收集有关自然、社经、农、林、牧等方面的有关资料、图件、航片、卫片及已有的工作报告、成果等。

(3)制定工作计划,确定调查重点或典型;编制经费预算,培训区划人员。

2.实地调查与室内整编

当地如果已具有自然区划和土壤侵蚀区划的资料和图件,可着重水土保持现状和社会经济的调查。否则,在按工作组专业人员分工合作完成任务的基础上,最后进行汇总,编制水土保持区划报告和有关图件。

第二节 水土保持分区

黄土高原地区自然环境差异明显,从东南到西北降雨、土壤、植被等呈现规律性的变化。依据地形地貌等自然条件,分为黄土丘陵沟壑区、黄土高塬沟壑区、土石山区等九个类型区,主要类型区的基本情况见表3-1,地形地貌特征见表3-2。必须按照各类型区所在小流域的水土流失规律与不同特点,因地制宜地进行水土保持生态环境建设措施布局,实行综合治理。

表 3-1 黄土高原地区主要类型区基本情况

侵蚀类型区	面积 (km^2)	占比 (%)	沟壑密度 (km/km^2)	切割深度 (m)	地面组成物质	植被覆盖率 (%)	人口密度 (人/km^2)	耕垦指数 (%)	年侵蚀模数 (t/km^2)
黄土丘陵沟壑区	211 829	33.00	2.0~7.0	50~200	黄土	10~35	77	10~30	3 000~15 000
黄土高塬沟壑区	35 573	5.54	1.0~3.0	100~200	黄土	20~30	180	14~50	2 000~5 000
土石山区	132 780	20.68	2.0~4.0	100	土石	20~40	29~80	1~20	1 000~5 000
其他区	261 747	40.78							

注:其他类型区包括黄土阶地区、冲积平原区、风沙区、干旱草原区、林区及土石山区有林部分、高地草原区。

表 3-2 黄土高原地区地形地貌特征

类型区		地形、地貌						水土流失特点
		地貌特征	沟壑密度 (km/km^2)	地面坡度组成(%)				
				<5°	5°~15°	15°~25°	>25°	
黄土丘陵沟壑区	1~2副区	梁峁状丘陵为主	3~7	7	16	19	58	沟蚀、面蚀均很严重
	3~5副区	梁状丘陵为主	2~4	9	25	41	25	面蚀为主,沟蚀次之
黄土高塬沟壑区		塬面宽平,沟壑深切	1~3	39	17	21	23	沟蚀为主,面蚀次之
土石山区		山高坡陡谷深,植被良好	2~4	1	1	3	95	面蚀为主,沟蚀次之
其他区		沟道发育条件差	小					水力侵蚀较轻

一、黄土丘陵沟壑区

黄土丘陵沟壑区涉及 7 省(区),范围 21.18 万 km²,其中水土流失面积 20.33 万 km²。包括陕西榆林、延安、千阳、陇县、靖边、定边、吴旗片,山西河曲、保德、偏关、神池、五寨、右玉片,内蒙古东胜、达旗、伊旗、准旗片,甘肃庆阳、天水、临夏、兰州、定西、环县片;宁夏固原、西吉、海原、同心片,青海海东、西宁、黄南、海南片,河南洛阳、郑州、新乡片。

该区是九个类型区中水土流失最严重的区域。其地形地貌特点是:以梁峁状丘陵为主,地形破碎,坡陡沟深。水土流失特点是:面蚀、沟蚀都很严重,面蚀主要发生在坡耕地上,沟蚀主要发生在坡面切沟和幼年冲沟。根据该类型区小流域的侵蚀特征,综合治理措施常采取以下五道防护体系:①梁峁顶防护体系——主要是以灌草为主,防风固沙,保护梁峁及其附近地域;②梁峁坡防护体系——主要是以梯田、水平阶、鱼鳞坑等小型水保工程为主,拦蓄降水,保持水土,把梁峁坡变成农业和果品生产基地;③峁缘线防护体系——主要是以沟头防护工程为主,拦截梁峁坡防护体系的剩余径流,分割水势,防止溯源侵蚀;④沟坡防护体系——主要是进行工程造林种草,发展径流林业,遏制产流,进一步拦截上道防护体系的剩余径流,固土护坡;⑤沟底防护体系——主要是修建以淤地坝为主的工程体系,拦截坡面防护系统没有拦截住的产流、产沙,抬高侵蚀基准面,变荒沟为坝地。

该类型区又分为五个副区,各副区可根据因地制宜的原则,在具体措施配置中各有所侧重。1~2 副区主要分布于陕西、山西、内蒙古 3 省(区),面积为 9.16 万 km²,该区以梁峁状丘陵为主,沟壑密度 3~7km/km²,沟道深度 100~300m,多呈"U"形或"V"字形,沟壑面积大,沟间地与沟谷地的面积比为 4:6。

3~5 副区主要分布于青海、宁夏、甘肃、河南 4 省(区),面积 12.02 万 km²,该区以梁状丘陵为主,沟壑密度 2~4km/km²。坡面比较完整,在治理措施中坡耕地宜修水平梯田。在治理坡面的同时,在支毛沟中建设坝地和小片水地,增加粮食产量,提高人民生活水平。针对干旱问题,采取修水窖、涝池、塘坝等小型集雨工程,解决人畜饮水问题。丘五副区干旱少雨,地面坡度较缓,且有丘间小盆地(俗称垌或壕地)。水土保持的重点是固沟保垌,配合沟头修防护围埂,制止沟头延伸。

二、黄土高塬沟壑区

主要分布于甘肃东部、陕西延安南部和渭河以北、山西南部等地,面积 3.56 万 km²。该区地形由塬、坡、沟组成。塬面宽平,坡度 1°~3°,包括陕西长武、淳化、白水片,甘肃庆阳、平凉片,山西临汾、汾西片,其中甘肃董志塬和陕西洛川塬面积最大,塬面较为完整。沟壑深切,坡陡沟深,沟壑密度 1~3km/km²,沟道多呈"V"字形。沟壑面积较小,沟间地与沟谷地的面积比为 6:4。其地形地貌特点是:塬面广阔平坦,沟壑深切。水土流失特点是:沟蚀严重,面蚀较轻,沟壑内崩塌、陷穴、泻溜等重力侵蚀严重。

该类型区水土保持措施配置应突出"保塬固沟,以沟养塬"的原则,综合治理一般由三道防护体系构成:①塬面防护体系——在塬面形成以村庄、道路为骨架,以条田埝地(即塬面宽幅梯田)为核心的田、路、堤、林网、小型水保集雨工程等相配套的塬面综合防护体系;②沟坡防护体系——在缓坡修梯田,陡坡整地造林种草,形成以造林种草为主,工程措施与林草措施相结合的坡面防护体系;③沟道防护体系——从上游到下游,支毛沟到干沟,以建设沟道工程为主,同时营造沟道防护林,以抬高侵蚀基点,形成以沟道工程与林草措施相结合的沟道防护体系。

三、黄土阶地区

黄土阶地区涉及范围 2.32 万 km²,其中水土流失面积 1.97 万 km²。包括陕西宝鸡、咸阳、西安、渭南片,山西太原、吕梁、临汾、晋中、晋东南片,河南洛阳、郑州片。其地形地貌特点是:有二、三级宽平台阶。水土流失特点是:面蚀轻微,略有沟蚀。

该类型区土地利用宜以农业为主,结合小流域综合治理,平整土地,引洪漫地,造林种草发展林果业。对局部存在的沟道侵蚀,可采取沟头、沟边修护围埝,沟坡造林种草,沟底修谷坊、坝、埝等措施进行治理。

四、风沙区

风沙区涉及范围 6.51 万 km²,其中水土流失面积 3.59 万 km²。包括陕西榆林西北片,内蒙古伊盟、巴盟片。其地形地貌特点是:沙丘密布,间有滩地。水土流失特点是:以风蚀为主,沙丘移动形成流动、半固定和固定型三种沙丘。

风沙区治理的主要措施是大面积造林种草,增加地面覆盖。流动沙丘的治理措施是设沙障,在风口及迎着沙丘移动方向大力营造防风固沙林带,带、片、网相结合,阻止沙漠南侵;在耕地四周营造农田防护林,以减缓风速,保护农业丰收。同时,充分利用地下水资源,兴修小型水利工程,开发利用水资源,发展灌溉。在条件适宜的地方,采取引水拉沙造田等措施,建设基本农田,开发沙漠旅游产业,发展农林牧副业。对沙丘间的碱滩地,可通过挖排水沟降低地下水位、种草或压客土予以改良,还可通过修"马槽井"自流灌溉等措施,发展小片水地。

五、干旱草原区

干旱草原区涉及范围 5.7 万 km²,其中水土流失面积 4.45 万 km²。包括甘肃靖远片,内蒙古伊盟西北片,宁夏银南片。其地形地貌特点是:低丘宽谷,间有滩地。水土流失特点是:风蚀为主,水蚀较轻。

该区水土保持措施主要是保护草原,合理调整载畜量,阻止因过度放牧、采药引起草场退化;对已退化的草场,实行草原划管,采取轮封轮牧、补种牧草等措施,及时进行牧草改良,尽快提高产草量和载畜能力;营造防风固沙林、草原防护林和灌木放牧林、饲料林;积极建设人工饲料基地,减轻因发展畜牧业对天然草场造成的压力。

六、土石山区

土石山区涉及 7 省(区),面积 13.28 万 km²,其中水土流失面积 9.23 万 km²。主要为秦岭、吕梁、阴山、六盘山等。包括陕西宝鸡、西安、渭南、商洛片,山西雁北、忻州、吕梁、临汾、运城、太原、晋中、晋东南片,甘肃平凉南部、陇西北片,内蒙古乌海、巴盟、包头、呼和浩特、乌盟片,宁夏固原、银川、石嘴山片,河南洛阳、郑州、新乡片。其地形地貌特点是:山高、坡陡、谷深,沟道比降大、多呈"V"字形,沟壑密度 2～4km/km²。水土流失特点是:不仅流失泥沙而且夹杂石砾,严重的还形成泥石流,坡耕地上有面蚀。

该区水土流失治理的基本措施是修建基本农田,关键性措施是恢复林草植被。在缓坡耕地修筑石坎(土坎)水平梯田;在支毛沟修石质谷坊或闸沟垫地,在小块地种植农作物或造林;干沟中有条件的在沟滩造田,促进陡坡退耕;在荒山荒坡和退耕地上造林种草,或封山封坡、育林育草。在恢复和保护林草植被前提下,大力发展林果业、畜牧业等多种经营。

七、冲积平原区

冲积平原区涉及范围 5.06 万 km²,其中水土流失面积 0.24 万 km²。包括陕西宝鸡、咸阳、西安、渭南片,山西雁北、忻州、吕梁、临汾、运城、太原、晋中、晋东南片,内蒙古巴盟、伊盟、包头、呼和浩特、乌盟片,宁夏银南、银川、石嘴山片,河南洛阳、郑州片。地形地貌特点是:广阔平缓,无切割。水土流失特点是:流失轻微。

该类型区主要措施配置是:营造农田防护林,搞好"四旁"绿化,形成田、林、路、渠配套,工程措施与植物措施相结合的防治体系,并加强预防保护和监督工作,防止人为活动因素造成新的水土流失。该区土地利用以农业为主,结合水利、水土保持,平整土地,造林种草,发展林果业、畜牧业等多种经营。

八、林区及土石山区有林部分

本区涉及范围 1.97 万 km²,其中水土流失面积 0.87 万 km²,包括陕西延安、铜川、咸阳、渭南片,甘肃庆阳片及土石山区的有林部分。其地形地貌特点是:梁状丘陵覆盖次生林。水土流失特点是:坡耕地上有面蚀。

该区水土流失防治的关键是采取有效的预防监督措施,依法保护山林。坚决制止滥采、滥伐现象,搞好封山育林。对现有农耕地,通过加强基本农田建设,实现"少种、高产、多收",严禁在陡坡上扩大耕种面积,破坏林草植被。

九、高地草原区

高地草原区涉及范围 3.79 万 km²,其中水土流失面积 1.57 万 km²。包括甘肃甘南、武都片,青海海南、黄南、海东、西宁、海西、海北片。

其地形地貌特点是:高山丘陵、间有滩地。水土流失特点是:坡耕地上有面蚀。

该区的主要特点是高寒、人口稀少。水土保持的重点是加强预防保护。要合理调整载畜量,做到草畜平衡,防止因过度放牧而引起草场退化;对已退化的草场,实行草原划管,采取轮封轮牧、补种牧草等措施,及时改良草场,提高产草量和载畜能力;积极建设人工饲料基地,减轻发展牲畜对草场的压力。

黄河流域黄土高原水土保持分区见图3-1。

黄河流域黄土高原水土保持分区图

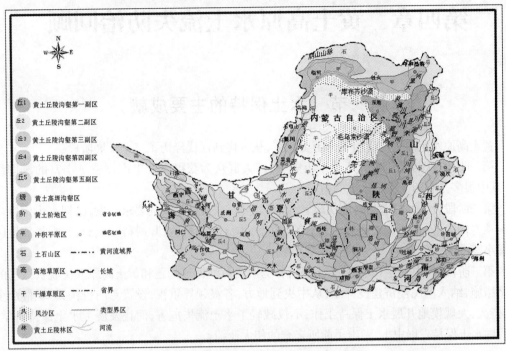

图 3-1 黄河流域黄土高原水土保持分区图

参 考 文 献

[1] 唐克丽, 等. 中国水土保持. 北京: 科学出版社, 2004

[2] 黄春长, 等. 祖国的黄土高原. 北京: 科学普及出版社, 1987

[3] 张武文, 等. 地学概论. 北京: 中国林业出版社, 2000

[4] 刘东生, 等. 黄土高原·农业起源·水土保持. 北京: 地震出版社, 2004

[5] 孟庆枚, 等. 黄土高原水土保持. 郑州: 黄河水利出版社, 1996

第四章　黄土高原水土流失防治回顾

第一节　水土保持的主要成就

黄土高原水土流失的防治工作历史悠久,从古代到现代经历了三个发展阶段:

第一阶段,从西周到晚清几千年历史中,广大群众为获得农业丰产创造了丰富的耕作经验,其中很多是有利于保持水土的措施。

第二阶段,民国时期,当时的执政者和治黄主管部门,从治黄的要求出发,已把水土保持作为一项专门事业,进行调查研究,提出治理方案,建立组织机构,开展科学试验,并在局部地区开展小范围的治理。

第三阶段,新中国建立以后,水土保持作为解决黄河泥沙问题和黄土高原人民脱贫致富的战略措施,纳入国民经济建设计划,从中央到地方,各级领导重视,设置专门机构,组织群众全面、持久、大规模地开展水土保持工作,不仅减轻了水土流失危害,而且发展了水土保持科学,在我国水土保持发展史上,做出了前所未有的伟大业绩。

一、组织机构和方针政策的变迁

(一)20世纪50~70年代

新中国建立以来,国家对水土保持工作十分重视,立即将它纳入了国民经济建设的轨道。1950年毛泽东同志视察黄河,提出了"要把黄河的事情办好"。继之又提出"必须注意水土保持工作";同期黄河水利委员会重建,王化云任主任。1952年政务院发出了《关于发动群众继续开展防旱抗旱运动,并大力推行水土保持工作的指示》。1955年全国人民代表大会第二次会议通过《根治黄河水害和开发黄河水利的综合规划》,从而对水土保持工作提出了全面规划的要求。1957年国务院正式成立国家水土保持委员会,陈正人任主任。同年,国务院发布了《中华人民共和国水土保持暂行纲要二十一条》。

20世纪50年代,在国务院水土保持委员会主持下,召开了三次全国水土保持工作会议。1955年和1957年召开的第一次和第二次会议,国家领导人和水利部领导邓子恢、傅作义及朱德、谭震林相继主持了这两次会议。会议对水土保持方针、政策、规划、组织机构、科学研究等做出了重要决定,并采取了一些重大举措。例如,水土保持任务比较繁重的省均成立水土保持委员会,其中陕西、山西、甘肃三省成立了水土保持局。

第二次全国水土保持工作会议上提出的水土保持方针是:"预防与治理兼顾,治理与养护并重;在依靠群众发展生产的基础上,实行全面规划,因地制宜,集中治理,连续治理,综合治理,坡沟兼治,治坡为主。"该方针对总结近半个世纪水土保持正反两方面的经验有重要指导意义。

1958年召开了第三次全国水土保持工作会议,距第二次会议相隔仅8个月。在当时"大跃进"影响下,会议对黄河流域水土保持进度提出"三年突击,两年扫尾,五年基本控制"的过高要求。

在 20 世纪 60～70 年代,由于"文化大革命"的干扰、影响,国家水土保持委员会和水土保持工作一度处于不稳定和基本停顿状态。

1978 年贯彻党的十一届三中全会精神,把工作重点转移到经济建设上来,从中央到地方的水土保持工作进入历史性转折时期。1979 年,水利部恢复农田水利局,下设水土保持处,主管全国的水土保持工作;尤其进入 20 世纪 80 年代后,全国水土保持开始了新的发展历程。

(二)20 世纪 80 年代～21 世纪初

1.组织领导和水土保持法规

为加强全国水土保持工作,1982 年 5 月,国务院成立了全国水土保持工作协调小组,由国家计委、经委、水电部、农牧渔业部、林业部、财政部、土地管理局和中国科学院组成,由水电部部长钱正英任组长。同年 6 月 30 日国务院发布《水土保持工作条例》;1991 年 6 月 29 日七届全国人大常委会第二十次会议通过《中华人民共和国水土保持法》;1993 年 8 月 1 日国务院发布《中华人民共和国水土保持法实施条例》。针对晋陕蒙地区煤田开发中出现新的水土流失问题,国务院及时颁发了《开发建设晋陕蒙接壤地区水土保持规定》。为保证水土保持法的实施,全国 29 个省、自治区、直辖市颁布了实施水土保持法的具体办法。全国各省、自治区、直辖市的 150 多个地、市和 1 500 多个县、市、区建立了水土保持监督执法机构,共有专职及兼职执法人员 6.4 万人。

2.建立了多种形式的治理责任制

在改革开放政策指引下,水土流失的治理也进行了不断深化改革。自 20 世纪 80 年代起,逐步建立了"户包"流域治理责任制,并在全国推行。90 年代初,通过总结山西吕梁地区推出的拍卖"四荒"(荒山、荒沟、荒丘、荒滩)的治理经验,得到中央的肯定,很快在全国推广。随着社会主义市场经济的发展,又出现了租赁、股份合作等形式。以户包为核心及拍卖"四荒"等多种形式的治理责任制,已正式纳入水土保持法,确定"谁承包、谁治理、谁受益",大大调动了群众治理的积极性,不仅加快了治理进度,且带来了治理观念上的更新。

多种形式的治理责任制,改变了国家出钱治理的单一模式,开拓了水土保持投资机制的多元化。群众治理由被动转为主动,把治理水土流失与治穷致富相结合,治理与开发相结合,生态效益与经济效益相结合,促进水土保持走向可持续发展道路。截至 20 世纪末,全国累计有878 万户农民、城市职工、企业家等购买、承包、租赁、股份合作开发"四荒"资源 2 400 万 hm²,已初步治理 1 300 万 hm²,仅"九五"期间累计投资 40 余亿元。

3.水土保持发展的新理念、新目标

随着"人口、资源、环境"问题愈来愈受到世界的关注和我国国民经济的发展,水土流失和土地沙漠化问题也愈来愈受到我国领导的重视和关注,水土保持被确立为一项必须长期坚持的基本国策。1997 年 8 月 5 日江泽民主席在姜春云副总理《关于陕北地区治理水土流失建设生态农业的调查报告》的批示中指出:"历史上遗留下来的这种恶劣的生态环境,要靠我们发挥社会主义制度的优越性,发扬艰苦创业情神,齐心协力地大抓植树造林,绿化荒漠,建设生态农业,去加以根本的改观。经过一代一代人长期地持续地奋斗,再造一个山川秀美的西北地区,应该是可以实现的"。李鹏总理于同年 8 月 12 日批示,要求有关部门提出一个治理黄土高原水土流失的工程规划,"争取十五年初见成效,三十年大见成效,为根治黄河做出应有的贡献"。

朱镕基总理于 1999 年 8 月考察陕西省治理水土流失和黄河防汛工作时指出,要认真贯彻落实江泽民同志"再造一个山川秀美的西北地区"的批示,指出要做好黄河上中游地区的水土保持工作,改善生态环境,重要的是解放思想、调整思路。他强调,治理水土流失,要采取"退耕还林(草)、封山绿化、以粮代赈、个体承包"的政策措施。

国家领导同志的重要指示,使水土保持工作转入一个新的发展时期。尤其在1999年,国家把西部大开发作为一项重大战略任务,提到了重要议事日程。明确提出要把生态环境保护和建设作为实施西部大开发的切入点,要高度重视长江和黄河上中游的水土保持和生态环境治理。为保证水土保持生态环境建设的顺利进展,一个以50年为宏伟目标的全国生态环境建设规划经国务院正式批准下发(国发[1998]36号)。该规划确定,水土保持成为生态环境建设重要组成部分,在50年内,全国适宜治理的水土流失区基本整治,全国建立起基本适应可持续发展的良性生态系统,全国大部分地区基本实现山川秀美。

二、水土保持方略

(一)水土保持方略演变

我国是世界上水土流失最为严重的国家之一,在防治水土流失的长期实践中创造了丰富的经验。回顾水土保持综合治理的形成与发展,黄土高原水土保持具有以下六个方面的特点。

1.以小流域为单元进行综合治理

长期以来,小流域综合治理在理论、实践、技术、体制、机制等方面不断创新和发展,现已成为我国生态建设的一条重要技术路线,为改善我国水土流失地区生态环境,发展农村经济,促进经济社会可持续发展做出了显著贡献。

从20世纪50年代开始,为探索有效的治理方法和途径,山西、陕西等省的一些地方,就在支毛沟流域进行了生物措施与工程措施相结合的综合治理试验。这实际上就是小流域综合治理的雏形。1956年,黄河水利委员会肯定了"以支毛沟为单元综合治理"为方向性的经验,并部署在全流域推广。1980年4月,水利部在山西吉县召开了13省(区)小流域综合治理座谈会,对小流域综合治理进一步作了充分的肯定。认为,小流域治理是水土保持工作的新发展,符合水土流失规律,能够更加有效地开发利用水土资源,并要求各省(区)认真予以推广。从此水土保持工作也由单项措施分散治理的局面,走上了小流域综合治理的轨道。这一治理思路的确立,也从根本上解决了长期困惑水土保持工作的方法论问题,为实现各种措施的优化配置提供了理论依据。同时,它很好地解决了工程规划设计的单元问题,指导我们可以一个单元、一个单元地实施治理,取得最好的治理效果。

2.以经济效益为中心,治理与开发相结合

随着社会主义市场经济体制的逐步建立和完善,各地在总结多年小流域治理经验的基础上,针对小流域治理出现的:治理效益偏低、措施配置不合理、工程质量不高、管理跟不上、群众参与治理开发的积极性不高等问题,相继提出以经济效益为中心,治理与开发相结合,小流域治理同区域经济发展相结合,发展水保特色产业的思路,并积极付诸实施。把小流域治理纳入市场经济发展的轨道,积极运用价值规律、供求关系指导治理开发,调整土地利用和产业结构,走出了许多具有地方特色的治理开发路子,提高了治理开发效益。同期,山西吕梁地区又率先推出了拍卖"四荒"使用权,极大地调动了社会力量治理开发"四荒"的积极性。这条经验也很快走向全国,掀起了新一轮的小流域治理高潮。随着治理开发规模的扩大,农副产品加工业和运输、贮藏、销售业也依托小流域得以发展,将小流域的资源优势转化成经济优势和商品优势,

形成了各具特色的农副产品生产基地或商品生产区。国家重点治理区的无定河和皇甫川流域,自1983年开始治理开发的160多条小流域中,先后出现了116个小康村。陕西省近年在渭北旱原和北部山区山坡地栽植苹果40万hm²,1994年果品产量达17亿kg,占全国苹果产量的六分之一,总收入实现20多亿元,人均纯收入实现1000多元,充分显示了水土流失区发展小流域经济的广阔前景。

3.依法防治,预防为主

黄河流域各省(区)都制定了水土保持法实施办法,组建了监督执法队伍,将单纯治理转到防治并重,开始重视依法预防水土流失工作,并取得了突破性进展。据统计,仅1998年,各地审批水土保持方案3885项,查处大小案件1816起,收缴水土流失防治费、补偿费2793万元,巩固和发展了水土保持成果。特别是在晋陕蒙接壤地区等重点建设项目开发区,水土保持法已经深入人心,水土保持预防监督体系已经形成,过去那种滥挖乱采、乱堆乱放的现象得到遏制,开始走上了有序开采、合理利用水土资源的轨道。

4.建立不同形式的责任制,充分调动各方积极性

20世纪80年代初期,随着农村联产承包责任制的出现,以户包或联户承包形式治理小流域的治理模式和经营管理机制应运而生,这是水土保持治理方式上的一个重大突破。高潮时期,黄河中游地区有350万农户承包治理小流域,约占这一地区总农户的38%。现在小流域治理又发展成为户包、租赁、股份合作、拍卖"四荒"使用权等多种形式并存。据不完全统计,到1994年全区"四荒"地拍卖74.6万hm²,收取拍卖资金19.7亿元,已完成初步治理的拍卖地达到拍卖面积的25%~42%。

5.拓宽投资渠道,提高投资效益

近年来,各地在水土保持资金的使用管理上引入竞争机制、激励机制,引导农户自觉进行水土流失治理,实行以物代补、以奖代补、以息代补和"大干大支持,小干小支持,不干不支持"的政策,利用国家补助资金开展竞争,实行奖励。变无偿投资为部分有偿使用,建立水土保持专项基金,采用股份合作形式,滚动发展,增强自我发展能力。尤其是扩大开放,引进外资方面取得新进展,进一步扩大了治理资金的来源。十多年来,黄河中游各地引进十余个水土保持外资项目,特别是1993年引进的世界银行水土保持贷款项目,创建了世界一流的水土保持典范,为拓宽水保投资渠道,开辟了新途径。

6.依靠科技进步,提高流域治理的科技含量

几十年来,黄河流域的水土保持科学研究,紧紧围绕生产和治理的需要,积极开展关于水土流失规律、水土保持规划、水土保持措施、水土保持效益、水土保持管理等方面的试验研究,取得了上千项科研成果。其中30%左右已转化为生产力,有效地解决了生产和治理中的科学技术问题,促进了水土保持的顺利发展。

(二)水土流失治理进展

黄土高原地区水土流失经过多年的综合治理,取得了显著效益。据黄委会黄河上中游管理局统计和《人民治黄五十年水土保持效益分析》提供的情况,在1950~1997年的48年内,黄河流域7省(区)共完成梯田、坝地、其他基本农田和造林、种草等五项主要水土保持措施18.08万km²,占7省(区)水土流失面积44万km²的41.1%。按48年平均,年均治理进度0.86%。上述治理面积中,有梯田(包括塬面条田、墕地)307.81万hm²,坝地35.85万hm²,其他基本农田225.42万hm²,造林1006.30万hm²,种草232.78万hm²。各时期治理情况见表4-1。

表 4-1　黄河流域各时期治理情况(1950~1997 年)

项　目	单位	各时期新增治理面积				
		1950~1955	1956~1965	1966~1978	1979~1989	1989~1997
梯田	万 hm²	6.59	34.58	118.15	58.80	85.22
条田	万 hm²	2.10	10.83	80.78	52.44	142.94
坝地	万 hm²	0.33	3.19	15.64	8.23	7.63
造林	万 hm²	4.91	60.97	194.44	326.23	375.87
种草	万 hm²	6.90	15.79	27.31	139.80	28.58
合计	万 hm²	20.82	125.29	436.31	585.49	640.25
年平均治理面积	km²	347.01	1 252.87	3 356.25	5 322.65	7 113.89
年平均治理进度	%	0.08	0.28	0.76	1.21	1.62
时段末累计治理面积	km²	2 082.07	14 610.74	58 241.94	116 791.14	180 816.19
时段末累计治理程度	%	0.47	3.32	13.24	26.54	41.09

　　截至 2001 年底,初步治理水土流失面积 19.45 万 km²,其中建设基本农田 620 多万 hm²,营造水土保持林 906.67 万 hm²,人工种草 266.67 多万 hm²,修建各类小型水利水保工程 420 多万处(座)。现有水土保持措施,每年可增产粮食 40 多亿 kg,生产果品 250 亿 kg,使 1 000 多万农民解决了温饱和农村生活用水问题,缓解了水土流失区群众的"三料"(肥料、饲料、燃料)困难,累计水土保持综合经济效益达 2 000 亿元。水土流失治理有力地促进了区域群众脱贫致富的步伐,黄河上中游地区列入国家"八七"扶贫计划的贫困人口数量已由 2 300 万人减少到 1 350 万人。自 20 世纪 70 年代以来,水土保持措施年均减少入黄泥沙 3 亿 t 左右,减轻了黄河下游河道淤积,为黄河水资源的开发利用创造了有利条件。

三、水土保持措施的进展

(一)水土保持措施的产生

　　古代水土保持措施主要从初期的一些思想观念和农民的实践经验逐步形成的,例如沟洫、畎田、区田水土保持耕作措施;陂塘、陂田、梯田和汰沙淤地等小型水利工程和农田建设;封禁护林和营造经济林果以及林草与工程相结合的拦泥护堤、护沟等措施。以上措施多各司其职,尚未形成统一体系。近百年来"治水与治源"、"治河与治田"思想和实践的发展,尤其是近半个世纪以来以小流域为单元的综合治理,逐步形成水土保持耕作、工程和生物三大措施。随着生产发展的需要,以保水保土为主要目标的三大措施,逐渐渗透了资源合理利用、治理与开发结合、人与自然和谐发展、可持续发展的新思路,水土保持措施的内涵有了新的发展,形成了由水土保持农业技术措施、水土保持工程措施和水土保持植物措施组合的水土保持三大措施系统工程。

(二)水土保持措施的发展

1.水土保持农业技术措施

现代水土保持农业技术措施是由水土保持耕作措施演化发展而来。20 世纪 50 年代主要针对坡耕地水土流失而采取的保水保土耕作栽培措施,例如由甽田、区田演化发展而来的等高耕作、沟垄种植、垄作区田、草粮带状间作、轮作等。

鉴于坡耕地水土流失不仅增加入河泥沙,且导致土壤退化、干旱缺水、土地生产力下降及至生态环境恶化等一系列后果,随着坡改梯和建设高效基本农田的需要,新修梯田生土熟化及改土培肥措施提到重要位置,水土保持耕作措施有了新的发展。例如水土保持耕作与改土培肥相结合的蓄水聚肥改土耕作法;新修梯田快速熟化培肥措施;水土保持耕作与充分利用降水资源相结合的集流节水农业技术;水土保持耕作与改善生态环境相结合的坡地农林(果)、农牧复合型生态农业技术,以及建设高效基本农田走平衡施肥、地膜覆盖等综合农业技术。到20世纪90年代,我国水土保持耕作措施已形成发展为融水土保持耕作与提高水、土资源生产力和建设可持续发展农业为一体的系统工程,故由耕作措施改称为水土保持农业技术措施更为确切。

2. 水土保持工程措施

现代水土保持工程措施系由历史上的陂田、陂塘、谷坊、引洪漫地等演化发展而来,由坡面治理工程、沟道治理工程和小型蓄排水工程而组成的水土保持工程体系。

坡面治理工程以建设梯田为主体,包括坡面水平沟和山边沟等田间工程;按梯田种类划分有水平梯田、隔坡梯田、坡式梯田;按地埂种类有土埂梯田、石坎梯田之分。梯田的规划、道路布设及梯田的修建方法(人工或机修)也有不断的改进和创新。

沟道治理工程可细分为沟头防护工程、谷坊、小型水库、拦沙坝、淤地坝、治沟骨干坝和岗崩治理工程。

小型蓄排引水工程主要指防止坡面水土流失而修建的截水沟、排水沟、沉沙池和山塘等蓄水池;收集雨水资源修于庭院、路旁的水窖(旱井)、涝池及引洪漫地和引水拉沙造田工程等。基于黄土高原干旱缺水的问题愈来愈突出,并已影响到人畜饮水问题,甘肃省在总结群众经验的基础上,创造了"121"工程。该工程不仅在甘肃省,且在山西、内蒙古、宁夏和陕西等省(区)都得到了因地制宜的推广应用及相应的补充和发展,例如,利用旱井蓄水点浇抗旱保苗的技术、微灌技术及果园的滴灌技术等。

具有2 000余年引洪漫地的群众经验,已形成从选址、引洪方式、漫淤方式、配套工程设施到洪漫地利用管护的整套工程体系。

3. 水土保持植物措施

人类社会的出现,首先是以掠夺自然资源维护其生存。从狩猎、刀耕火种到毁林、毁草的伐木、耕垦、放牧等农牧业生产的大发展。从古代到现代人们已从破坏自然资源而得到的惩罚中吸取了教训,愈来愈深刻地认识到恢复或重建林草植被的必要性和重要性,于是在水土保持工作中形成和发展了与工程措施相对应的生物措施。初期生物措施的含义主要指还林还牧,但以生物概括仍不够确切,在生产实践中往往出现林草措施或植被措施或林草植被措施等多种名称,不够统一。采用植物措施提法,在于和工程措施、农业技术措施相对应,既体现了恢复或重建林草植被,维护生态平衡;同时又包含了发展畜牧业、经济林果业等林草资源的合理利用和开发。

长期以来,在已有农户聚居的地区,退耕还林(草)是一项很复杂、很艰巨的任务。既要保证当地农户温饱的粮田,同时要解决群众的经济收入问题。已有的经验表明,以坡改梯建设高效基本农田为突破口,提高单产,可促进陡坡退耕还林还草。国家通过粮食的宏观调控,将大大加快坡改梯基本农田建设和退耕还林(草)的步伐及人工造林种草和结合自然修复实施大面积封山绿化。另外,群众已探索出一些寓开发于治理之中的措施,解决了林草措施生态效益和经济效益的协调问题。例如,退耕还林(草)与改良天然草场或建立人工草场相结合,并相应发展舍饲或轮封轮牧的畜牧业;退耕还林(草)与适地发展经济林、果和庭园经济相结合。自20世纪80年代以来,一些水土流失严重光秃裸露的丘陵山区,不仅建成了一片片高效基本农田,同时建成了一片片规模化的生态林基地;或苹果、柑橘、核桃基地;或桑树、杜仲、沙棘、龙须草等工业、医药的原料生产基地;甚至围绕栽桑、栽沙棘,建立起缫丝厂、饮料厂等商品生产基地。粮食保障、改善生态与增加群众收入得到了有机的统一。

因此,水土保持植物措施,不同于一般林区、牧区或果园区的植被建设,应以保持水土、改善生态环境为前提,同时适地适时兼顾发展经济林(果)、草和林草资源的合理利用,增加群众的收入。

四、水土保持科学技术和教育

(一)水土保持科研、教学机构的设立

20世纪50年代初期,全国仅有两处水土保持试验站。近半个世纪以来,已建立中央、省、地、县各级的水土保持试验站、所共计近百个。中央级的已建有中国科学院、水利部双重领导的水土保持研究所;隶属大流域和省(区)级主管部门的水土保持科研机构有18处。

有关大专院校水土保持专业的设置,在20世纪50年代初几乎为空白。1958年在原北京林学院首次设置了水土保持专业,在此基础上于1980年设立水土保持系,1992年设立水土保持学院。自1983年后,西北林学院、南昌水利水电高等专科学校、内蒙古林学院、西北农业大学、甘肃农业大学、山西农业大学、内蒙古农牧学院、沈阳农业大学、福建林学院等相继设立了水土保持专业,培养了一批专科生、本科生;有的院校还培养了硕士生和博士生;中国科学院、水利部水土保持研究所,中国科学院地理研究所、沙漠研究所、土壤研究所等相继建立了招收有关水土保持学科的硕士点和博士点。大专院校、试验站和科研所培养的一批专门人才,成为推动各地区、各部门水土保持科学技术进步和生产治理发展的重要力量。

此外,国家农林部门、国土整治部门、环保部门,大专院校的农学、林学、土壤学、自然地理学、资源与环境学等专业,中国科学院的地理研究所、土壤研究所、植物研究所、自然资源综考会及社会科学院等,均积极承担或参与水土保持方面的科技攻关、应用性和基础性的研究,做出了重要贡献。

(二)水土保持科研成果

20世纪50年代以来,水土保持的科研主要紧密围绕国家任务和生产治理的需要,分为基础性、综合性的研究和关键性科学技术的应用研究两个方面。

1. 基础性、综合性的研究

(1)水土保持规划与土壤侵蚀基础性研究。结合国家制定大江大河治理和国土整治规划,相应开展水土保持区划、规划的研究。根据规划要求,开展了全国性、区域性土壤侵蚀调查研究和基础图件编制的大量基础性和综合性的研究。例如,研究拟定了土壤侵蚀分类、强度分级和土壤侵蚀区划的原则和系统,其中,20世纪50年代朱显谟进行的黄土区土壤侵蚀的分类,黄秉维编制的黄河中游土壤侵蚀分区图,为引用至今的基本科学依据。水利部水土保持司依据专家的研究及多年来实践经验,拟定发布了《土壤侵蚀分类分级标准》,作为指导全国各地区土

壤侵蚀区划和制定水土保持规划的科学准则。1986年和1996年在水利部统一领导下进行的两次全国性土壤侵蚀遥感调查,以上述土壤侵蚀分类分级标准为遥感调查的重要科学依据。

(2)区域性和全国性土壤侵蚀与水土保持综合考察研究。自20世纪50年代,根据国家编制治黄规划的需要,水利部和中国科学院先后主持由多部门、多学科组成的考察队,进行黄河中游的水土保持综合考察研究,涉及陕、甘、青、晋、宁、豫、内蒙古7个省(区),总面积约58万km²,首次完成了考察区域自然、农业、经济和水土保持区划、规划等详尽的科学报告和系列图件。60年代初,根据长江流域全面规划的需要,由中国科学院西北水土保持研究所主持进行了长江流域水土保持综合考察,调查路线累计1万km,范围约140万km²。"七五"期间,黄土高原综合治理被列入国家科技攻关项目,再次由中国科学院主持组织了多部门参加的大规模综合考察研究,范围达62.4万km²,考察内容除自然、社经、农林牧、土壤侵蚀与水土保持外,还包括工矿、交通等,使黄土高原以水土保持为中心的综合治理开发与全社会的工矿、交通等建设和经济发展结合起来。20世纪50~80年代,由水利部主持,全国相继开展了七大流域和省(区)的土壤侵蚀和水土保持基本情况的考察研究。在此基础上,先后完成了两次(1986~1989年,1996~1999年)全国土壤侵蚀遥感调查研究,查明全国轻度以上水蚀风蚀面积80年代为367万km²,90年代为356万km²。与80年代比较,90年代水蚀面积减少了14万km²,风蚀面积增加了3万km²,说明水土保持的任务仍十分艰巨,尤其防治风蚀问题更为突出。

(3)水土流失规律和水土保持措施效益定位观测基础性的研究。我国自1919年开始在黄河干支流建立水文站,1942年在天水水土保持科学试验站建立径流小区定位观测站;自20世纪50年代起在重点水土流失区,逐步建立以沟道小流域为单元试验站,进行水土流失规律和水土保持措施效益的定位观测研究,已积累了大量基础性科学资料,其中尤以黄河流域的观测研究较为系统而完善。截至1984年,黄河流域已累计6 450个水文站年,461个小流域年和1 413个小区年的观测资料,已建立了数据库,并编制了黄河水沙时空图谱,为建立我国土壤侵蚀预报模型和编制水土保持规划,奠定了重要基础。

(4)以小流域为单元的综合治理试验研究。以小流域为单元的综合治理试点起始于20世纪50年代,如陕北绥德的韭园沟、陇东的南小河沟、晋西的王家沟等。自80年代在全国范围内开展了重点治理区小流域的试点工作。"七五"期间,在国家科技攻关黄土高原综合治理项目中,专列了以小流域为单元的综合治理试验研究。在陕、甘、晋、宁、内蒙古5省(区),选择典型代表区设立了11个试验示范区。该项目由中国科学院主持,水土保持研究所牵头,联合农、林、水、高教部门等联合攻关,总结得出系列小流域综合治理试验研究成果;进一步验证和丰富了"以肥调水"、"平衡施肥"、提高单产的科学理论和朱显谟提出的水土保持"28字方略"——"全部降水就地入渗拦蓄,米粮上源下川,林果下沟上岔,草灌上坡下坬"。进一步提高了以小流域为单元综合治理的科学水平,促进了试验、示范、推广的一体化,我国水土保持科研首次获国家科技进步一等奖。

(5)水土保持对位配置。20世纪80年代以来,我国水土保持工作进入了一个以小流域为单元进行治理的崭新的发展阶段。全国涌现出一大批高水平的治理典型,为面上治理提供了丰富治理实例。但是由于各地水土流失类型、社会经济发展、技术水平的差异,为面上应用带来了巨大困难。如何使这些实践经验上升为理论,特别是在小流域综合防治体系科学组装、措施结构优化及措施对位配置理论化研究成为我国水土保持小流域治理走向高、深、细的主要难题和关键。1984年,定西水土保持试验站针对这一重要技术问题,以生态学生态位理论为指导,开展了"小流域地形小气候、土壤水分特征及治理措施对位配置研究",1988 年提出了水土保持防治措施对位配置,标志着治理措施的配置已从主观布设治理措施到按自然规律对位配置各项治理措施,这是认识和实践上的飞跃。

水土保持对位配置,就是通过研究发展主体(防治措施)所处的环境资源位与发展主体或植物对环境资源的需求位之间的发展变化规律,按照生态位的能级分布层次,逐维分析环境资源分布特征对发展主体或生物发展条件的胁迫程度、限制性因子或适宜性,协调资源位和需求位之间的关系,选择与环境资源位特征相适宜的发展主体或生物种,或者改变环境资源位使环境资源位满足发展主体或生物所需的生态位条件,达到生物需求位与环境资源位相互适宜、相互吻合——对位配置。

水土保持治理措施对位配置反映了发展主体(或生物体)对环境资源依赖关系和环境资源位对适宜发展主体(或生物种及其适宜种群)的规定性,通过生态元产生最大的生态效能,使小流域生态系统达到:"万物有位层位有序,人与自然和谐相处,治理措施对位配置,各居其位,各尽其效"的目标。

(6)径流调控理论。水土流失的成因很多,问题很复杂,水土保持的规划设计、措施配置,长期以来始终是凭经验设计,而缺乏理论指导。20 世纪 90 年代来,郭廷辅、段巧甫在系统总结甘肃定西径流聚集工程和其他地区径流分散工程的基础上,将我国水土保持实践经验加以概括、升华,使之理论化,总结形成了径流调控理论。径流调控理论的基本思想是把径流作为水土流失防治的主导因素,从控制径流入手,控制水土流失;科学调控和合理利用径流,兴利除害,高效利用水土资源。径流调控理论是水土保持理论与实践结合的新突破,径流调控理论与系统论、可持续发展理论、人与自然和谐相处理论一起,逐渐形成了自己的小流域治理理论体系,并充分运用了其他相关理论指导实践。这些理论,不仅包括治理模式与防治技术,而且涉及其防治战略与理念抉择。也正是由于径流调控理论的提出,使水土保持工作由原来的经验推动,上升到以科学理论为指导;出过去的经验治理,逐步上升到有计划、有目的的科学规划、科学设计、科学治理,从而以最少的投入取得了最大的效益。

径流调控的方法,简单地讲,就是将坡面径流通过一定的方式,使其分散或聚集,改变其运行规律,减轻其对土壤的冲刷。通常有三种方法,一是改变微地形,改善土壤结构,增加土壤入渗,减少径流总量;二是建设排水导流工程,把多余的坡面径流有目的地排出去,并增加地面覆盖,缓减径流对土地的冲刷;三是建设专门的集流蓄水设施,蓄积利用,既减少冲刷,又科学利用径流,提高土地生产力。总之,目前我们进行规划、设计的主要依据之一就是径流调控理论,配置措施主要针对径流的调控和利用,既充分利用径流资源,又要对它进行有效调蓄,使其为我所用,从而达到控制水土流失、有效利用水土资源的目的。近几年来,在设计中运用径流调控理论指导,小流域综合治理取得的效果更加显著,也更好地体现了水土保持的特色。

2. 水土保持措施应用性研究

(1)水土保持工程技术的研究。坡改梯基本农田建设和打坝淤地的推广应用,促使有关科学技术的进步。在黄土高原取得了机械化修梯田、水坠法筑坝技术、定向爆破筑坝技术的研究成功,使梯田和淤地坝的建设有了突破性进展。水力治沙造田技术使沙漠的改造和沙区农业可持续发展展示了新的前景。黄土高原道路规划布设和防冲技术的研究成功,有效地防止了道路侵蚀,尤其是为丘陵山区的开发,铺设了农林牧产品进入市场经济、治穷致富的通道,推进了广大水土流失区小流域山水田林路的全面规划和综合治理。

实践证明,淤地坝是治沟和减少入黄泥沙快速有效的措施。近年来,对已建有小型成群淤地坝的沟道小流域,进行了坝系相对稳定的研究。就坝系的工程安全、坝系的保收条件、坝地面积与流域面积的比值、达到相对稳定的建坝高度和形成年限等,提出了科学依据,保证了坝系工程质量和坝系工程建设的发展。据调查,陕北绥德的坝地面积占耕地面积的4.8%,粮食产量则占总产量的30%,且为旱涝保收的高效农业。

(2)水土保持农业技术的研究。围绕建设基本农田和高效可持续发展农业,相继开展了新修梯田快速熟化改土培肥技术、"以肥调水"平衡施肥技术、旱作节水农业技术、聚水微灌技术、地膜覆盖技术及农林、农牧复合生态农业技术等研究。研究成果使水土流失区的农业生产有了突破性的进展。梯田单产为坡耕地的2~3倍;坝地单产为坡耕地的4~8倍,且提高了防灾减灾的效能。甘肃省雨水资源高效利用的"121"工程的研究成功,解决了人畜饮水困难地区的"老大难"问题,其推广应用缓解了广大黄土高原干旱缺水的主要矛盾。甘肃省定西县通过"121"工程,每公顷增产粮食915kg,增产幅度56.94%。陕西长武王东沟试区,通过"以肥调水"为中心的综合农业技术措施,粮食单产由"六五"期间的平均2 475kg/hm²,提高到"七五"期间的4 000kg/hm²,增产幅度61.4%,创旱塬区历史最高记录。

(3)水土保持林草措施技术的研究。全国主要类型区的水土保持研究所、试验站多进行了适地乔、灌、草良种引进繁殖和选育的试验研究,有的建立了草圃、树木圃,促进了大面积的造林种草。例如,黄土高原的油松、刺槐、沙棘、柠条、沙打旺、草木樨、紫花苜蓿;长江流域的马尾松、湿地松、紫穗槐、胡枝子、黄花苜蓿;以及用于加固地埂、堤岸的龙须草、香根草、百喜草等,均通过选种、引种、栽植试验,已在大面积推广应用。

在造林技术上,在干旱缺水地区,开展了造林整地保水、集水技术和径流林业的研究,提高了造林成活率,保证了林木生长。飞播造林种草的试验成功,推动了黄土高原和南方丘陵山区大片荒山、荒坡的绿化。

结合植被建设开展了水土保持经济林果的栽种和林草资源合理利用的研究。例如,利用黄土高原丰富的光热资源和强烈的温差,已取得大面积栽植优质苹果的成功。截至1979年底,陕西省发展苹果的面积达50.2万hm²,总产量达296万t,已成为农民致富的重要收入来源,并形成省级拳头产品。通过沙棘引种选种、良种培育、繁殖、栽种技术及综合开发利用等上百个科研项目的研究,在半干旱地区沙棘种植面积快速增长,25年内(1985~1999年)全国沙棘面积由不足33万hm²增加到133万hm²,在保持水土、防治土地荒漠化和改善生态环境方面,发挥了显著的作用;同时在开发沙棘产品:药品、保健品、食品、化妆品等方面取得成功,沙棘产业正在形成和发展,并已成为水土流失贫困山区新的经济增长点。

五、水土保持发展的新时期和展望

(一)水土保持生态环境建设名词的出现

自1997年江泽民同志做出"再造一个山川秀美的西北地区"批示后,水土保持纳入了生态环境建设的轨道。1998年国务院批准的《全国生态环境建设规划》即是以水土保持为中心、为期50年的长远规划。1999年国家领导把生态环境的保护和建设作为实施西部大开发的切入点,其中又以长江上游和黄河上中游水土流失的治理和林草植被建设为重点。时任总理的朱镕基强调指出:"如果不加紧加快实施在西部地区恢复林草植被、治理水土流失,那么长江和黄河日渐淤积,洪水灾害不可能得到根治,广大中下游流域将永无宁日。"据此,生态环境治理成为水土保持不可分割的组成部分,与当代世界关注的焦点"资源、环境的可持续发展问题"直接接轨,说明我国水土保持已进入一个新的发展时期。

(二)水土保持生态环境建设的新举措

1.退耕还林(草)工程

为了加快水土保持生态环境建设步伐,国家特别确定了"退耕还林(草),封山绿化,以粮代赈,个体承包"的政策措施。该十六字措施正切中了水土流失的要害,并解决了长期以来因粮食问题制约林草植被建设的主要矛盾。

毁林毁草、陡坡开垦是水土流失区加速侵蚀的主要原因,也是增加入河泥沙和加剧洪涝灾害的重要祸根。陡坡退耕和加强林草植被建设一直作为水土保持的一项重要内容,并列入水土保持法。但由于粮食短缺问题在水土流失区较为突出,造林种草与种植粮食作物的争地矛盾得不到合理解决,林草植被建设长期以来贯彻不力,成为薄弱环节。

通过以小流域为单元的综合治理,在重点治理区,已探索总结出一条有效途径,即以坡改梯建设和提高单产为突破口,促陡坡退耕还林(草)。但是在黄土高原广大地区要实现人均0.2 hm^2 的保粮基本农田,一般需20年左右的时间;在土石山区人均修建 0.13hm^2 的石坎梯田,也需20年左右的时间。

近年来,我国因农村政策的成功及科学技术进步等多种积极因素的推动,全国粮食供应充裕,库存多,通过宏观调控,可推动广大水土流失区退耕还林(草)。自1998年实施以来,已取得一定的成效。同时,在实践过程中正不断总结经验,改进提高。

2.水土保持生态修复

进入21世纪以来,根据水利部党组新的治水思路,各级水保部门积极调整工作布局,在加强小流域综合治理的同时,开展了依靠生态自我修复防治水土流失的探索与实践,取得重大进展和显著成效。水土保持生态修复一词是2000年以后在我国出现的,它的出现标志着中国治理水土流失的理念有了重大突破。水土保持生态修复是具有普遍意义的生态修复的一种类型,但也具有其独特的特征,即水土保持生态修复概念的界定应符合中国的土壤侵蚀面积广、强度大、经济落后、人口众多等国情。

焦居仁(2003)认为,生态恢复指停止人为干扰,解除生态系统所承受的超负荷压力,依靠生态本身的自动适应、自组织和自调控能力,按照生态系统自身规律演替,通过其休养生息的漫长过程,使生态系统向自然状态演化。恢复原有生态的功能和演变规律,完全可以依靠大自然本身的推进过程。在焦居仁界定的定义中,生态恢复仅依靠生态系统本身的自组织和自调控能力。但是为了加速被破坏生态系统的恢复,还可以辅助人工措施为生态系统健康运转服务,而加快恢复则被称为生态修复。该概念强调生态修复应该以生态系统本身的自组织和自调控能力为主,而以人工调控能力为辅。

3.生态清洁型小流域

生态清洁型小流域建设是传统小流域综合治理的发展和完善,其建设的内容将随着经济社会的不断发展更加丰富,防治的措施也更加完善,在继续做好治理水土流失、改善农业生产条件的基础上,把水源保护、面源污染控制、产业开发、人居环境改善、新农村建设等有机结合起来,为人们提供洁净的水源、优美的生态环境和良好的居住、休闲、观光、旅游场所。由此可见,生态清洁小流域治理是未来我国小流域综合治理的一个重要发展方向。

2006年12月,水利部部署在全国30个省(区、市)的81条小流域开展生态清洁型小流域试点工程建设,以农村"生产发展、村容整洁"为切入点,以小流域综合治理为重点,全面开展流域治理、生态修复、水系整治和人居环境改善等工作。坚持水土保持措施与环境治理和新农村建设、人工治理与自然修复、水利水土保持措施与其他措施相结合;坚持统筹规划,突出重点,协调推进;坚持示范引导、政策扶持的方法,用好"一事一议"等民主议事的机制,调动农民积极性,使小流域达到景观优美、自然和谐、卫生清洁、人居舒适,促进地方经济快速发展。

1)生态清洁型小流域的治理思路

北京市水务部门在实践中逐渐探索出以流域为单元,以流域内水资源、土地资源、生物资源承载力为基础,以调整人为活动为重点,从山顶到河谷依次建设"生态修复、生态治理、生态保护"三道防线,将流域建设成"有水则清、无水则绿"的水土保持生态系统新的思路。

(1)生态修复防线,即在中山、低山及人烟稀少地区,实行全面封禁,禁止人为开垦、盲目割灌和放牧等生产活动;实施生态移民,减少人为活动和干扰;充分依靠大自然的力量,发挥生态系统的自我修复功能。

(2)生态治理防线,即在人口相对密集的浅山、山麓、坡脚等区域,调整农业种植结构,控制化肥农药施用,发展生态农业,减少面源污染;规范开发建设活动,减少人为水土流失;建设小型水利水保设施,因地制宜加强农村污水、垃圾治理,改善人居环境。

(3)生态保护防线,即以河道两侧及湖库周边为重点,保育植被,恢复湿地,清理河道垃圾、障碍物,恢复景观生态,有效发挥灌木和水生植物的水质净化功能,维护河道及湖库周边生态平衡,控制侵蚀,改善水质,美化环境。

2)生态清洁型小流域的评价标准

不仅有常规水土流失治理指标,也包括了污染物控制方面的指标,具体有:

(1)水土流失综合治理程度达到80%以上,林草保存面积占宜林宜草面积的80%以上。

(2)流域内开发建设项目有水土保持方案并得到实施,人为水土流失得到有效控制。

(3)小流域内平均土壤侵蚀量控制在$200t/(km^2\cdot a)$以下,拦沙率达到70%以上。

(4)小流域内旅游点、厂矿企业、机关学校、养殖场等生产和生活污水达标排放,处理率达到80%以上。

(5)固体废弃物集中堆放,定期清理和处置。

(6)流域内种植业发展与水源保护相适应,农耕地及果园90%以上采取水土保持耕作措施。

(7)化肥施用强度(折纯)低于$250kg/hm^2$,农药使用执行《农药安全使用标准》。

(8)小流域内农地80%实现节水灌溉。

(9)小流域出口水质达到地表水Ⅲ类水质标准以上。

3)生态清洁型小流域的防治措施

按照三道防线建设思路,制定水源保护规划,在水源保护区内全面推进清洁小流域建设,以保护饮用水源安全。在治理中,坚持人工治理与自然修复相结合的原则,在传统治理措施的基础上,对小流域"污水、垃圾、厕所、环境、河道"同步治理,重点突出以下内容:

(1)生态修复防线,重点抓好"封、移、补"。

"封"封山禁牧,减少人为活动,依靠大自然的自我修复能力,恢复植被。

"移"对一级泥石流易发区、采空区险村险户进行生态移民。

"补"对农民进行补助,建立山区水源保护林管护机制。

(2)生态治理防线,重点抓好"节、治、调"。

"节"以发展节水型产业为重点,建设基本农田,发展节水灌溉,营造水土保持林。修建透水型谷坊、塘坝等,减少耗水,增加水库蓄水。

"治"以综合治理为重点,将农村污水、垃圾集中处理,达标排放。

"调"调整农业种植结构,减少化肥农药的施用量。

(3)生态保护防线,重点抓好"清、育、保"。

"清"整治河道,清理河道垃圾、障碍物。河道实行禁砂,封河育草育灌,杜绝人为破坏,建设生态河道,维护河流自然健康。

"育"保育植被,恢复湿地,生态治污,改善水质。

"保"保护库边、河边、渠边、河口,减少人为扰动,恢复景观生态。严格执行"七不准",即不准机械翻耕,严格执行保护性耕作;不准施用化肥;不准使用化学农药;不准建筑设施;不准砍伐林木;不准用水库水灌溉;不准放养牲畜,使当地农民生产生活与水源保护工作有机结合。

(三)水土保持生态环境建设新举措实施的成效

"九五"期间国家投入较"八五"有大幅度提高。以长江上游、黄河上中游为重点,中央投入水土保持专项资金41.8亿元,投入地方财政专项资金和其他配套资金40亿元。每公顷治理补助标准从1.5万元增加到6万~10万元。全国治理进展由年3万~4万 km^2 增加到年5万km^2(1998~2000年)。

1.退耕还林(草)工程进展

国家确定的退耕还林工程,其补偿办法:每公顷退耕地每年补助粮食,长江上游地区2 250kg,黄河上中游地区1 500kg;国家一次性每公顷提供种、苗补助750元,每年每公顷补助300元管护费(5~8年)。把植树种草和管护任务长期承包到户到人,30年不变。

根据"全面规划,分步实施,先行试点,稳步推进"的原则,1999年国家下达退耕实施方案,确定长江上游、黄河上中游13个省、区、市的174个县为试点县。针对西部地区造林成活率和保存率低的问题,相应开展基础性、应用性研究及科技攻关。

郭廷辅等通过对陕西、甘肃两省水土保持生态建设的调查研究,总结了成效和经验。截至2000年6月,甘肃全省完成退耕还林还草面积5.33万 hm^2。针对该地区干旱缺水对植被建设的制约,以发展草灌为主,并结合水土保持径流聚集工程,提高了成活率和保证了正常生长。陕西省的退耕还林(草)于1999年完成2.84万 hm^2,2000年完成0.74万 hm^2,国家投资共97 585万元。在实施中,以草灌为主,草灌乔结合;水土保持生态林与经济林果相结合;种草与发展畜牧业相结合,改粗放型放牧为轮封轮牧或舍饲。

焦居仁和张邦平等调查总结了陕西吴旗县和内蒙古乌兰察布盟的退耕还林(草)的成效和经验。吴旗县在1998年时全县耕地面积12.4万 hm^2,农业人均1.07hm^2。在当初实施退耕还林(草)工程时,全县除保留2万 hm^2 耕地,以保证人均建设0.167hm^2 高效农田外,其余的10.4万hm^2 坡耕地在1999年冬至2000年春的一季内一步退耕到位。吴旗县年均降水量为400mm左右,确立草灌为主方针。退耕地以种植耐旱优良草灌乔,如紫花苜蓿、柠条、沙棘、山杏、山桃等。在改善生态环境前提下,利用草资源发展舍饲养羊并配合种植经济林果,增加群众的收入。现吴旗县由封禁封牧、消灭山羊发展为舍饲养羊;全县有59%的农户舍饲小尾寒羊,总计8.32万只。乌兰察布盟创造了"进一退二还三"的经验,即建设1hm^2 高标准农田,退2hm^2 陡、旱、薄坡耕地,还林还草还牧。自1994年实施以来,累计退耕造林种草60万 hm^2,农林牧生产得到全面协调发展,牲畜饲养量增加 67.7%,人均纯收入由 1994 年的 745 元增加到 2000 年的 2 003 元。

2.水土保持生态修复进展

截至 2005 年底,水利部先后在 29 个省、198 个县开展了水土保持生态修复试点工程,实施了"三江源"区预防保护工程;所有国家水土保持重点工程区全面实现了封育保护;宁夏、北京、河北、内蒙古和青海 5 省(区、市)人民政府发布了封山禁牧的决定,全国有 20 个省、136 个地(市)、697 个县出台了封山禁牧政策,1 000 多个县实施了封山禁牧措施,封禁范围达到 60 多万 km²,其中有 30 万 km² 的生态已得到初步的恢复。实施封育保护后,保护区内灌草植物自然萌生速度明显加快,裸地自然郁闭,植被覆盖度大幅度提高,生态环境明显改善。黄河上中游 24 个生态修复试点县,实施修复区林草覆盖度由 27.5% 提高到 60%。宁夏中部干旱带盐池、同心、海原等县封山禁牧三年来,植被覆盖率分别增加 25%~50%,其中封山禁牧仅半年时,生态环境综合指数就较前几年同比增长 9.78%,从五级提高到四级,生物丰富度指数提高 11%,植被覆盖度指数提高 16.94%。同时,生态修复还有效促进了生态环境和农牧业发展的良性互动,许多修复区走上生态、经济的良性循环和可持续发展的道路,实现了土地增绿、农业增效、农民增收。据调查,内蒙古鄂尔多斯市推进舍饲养殖后,羊的平均出栏率由 28% 提高到 44%,平均出栏时间由 21 个月缩短为 9 个月,养羊效益大幅提高。通过连续几年坚持不懈的倡导和示范推动,加之近年来生态修复效果的日益显现,目前地方各级政府、有关部门、社会各界对生态修复的认识明显提高,并逐步把依靠生态自我修复作为本部门或当地开展生态建设的重要措施和手段,进而推动了全国生态建设的深入展开。

3.北京市生态清洁型小流域建设成效

1)生态清洁型小流域的主要内容

在规划上,以水源保护为中心,以小流域为单元,将其作为一个"社会 – 经济 – 环境"的复合生态系统,山水田林路统一规划,拦蓄灌排节综合治理,改善当地生态环境和基础设施条件。

在实施上,建立政府主导、农民参与的互动机制,按照"统一规划、分步实施、稳步推进"的原则和构建"生态修复、生态治理、生态保护"三道水土保持防线的思路进行建设。

在效果上,流域内自然资源得到合理开发与利用,对自然的改造和扰动限制在能为生态系统所承受、吸收、降解和恢复的范围内。区域经济持续、稳定、协调发展,生态系统良性循环。

2)生态清洁型小流域建设目标

水土流失综合治理程度达到 85% 以上,林草保存面积占宜林宜草面积的 70% 以上,25° 以上的坡耕地全部退耕还林还草,小流域内平均土壤侵蚀量控制在土壤允许流失量以下。全面实行封禁,人为水土流失得到有效控制,建设项目有完备的水土保持方案并得到实施。小流域内旅游点、厂矿企业、机关学校、养殖场、集中村落生产和生活污水达标排放,治理率达到 80% 以上,污水回用率达到 90% 以上。固体废弃物集中堆放,定期清理和处理。小流域出口水质达到地表水Ⅲ类水质标准以上。流域内发展与水源保护相适应的种植业,农业生产 90% 以上采取水土保持耕作措施,农田和果园平均化肥纯量施用强度低于 100kg/hm²,农药使用强度低于 3kg/hm²,不使用剧毒和高残留农药,农产品农药残留不超标;秸秆综合利用率 90% 以上;农用薄膜回收率 90% 以上。小流域总体景观优美,自然和谐,卫生清洁,人居舒适。

3)生态清洁型小流域的建设重点

(1)库(河) 滨带建设。库(河) 滨带是生态系统的重要组成部分,对富营养化物质净化起着十分重要的作用。流域径流在进入水库之前所携带的营养物质有一个不断地削减或增加的过程,在这一过程中,库(河)滨带不仅是入库营养物质必经之地,也是系统物质运动十分强烈的地段,并在入库营养物质的增减中起着重要的作用。库(河)滨带建设以营造水源保护林、种植灌草和水生植物为主,构筑林草生物缓冲带。

(2)乡村生活污水处理。在小流域治理中,因地制宜建设小型污水处理系统,解决小型分散点源污染问题。目前采用的技术方式主要有:智能化小型生活污水处理系统(Compact Wastewater Treatment System,简称 CWT)、一体化膜生物反应器(Membrane Bio-Reactor,简称 MBR)和高效节能型生物通道污水处理技术等。

(3)生活垃圾处理。小流域内生活垃圾主要包括游客垃圾、居民垃圾、饭店生活垃圾等,具有分散、随意堆放并倾倒河道和沟道等特点。水源保护区生活垃圾的处理主要采取建设简易垃圾储运站(非江河、渠道和水库最高水位线以下的滩地和岸坡),定期清运的办法。也可因地制宜建设小型垃圾填埋场,但垃圾填埋场应相对远离一、二级水源保护区,填埋场基础必须具有基底防渗系统,以防止渗沥液渗漏到地下或地表水体中,造成污染。填埋场在达到卫生填埋要求的基础上,应根据当地自然条件,选择适宜生长的植物种类,进行覆土绿化,改善环境。

(4)农田面源污染控制。一方面通过扶埂垒堰、建设护地坝,加强基本农田建设,改善和提高土地生产力,减少因土壤流失而造成的面源污染;另一方面调整农业种植结构,控制农用化学品,推广病虫害的综合防治措施和生物物理防治技术,鼓励农家肥和畜禽粪便的资源化利用,发展与水源保护相适应的生态农业、休闲观光农业和绿色产业。

(5)地埂生物化。对梯田地埂采取生物措施覆盖,即在土埂上适当栽植灌草,保护并促进地埂灌草植被恢复,对于石坎梯田,在其底部栽植藤本植物。目标是基本实现地埂的生物化,增加工程的保水保土效果、经济收入并营造良好景观。

4)实践效果

近年来,北京市按照"构筑三道防线,保护饮用水源"的总体思路,开展小流域综合治理,取得了一定的成效。

(1)加大了水土保持预防保护力度。在小流域治理中坚持把人工治理与生态自我修复有机相结合,充分发挥天然植被特别是灌草植被的生态功能,封禁治理面积占近年来实施的小流域治理总面积的 60% 以上。

(2)控制了面源污染,突出了水源保护。密云水库上游白河沿线、延庆县千家店镇和怀柔区宝山寺镇,结合 2003 年小流域治理,对 $400hm^2$ 水稻地进行结构调整,实施退稻"三禁"(禁栽水稻、禁施化肥、禁用农药),年节水 320 万 m^3,减少化肥施用量 243t。

(3)将农村污水和流域垃圾的治理纳入小流域治理中。目前已因地制宜建设了 5 处小型垃圾处理设施和 23 处小型污水处理设施,改善了水源地环境,有效保护了饮用水源。

(4)加强了河道及湖库周边水土保持生态建设。编制完成了《北京地区常见水生植物汇编》和《北京常见水生动物及微生物》。在水源区推行水生植物种植,取得良好效果。在密云水库高岭库滨带建设了 $67hm^2$ 水源保护示范工程,延庆西湖、昌平白各庄和海淀翠湖等湿地生态环境得到保护和恢复,湿地净化水质等功能得到有效发挥。

(5)将水土资源保护与促进区域经济发展有机结合。通过土地整治,发展管道灌溉和小管出流等节水工程,改善了林果等作物的灌溉条件,实现了水资源的优化配置和高效利用,促进了资源升值、农民增收致富和区域经济发展。

(6)已初步建成一批生态清洁型小流域,取得了良好的效果。如昌平区在黑山寨川北河流域综合治理中,针对河道垃圾污染严重的情况,建设小型垃圾卫生填埋设施,探索"清洁流域"模式,不仅解决了流域内4个自然村1 100户居民的垃圾污染问题,而且有效保护了饮用水源特别是SARS期间的群众健康,改善了人居环境,深受群众欢迎。怀柔区在渤海镇甘涧峪村建设小型污水处理示范工程,全村273户所有的生活污水一律不再直接排入河道,处理后的中水全部用于果树和园林浇灌,生活垃圾定点分类堆放,定时清理,保证了河道和村镇清洁。昌平区响潭小流域按照构筑三道防线的布局,实施传统小流域治理工程,蓄水保土、涵养水源;建设污水处理设施和小型垃圾卫生填埋场,实现垃圾无害化处理,净水清源;建设沟道人工生态湿地,封河育草,形成自然水体净化系统。同时成立水源保护协会,加强水源保护的自律性,成效显著。

(四)新目标的全国生态环境建设规划

1.规划的分期实施目标

1998年11月7日国务院正式批准并印发了《全国生态环境建设规划》(国发[1998]36号)这是我国首次将水土保持规划融入生态环境建设规划,也是首次制定历时长达半个世纪最宏伟的规划(1999~2050年)。这是根据江泽民、李鹏、朱镕基等同志的指示,由国家计委组织有关部门制定的规划,经国务院常务会议讨论通过,已纳入国民经济和社会发展计划。全面实施这项跨世纪的宏伟规划,既是中华民族发展史上的伟大壮举,也是以可持续发展为目标履行有关国际公约的实际行动,是对世界文明和进步的重要贡献。国务院正式通知要求各省、自治区、直辖市人民政府,国务院各部委因地制宜地制定本地区的生态环境建设规划。

规划分近期、中期和远期三个阶段的分期目标和任务。现据规划及近期水利部副部长陈雷的中国水土保持报告,简述如下。

(1)近期目标(1999~2010年)。控制人为因素产生的新的水土流失,遏制荒漠化和生态环境恶化的趋势。新增治理水土流失面积55万 km^2,治理荒漠化土地面积2 200万 hm^2,森林覆盖率达17%,大江大河减少泥沙10%(南方)至20%(北方)。长江上游、黄河上中游及荒漠化地区的重点治理区初见成效。在全国水土流失区基本建立预防监督体系和动态监测网络。

(2)中期目标(2011~2030年)。全国60%以上适宜治理的水土流失地区得到不同程度的整治。长江上游、黄河上中游重点治理区大见成效,治理荒漠化土地面积4 000万 hm^2,全国森林覆盖率达20%以上,生态系统转向良性循环。大江大河减少泥沙20%(南方)至30%(北方)。全国建立起健全的水土流失预防监督和动态监测网络。

(3)远期目标(2031~2050年)。全国适宜治理的水土流失地区基本得到整治,土地沙漠化基本控制。坡耕地基本实现梯田化,宜林地全部绿化,森林覆盖率基本稳定在26%以上,"三化"草地得到恢复。全国建立起基本适应可持续发展的良性生态系统。

根据全国生态环境建设规划的要求,黄河流域把水土保持与治黄紧密结合起来,提出了分步实施的目标:2001~2010年,基本控制人为因素产生的水土流失,新增治理面积12.5万 km^2,水利水保措施年均减少入黄泥沙约5亿t;2011~2030年,新增治理面积24.2万 km^2,水利水保措施年均减少入黄泥沙8亿t,生态系统明显改善;2031~2050年,水土流失区基本治理,生态系统进入良性循环,年均稳定减少入黄泥沙8亿t。

2.实施规划的关键性科学技术问题

自1997年中央领导对水土保持生态环境建设做出一系列重要指示以来,水土保持工作迎来了新的发展时期。一方面,国家强化资金的投入并制定了一系列新的政策,对保证规划的实施起到了决定性的作用。另一方面,规划的实施不仅政策性很强,而且是集社会科学和自然科学为一体的庞大的系统工程。在执行过程中还必须边实施、边总结经验,及时研究解决新情况、新问题。

基于近半个世纪以来水土保持经验的初步总结及近年来贯彻实施退耕还林(草)的成效,主要讨论以下几个问题。

(1)退耕还林(草)与粮食保障的可持续发展问题。在全国库存粮食富裕情况下,通过宏观调控以粮食换林草,确实大大推进了水土流失区造林种草的生态环境建设。以可持续发展为目标及已有的经验和先例说明,大部分水土流失区农户通过修建人均约 $0.2hm^2$ 高效农田(人多地少的南方地区人均 $0.067hm^2$)可解决粮食自给。在黄土高原大部分地区,以大于 $15°$ 的坡耕地作为退耕上限坡度,可满足基本农田建设的要求。当前大部分水土流失区基本农田建设已有一定基础,以粮代赈还林(草)如与建设高效基本农田同步进行,有利于林草植被建设的可持续发展。丘陵山区农户的粮食自给有利于备战、备荒和防灾减灾。

(2)退耕还林(草)与侵蚀环境的调控相结合问题。水土流失区的坡耕地,历史上曾是茂密的森林或草原,由于经历了长期掠夺性的开垦,随同大量水土流失形成了恶化的生态系统,我们称之侵蚀环境。在此基础上退耕后不可能立即恢复或重建原有的林草植被。植被的自然恢复尚需经历草、灌、乔的演替过程;人工建造林草植被,必须与侵蚀环境的整治和调控相结合,水量平衡为主要矛盾。遵循林草植被与其生存环境协调发展的规律,应选择适地适时的先锋性与后续性树、草种。需要研究掌握林草生长与地圈、大气圈的能流和物质循环的动态平衡规律,才能保证植被的可持续发展。年降水量 $400\sim450mm$ 以上的地区,自然封育恢复植被是最为简便有效的途径,与此同时,封禁区土地利用的调整和生态户的迁移又是很复杂的系统工程。在环境极为恶劣地区,可采取自然封育与强化整地改土等人为修复工程相结合的方法。

(3)林草植被建设与水利水保工程协调发展问题。干旱缺水是水土流失区普遍存在的问题,是植被建设中最主要的限制因素,尤其在干旱、半干旱的黄土高原地区更为突出。即使在降水量较多的南方丘陵山区,由于年际年内降水分配不均,丰枯悬殊,干旱与洪涝灾害常交替频繁发生。因此,水土流失区在以植被建设为主改造生态环境的同时,必须重视水资源的供需问题,要加强蓄、排、引等小型水利水保工程设施,调节洪、旱与丰、枯的不均衡。"121"蓄水工程、陂塘、蓄水池、集流微灌技术、旱作节水农业、坝系农业及小型水库建设等,均是生态环境建设系统工程的重要组成部分,也是今后仍须拓展研究的关键问题。

(4)林草植被建设与注重三大效益同步发挥的问题。林草植被建设应以生态效益为主,同时应重视或兼顾经济效益,尤其在人口密度大的地区更为重要。例如,草、灌植被建设与发展轮封轮牧和舍饲畜牧业相结合;封育保护已有林区和营造生态林保护区与发展生态优势的经济林果相结合;林草资源的合理开发利用与发展产品深加工相结合。在开发水土保持农林牧产品时,按市场经济规律,及时调整经济林、果等产品。在贯彻实施退耕还林(草)时,使农民由依靠国家以粮代赈的被动参与,逐渐变成建设和保护美丽家园的自觉行动,由温饱型走上自力更生可持续发展致富的道路。

(5)水土保持与新农村建设一体化的问题。历史上遗留下来的愈垦愈穷、愈穷愈垦掠夺式的生产方式,造成了一些水土流失区群众居住分散和居住条件十分恶劣的状况。例如,尚有独家独户居住在远离人群的偏僻山区;有的在已开垦形成石漠化地区,仍在寸土争粮,无法迁移;

有的尚居住在随时可发生滑坡、泥石流的危险地段,有些地区已造成人员伤亡的惨痛教训。分散的居住和耕垦,既影响当前集中连片的林草植被建设,也不利于现代化农村的建设。生态移民和农户、村庄的合理规划及布局提到了重要议事日程。应进一步开展以小流域为单元,以乡为单位的山、水、田、林、路、村的全面规划,综合治理。

(6)加强全社会的关注及多部门、多学科的交融与合作问题。水土保持是一项综合性很强的系统工程,包括政府行为的政策、法令,涉及国务院各部、委的职能。同时,直接关系到世界人口、资源和环境可持续发展的国际公约和行动纲领,必须全社会给予高度的关注并付诸行动。

当前国家提出的退耕还林(草)措施,是一项政策性和科学性都很强的举措,在执行过程中要按照自然科学和社会科学规律,加强调查研究,分别情况,制定规划,通过试点,逐步推进,分期分批实施。例如,山西省根据全省陡坡退耕还林(草)任务不大(约 15 万 hm^2),而把重点放在 400 万 hm^2 的"四荒"地及沿黄 3.13 万 km^2 多沙粗沙区治理,采取林草植被建设与水土保持"拦、蓄、灌、盖"相结合的综合治理,并创造了治理与开发相结合的模式,比如水土保持柠条林建设—养羊—肉食品和纤维板加工。江西省贡水流域创造了猪—沼—果生态农业模式,提高了水土保持生态经济双重效益。陕北吴旗县仅 1 个季度即夺得 10 万 hm^2 坡耕地全部退耕种植草灌,发挥了保持水土和防风固沙作用,同时促进了舍饲养羊和畜牧业。另一方面,有的地区存在盲目推行造林,造成重大损失。陕西延安宝塔区 2000 年春,陡坡地退耕后一次栽植上百公顷大扁杏,因干旱缺水未成活,仅苗木费损失 55 万元。陕西清涧县 1999 年栽植油松 40 多万株,存活仅 100 株。不科学的林草植被建设也可能引起生态平衡的失调,甚至生态危机。

因此,当前以造林种草为主体的生态环境建设,既要考虑各地区不同的自然条件和社会经济基础,同时要认真掌握林、草植被建设的科学规律和科学技术。要发挥多部门合作、多学科联合攻关,同时加强统一领导和管理。

第二节　水土保持的主要经验

黄土高原的水土保持取得了巨大的成就,主要有以下基本经验。而这些经验本身也是水土保持工作成就的一个重要方面。

一、把水土保持放在经济社会发展的重要地位

水土流失严重、生态问题突出,是制约我国经济社会发展的重要因素,也是山丘区贫困的根源所在。正是基于对这一基本国情的深刻认识,1954 年在《黄河综合利用规划技术经济报告》中,第一次提出黄土高原水土保持规划,1955 年 7 月全国人大一届二次会议通过,纳入国民经济建设计划,拨专款推动实施,其后随着形势的发展,又多次重新编制和修订。十一届三中全会以来,党中央、国务院坚持把水土保持工作作为经济社会可持续发展的一项重大战略举措,全力予以推进。1983 年国家计委提出编制《黄土高原水土保持专项治理规划》,1990 年 3 月完成,同年 11 月国家计委批准实施。1992 年根据水利部下达的任务,编制了《黄河流域水土保持规划》(包括下游山东部分)作为《全国水土保持规划纲要》的主要附件之一,并摘要纳入《黄河治理开发修订规划》。这些规划正确地处理了农林牧用地关系,治坡与治沟、工程措施与林草措施的关系,对不同类型地区提出了因地制宜的治理模式,科学地指导了水土保持的开

展。

水土保持工作之所以能取得这样大的成效，其中十分重要的一条就是得益于这些年来各级党委、政府对小流域治理工作的重视，把其列入重要议事日程，作为当地经济社会发展的重要组成部分，一任接着一任干，一代接着一代干，一张蓝图绘到底。实践证明，凡是重视水土保持，坚持不懈地开展小流域治理的地方，就能取得明显的成效。

二、以小流域为单元进行综合治理

随着中国经济社会的发展，小流域综合治理的理论与实践得到进一步丰富与完善，可持续发展、系统规划、人与自然和谐、径流调控等理论与方法体现在小流域综合治理实践中，形成了小流域综合治理的一系列理论、标准与规范，以及不同区域的防治模式，从而更好地发挥了小流域综合治理为经济社会发展的服务功能，正因为如此，中国水土保持生态建设取得了举世瞩目的成绩。据统计，我国已完成小流域综合治理 3.8 万条，初步治理水土流失面积 92 万 km^2。经过治理的小流域，生态状况明显好转，农民生产生活条件显著改善，水土流失得到有效控制。实践证明，小流域综合治理是防治水土流失，合理利用与有效保护水土资源的科学技术路线；是可持续利用水土资源，从根本上解决群众生存与经济发展最有效的措施之一；是改善生态环境，实现人与自然和谐相处的基础工程；是确保大江大河长治久安的重要举措。

三、以经济效益为中心

以经济效益为中心，治理与开发紧密结合，以开发促治理，以治理保开发。通过水土保持，促进农民脱贫致富奔小康，调动农民治理水土流失、开发利用水土资源的积极性，增强群众自力更生开展水土保持的内在活力。

以市场经济为导向，通过水土保持把水土流失土地建成"两高一优"的商品生产基地；"种、养、加"一体化，"产、运、销"一条龙，实现水土保持的产业化经营。山西省乡宁县，水土流失严重，是全省 31 个贫困县之一。20 世纪 80 年代后期以来，把水土保持引入市场机制，大力发展水果、仁用杏、花椒等经济林果，主管部门积极为农民提供信息服务、优良品种与技术指导；并以流通领域为依托，帮助农民联系销路、推销产品。到 1993 年，全县实现人均千株树、百株果，纯收入 750 元；有两个乡镇人均收入突破 1 000 元，两个乡镇 60% 的村人均收入达小康水平，全县脱贫率达 98.9%。实践证明，水土保持工作不能就治理论治理，而要与地方经济发展紧密结合起来，尤其要与区域产业开发结合起来，把生态效益与经济效益统一起来，才能取得理想的效果。这些年来，许多地方正是由于坚持了这一点，才得到群众的拥护，实现了生态建设与经济发展的协调统一，既治山治水，又使农民富起来。总之，在推进水土流失治理过程中，必须既注重自然资源的保护和培育，又重视资源的合理开发和利用，把治理水土流失与开发利用水土资源密切结合起来，使小流域的资源优势转化为经济优势，实现三大效益的统一，使群众在治理水土流失、保护生态环境的同时，取得明显的经济效益。做到"治理一方水土，改善一方环境，发展一方经济，富裕一方群众"。

四、实行项目管理

将水土保持作为重点项目，纳入国家和地方政府的建设计划，实行项目管理，完善规章制度，保证治理质量，提高治理效益。以项目管理为龙头，带动组织管理、技术管理、经费管理、经营管理和科研管理。

根据水利部《关于黄土高原地区淤地坝建设管理的指导意见》和《黄土高原地区水土保持淤地坝工程建设管理暂行办法》的有关规定，2005年各地广泛推行了建设项目法人责任制、工程监理制、招标投标制、公示制和报账制，严格按照基本建设程序进行建设。甘肃省水土保持淤地坝工程建设完全参照国家基本建设项目管理，对目前已批复实施的11条小流域坝系工程，分别由建设单位邀请了西安黄河工程监理有限公司、北京水保生态工程咨询有限公司和达华工程监理咨询公司进行监理，按照初步设计和有关规范对淤地坝工程的施工质量、进度等进行严格监控。山西省在实施招标过程中，按照集中连片、"大、中、小捆绑"的原则划分标段，避免了骨干坝争着干、中小型淤地坝无人问的现象。宁夏对骨干坝和国补投资超过50万元的中型淤地坝施工实行公开招标，择优选择施工单位，对所有淤地坝工程建设实行监理制，要求项目法人选择具有相应资质的监理公司对工程进行全方位的监理。青海省把工程设计单位、施工单位、监理单位、建设单位以及建设任务、中央投资规模、地方配套资金等内容向工程所在地的群众进行公示，接受当地群众和社会的监督。各省（区）水土保持淤地坝工程建设项目参照国家基本建设项目管理，积极推行"五项制度"改革，取得了很好的效果，提高了工程建设质量。

在组织管理中，因地制宜地采用各种有利形式，明确领导干部、科技人员、农民群众的责、权、利，采取各种调动积极性的政策性措施。

在技术管理中，严格水土保持规划设计的审批，加强治理成果的验收包括单项验收、阶段验收和竣工验收，根据技术规范，明确各项治理成果的质量标准与质量测定方法、数量统计标准与统计方法，保证治理质量。

在经费管理中，坚持专人专账、专款专用，防止贪污、浪费和挪用；并采取有偿投资等办法，滚动使用，提高投资效果。

在经营管理中，以实现水土保持产业化经营为目标，搞好水土保持产品的就地加工、转化、增值和贮藏、保鲜运输、销售，保证把市场增值的经济效益留在农村。

在科研管理中，紧密围绕生产治理的需要，抓好课题选定、成果鉴定与推广等各个环节，促进成果尽快转化为生产力，并采取有偿服务措施，调动科技人员的积极性。

五、必须充分发挥政策机制的推动作用

小流域治理是一项规模宏大和非常艰巨的工程，需要大量的资金和劳动投入，关键在于建立适应市场经济运行规律的激励机制，调动群众的积极性。从20世纪80年代初期的户包小流域，到90年代的拍卖"四荒"使用权、股份合作等多种治理形式，正是通过发挥政策推动作用，把个人的经济利益同国家的生态、社会效益统一起来，才有效调动了广大农民和社会各界投入治理的积极性，实现了由被动治理向主动治理的转变。近年来，随着我国经济社会的快速发展，各地又相继涌现了一批工商大户投身水土保持，进行治理开发的局面，加快了小流域经济与市场经济的接轨，促进了城乡经济的融合和发展。

六、治理与开发相结合

水土流失区生态之所以恶化，大都是由于实行掠夺式开发，结果不但经济没有搞上去，反而破坏了生态，陷入"越垦越荒、越荒越穷、越穷越垦"的恶性循环。要根治生态恶化，必须由掠

夺资源转变为培育资源,按自然生态规律进行综合整治,尤其要恢复林草植被,发展多种经营。实践证明,对自然资源多一份破坏,会带来加倍的灾难;而多一份保护,则会得到几倍的财富。治理与开发是一个互相交替、相辅相成的统一体,是通过人这一主体行为的能动作用,把自然生态系统改造成为符合人类特定目标要求的人工生态经济系统。这里所讲的开发绝不是过去那种乱垦滥伐,破坏生态,而是在遵循自然生态规律和经济规律前提下的开发。把治理与开发两个过程紧密结合起来,使治理与开发一样成为一项综合性的产业,坚持在开发中治理,保证开发成果的巩固和发展,开发为治理提供经济技术条件,把治理不断提高到新的水平。开发包括基本农田的建设,各种商品基地、工矿企业、交通运输、科教事业、第三产业的建设,以形成综合开发,改变过去那种把治理与开发割裂开来和开发项目单一化的做法。这是就现代化大农业、现代化新农村和一个地区经济与社会发展的总要求而说的,但在实施过程中,不可能也不应该把所有这些项目一下铺开,齐头并进。一般说来,首先应抓紧基本农田的建设和种草种树,解决吃饭和温饱问题,解决水土保持问题。与此同时,有计划、有步骤量力而行地进行其他项目的开发,而这种治理与开发是在现代化科学技术指导下进行的,从而达到经济效益、社会效益与生态效益的统一,实现经济良性循环和生态良性循环的结合。

七、治理开发与脱贫致富相结合

黄土高原的水土流失,是造成生产不稳定和农民贫困的重要原因。因此,对黄土高原的治理与开发,必须与治穷致富结合起来。要想脱贫致富,必须从治理与开发入手,离开治理与开发,脱贫致富就丧失了物质基础。在开发与治理中,既要考虑生态环境的改善,考虑长远利益和社会效益,但又必须使农民增加收入,把长远利益与近期利益结合起来。首创户包治理者苗混瞒的经验就是最好的例证。他通过治理与开发,即使水土流失得到有效控制,改善了生态环境,又促进了农林牧业的发展,增加了收入,从根本上摆脱了贫困面貌。如果能把他的经验在面上普遍推开,坚持下去,黄土高原的国土资源就能得到尽快地开发利用,这个地区的农民就可以尽快地富裕起来。

第三节　水土保持的主要问题

通过几十年来对黄土高原的治理,虽然取得了很大成绩,但仍然存在一些问题值得研究。这些问题可以归结如下。

一、水土流失治理任务依然很重

黄土高原的环境状况是局部和重点地区得到不同程度的改善,而从总体的"面"上来看改观不大。已治理的地方仅是初步治理,不少地方效果不明显,还需花大力气改善、提高。尚有大面积的水土流失区没有治理,且治理难度愈来愈大。黄土高原地区有水土流失面积45.4万 km^2,需要治理的水土流失面积有27.4万 km^2。水土流失成为威胁国家生态安全、经济社会可持续发展、构建和谐社会的重要制约因素,阻碍了社会主义新农村的建设步伐。近几年每年新增初步治理保存面积只有4 000多平方公里,按照全国第五次水保会议和全国水土保持规划的要求,今后每年须达到近万平方公里,治理任务非常艰巨。虽然进入黄河下游的泥沙有所减少,但大部分是被干支流沟道内的水利水保(库、坝)工程所拦蓄,广大"面"上的泥沙冲刷未能大幅度减少。

二、治理措施问题较多

占每年开展治理面积 80% 左右的林草措施成活率低、保存率低、效益低的"三低"问题一直得不到很好解决。据分析,全区累计造林保存率不足 50%,种草仅有 20%。水保工程措施也存在老化失修现象,效益日趋衰减;还有 1/3 左右的"眉毛"梯田需要改造和提高标准。

三、重治轻管现象比较普遍

特别是在当前"经济林热"的情况下,只种不管或管理粗放,很难发挥经济效益。边治理边破坏的情况时有发生,这在一定程度上抵消了治理进度,弱化了治理效益。

四、水土保持投入严重不足

"十五"期间,水土保持投入虽有大幅度增加,但与严峻的水土流失形势和经济社会发展的需求相比仍不同步。特别是最近三年水利投资呈逐年减少的趋势,水土保持的投入也随之下降。不少基层水保单位已陷入困境,难以为继。就连投入额相对较高的国家重点治理区,也无力兴建较大的工程。这种低水平投资状况,严重影响了治理进度与质量。现在总的投入形势是,事业在发展,要求在提高,而资金投入从国家专项拨款看数量可观,但实际是不断下滑,形成巨大反差。水土保持工程作为社会公益性基础设施,由于投资收益周期长,市场融资难度较大。同时农村税费改革取消"两工"后,给水土保持生态建设组织劳力投入带来很大困难。因此,如何拓展投资来源渠道,满足大规模水土保持生态建设的需要,是水土保持工作面临的一个重要课题。同时科研经费不足,技术力量薄弱,有些研究项目与生产结合不紧,有些研究内容低水平重复,徘徊不前,在许多方面不能适应防治实践的需要和发展。

五、人为水土流失加剧的趋势尚未得到有效遏制

黄土高原经济建设迅速发展,工业化、城市化进程加快,各种开发建设活动大量增加,边治理边破坏的现象仍然时有发生,水土流失加剧的趋势不能得到有效遏制,对水土资源的合理利用和生态环境的保护构成巨大压力。自 20 世纪 90 年代以来,我国每年新增水土流失面积 1.5 万多平方公里,新增草地退化面积 2 万 km²、土地"沙化"面积 2 460km²、土地"石化"面积 2 500km²。同时,现行的水土保持法对破坏水土保持设施、加剧水土流失行为的管理和处罚力度不足,措施不具体,可操作性不强,难以对造成水土资源破坏的行为实施有效打击。

六、人口、资源、环境的矛盾日益突出

20 世纪 90 年代以来,我国经济社会迅速发展,人口、资源、环境的矛盾日趋尖锐,水土资源已经成为经济社会发展的"短板"。今后随着铁路、公路、水利、能源等基础设施建设,水、土地、矿产资源、能源的大规模开发利用以及城市化进程的加快,必将进一步增加对水土资源的需求。这种情况下,如不加大水土保持与生态建设的力度,现代化进程中超强度、大规模的开发建设活动,将很可能超出水土资源和生态环境对经济社会发展的支撑能力。

参 考 文 献

[1] 黄河水利委员会黄河中上游管理局.黄土高原水土保持实践与研究.郑州:黄河水利出版社,1995

〔2〕孟庆枚,等.黄土高原水土保持.郑州:黄河水利出版社,1996

〔3〕郭书田,张文庆.黄土高原综合治理与开发.北京:中国展望出版社,1988

〔4〕张天曾.黄土高原论纲.北京:中国环境科学出版社,1993

〔5〕蒋定生.黄土高原水土流失与治理模式.北京:中国水利水电出版社,1997

〔6〕中国水土流失与生态安全综合科学考察组北方土石山区考察组.北京建设生态清洁型小流域.中国水土保持生态环境建设网

〔7〕毕小刚,杨进怀,李永贵,等.北京市建设生态清洁型小流域的思路与实践.中国水土保持,2005(1)

第二编 水土保持防治措施对位配置的理论基础

第五章 气候学与地形小气候基础

太阳辐射是地球的主要能量来源,是气候形成和变化的动力。地球表面太阳辐射的地带性分布及其能量收支的差异,以及大气环流自身规律,形成了地球表面气候的背景特征。某地的地理纬度、海陆分布、地形起伏、植被、地表性质等所形成的特定地理环境,直接影响当地太阳辐射的时空分布和大气环流的性质。不同地理环境对太阳辐射重新分配和对大气环流的长期干预,形成了当地独特的气候环境条件。

第一节 气候因子的水平分布

太阳辐射是大气运动的原始动力,它的分布主要取决于地理纬度的变化。某地的地理纬度决定了该地的大气温度场、风场和气压场以及其他要素场的原始背景特征。

一、纬度与气温

从理论上说,地球表面接受的年太阳辐射总量近似地和纬度的余弦成正比。纬度低的地方较纬度高的地方接受太阳辐射多。因此,太阳辐射量随纬度的增高而减少。太阳辐射的地面观测值,虽然受海陆分布、天空状况的直接影响,但其平均值还是基本上反映了纬度变化与气温的关系。

纬度对温度的影响主要反映在温差、年较差、气温径向梯度和热赤道四个方面。由赤道向两极随纬度的增加,气温降低。北半球冬季(1月)北极和赤道的温差达 67.5℃,而夏季(7月)温差为 26.7℃,且赤道和极地的温差冬季比夏季大得多(图 5-1)。各纬度平均温度的年较差(7月和1月的温差)随纬度增加而增大,在北半球,北纬 90°时年较差为 40℃,而赤道仅为 0.9℃。气温径向梯度由于受地理环境和纬度与气温等的综合影响,北半球径向温度梯度最大值冬季出现在偏南位置(北纬 40°~50°),夏季位置则偏北(北纬 60°~70°)。由于陆地与海洋增温作用的不同,全年的最高平均温度不在地理赤道而在北纬 10°,即所谓的热赤道上。北半球平均气温梯度变化见表 5-1。

二、纬度、气压和风场

不同纬度带具有不同的气压带。在行星风系产生和分布的基础上,由于海陆和地形对

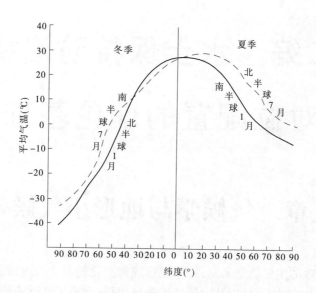

图 5-1　纬圈平均气温(引自罗汉民等《气候学》)

气压的影响,地球随纬度的变化,形成了副热带高压带、低压带和极地高压带三个不同的气压带。在北半球纬圈在北纬 30°～40°形成副热带高压带,而且高压带存在着季节性的位移,1 月位于北纬 35°,7 月位于北纬 40°;在北纬 5°～10°和 60°～70°出现两个低压带,即赤道低压带和副极地高压带;赤道低压带也存在季节性位移,1 月位于南纬 5°～10°,7 月位于北纬15°;位于极地的高压带的强度及变幅,远比副高压带弱(见图 5-2)。

表 5-1　北半球平均气温梯度变化　　　　　　　　　　　　　　　　　(℃/10°纬度)

纬度	80°～90°	70°～80°	60°～70°	50°～60°	40°～50°	30°～40°	20°～30°	10°～20°	0°～10°
1 月	8.8	5.9	10.2	8.9	12.7	8.9	7.5	3.9	0.7
7 月	3	5.3	6.8	3.8	6.1	3.3	0.7	−1	−1.3
年	4.6	7.4	9.6	6.9	8.3	6.3	4.9	1.4	−0.5

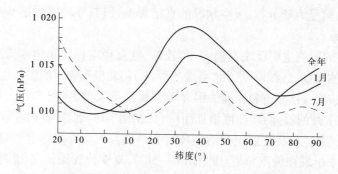

图 5-2　纬圈平均海平面气压的分布(引自罗汉民等《气候学》)

　　不同纬度带具有不同的盛行风带。在低纬度地区,南北半球的信风带几乎占了半个地球的表面积,风向稳定,平均风速为 4～8m/s。在赤道低压带水平风速小,风向不定,成为赤道无风带;在中纬度地区,盛行西风,与低纬度信风带比较,在风速和风向上是多变的。南、北半球相比,由于北半球大陆面积大,气压季节变化明显,因而西风不及南半球那样强劲而稳定;在高纬度地区,由于地面冷却作用,极地常形成反气旋,因此盛行极地东风,且由于反气旋出现的层次很低,东风很微弱(图5-3)。

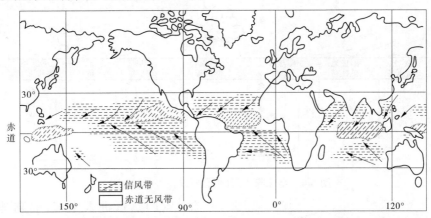

图 5-3　全球信风带和赤道无风带(引自罗汉民等《气候学》)

三、纬度与降水

从赤道到极地,根据降水随纬度变化的特点,可分为赤道型、热带型、副热带型、暖温带型、冷温带型和极地型六种类型。赤道型是在赤道无风带控制下,全年多雨,降水以对流性为主;热带型具有明显的干季与雨季之分,夏季气候带北移,热带在赤道辐合带的控制下形成雨季,冬季气候带南移,热带在副热带高压的控制下形成干季;副热带型是副热带常年在信风和副热带高压控制之下,形成雨量稀少带,世界上多数的大沙漠如:撒哈拉沙漠、阿拉伯沙漠、非洲南部的纳米布沙漠、澳洲沙漠都处于此带;暖温带型位于西风带与副热带之间,夏季因气候带北移,此带在副热带高压控制下,干旱少雨,冬季因中纬度西风带南移,此区为西风带所控制,多气旋活动,降水偏多,地中海气候(夏季干旱少雨、冬季湿润多雨,冬半年降水量要占年降水量的60%~80%)就是这种气候的典型代表;冷温带型的特点是,除有盛行西风和大陆东岸的季风以外,气旋活动频繁,全年多雨,但在大陆东岸,季风盛行区是夏季雨多、冬季少雨,大陆西岸一般冬季多雨;极地型是常年少雨带;只是在夏季偶因气旋和锋面活动侵入,可造成微量的降水(图5-4)。

四、海陆分布对气候的影响

如果地球上只存在性质相同而又均匀分布的下垫面的话,那么地球的气候就只存在上述描述的纬度地带性,而实际上地球的气候分布还存在着非纬度的地带性,造成这种情况的重要原因就是地球的海陆分布的影响。

(一)海陆物理性质的差异

地球上海洋面积占总面积的70.8%,其中海洋在北半球约占60.7%,南半球占80.9%(见图5-5)。海洋拥有地球总水量的95%,陆地仅占5%。

由于海陆吸收太阳辐射的能力不同(海洋比陆地多10%~20%)、海陆热容量不同(海水热容量为 3.9kJ/(cm³·K),陆地热容量为 1.7~2.5kJ/(cm³·K)、海陆的传热不同(海洋只

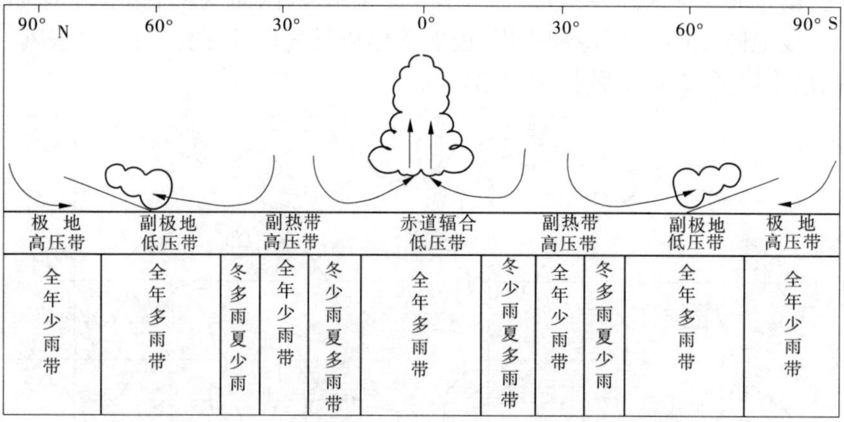
90° N
60°
30°
0°
30°
60°
90° S
极地高压带
副极地低压带
副热带高压带
赤道辐合低压带
副热带高压带
副极地低压带
极地高压带
全年少雨带
全年多雨带
冬多雨夏少雨
全年少雨带
冬少雨夏多雨带
全年多雨带
冬少雨夏多雨带
全年少雨带
冬多雨夏少雨
全年多雨带
全年少雨带

图 5-4　全球降水型(引自罗汉民等《气候学》)

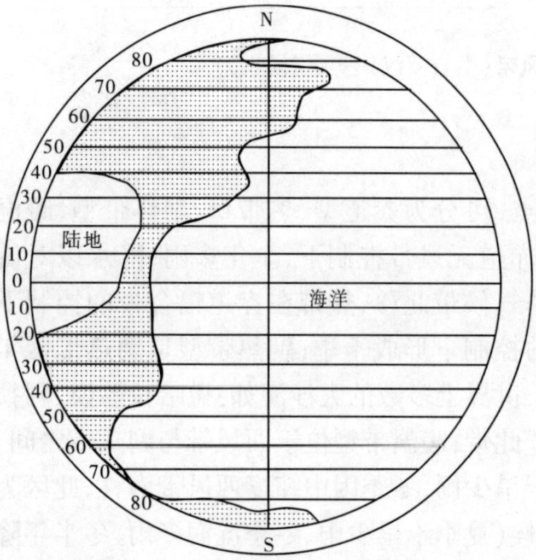
N
80
70
60
50
40
30
20
10
0
10
20
30
40
50
60
70
80
S
陆地
海洋

图 5-5　各纬度水陆面积比例(引自罗汉民等《气候学》)

有 1% 的热量进入大气,而陆地则达到 1/3～1/2)、海陆的热量分配方式不同(海洋净辐射的收入大部分用于水分蒸发,而陆地大部分消耗于地表空气涡流热交换)和海陆对空气的摩擦阻力不同(陆地起伏不平、阻力大、风速小,海洋比较光滑,阻力小,风速大)等物理性质的巨大差异,形成了世界上气候分布的非地带性。

(二)海陆分布对气候的影响

气温　对流层大气中的热能主要来自于下垫面,由于海陆下垫面热量交换的不同,从而导致了海陆气温显著的差别,相同纬度、相同海拔的各站气温距平值(纬向气温的距平值是该站气温与同纬度平均气温的差值)主要决定于海陆分布。从 1 月的气温等距平线图来看(图 5-6),在中、高纬度北半球海陆气温差别十分显著。在北大西洋上有最大的正平距(+24℃),在北太平洋有次大的正平距(+12℃),在亚洲北部有最大负平距(-24℃),在北美大陆北部有次大负平距(-12℃)。纬度相近,但海、陆气温最大相差仅达 48℃以上,与赤道与北极的年平均温差(49℃)相差无几。

7 月的气温等距平线图则反映出与 1 月相反的状态,即此时海上气温是负距平,陆上为正距平(见图 5-7)。海陆气温最大差值出现在副热带。例如非洲撒哈拉沙漠上气温正平距为+12℃,而太平洋东岸最大负平距为-8℃,同一副热带纬度气温相差 20℃。

气压场与风场。由于下垫面海陆特性的差异,在冬季形成大陆冷于海洋,大陆上形成高压,在海洋上形成低压;在夏季则表现出相反结果。冬季中、高纬度盛行西风,气团越过海洋时吸热增温,越过大陆时散热降温,在大陆东岸形成温度槽,大陆西岸形成温度脊;在夏季则表现出相反情况。

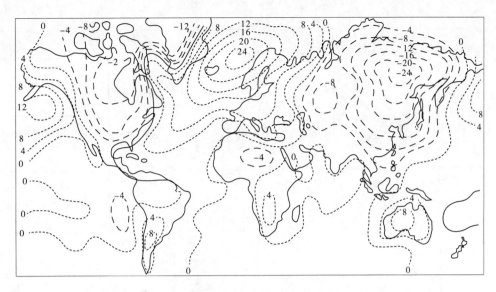

图 5-6　全球 1 月气温距平图(引自罗汉民等《气候学》) （单位:℃）

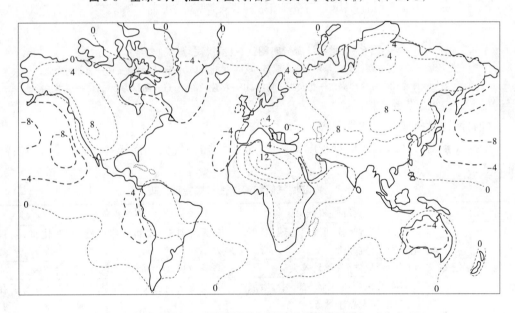

图 5-7　全球 7 月气温距平图(引自罗汉民等《气候学》) （单位:℃）

（三）海洋流对气候的影响

　　海水在长期稳定的风力驱动下,沿着一定的方向有规律地流动,形成洋流(或海流)。北半球副热带洋流都是呈反气旋式旋转,而南半球呈气旋式旋转。在赤道附近在信风的驱动下,产生自东向西的洋流,流速一般 10cm/s。从低纬度流向高纬度的洋流,其水温比流经地高,称为暖洋流。如图 5-8 中 1、2、3、4、5;从高纬度流向低纬度的洋流,其水温比流经地低,称为冷洋流。如图 5-8 中 6、7、8、9、10、11、12。

　　洋流主要对大陆两岸的地区气温、降水造成影响。暖流使空气增温,冷流使空气降温;在温带和寒带大陆东岸一般为冷流,大陆西岸一般为暖流,故一般是大陆东部气温低于西部。在暖流流域,形成暖而湿的海洋性气团,带有大量的水汽,使热带、副热带大陆东岸降水

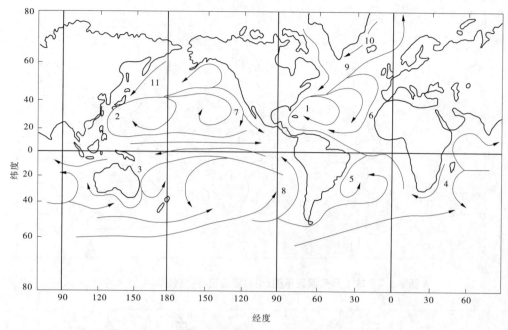

图 5-8　世界洋流分布图(引自罗汉民等《气候学》)

　　1—湾流暖流;2—黑潮暖流;3—东澳大利亚暖流;4—莫桑比克暖流;5—巴西暖流;6—加那利冷流;

　　7—加利福尼亚冷流;8—秘鲁冷流;9—北大西洋暖流;10—格陵兰冷流;11—勘察加冷流;12—东中国冷流

普遍增多;在冷流流域则相反。

(四)海洋性气候与大陆性气候

　　根据气候对大陆或海洋依赖程度,将气候分为大陆性气候和海洋性气候。其气候特征见表5-2。

表 5-2　大陆性气候和海洋性气候特征比较

项目		大陆性气候	海洋性气候
气温	日较差	白天升温快,夜间散热迅速;日变化强烈,日较差大	白天升温慢,夜间散热缓慢;日变化平缓,日较差小
	年较差	年内变化强烈,年较差大	夏季吸热,冬季散热;年变化平缓,年较差小
	相时	温度变化与太阳辐射同步,增温快;温度春天高于秋天	温度变化晚于大陆,增温慢;温度秋天高于春天
降水		降雨少,相对集中;降水量季节差异大,气候干燥	降雨多,降水均匀;降水量季节差异小,气候湿润
湿度、云、雾和日照		绝对湿度和相对湿度小,云量少,日照百分率大,雾日少	绝对湿度和相对湿度大,云量大,日照百分率小,雾日多
大陆度		>50%	<50%

　　注:大陆度 $K = [(1.7A)/\sin(\varphi + 10°)] - 20.4$。式中:$A$ 为气温年较差;φ 为纬度。

第二节　气候因子的垂直分布

　　地球表面除了海洋和少数平原地区以外,绝大部分都是起伏不平的山地和丘陵地区,特别是在我国,山地和丘陵地区占面积很大,也是我国农业、林业、牧业的主要活动区域。地形对气候的影响是多方面的、错综复杂的。首先地形本身多种多样,有高原、山地、平原,同一山地又可分为凸出地形(丘陵、山脊、山峰)和凹下地形(盆地、山谷、狭谷)以及凹凸地形(鞍状和隘道),同一凸出地形还有坡向(阳坡、阴坡、迎风坡、背风坡)与坡度的不同。其次,多地形的大小尺度有很大差异,不仅海拔不同,地形的大小、长短也变化很大。地形的复杂性,使各地气候往往在极短的距离内发生显著的差异。以下讨论所涉及的地形都是指大尺度的。广阔分布的山地和丘陵,对大陆表面特定气候资源发挥了巨大的调节和再分配作用,产生了气候分布的非地带性,气候因子形成了新的区域性的组合类型。地理环境对气候垂直分布的影响主要体现在高大山脉、海拔、坡地方位(坡度和坡位)、地形形状等几个方面。高大山脉的走向、高度和长度能直接影响大气环流的流畅和大气系统的天气过程,使山脉两侧形成截然不同的气候类型,如喜马拉雅山脉、内陆的秦岭山脉、六盘山山脉等。山脉越是高大、越长,对大气环流和天气系统影响也越大,两侧的气候分布差异也越大,因此往往高大山脉成为陆地系统气候的分界线。单纯的海拔对气候的影响主要体现在温度方面,一般海拔每升高100m,平均气温降低0.6℃,幅度与纬度北移1°近似。坡地方位不同直接影响到地面接收太阳辐射多少、日照长短及受到风的影响也不同,影响程度随季节变化而变化。地形形态对气候的影响,除了与坡地方位的相同因素外,地形形态自身的特点(山谷、盆地、坡地和山顶)对各气候因子的数量分布特征也发生影响。

从宏观上来讲,特定的山地类型对于一定的区域范围来说,由于大山脉的走向、高度、长度、方位都是固定的,它对该地区气候因子的影响也是稳定的,形成了稳定的区域性气候特征。从微观上来讲,在区域范围内海拔、坡度、坡向和坡位的不同,对当地的气候资源又进行着再次分配,各种因素相互交织、错综复杂,形成了不同小地形条件下的独特的地形小气候。

一、坡地方位与日照

一地的可照时间,除受纬度、方位角、坡度的影响外,还与云量、云层、能见度等地面隐蔽或暴露情况有关。以下仅讨论在碧空、无遮蔽情况下,不同纬度、不同方位角和不同坡度状况下的太阳可照时间、太阳辐射总量的变化规律。

(一)坡地日出和日落时角

$$\omega_H = \arccos(-\tan\varphi\tan\delta - 0.017\,7\sqrt{H}\sec\varphi\sec\delta) \tag{5-1}$$

$$-\omega_H \leqslant \omega \leqslant +\omega_H \tag{5-2}$$

式中: ω_H 为海拔为 H 时的日出角; $+\omega_H$ 为海拔为 H 时的日落角; ω 为太阳时角; δ 为太阳赤纬; H 为以千米表示的海拔; φ 为地理纬度。

(二)坡地太阳辐射通量

$$S_{\beta\alpha} = I(u\sin\delta + v\cos\omega\cos\delta + \sin\beta\sin\alpha\cos\delta\sin\omega) \tag{5-3}$$

$$S_{\beta\alpha} \geqslant 0$$

坡地上的太阳高度角($h_{\beta\alpha}$),是以平行光束射向地球表面的太阳辐射与地面的交角:

$$\sin h_{\beta\alpha} = u\sin\delta + v\cos\omega\cos\delta + \sin\beta\sin\alpha\cos\delta\sin\omega \tag{5-4}$$

$$u = \sin\varphi\cos\alpha - \cos\varphi\sin\alpha\cos\beta \tag{5-5}$$

$$v = \cos\varphi\cos\alpha + \sin\varphi\sin\alpha\cos\beta \tag{5-6}$$

式中: $S_{\beta\alpha}$ 为太阳辐射通量; I 为太阳辐射强度; α 为斜坡的坡度; β 为坡面的方位角(从南向

顺时针方向计算的方位角);其他符号含义同前。

由式(5-3)和式(5-4)可以看出,坡地上的太阳高度和直达太阳辐射通量不仅因地方纬度、太阳赤纬和太阳时角而变化,并且还随着斜坡的坡向、坡度而改变。

(三)不同方位坡地上日照的特点

1.南坡

在夏半年,南坡上的可照时间是随着坡度的增大而减少的。当坡度大于纬度(即 $\alpha > \varphi$)时,还随着太阳赤纬的增大而减少。当坡度等于纬度(即 $\alpha = \varphi$)时,南坡上夏半年任何一天的日出时间均在午前 6 小时,日没时间均在午后 6 小时,每天日照时数 12 小时。因此,坡度等于纬度的南坡,夏半年可照时间具有和赤道水平面上相同的特征。夏半年南坡坡度增加1°其对可照时间的影响相当于纬度降低1°。

在冬半年,在任何纬度和坡度南坡上的可照时间都与水平面相同。因此,南坡上可照时间的年变化的特点是:夏至最长,冬至最短。年变化趋势与水平面相同;当坡度大于纬度时是春分和秋分最长,夏至或冬至最短,呈双峰形变化。

2.东南坡和西南坡

在同一纬度上,只要两者坡度相等,其接收可照时间、太阳辐射总量就相等。全年可照时间随坡度增大而减小,但夏半年减少快,冬半年减少慢。可照时间的年变化是:当坡度小时与水平面相同,即夏至最长,冬至最短;当坡度大时,在低纬度与水平面上相反,冬至最长,夏至最短,且坡度越大,趋势越明显。随着纬度升高,便逐渐转为与水平面一致的趋势,只是年振幅比水平面大为减小。

3.东坡和西坡

无论夏半年还是冬半年,都是随着坡度的增大而迅速减小。夏半年可照时间随太阳赤纬增大(向夏至接近)而增加,冬半年随着太阳赤纬的减小(向冬至接近)而减小,且纬度越高,可照时间的年变化越大。

4.东北坡和西北坡

可照时间随坡度增大而减少,且纬度越高,减少越显著。年变化率在低纬度冬季比夏季减少得更快。

5.北坡

冬半年北坡,在纬度 φ 和坡度 α 的北坡上,其可照时间与纬度 $\varphi + \alpha$ 处的水平面上的可照时间正好相同,因此在冬半年北坡的坡度增加1°的可照效果等于纬度升高1°。夏半年在低纬度北坡(当坡度 $\alpha \leqslant 90° - \varphi + \delta$ 时)上的可照时间和水平面相同,而与坡度无关。北坡上的可照时间随着逐渐接近春分、秋分而急剧减少,至春分、秋分时降为零。冬半年,北坡的可照时间随坡度增大而迅速减小,其减少速率在坡度大时比坡度小时大得多,同时还随着纬度的升高而急剧增大。

二、山地的辐射收支与热量平衡

(一)地形与辐射收支

1.山地辐射收支的计算

山地的辐射收支与开阔平坦的地方相比,其辐射收入部分除直达太阳辐射 S_m、散射辐射 D_m 和大气逆辐射 G_m 之外,还有来自周围地区的反射辐射 $R_s^{\downarrow}$(包括周围作用面向研究地点所反射的短波太阳辐射 $R_{sk}^{\downarrow}$ 和长波大气逆辐射 $R_{sg}^{\downarrow}$，以及周围作用面向研究地点所发射的长波热辐射 $R_s^{\downarrow}$）。而辐射支出部分除研究地点作用面对直接来自天空的短波太阳辐射（包括直达辐射和散射辐射）的反射辐射 $R_k^{\uparrow}$，对大气逆辐射的反射辐射 $R_g^{\uparrow}$ 以及其本身向外发射的热辐射 E_m 之外，还有对 $R_s^{\downarrow}$ 的反射辐射 $R_s^{\downarrow\uparrow}$，对 $E_s^{\downarrow}$ 的反射辐射 $R_{Es}^{\uparrow}$。因此，山地中任何一点的辐射收支方程是：

$$B_m = S_m + D_m + G_m + R_{sk}^{\downarrow} + R_{sg}^{\downarrow} + E_s^{\downarrow} - (E_m + R_k^{\uparrow} + R_g^{\uparrow} + R_s^{\downarrow\uparrow} + R_{Es}^{\uparrow}) \quad (5\text{-}7)$$

式中：B_m 为研究点的地面辐射差额；S_m 为直达太阳辐射；D_m 为散射辐射；G_m 为大气逆辐射；$R_s^{\downarrow}$ 为周围地区的反射辐射；$R_k^{\uparrow}$ 为直接来自天空的短波太阳辐射（包括直达辐射和散射辐射）的反射辐射；$R_s^{\downarrow\uparrow}$ 为对 $R_s^{\downarrow}$ 的反射辐射；$R_g^{\uparrow}$ 为大气逆辐射的反射辐射；E_m 为本身向外发射的热辐射；$R_{sk}^{\downarrow}$ 为周围作用面向研究地点所反射的短波太阳辐射；$R_{sg}^{\downarrow}$ 为周围作用面向研究地点所反射的长波大气逆辐射；$R_s^{\downarrow\uparrow}$ 为对 $R_s^{\downarrow}$ 的反射辐射；$R_{Es}^{\downarrow}$ 为周围作用面向研究地点所发射的长波热辐射；$R_{Es}^{\uparrow}$ 为对 $E_s^{\downarrow}$ 的反射辐射。

研究地点的作用面对短波辐射的反射率为 α_m，对长波辐射的反射率为 α'_m，则式(5-7)可写为：

$$B_m = (S_m + D_m + R_{sk}^{\downarrow})(1 - \alpha_m) + (G_m + E_s^{\downarrow} + R_{sg}^{\downarrow})(1 - \alpha'_m) - E_m \quad (5\text{-}8)$$

考虑到一般作用面对长波的反射实际上小得可以忽略不计，而 $E_m - (G_m + E_s^{\downarrow}) = F_m$ 是代表研究地点作用面的有效辐射，式(5-8)可简化为：

$$B_m = (S_m + D_m + R_{sk}^{\downarrow})(1 - \alpha_m) - F_m \quad (5\text{-}9)$$

山地任何一点的太阳直达辐射通量 S_m，当太阳高度大于或等于该点的可蔽角时，可按式(5-9)计算。当太阳高度小于该点的可蔽角时，因太阳光线已被周围的地形遮蔽，该点的太阳直达辐射通量等于零。山地的散射辐射 D_m，来自周围地区的反射辐射 $R_s^{\downarrow}$ 及有效辐射 F_m，在一般不规则的地形情况下，只能用辐射仪器测定。规则时，研究地点可蔽角可用数学函数表达时，则这些分量可在一定假设条件下从理论上进行计算。

2.地形对辐射收支的影响

山地辐射收支各分量与开阔平地的对比，随着季节、纬度与周围地区下垫面的特性而变化。山地的辐射和有效辐射都随着周围地形遮蔽程度的增大而减小，来自周围的反射辐射最初随周围遮蔽程度增大而增大，但当遮蔽程度达到一定限度之后，再进一步增大时，由于周围地形的彼此相互遮蔽，其受到的太阳总辐射减少同时，反射辐射也随之减少。当直达太阳辐射不受地形遮蔽时，如果周围地形作用面反射率相当大时，以致来自周围地区的反射辐射超过由于周围地形遮蔽所减小的散射辐射时，则其晴天的总辐射可以比开阔的平地有所增加，特别是紧靠地形向阳面的地方增加最多。在阴天，由于周围地区的反射辐射总是小于被周围地形所遮蔽的散射辐射，山地的总辐射比开阔的平地减小。当太阳直接辐射不被周围地形所遮蔽时，山地水平面上的辐射差额也往往比开阔的平地大些。

(二)坡地方位与辐射

孤立斜坡上的直达太阳辐射量是随着斜坡的坡向和坡度而变化的。根据 1957～1958 年冬季南京方山不同坡向斜坡(坡度 22°)上晴天直达太阳辐射的日变化(图 5-9)，坡地直达太阳辐射日总量可用式(5-10)计算：

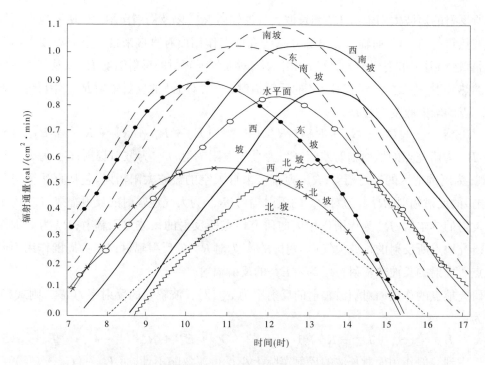

图 5-9　冬季晴天南京方山各种坡向的坡地上直达太阳辐射通量的日变化

(引自傅抱璞《山地气候》)

$$w_{\beta\alpha} = \frac{I_0\tau}{2\pi r^2}\int_{\omega_1}^{\omega_2}\left[u\sin\delta + v\cos\omega\cos\delta + \sin\beta\sin\alpha\cos\delta\sin\omega\right]\frac{\mathrm{d}\omega}{1 + C\cos z} \qquad (5\text{-}10)$$

式中:$w_{\beta\alpha}$ 代表坡向为 β、坡度为 α 的坡地上的可能直达太阳辐射日总量;I_0 为太阳常数;r 为以日地平均距离为单位的日地距离;z 为太阳的天顶距;C 为与大气透明度有关的参数;τ 为一天的时间长度(24×60 分钟);ω_1、ω_2 为坡地日出日没时角;其他符号含义同前。

(三)海拔高度与辐射

地形对辐射的影响是随海拔高度、坡向的方位、坡度而变的。太阳总辐射为直接辐射与散射辐射之和,其中直接辐射所占的比重较大,因此总辐射是随海拔高度的增加而增加的。太阳的直接辐射是随海拔高度的增加而增大的。太阳辐射通过大气时,会被大气吸收、散射和反射而削弱。当海拔高度增加时,太阳辐射通过的大气厚度减小,因而削弱得也少些。太阳直接辐射一般总是随海拔高度的增加而增加的。太阳的散射辐射、在碧空条件下是随高度增加而减小的。散射辐射决定于空气分子气溶胶微粒的多少。随着高度增加,这些物质减少,因此散射辐射减小。

有效辐射随海拔高度的增加而增加。因有效辐射是地面长波辐射和地面吸收的大气逆辐射之差,随着高度增加,地面温度下降,长波辐射减少,但同时因水汽等随高度减少,大气逆辐射也减少,而且后者减少的量大于前者,有效辐射就随高度的增加而增加,地面辐射差额随高度增加而减小。因地面辐射差额是地面吸收的太阳总辐射与其有效辐射之差。有效辐射是随高度增加而变大的,总辐射虽是随高度增加的,但地面能吸收多少还决定于地面的反射率,而反射率常随高度增加而变大,特别是在冰雪覆盖的高山更是如此,结果,在多数情况下,辐射差额是随高度增加而减小的。例如,珠峰地区雪线以上粒雪区辐射差额年总量可出现负值。

三、山地与温度

地形对温度的影响首先决定于地表和大气热交换的状况,而热交换的大小又取决于纬度、海拔高度、坡向、坡度、下垫面性质等;其次,地形对温度的影响还决定于各种地形条件下的气流情况。凸出的地形,通风良好,温度主要受气流的影响大;低洼的地形,空气闭塞,温度主要受地形本身地表的地气热量平衡所制约。

(一)海拔高度对温度的影响

一般说来,随着海拔高度的升高,地面的辐射差额减小,各种地形的地表面积也缩小,地表和空气之间热交换也愈小;同时,风速越大,空气愈流通,气温受自由大气的影响也就愈显著。所以在绝大多数情况下,不同海拔高度的气温和自由大气类似,是随着海拔高度增加而减小的。

(二)地形对温度递减率的影响

在对流层自由大气里,高度每上升100m,气温一般下降0.6℃。实际上,气温因高度增加而降低的情况是因地、因季节而异的。一般情况下,夏季递减率大于其他各季,这是因夏季低处增温显著,而山地高处多云,削弱了太阳辐射。

图5-10是秦岭南北坡不同季节平均气温递减率的情况。可以看出,夏季(6月)北坡递减率大于南坡,冬季(1月),则南坡递减率大于北坡。形成这种递减率分布的起因是由于夏季东南风到达南坡,地形抬升后,常形成云雨,削弱了太阳辐射,使南坡温度降低。同时由于在南坡凝结高度以上为湿绝热递减率,数值偏小,反之,在北坡由于暖湿空气过山后下沉增温,天空晴朗少云,日射强,气温层结呈干绝热递减率,数值偏大。冬季,秦岭北坡阻挡偏北气流,使冷空气在山下大量堆集,温度降低,因此北坡气温递减率变小,小于南坡。同时还可看出,在相同高度上,秦岭南北坡气温是不一样的,这种差异在低层较显著,到高层差异越来越小,在2 000m以上差异很小。这显然是因为愈到高层,气温受气流影响愈大的缘故。

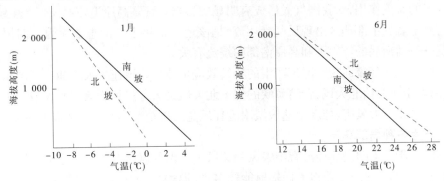

图5-10　秦岭南北坡1月和6月气温递减率(引自罗汉民等《气候学》)

(三)地形对于温度日变化和年变化的影响

地面温度由于太阳辐射的日、年变化而产生周期性变化,低层空气的热量主要来自下垫面,因而也具有周期性的日、年变化,但在不同的地形条件下,变化情况各不相同。高山是凸出的地形,越向上受自由大气的影响越显著,温度的日较差越小。低洼地形一般通风情况较差,空气闭塞,温度受自由大气影响较小。白天,谷地受热后热量积聚在中间,不易发散,增温强烈;夜间,谷地四周的冷空气下沉,谷底的暖空气被抬升,所以底部降温强烈,常形成下冷上暖的逆温层结,因而谷地昼热夜冷,温度日较差反比四周高地大。

高原不同于高山,由于地表面积大,地表热力作用比高山显著。另外,高原上大气层薄,水汽含量少,因此白天直接辐射强,增热激烈,夜晚有效辐射强,保温作用弱,日较差较大。例如我国气温日较差就是西北黄土高原、西藏高原最大,向东南沿海逐渐减小。不同地形气温的年变化大小与日变化情况类似,因而高山气温的年变化小于平原,更小于谷地。高山气温不但年变化小,且有高度越高秋季温度相对较暖,春季温度相对较冷的相时落后的特点,从这两方面讲,高山气候具有海洋性气候的一些特征。低纬度的高原,虽日变化较大,但年变化却比较小。昆明(25°N,1 893m)位于云贵高原,夏季正午太阳高度虽甚大,但因海拔高,气候并不炎热,最热月平均气温19.9℃;冬季因纬度低,正午太阳高度并不小,白昼时间亦不短,加上西北有青藏高原,冷空气不易影响,所以温度不低,最冷月平均气温达7.6℃,年较差为12.1℃,比同纬度的低地桂林要小得多,形成众所周知的"四季如春"、"冬暖夏凉"的特殊气候。世界上其他各国低纬高原城市,都有与昆明类似的气候特点。

四、地形与气流

地形对于气流的影响主要在于改变气流的活动状况和产生局地性环流。

(一)高大山脉的阻挡和屏障作用

当山脉的海拔高度超过移来气团的厚度时,山脉就对气团的移动起阻挡作用。我国一些东西走向的山脉,如天山、秦岭等,既阻挡北方的冷气团南下,也阻挡南方的暖湿气团北上,山脉两边形成不同气候特征。例如,当冷空气由西北路进入北疆时,因天山阻挡,常在北侧形成静止锋,致使北疆和南疆相比降水偏多,气温偏低。又如四川盆地冬半年比同纬度其他各省受到的寒潮侵袭要少,其主要原因是秦岭高3 000m左右,冷空气厚度不超过3 000m的寒潮无法翻越进入四川。

(二)产生绕流和狭管效应

大地形的绕流作用,对我国气候形成有明显的影响。青藏高原迫使西风带产生绕流,造成甘肃河西走廊到中部地区出现反气旋环流,是该地区常年干旱的重要原因。四川重要的暴雨系统——西南涡的产生则和高原南部的绕流有关。

气流由开阔地带流向狭窄通道产生的狭管效应可使局地风速大大增加。我国东北的西南大风,河西走廊的西北大风,台湾海峡的偏东北大风是大范围狭管效应的表现。小区域的狭管效应可产生巨大风害,如新疆达坂城附近狂风竟几次把装满货物的列车吹翻。

(三)产生各种局部环流

地形影响所产生的局部环流有山谷风和焚风等。山谷风是在大范围水平气压场比较微弱时产生的。白天,山坡上获得太阳辐射能较多,气温增高,而同高度的谷地上空因离地较远增温较少,于是山坡上的暖空气不断上升,并从山坡上空流向谷地上空,谷地上空的空气则下沉沿山坡向山顶补充,形成一个热力环流。由谷底吹向山坡的风就叫谷风;夜间,与上述情况相反,风从山顶顺山坡流入谷地,称为山风。山谷风的铅直厚度可笼罩整个谷地,水平范围可达数十公里。山谷风是山区晴天的一种独特现象,风向很稳定。在一天中,山风和谷风交替变化,风速有明显的日变化。但在阴雨天,山区的山谷风现象并不显著,风速日变化一般亦较小。

我国地形复杂,山地较多,一般都能观测到山谷风现象。观测实例表明,谷深较浅的山沟(100～200m)风场结构比较简单。而谷深较大的山沟(400～1 000m),则结构复杂,山谷风以上存在反向气流,称为反向山谷风。当气流翻越山脉时,沿山坡向下吹的干热风叫焚风。我国不少地区都有焚风。例如偏西气流越过太行山时,沿山坡干绝热下沉,空气变得十分燥热,使位于太行山东麓的石家庄出现焚风。据统计,出现焚风时,石家庄的日平均气温比无焚风时可增高10℃左右。焚风一年四季均可发生,初春可使积雪融化,有利于农田灌溉,夏末可使作物烤死、水果早熟和引起森林火灾。

五、地形与降水

地形对降水的影响是通过对气流阻挡或强迫抬升等动力作用和产生局地环流等热力作用实现的。对气流的阻挡,可造成锋面和天气系统的移速减慢和停滞,因而降水加大。强迫抬升可以造成相当大范围内的上升运动,特别是在地形较陡,风速较大时就会产生强的地形降水。地形热力作用产生的局地环流,也能影响降水,如山谷风环流在夜晚吹山风时,谷中为上升运动,河谷水汽丰富,为成云致雨提供了有利条件,"巴山夜雨涨秋池"即与此有关。由于各种因子的作用,使降水量的分布和地形有如下的关系。

(一)山上降水量和降水日数大于山下,迎风坡降水大于背风坡

迎风坡由于强迫抬升,往往形成"雨坡",而背风坡则形成"干坡"。我国台湾山地的东、北、南三面都迎着海风,降水丰富,年雨量都在2 000mm以上,到西侧背风坡,降水突然减少,其影响波及福建沿岸。例如温州、广州年雨量皆达到1 700mm,而厦门却只有1 093.7mm,这是受台湾山地背风影响所致。又如广西东兴位于十万大山南侧,迎风抬升使当地平均年雨量为2 784mm,与其相距70多公里、地处十万大山背风坡的上思,年雨量仅1 123mm,不及前者的1/2。

不同地区,不同季节,风向不一样,因此哪面是迎风坡,哪面是背风坡并不固定。例如秦岭为东西走向,冬季盛行偏北气流时,北坡是迎风坡,降雪量大于南坡;夏季南风,暖湿气流旺盛,故南坡为迎风坡,降水量较多。所以,年降水量南坡大于北坡,南坡年雨量800～900mm,而渭河平原仅600～700mm。总之,在我国干燥气候区,如黄河中上游一些山地,降水天气系统多来自北方,故北坡多半是雨坡。而在湿润气候区,如长江中游及上游部分地区的一些山地,夏季降水在全年降水中占优势,因而南坡多为雨坡。

(二)在坡地上出现"最大降水带"

许多坡地降水资料表明,由山脚向上,降水量起初是随着高度的增加而增加的,达到一定高度降水量最大,过此高度,降水量又反而减少,这个高度带即称为"最大降水带",该高度则称为"最大降水高度"。图5-11是新疆天山山脉北坡的乌鲁木齐附近降水量随高度变化的情况;图5-12是秦岭北坡年降水量与高度的关系图;图5-13为珠穆朗玛峰地区垂直气候带及植物分布图。

可见,天山北坡冬半年和夏半年都在2 000m附近处有一最大降水带,秦岭北坡最大降雨带则在1 400m处,一般来说,在湿润的气候条件下,最大降水量出现的高度低,降水量也大;在干燥的气候条件下,出现的高度比较高,降水量也比较少;在特殊条件下,可能不出现最大降水高度,甚至随海拔高度的增加,年降水量是减少的。

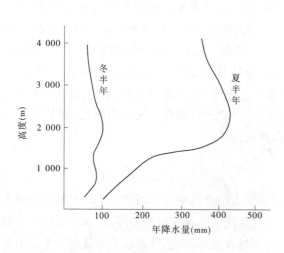

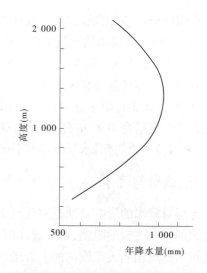

图 5-11　新疆天山北坡降水量随高度的变化
（引自罗汉民等《气候学》）

图 5-12　秦岭北坡年降水量与高度的关系
（引自罗汉民等《气候学》）

六、垂直气候带和气候分界线

由于随海拔高度的增加,气温随之递减,这种在垂直方向上有规律的分布,称为垂直气候带。一个高大的热带山脉,从山麓到山顶可以出现热、温、寒三带的植物种类。从图 5-13 可以看出,在冰雪覆盖的群山下散布一些草原,南侧则分布着从亚热带到亚高山寒带的各种植物。由于喜马拉雅山对冬季风的屏障作用,使印度冬季气温比同纬度的我国华南地区高得多,结果喜马拉雅山自然成了气候的分界线。我国其他一些高大的东西向山脉如天山、阴山、秦岭、南岭等,在气候上都类似喜马拉雅山脉,起到气候分界线的作用。例如,秦岭就是我国亚热带气候和暖温带气候的分界线。

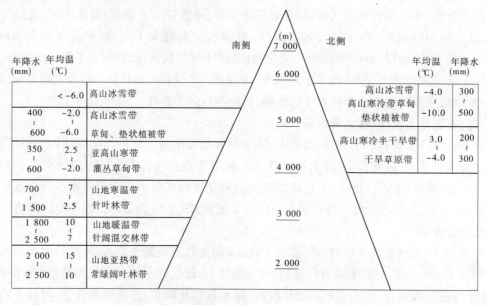

图 5-13　珠穆朗玛峰地区的垂直气候带及植物分布(引自罗汉民等《气候学》)

72

第三节　地形小气候

一个具体地方的气候,除了与以上这些因子决定的大范围气候有关外,还决定于影响范围比较小的一些气候形成因素,这主要是指局地下垫面的一些特性,如土壤、植被、小水面、雪被、局部地形、城市等。下垫面特性的差异,往往造成气温、湿度在铅直方向和水平方向上的很大变化,形成完全不同的局地小气候。小气候的水平范围依下垫面的均匀性而定,垂直范围为土壤的上层和距地面几米、几十米以至几百米的空气层。

地形起伏是造成局地气候差异的主要原因之一。不同坡地上获得的太阳辐射、降水量以及受气流的影响是不同的,因而也就直接影响到植被的分布。

一、坡地的辐射状况

(一)太阳直接辐射

不同坡面接收的太阳辐射不同,阳坡获得的热量较阴坡要多。而在同一个向阳面上,不同的坡度接受的辐射也不一样。下面分别讨论坡度和坡向与直接辐射强度的关系。

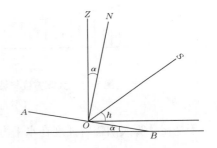

图 5-14　太阳方位与坡地方位一致时阳光照射坡面示意图(引自罗汉民等《气候学》)

假定太阳的方位与坡地方位一致,太阳光恰好正照在坡地上(图 5-14),SO 为太阳光投射方向,OZ 为天顶方向,ON 为坡面法线方向,α 为地面坡度角。因为已假设太阳光正射到坡地上,故 OS、ON、OZ 都在同一平面上。若令 Q_m 为与太阳光线相垂直的面上的太阳辐射强度,它在水平和铅直方向上两个分量分别为:

$$Q_x = Q_m \cdot \cos h \tag{5-11}$$

$$Q_z = Q_m \cdot \sin h \tag{5-12}$$

因为任何面上获得的辐射,都是指从其面的法线方向而来的辐射。故坡地上 O 点处获得的辐射强度必是 Q_x 与 Q_z 在法线 ON 上投影的总和。Q_x 在 ON 上的投影为 $Q_x \cdot \sin\alpha$,Q_z 在 ON 上的投影为 $Q_z \cdot \cos\alpha$,所以坡面上的辐射强度为:

$$Q_\alpha = Q_x \sin\alpha + Q_z \cos\alpha \tag{5-13}$$

将式(5-11)和式(5-12)代入,则有:

$$Q_\alpha = Q_m(\sin\alpha \cdot \cos h + \cos\alpha \cdot \sin h) \tag{5-14}$$

这就是计算坡地上太阳直接辐射强度的公式。根据三角公式,该式还可写成:

$$Q_\alpha = Q_m \cdot \sin(\alpha + h) \tag{5-15}$$

可见,只要 $\alpha \leqslant \frac{\pi}{2} - h$,坡地上的直接辐射强度总是随坡度加大而增大的。在较高纬度地区,太阳高度角 h 较小,因此在向阳坡上,种植喜温作物是有利的。

如果阳光不是正照在坡地上(图 5-15),即坡面的法线方向 ON,天顶方向 OZ 及太阳光投射方向 SO 不在一个平面上,法线在坡面上的铅直投影方向 OP 与阳光在坡面上的铅直投影 OR 之间相差角 A(角 A 也可看成太阳方位角与坡地方位角之差值)。

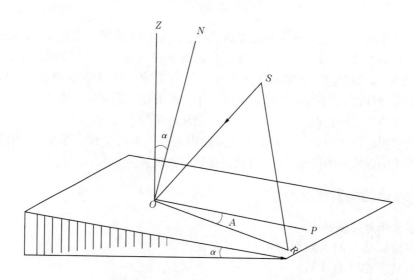

图 5-15　太阳方位与坡地方位不一致时阳光照射坡面示意图
(引自罗汉民等《气候学》)

于是在计算太阳辐射强度在水平方向上的分量时,式(5-11)应写成:

$$Q_x = Q_m \cdot \cos h \cdot \cos A \qquad (5\text{-}16)$$

而式(5-12)仍然不变。于是式(5-14)就变成:

$$Q_a = Q_m(\cos\alpha \cdot \sin h + \sin\alpha \cdot \cos h \cdot \cos A) \qquad (5\text{-}17)$$

式(5-17)是太阳斜照坡地情况下,坡地直接辐射强度计算公式,可见,坡地上的太阳直接辐射强度与坡度、太阳高度以及太阳方位和坡地方位有关。比较式(5-17)和式(5-14),可见,当 $A=0$ 时,两式完全相等。

地面坡度对太阳直接辐射强度的影响是显著的。对北半球而言,南坡正午时,太阳正照坡地,此刻 $A=0$,坡面直接太阳辐射可用式(5-15),即:

$$Q_a = Q_m \cdot \sin(\alpha + h)$$

这时将有坡度与无坡度的平面相比,有坡度相当于抬高了太阳高度角,即相当于降低了当地的地理纬度。例如,北京坡度为 8°的南坡上所得到的太阳直接辐射强度,相当于南京(南京与北京两地相距约 8 个纬距)水平面上所得到的辐射强度。

(二)散射辐射和有效辐射

坡地上接受的散射辐射小于平面上接受的散射辐射,这是因为天空一部分散射辐射被坡脊遮挡的缘故。若坡度为 α,根据近似理论估计,散射辐射强度 q_α 为:

$$q_\alpha = q_0 \cos^2 \frac{\alpha}{2} \qquad (5\text{-}18)$$

坡地有效辐射强度 R_α 为 $\qquad R_\alpha = R_0 \cos^2 \frac{\alpha}{2} \qquad (5\text{-}19)$

式中:q_0、R_0 为各自在水平地面上的辐射强度。

(三)辐射差额

坡地上的辐射差额 B_α 的计算公式为:

$$B_\alpha = (Q_\alpha + q_\alpha)(1 - \alpha_\alpha) - R_\alpha \tag{5-20}$$

式中反射率 α_α 可用附近平面上的反射率代替。

图 5-16 是计算得到的南京方山各坡向上辐射差额的日变化曲线。它与图 5-17 相当一致,说明坡地辐射差额主要是由直接辐射决定的。

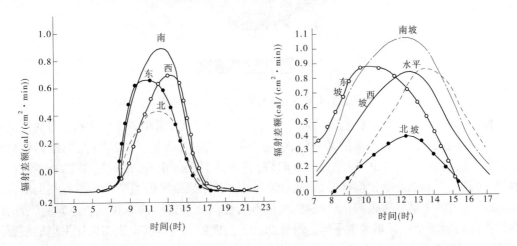

图 5-16　南京方山坡地上辐射差额的日变化
(引自罗汉民等《气候学》)

图 5-17　南京方山各坡面太阳直接辐射日变化
(引自罗汉民等《气候学》)

(四)热量平衡

坡地上热量平衡各分量的大小,基本上取决于坡地辐射差额的差异(图 5-16)。南坡因为辐射差额大,消耗在各分量上的热量均比山顶和其他坡地多,又因观测点比较潮湿,故消耗在蒸发上的热量最多;北坡辐射差额小,蒸发消耗的热量大于辐射差额,结果地表降温,从土壤中取得热量。

二、起伏地形的温度状况

起伏地形是由几个方向不同的坡面组成的,由于到达各坡地的太阳辐射强度不同,造成了地表温度分布的差异。图 5-17 是南京方山地面温度日化的情况。东坡受热最早,日出之后温度较快上升,最高温度提前在午前出现;南坡接受的太阳直接辐射比山顶多,所以温度比山顶高,也比其他坡地的温度高,西坡受热最迟,最高温度出现时间也相应推迟。从图上还可看到,各坡地最高温度出现的时间最大可相差 3 小时左右,但最低温度的出现时间相差不到 1 小时。

在地形起伏地带,山谷和山顶气温的日变化有显著不同。谷地由于四周地形的阻挡,风速小,湍流弱,白天在太阳辐射影响下,气温很快上升。夜间,因辐射冷却和四周山坡冷空气下沉的结果,在谷底或低洼处易形成"冷湖",使谷底气温大大下降,造成谷地气温的强烈日变化,山顶则由于风速大,湍流强,白天获得的辐射热量散失多,气温不可能升得很高,夜间较冷的空气下沉到谷地,补充来的是较暖的空气,使气温不致降得太低,所以气温日变化较小。地形起伏地带的最低温度常出现在谷内,但考虑到冷暖空气的比重在温度差相差 3℃

时才差 1%,因此冷空气的滑动只发生在地面坡度超过 2°～4°的情况下。而一些植物、森林、灌木丛也能阻拦冷空气的下滑,由图 5-18 可看到这一点。

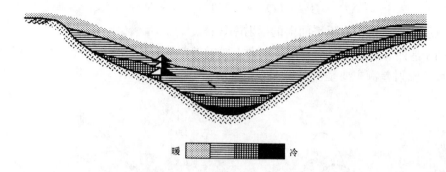

图 5-18　起伏地形夜间气温分布示意图(引自罗汉民等《气候学》)

白天山谷底部气温较高,傍晚山坡上的冷空气开始下滑,最暖的部位开始由谷底逐渐往上移,到凌晨可移到山坡上部的某一位置,这一部位就称为暖带。图 5-19 是奥地利维也纳附近的一次观测记录。图中可见,到 20 时许,谷内逆温已经出现,最暖区在 230m 附近,22 时半,暖区上升到 280m,凌晨 4 时,升到 350m 处。其结果最暖的地带既不在谷底也不在山顶,而在山坡的上部。暖带部位气温高,植物不易受霜冻侵害。据苏联一些地方的统计,山坡的上部和顶部全年无霜期比平坦地段长 20 天,而四周封闭的谷地无霜期比平坦地段要缩短 40 天。因此,在一些地方,暖带成了作物生长的"安全带"。

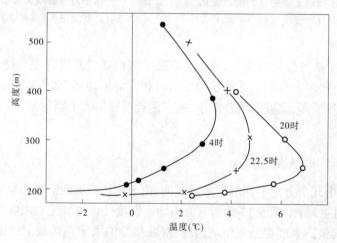

图 5-19　夜间最暖部位的移动(引自罗汉民等《气候学》)

三、起伏地形的湿度状况

在起伏地形中,坡地上土壤湿度(土壤中所含水分质量与干土质量的百分比)首先决定于径流和渗透量的大小。对充分湿润的陡坡,坡地上基本上只渗透中小雨时的降水量,大雨或较大的阵性降水都以地表径流形式流入坡底。对干燥的缓坡,不易形成地表径流,降水量大部分将渗入土中。其次,土壤湿度还决定于蒸发的能力。南坡因辐射条件好,蒸发量大,土壤比北坡干燥。由于近地面空气中的水汽来自下垫面,所以空气湿度决定于土壤湿度和蒸发两个条件。雨后不久,南坡土壤湿度大,蒸发也大,空气湿度就大;在久晴干旱,南坡土壤湿度远不及北坡时,北坡的空气湿度就会大于南坡。相对湿度与温度关系密切,在同样的绝对湿度条件下,温度高,相对湿度小;温度低,相对湿度大。因此,晴天白天谷底可能相对湿度较小,而夜晚较大,所以谷底多露、霜、雾等水汽凝结物。

四、起伏地形风的状况

起状地形的风向和风速变化很大,垂直结构很复杂。低层的风场主要是地形风,山谷风、高层为天气尺度系统的梯度风。地形风的情况随各种地形形态而不同。图 5-20(a)是孤

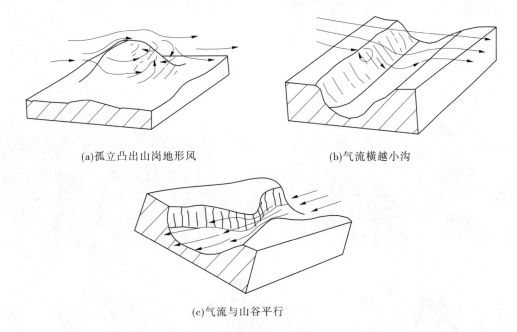

(a)孤立凸出山岗地形风　　　　(b)气流横越小沟

(c)气流与山谷平行

图 5-20　几种地形风场示意图(引自罗汉民等《气候学》)

立凸出山岗地形风的示意图。最大风速出现在山岗顶上,两侧因气流绕行,流线密集,风速也较大,迎风坡风速反而不大,最小风速是背风坡。背风面还会出现各种背风涡旋,因此风向紊乱。这种风场,使得在下小雨雪时,降水常在山岗脊后汇聚,造成降水量背风坡大于迎风坡。图 5-20(b)是气流横越小沟的情况。当气流到达沟的背风面时,同样可以产生低层与原风向相反的背风涡旋。沟底因气流强烈辐散,风速较小,到达迎风坡时,气流辐合,使风速很快增大。当气流与山谷平行时(图 5-20(c)),狭管和宽管效应十分明显,在山谷狭隘处,因气流辐合,风速加大;在宽阔处,因气流辐散,风速变小。对高大的山谷,风场受地形的强烈作用,跟峡谷方向平行的风向频率较大。峡谷里的风速和高层的梯度风向有关。当梯度风与峡谷风平行时,谷里风速大;当二者方向垂直时,谷里风速小。在谷底,气流受到的摩擦作用较大,风速较弱;随着高度升高,摩擦力减小,狭管效应明显,风速增大。在峡谷的上部接近山顶的高度,因气流向两侧扩散,宽管效应明显,风速减弱。因此,最大风速经常出现在离谷底三分之二的高度上。

参 考 文 献

[1] 罗汉民,阎秉耀,吴诗敦 . 气候学 . 北京:气象出版社,1986
[2] 傅抱璞 . 山地气候 . 北京:科学出版社,1983
[3] 潘守文 . 小气候考察的理论基础及其应用 . 北京:气象出版社,1989
[4] 毛政旦 . 气候考察 . 北京:气象出版社,1982

第六章 植物生理学与逆境生理生态学基础

植物通过光合作用,利用太阳能同化二氧化碳和其他无机物形成有机物,为动物(包括人类)和微生物提供食物和能量。占大气体积21%的氧气就是植物光合过程的产物。植物的光合产物通过各种转变过程,形成各式各样的有机化合物(包括一些有用的次生代谢物质)。植物对地表、水域和大气的化学成分,有着改善环境的巨大影响。植物遗体还参与了土壤的形成过程,等等。由此可见,认识了植物的生理生化过程和本质,就可以合理地利用光、气、水、土资源,发展生产,保护和改造自然环境。

第一节 植物生理生态学与植物适应性

一、植物生理生态学

植物生理学(Plant physiology)是研究植物生命活动规律的科学。光合作用、呼吸作用、水分代谢和矿质营养等植物的各种生命活动都是在植物基本代谢的基础上完成的,表现出植物的种子萌发、生长、开花、结果、休眠等生长发育全过程,它们是相互联系、相互依赖、相互制约的。植物生理学的任务就是研究和了解植物在各种环境条件下,生命活动的规律和机理,并应用于生产当中。

植物生理生态学是植物生态学的一个分支,它主要是研究随环境因子变化而发生的植物生理现象。植物生理生态学或植物生态生理学(Plant Ecophysiology)概念基本相同,即生态学与生理学的结合。但二者所强调的内容侧重有所不同,前者更强调生态,而后者更强调生理。

植物生理生态学研究的问题包括:①"植物与环境"系统内的相互作用和基本机制;②植物的生命活动过程;③环境因素影响下的植物代谢作用和能量转换;④植物有机体适应环境因子改变的能力;⑤植物在逆境中的生理变化。

由于植物生理生态学可以给许多生态学问题以生理机制上的解释,因而得到日益广泛的重视。从20世纪60年代开始,在IGBP(国际地圈与生物圈计划)和MAB(人与生物圈计划)的推动下,这门学科得到迅速发展。近20年来,植物生理生态学的研究日新月异,其研究从细胞到生态系统各个组织层次放大的同时,又重新将重点集中到个体水平。研究对象从过去的作物和常见物种为主转向生物多样性和全球变化的关键植物种类。当前植物生理生态学组织的新动向是全球变化中的生理生态响应;植物适应和进化的机制;对有限资源的合理利用;植物在全球变化中的行为表现;光、温、水、气、营养等多种环境因子的相互作用对植物行为的影响;植物的抗逆性潜能和植物生长过程的自动监测和动态模拟等。

从个体水平研究植物与环境相互关系和植物适应性的机制是植物生理生态学研究的基

础。植物生态学从个体、种群、群落和生态系统等层次上研究植物与环境间关系,在这些研究层次中,植物与环境的物质、能量和信息变换中,个体与环境的交换是具体的、最终的和最根本的,其他更高层的情况多属积累的和统计学的。植物生理生态学是当今植物生态学发展的一个主要方向,是个体生态学的核心,它研究植物的生理功能与环境的关系,生理适应使植物在资源不足或不良环境下得以生存、发展,因而是研究的热点。

具体地说,植物生理生态学在国际上的发展趋势有:①对各种极端环境的适应性和胁迫生理生态学研究;②植物分子生物学与植物生理生态学相结合,形成了植物分子生态学的新领域;③研究生物与环境之间的能量和物质交换的生物物理生态学是一个重要新领域;④全球环境变化中的植物生理生态研究;⑤把生理生态学研究与遗传进化研究结合起来的植物遗传生理学研究;⑥植物生理生态学与种群生态学的"界面"研究;⑦有机体生物学的研究。

随着人类社会的发展,人类正在面临的全球性的生态环境问题,如全球 CO_2 浓度升高、紫外辐射增加、温度变化、海平面升高、盐碱地扩大、生物多样性丧失等,需要生态学家从生理生态机制上探讨一些重点问题。植物对产生胁迫(stress)的各种不良环境因子统称为植物的逆境(stress environment,简称 stress)。植物的环境胁迫可分为生物性胁迫(biotic - stress)(如病害、虫害、杂草等)和非生物性胁迫(abiotic - stress)(即物理、化学胁迫,如干旱、盐害、高温、低温、辐射等)。研究植物对各种逆境的生理反应,包括逆境对植物的伤害以及植物对逆境的抗性的科学称为逆境生理学(stress physiology),也称抗逆生理或抗性生理,又属于环境生理学范畴。

二、植物适应性

植物的适应性(adaptability)是指植物自身对逆境的适应能力。一般情况下,代谢活动低的(如休眠种子、休眠芽)抗逆性强;代谢活动加强时(如营养生长期)抗逆性中等;健壮植株抗逆性强,瘦弱植株抗逆性弱。植物对逆境的适应方式是多种多样的,图 6-1 概括了植物的各种适应性及其相互关系。避逆性(stress escape)是指植物整个发育过程不与逆境相遇或指植物在逆境胁迫到来之前,植物已完成其生育周期。例如沙漠中的某些植物只在雨季生长。抗逆性(stress resistance)是指植物具有对环境胁迫的抵抗和忍耐能力,简称抗性,包括御逆性和耐逆性两个方面。御逆性(stress avoidance)是指植物具有一定的防御环境胁迫的能力,且在环境胁迫下各种生理过程仍保持正常状态,如根系发达、叶片小、蒸腾低及输导系统发达等都具有防御植物脱水的作用。耐逆性(stress tolerance)是指植物通过自身的生理生化变化来适应环境的能力。耐逆性可分为御胁变性和耐胁变性。御胁变性(strain avoidance)是指植物在逆境作用下能减低单位胁迫所引起的胁变,起着分散胁迫的作用,如蛋白质合成能力强、蛋白质分子间的键结合力强和保护性物质多等,使植物对逆境的敏感性减弱。耐胁变性又可分为胁变可逆性与胁变修复两种。胁变可逆性(strain reversibility)是指逆境作用于植物体后植物产生一系列生理变化,当环境胁迫解除后,各种生理功能能够迅速恢复正常。胁变修复(strain repair)是指植物在逆境下通过代谢过程迅速修复被破坏的结构和功能。

总之,植物适应性的强弱取决于外界施加的胁迫强度和植物对胁迫的反应强度。同样胁迫强度下植物的胁变取决于植物的遗传潜力,因此可以说植物的适应性是一个复杂的生命过程,是胁迫强度、胁迫时间与植物自身的遗传潜力综合作用的结果。在中国我们还面临

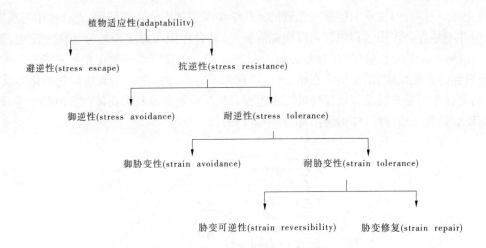

图 6-1 　植物的各种适应性(武维华,2003)

着很多自己特殊的生态问题,如青藏高原特殊生境、全球变化下的中国陆地生态系统响应、退化生态系统的恢复、环境污染的植物修复等,亟待广大学者的努力探索。

第二节　植物光合作用

地球上几乎所有的有机物质都直接或间接地来源于光合作用。光合作用是将太阳光能转换为可用于生命过程的化学能并进行有机物合成的生物过程。经光合作用所合成的物质不仅是植物合成其结构物质和维持其生命活动的能量物质的根本来源,同时也是其他生命有机体的结构和能量物质的根本来源。据不完全统计,地球上一年中通过光合作用约吸收 2.0×10^{11} t 碳素(6 400t/s),合成 5×10^{11} t 有机物,同时将 3.2×10^{21} J 散射太阳能转化为化学能,并释放出 5.35×10^{11} t 氧气。由于光合作用,大气中的 CO_2 大约每 300 年循环一次, O_2 大约每 2 000 年循环一次。原始的地球大气中并没有氧气。目前的大气环境是在光合作用产生后经过亿万年的漫长过程逐渐形成的。现在的生物种类大多数是依赖于氧气的,从这个意义上讲,没有光合作用也就没有目前的生命形式。

概括地讲,光合作用(phtosynthesis)是植物(包括光合细菌)利用光能、同化二氧化碳和水制造有机物质并释放氧气的过程。光合作用不仅是植物体内最重要的生命活动过程,而且也是地球上最重要的化学反应过程。

$$CO_2 + H_2O \xrightarrow{\text{光}} (CH_2O) + O_2$$

在这个反应中, CO_2 是碳的最高氧化状态,而 (CH_2O) 则是碳的还原态;反之,氧在水中是一种还原的状态, O_2 则是一种氧化的状态。所以,整个光合作用是一种氧化还原反应,即 CO_2 被还原,水被氧化;同时,光合作用也是一个吸能反应:

$$6CO_2 + 6H_2O \xrightarrow{\text{光}} C_6H_{12}O_6 + 6O_2 \qquad \Delta G^{O'} = +2.9\times10^6 J$$

即每固定还原 1 克分子 CO_2,就固定 4.8×10^5 J 自由能。

一、光合作用的机理

光合作用的机理是一个比较复杂的问题,从表面上看,光合作用的总反应式是一个简单的氧化还原过程,但实质上包括一系列的光化学步骤和物质的转变问题;光合作用当然需要光,但并不是光合作用过程中任何反应都需要光,光合作用可以笼统地分为两个反应,即光反应(light reaction)和暗反应(dark reaction)(图 6-2)。光反应是必须在光下才能进行的、由光所引起的光化反应;暗反应是在暗处(也可在光下)进行的,由若干酶所催化的化学反应,所以,光合作用是光反应和暗反应的综合过程。光反应是在基粒类囊体(光合膜)上进行的,而暗反应是在基质(叶绿体的可溶部分)中进行的。

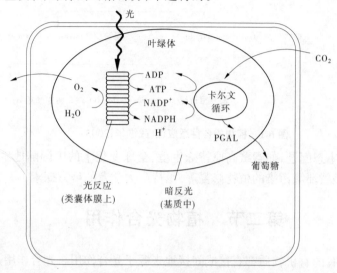

图 6-2　光合作用(杨继,1999)

在光反应阶段,光能被用来合成 ATP,并使电子传递体 $NADP^+$ 还原;在暗反应中,ATP用于 CO_2 与有机分子的共价结合,而 NADPH 则使键合的碳原子还原到糖中碳原子的氧化水平。在整个反应过程中,光能首先被转化成 ATP 和 NADPH 中的化学能,然后,这些化学能进一步转移,用于糖的合成。

(一)光反应

光能要转化为化学能,首先必须被吸收。色素是一类能够吸收可见光的物质,有些色素吸收所有波长的光,因而呈黑色;大多数色素只吸收一定波长的光,而透过或反射其他波长的光。叶绿素是一类主要吸收蓝光、紫光和红光的色素,因为它反射绿光,所以呈绿色。色素吸收光能后,电子就会跃迁到较高的能级上去,这时色素分子处于激发态。如果色素分子要回到基态,跃迁的电子就必须返回较低的能级,因而要释放能量。能量的释放有四种方式:①以热能消耗;②发射荧光或磷光;③电能被捕获用于化学键的形成;④能量传递。当我们分离叶绿素分子,并在试管中给予光照时,叶绿素分子就会发出红色荧光,也就是说,叶绿素分子中被激发的电子返回基态是以发射长波光的方式进行的。分离的叶绿素分子所吸收的光能不能转化为对生命活动有用的能量形式,只有当叶绿素分子与某些蛋白质分子结合并定位于叶绿体的类囊体膜上时,它才能把光能转化为化学能。

叶绿素共有 a、b、c、d 四种,它们的分子结构和吸收光谱存在差异。所有的绿色植物(包括原核生物的蓝藻在内)都含有叶绿素 a,它是进行光合作用必需的色素;高等绿色植物(种子植物、苔藓植物、藻类植物)和绿藻、裸藻还含有叶绿素 b,叶绿素 b 是一种光合辅助色素,它所吸收的光能并不直接转化为化学能,而是传递给叶绿素 a,并通过特殊的叶绿素 a 分子在光合作用中转化为化学能;褐藻不含叶绿素 b,而含叶绿素 c;红藻中不含叶绿素 b,代之以叶绿素 d。

参与光合作用的色素除叶绿素外,还有类胡萝卜素和藻胆素,它们也是光合作用中捕获光能的辅助色素,与叶绿素 b 和 c 一样,它们所捕获的光能传递给叶绿素 a 后才能转化为化学能。类胡萝卜素是红色、橙色或黄色的脂溶性色素,存在于多数绿色植物和蓝藻中,类胡萝卜素主要有胡萝卜素和叶黄素两种,它们通常也定位在叶绿体的类囊体膜上。

在叶片中,类胡萝卜素的颜色通常被大量的叶绿素所掩盖,但当秋天的低温使叶绿素破坏后,类胡萝卜素的颜色便显现出来,使叶表现黄色或红色等。藻胆素主要存在于蓝藻及红藻中,与类胡萝卜素不同的是,藻胆素是水溶性的。

叶绿体中的色素分子与溶液中的色素分子是不同的,在叶绿体中,色素分子(包括叶绿素和其他色素分子)是与特定的蛋白质结合在一起的,它们构成了独立的蛋白 - 色素复合体,定位于类囊体的膜上。类囊体膜上能催化光化学反应的蛋白 - 色素复合体称为光系统(photosystem),每个光系统复合物中包括 $250 \sim 400$ 个色素分子,由反应中心蛋白 - 色素复合体和天线蛋白 - 色素复合体两部分构成。光系统中的所有色素分子都能够吸收光子,但每个光系统中只有一对叶绿素分子能够利用光能进行光化学反应,这对叶绿素分子位于光系统的作用中心,称为作用中心色素分子;光系统中的其他色素分子(包括叶绿素和类胡萝卜素分子)称为天线色素分子,天线色素分子吸收的光能从一个色素分子传递给另一个色素分子,一直传递到作用中心色素分子;作用中心色素分子吸收这些能量后,其中的一个电子跃迁到较高的能级,并由一个受体分子捕获,这样,就形成了由光能驱动的电子流动,即氧化还原反应,作用中心色素分子被氧化而带正电,受体分子被还原而带负电。

现在已经知道,叶绿体的类囊体膜上有两个光系统,分别称之为光系统 I 和光系统 II。在光系统 I 中,作用中心的叶绿素分子是一对叶绿素 a 分子,称为 P_{700},"P" 代表色素,角码 "700" 代表该色素分子的吸收峰位于 700nm 处;光系统 II 作用中心色素分子也是一对特殊的叶绿素 a 分子,它的吸收峰为 680nm,因而称之为 P_{680}。一般认为,光系统 I 和光系统 II 是串联在一起的,它构成了一个连续的反应系统,但光系统 I 也可以独立地进行光反应。

通常把光系统 I 和光系统 II 串联在一起的模式图称为 "z" 链。在光系统 II 一侧,P_{680} 捕获光能后被激发,一个电子跃迁至较高能级后,将电子受体 Q 还原。失去电子的 P_{680} 分子从水分子中夺取电子,水分子裂解成质子和氧的反应只有在光下才能进行,因此称为水的光解(photolysis),催化这一反应的酶位于类囊体膜的内侧,所以水的光解形成了跨类囊体膜的质子电动势。

从 P_{680} 跃迁的电子使电子受体还原后,沿着光合电子传递链向较低能级的电子递体传递,直至光系统 I 作用中心 P_{700},这些电子递体包括醌类物质(Q)、细胞色素(Cyt)、质体醌(PQ)和质体蓝素(PC)。电子传递过程中释放的能量使基质中的 ADP 磷酸化,形成 ATP,叶绿体光合电子传递链中的这种磷酸化作用称光合磷酸化(Photophosphorylation),在非环式电子流发生时进行的 ADP 磷酸化作用称为非环式光合磷酸化。与此同时,在光系统 I 一侧,P_{700} 电于受光激发跃迁后,使结合态的铁氧还蛋白(Fd)还原,经自由态铁氧还蛋白和黄素蛋白(FAD)传递,最后使 $NADP^+$ 还原成 NADPH,丧失电子的 P_{700} 则由来自光系统 II 的电子还原。因此,光系统 I 和光系统 II 必须同时各吸收两个光子,才能使一分子 $NADP^+$ 还原成 NADPH。

在光反应中,除了非环式光合磷酸化作用外,还有一种环式光合磷酸化作用也能使 ADP 磷酸化,形成 ATP,这是由光系统 I 独立完成的,即 P_{700} 的电子使结合态铁氧还蛋白还原后,电子不再传递给游离态铁氧还蛋白,而是经另一条支路,大概是细胞色素 b_6,传给细胞色素 f,再经质体醌重新回到 P_{700}。在光能驱动下,这种环式电子流产生的能量也能促使 ADP 磷酸化作用的进行,故称为环式光合磷酸化。通常认为这是一种最原始的光合作用机理,它既没有 $NADP^+$ 的还原,也不产生氧气,唯一的产物是 ATP。当细胞具有足够的还原力 NADPH,而需要更多的 ATP 来满足代谢需要时,可能发生环式光合磷酸化。叶绿体可以根据细胞内环境的变化改变环式和非环式光合磷酸化的比例。

(二)暗反应

暗反应主要进行二氧化碳的固定和还原,或称二氧化碳同化(CO_2 assimilation)。从能量转换的角度看,碳同化就是将 ATP 和 NADPH 中的活跃的化学能转换为贮存在糖类物质中的稳定的化学能的过程;从物质生产的角度看,占植物体干重 90% 以上的有机物质都是通过碳同化形成的。高等植物 CO_2 光合同化的途径有 3 条,即卡尔文循环、C_4 途径和景天酸代谢途径,其中以卡尔文循环最为普遍,同时也只有这条途径才具有合成淀粉等产物的能力。

在暗反应过程中,二氧化碳的定固和还原是在叶绿体的基质中进行的,它由一系列酶催化的生物化学反应组成。二氧化碳的受体是核酮糖 - 1,5 - 二磷酸(RuBP),在 RuBP 羧化酶(通常称之为"Rubisco")的作用下,RuBP 与 CO_2 共价结合,并迅速裂解成两分子 3 - 磷酸甘油酸(PGA);PGA 经 NADPH 还原形成 3 - 磷酸甘油醛,然后经过一系列转化再生 RuBP,在此代谢途径中,二氧化碳固定后的第一个产物是合有 3 个碳原子的化合物,因此称之为 C_3 循环,但为纪念 Melvin Calvin 对二氧化碳同化研究做出的杰出贡献,该循环也称为卡尔文(Calvin)循环。在整个循环过程中,要固定 6 分子 CO_2,也就是说要循环 6 次,才能生成 1 分子己糖,其总反应式如下:

$$6CO_2 + 12NADPH + 12H^+ + 18ATP \longrightarrow C_6H_{12}O_6 + 12NADP^+ + 18ADP + 18Pi$$

卡尔文循环生成的甘油醛 - 3 - 磷酸除了满足循环再生 RuBP 外,多数被转运至细胞质中,并迅速转化成葡萄糖 - 1 - 磷酸和果糖 - 6 - 磷酸,葡萄糖 - 1 - 磷酸进一步转化成核糖苷—尿嘧啶双磷酸葡萄糖(UDPG),UDPG 与果糖 - 6 - 磷酸合成蔗糖磷酸,经水解后形成蔗糖(图 6-3)。

淀粉也是光合作用的主要产物,在很多植物体中,卡尔文循环产生的甘油醛 - 3 - 磷酸经过一系列酶促反应,被转化成葡萄糖 - 1 - 磷酸,然后,通过转葡糖基反应,生成核糖苷—ADPG,ADPG 在淀粉合成酶作用下,将葡糖基转移到淀粉合成的引物上去,形成淀粉,暂时贮藏在叶绿体的基质中;夜间,淀粉水解,葡萄糖从叶绿体转运至细胞质中,最后以蔗糖的形式从叶片中转运出去。所以,光合细胞中几乎不形成游离的葡萄糖,光合作用固定的二氧化碳绝大多数被转化成蔗糖或淀粉,蔗糖是植物体中糖类物质转运的主要形式,而淀粉是主要的贮藏物质。

(三)景天酸代谢途径

景天科及其他肉质植物,生存在干旱地区。它们的气孔往往是白天关闭,而在夜间开

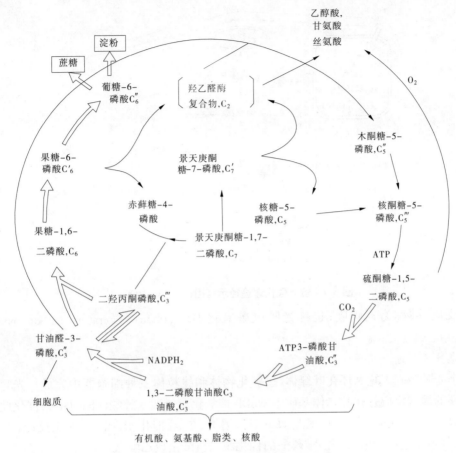

图 6-3　卡尔文循环各主要反应示意图(引自潘瑞炽等,1995)

(空心粗线表示 CO_2 转换成淀粉和蔗糖的途径)

放。这一点是像通常 C_3 和 C_4 植物的行为相反。因为水分通过开放的气孔蒸发散失,在夜间比白天要低得多,这种方式明显有利于生存在白天高温低湿的沙漠中的植物。为了对生存环境的适应,这种植物具有另外一种特殊的固定 CO_2 的方式,它们是在夜间从大气中吸收 CO_2 并转化为四碳有机酸,主要是苹果酸,而且大量积累。淀粉降解产生的 PEP 是初始 CO_2 受体。与 C_4 植物一样,在白天的光照下,夜间积累的苹果酸脱羧释放出的 CO_2 经 RuBP 羧化酶作用再被固定,进入光合碳循环,最后形成淀粉。淀粉在夜间又可以分解,最后生成 CO_2 受体 PEP(图 6-4)。这种 CO_2 同化的方式最初是在景天科植物中发现的,所以又称为景天酸代谢(crassulacean acid metabolism 简称 CAM)。具有这种代谢途径的植物被称为 CAM 植物,约占植物类种的百分之五。

(四)光呼吸

Warburg 在 20 世纪 20 年代发现氧有抑制小球藻光合过程的作用,当氧浓度加倍时,其光合速率降低 50%,这种氧对光合作用抑制的现象被称为瓦布格效应(Warburg effect)。1955 年,Decher 测定烟草的光合速率时,观察到在停止照光后的短时间内,叶片大量释放 CO_2,即"CO_2 碎发"(CO_2 ,outburst)现象。这些实验结果导致光呼吸(Photorespiration)现象的发现,即植物的绿色细胞在光照下不仅进行 CO_2 的同化,而且存在依赖光的吸收 O_2、释放

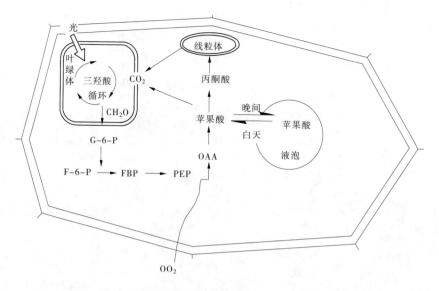

图 6-4　景天酸代谢途径示意图(周云龙,1999)

CO_2 的反应,被称为光呼吸,也称光呼吸碳氧化循环(photo respiratory carbon oxidation cycle,PCO cycle)。

1. 光呼吸代谢

整个光呼吸碳氧化循环在叶绿体、过氧化物体和线粒体三种细胞器中完成。光呼吸碳氧化循环的最初反应是在叶绿体基质中 RuBP 被氧化成磷酸乙醇酸(glycolate),催化此反应的酶是 Rubisco。Ogren 等人发现此酶具有特殊性质,既催化 RuBP 的羧化反应,又催化 RuBP 的加氧反应。磷酸乙醇酸被磷酸酶催化脱去磷酸生成乙醇酸。

RuBP 在 Rubisco 的催化下发生的加氧反应过程可用以下两步反应表示:

$$RuBP + O_2 \xrightarrow{\text{Rubisco}} 磷酸乙醇酸 + PGA + 2H^+$$

$$磷酸乙醇酸 + H_2O \longrightarrow 乙醇酸 + HOPO_3^{2-}$$

乙醇酸从叶绿体转移到过氧化物体中,在过氧化物酶催化下氧化为乙醛酸,经转氨基作用形成的甘氨酸进入线粒体,两分子甘氨酸形成一分子丝氨酸,并脱去 CO_2。丝氨酸返回过氧化物体,经转氨基和还原形成甘油酸,再返回叶绿体在甘油酸激酶催化下形成 3-磷酸甘油酸。光呼吸碳氧化循环过程的详细步骤见图 6-5。

总起来看,RuBP 氧化形成两分子磷酸乙醇酸,最后转化形成一分子 3-磷酸甘油酸,释放一分子 CO_2。其总反应式如下:

$$2RuBP + 3O_2 + 2Fd_{red} + 2ATP \longrightarrow 3,3-PGA + CO_2 + 2Fd_{ox} + 2ADP + 2Pi$$

在光呼吸碳氧化循环中,乙醇酸、乙醛酸、甘氨酸等均为二碳化合物,因此光呼吸碳氧化循环又称为 C_2 循环。Rubisco 具羧化和加氧双重催化活性,RuBP 的羧化或加氧间的竞争使光合碳固定效率降低,所以在叶片中的光合碳代谢实际上是卡尔文循环与光呼吸碳氧化循环整合平衡的结果,卡尔文循环能独立运转,而光呼吸碳氧化循环却依赖于卡尔文循环中 RuBP 的再生。

两个环间的平衡主要决定于三个因子:Rubisco 的动力学特性、底物 CO_2 与 O_2 的浓度

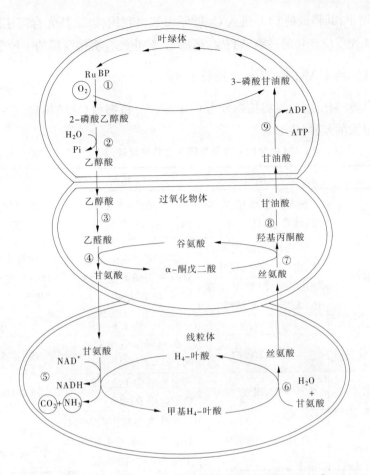

图 6-5 在叶绿体、过氧化体和线粒体中发生的光呼吸碳氧化循环(Taiz 和 Zeiger，1998)

和温度。Rubisco 的底物 CO_2 与 O_2 竞争同一活性位点，互为抑制剂，酶催化反应的方向决定于 CO_2/O_2 比值。

在提供相同 CO_2 与 O_2 浓度条件下 Rubisco 与 CO_2 的亲和性比与 O_2 的亲和性高几十倍，但是在自然环境空气中，羧化反应仅为加氧反应的 3 倍，显然，提高 CO_2 浓度可明显抑制光呼吸。当温度升高时，提高了 Rubisco 与 O_2 的亲和力，O_2 的吸收增加，表现光呼吸增加。

2. 光呼吸的功能意义

光呼吸的生理功能尚不清楚。在早期地球上大气中 CO_2/O_2 比例高的条件下，Rubisco 的加氧活性被抑制，随着绿色植物光合作用的进行，大气中 CO_2/O_2 比值逐渐降低，催化加氧反应的活性表现出来，看似一种消耗过程，将光合作用已固定碳素的 1/4 氧化释放。但是，伴随光合作用的进行，磷酸乙醇酸的产生是不可避免的，事实上，经过 C_3 循环可将乙醇酸中 75% 的碳回收，并消除乙醇酸对细胞的毒害。同时，光呼吸过程中产生的甘氨酸和丝氨酸也可为蛋白质合成提供部分原料。

近年来利用拟南芥光呼吸缺陷型突变体的研究发现，在正常空气中该突变体不能存活，只有在高 CO_2 浓度条件下才能存活。说明光呼吸可能有其特别重要的生理功能，在高光强

和低 CO_2 浓度下,其释放的 CO_2 进入 C_3 循环而被再利用,以维持光合碳还原循环的运转,同时也是消耗光反应产生的过剩 ATP 与还原力,防止光合机构受损的一种保护机制。

二、C_3、C_4 与 CAM 植物光合特性比较

根据光合碳同化途径,可将植物分为 C_3 植物、C_4 植物和 CAM 植物,它们的光合与生理生态特性有很大的差异(表 6-1)。

表 6-1 C_3、C_4 与 CAM 植物的光合及生理生态特性比较(源自武维华,2003;王忠,2000)

特性	C_3 植物	C_4 植物	CAM 植物
代表植物	典型的温带植物,小麦、菠菜、大豆	典型的热带、亚热带植物,玉米、高粱、甘蔗	典型的旱地植物,仙人掌、兰花、龙舌兰、肉质
叶片解剖结构	维管束鞘细胞不发达,内无叶绿体,仅叶肉细胞中一种类型叶绿体,无"花环型"结构	维管束鞘细胞发达,内具两种不同类型叶绿体,有"花环型"结构	维管束鞘细胞不发达,叶肉细胞中有大液泡,无"花环型"结构
叶绿素 a/b	约 3:1	约 4:1	小于 3:1
碳同化途径	一条 C_3 途径	在不同细胞中存在 C_3 和 C_4 一条途径	在不同时间的两条途径
最初 CO_2 受体	RuBP	细胞质中 PEP,维管束鞘细胞中 RuBP	暗中 PEP;光下 RuBP
催化 CO_2 酸化反应的酶活性	高 Rubisco 酶活性	在叶肉细胞中高 PEPC 酶活性,在维管束鞘细胞中高 Rubisco 酶活性	暗中高 PEPC 酶活性,光下高 Rubisco 酶活性
光合初产物	PGA	OAA	光下 PGA,暗中 OAA
Warburg 效应	明显	不明显	明显
光呼吸	高	低	低
光合最适温(℃)	较低,15~30	较高,30~47	宽,~35
光饱和点	最大日照 1/4~1/2	最大日照以上	同 C_4 植物
CO_2 补偿点	高,40~70	低,5~10	~5,暗期(5),光下(0~200)
最适生长温度	低	高	宽
光合速率(CO_2)mol/($m^2 \cdot s$)	10~25	25~50	1~3
蒸腾系数	大(450~950)	小(250~350)	光照下:150~600;暗中:80~100
耐寒性	耐寒性弱	耐旱	极耐旱
光合产物运输率	相对慢	相对快	不一定
光合净同化率	~20	30~40	变化较大
增施 CO_2 对干物质的促进	大	小	—

不同植物的光合碳代谢途径是进化的结果,是对特定生态环境的适应。C_4 植物比 C_3 植物进化;单子叶植物中的 C_4 植物较多。C_3 植物在温带分布较多而 C_4 植物多分布在热带、亚热带,CAM 植物主要分布在干旱沙漠地区。在高光强、高温及相对湿度较低的条件下,C_4 植物的光合效率比 C_3 植物高,但在光照弱、温度低的条件下,C_4 植物的光合效率甚至比 C_3 植物还低。

不同的碳代谢途径也不可能被绝对分开,常随植物的器官、生育期以及环境条件而变化。某些植物的解剖结构和光合碳固定的特性介于 C_3 植物与 C_4 植物之间,如禾本科的黍属、粟米草科的粟米草属、苋科的莲子草属、菊科的黄菊属、紫茉莉科的叶子花属等,这些植物也具有维管束鞘细胞,但不如 C_4 植物发达,而叶肉细胞有分化;具有两种催化羧化反应的酶,但不像 C_4 植物那样 Rubisco 和 PEP 被严格分开定位在不同的细胞中;CO_2 同化以 C_4 途径为主,但也有有限的 C_4 循环。这些植物的光呼吸也介于 C_3 与 C_4 植物之间。目前一般认为,C_3—C_4 中间型植物是从 C_3 植物到 C_4 植物的中间过渡类型。同时,某些植物在环境条件发生变化或发育的不同阶段,也会在 C_3 与 C_4 途径间转换。如 C_3 植物烟草感染花叶病毒后,则在幼叶中出现 C_4 途径。禾本科的毛颖草在低温多雨地区以 C_3 途径固定 CO_2,而在高温干旱地区则经 C_4 途径固定 CO_2。玉米幼苗叶片具 C_3 植物的某些特征,至第五叶才具有完全的 C_4 植物特征;C_4 植物衰老时,也会出现 C_3 植物的某些特征。CAM 植物也有专性与兼性之分。光合碳代谢途径的多样性及其相互间的转化也是植物对多变的生态环境的适应性。

三、光合速率及表示单位

光合速率通常是指单位时间、单位叶面积的 CO_2 吸收量或 O_2 的释放量,也可用单位时间、单位叶面积上的干物质积累量来表示。常用单位有 CO_2 吸收量:$\mu mol/(m^2 \cdot s)$(以前用 $mg/(dm^2 \cdot h)$ 表示,$\mu mol/(m^2 \cdot s) = 1.58mg/(dm^2 \cdot h)$);$O_2$ 释放量:$\mu mol/(m^2 \cdot h)$ 和干物质积累量:$mg/(dm^2 \cdot h)$。CO_2 吸收量用红外线 CO_2 气体分析仪测定,O_2 释放量用氧电极测氧装置测定。干物质积累量可用改良半叶法等方法测定(请参照植物生理实验指导书)。有的测定光合速率的方法都没有把呼吸作用(光、暗呼吸)以及呼吸释放的 CO_2 被光合作用再固定等因素考虑在内,因而所测结果实际上是表观光合速率(apparent photosynthetic rate)或净光合速率(net photosynthetic rate),如把表观光合速率加上光、暗呼吸速率,便得到总光合速率(gross photosynthetic rate)或真光合速率(true photosynthetic rate)。

四、影响光合作用的因素

植物的光合作用受到多种因素的影响,概括起来可分为内部因素的影响和外界条件的影响。

(一)内部因子对光合作用的影响

1. 叶龄

叶片是光合作用的器官。叶片在不同的发育时期,其光合速率有很大变化。新长出的幼嫩叶片,其光合速率很低,呼吸速率则很强,所形成的光合产物还不足以供应本身的需要,必须从成长叶片得到同化物的供应。随着叶片的成长,其固定 CO_2 的能力很快增加,当叶片的大小长足时,其净光合速率达最大值;以后随叶片的衰老又逐渐降低。

叶片光合作用随叶龄的变化除了与叶片中叶绿素含量有很大关系外,还与酶的含量,尤其是 Rubisco 的含量有关。叶片叶绿素含量的多少可从叶色上观察到,幼嫩叶叶绿素含量低,呈黄绿色;随着叶龄的增加,叶绿素含量增多,叶色加深;以后随着叶片衰老,叶绿素含量减少,叶色也逐渐由绿变黄。另外,越来越多的实验结果表明,光合速率随叶龄的变化与 Rubisco 的活性是一致的关系。Rubisco 在幼叶中的活性较低,当叶片完全展开后达到最高峰,而随着叶片的衰老,其活性迅速下降。

2.源与库间的关系

源是指制造及供应同化物的部位,库则是指储存或消耗同化物的部位。输出光合产物的叶片即为源;接受光合产物的生长中心,包括正在长大的果实、种子或芽等即为库。正常情况下,植物体内代谢源与库之间是相互协调的,在对光合产物的需要量大时,叶的光合速率也较大,反之亦然。例如,迅速生长的植株或叶片较成熟植株或叶片的光合速率大;叶腋有花或果实的叶片较无花或果实的叶片光合速率大。但如掐去花、果以及除去植株或枝条顶端分生组织或摘除稻麦穗部等,都使叶的光合速率降低。

(二)外部因子对光合作用的影响

1.光

光是叶绿素生物合成及叶绿体发育的必要条件,是光合作用的原动力,是植物进行光合作用不可缺少的条件。光的影响包括光质(光谱成分)及光照强度。

(1)叶片对光的适应。叶片作为吸收、转化光能的器官,高度特化的解剖结构适于捕获更多的光能,并能随时进行调节。首先,叶片表皮细胞可透光并起到类似凸透镜的聚光作用。使到达叶肉细胞中叶绿体的光增强了许多倍。叶片上表皮细胞下是一或几层较紧密纵向排列的栅栏组织细胞,可以有效地吸收光。透过栅栏组织细胞及其间隙的光再被不规则松散排列的海绵组织细胞所截获,在这些细胞间有较大的空隙。所造成的空气—水界面产生光散射效应,增加了光被吸收的可能性。许多植物还通过改变叶片与日光的角度来调节对光的吸收;叶绿体的运动也是对光的吸收的调节,当光线弱时,叶绿体集中排列于与光平行的细胞面,而光强时,叶绿体沿与入射光平行的侧面排列,由此可以使叶片吸收的光减少15%。

在强光或遮阴的环境中生长的植物,在叶片形态结构、叶绿素含量、光合酶活性方面都有其对光适应的不同特征。阳生植物的叶片厚,栅栏组织细胞长而且层数多,而阴生植物叶片较大且薄。阴生植物叶片叶绿体具有较大的基粒与更多的片层结构;每个反应中心含更多的叶绿素分子,有较高的叶绿素 a/b 比值;其 PSII 反应中心与 PSI 反应中心量为 3:1,而阳生植物为 2:1。所有这些特征有助于阴生植物叶片吸收和转换光能。阳生植物叶片叶绿体中含更多的可溶性蛋白,尤其是 Rubisco 和叶黄素循环成分,因而能更充分利用同化力,有更高的碳同化能力。

(2)光合作用也与光质有关。在可见光谱范围内,不同波长的光的光合量子效率不同。由于叶绿体色素的吸收高峰在红光和蓝紫光部分,所以在能量相等时,红光、蓝光效率高于黄绿光。另外,光合作用依赖于 PSI 与 PSII 间的协调运转,光质影响两个光系统的状态及光能的分配而影响光化学效率。一般情况下,自然界中太阳光的光质可以满足光合作用的需要。

（3）光照强度与光合速率的关系。在光照强度较低时,植物光合速率随光强的增加而相应增加,但光强进一步提高时,光合速率的增加幅度就逐渐减小,当光强超过一定值时,光合速率就不再增加,这种现象称为光饱和现象(图6-6)。开始达到光饱和现象时的光照强度称为光饱和点。光饱和点较高的植物在较强的光照下能形成更多的光合产物。植物达光饱和点以上时的光合速率表示植物同化 CO_2 的最大能力,在光饱和点以下,光合速率随光照强度的减少而降低,到某一光强时,光合作用中吸收的二氧化碳与呼吸作用中释放的二氧化碳达动态平衡,这时的光照强度称为光补偿点。在光补偿点时,光合生产和呼吸消耗相抵消,即光合作用中所形成的产物与呼吸作用中氧化分解的有机物在数量上恰好相等,无光合产物的积累;如果考虑到夜间的呼吸消耗,则光合产物还有亏空。所以,要使植物维持生长,光强度至少要高于光补偿点。不同植物或同种植物处在不同的生态条件下,光补偿点不同,并且随温度、水分和矿质营养等条件的不同而发生变化,其中温度的影响较显著,温度高时呼吸作用增加,光补偿点就被提高。光补偿点高的植物一般光饱和点也高,阳生植物光饱和点和光补偿点较阴生植物的高(图6-7),草本植物的光饱和点和光补偿点通常要高于木本植物。

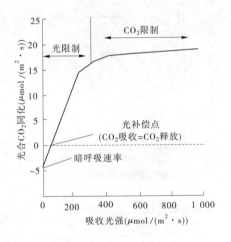

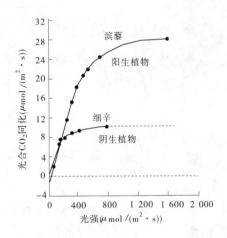

图 6-6　C_3 植物光合速率与光辐　　　　图 6-7　阳生植物和阴生植物的光合速率与光照
射强度的关系曲线(Taiz 和 Zeiger,1998)　　　强度的关系曲线比较(Taiz 和 Zeiger,1998)

当叶片接受的光能超过它所能利用的光量时,光合活性降低,光合作用被抑制,这种现象是光合作用的光抑制(Photoinhibition)。其显著特点是 PSII 光化学效率降低和光合碳同化的量子效率降低。在光强超过光饱和点的晴天中午,植物常表现光合速率下降,出现“光合午休”现象。主要因为在干热的中午,叶片萎蔫、气孔导性下降,CO_2 吸收减少,在这种情况下,光呼吸增强,产生光抑制。“光合午休”可使光合生产损失 30%。强光伤害严重时会导致叶片失绿,丧失光合活性。目前认为产生光抑制的重要原因是光反应中心受损而使光合活性下降。对于光的破坏作用,植物具有多种保护机制:植物常通过叶片及叶绿体运动来避开强光直射;叶片表面的蜡质层和表皮毛等可反射光,以避免吸收过多的光;植物也会加强热耗散过程;光呼吸也可耗散过多的能量;植物也通过增加活性氧清除系统如超氧歧化酶(SOD)、谷胱甘肽还原酶等的量与活性来保护。同时加强光系统的修复循环来保护光合机构,避免过强光的伤害。

2.二氧化碳

CO_2 是光合作用的原料之一。环境中 CO_2 浓度的高低明显影响光合速率。在一定范围内,植物的光合速率是随 CO_2 浓度增加而增加,但到达一定程度时再增加 CO_2 浓度,光合速率也不再增加,这时外界的 CO_2 浓度称为 CO_2 饱和点。CO_2 浓度增高对植物的影响包括两个方面:一方面增加叶片内外 CO_2 浓度梯度,促进 CO_2 向叶内扩散;另一方面,CO_2 浓度过高会引起气孔开度减小而使气孔阻力增大,阻止 CO_2 扩散到叶肉。因此,大气中 CO_2 浓度增至一定程度时即达饱和。在 CO_2 饱和点以下,光合速率是随 CO_2 浓度的减低而降低,当 CO_2 浓度减低到一定位时,光合作用中吸收的 CO_2 与呼吸作用释放的 CO_2 达到动态平衡,这时环境中 CO_2 浓度即称为 CO_2 补偿点。C_4 植物的 CO_2 补偿点低于 C_3 植物,前者体积分数为 $0\sim5\times10^{-6}$,后者约为 5.0×10^{-5}。故 CO_2 在 5.0×10^{-5} 左右时,C_4 植物仍能积累光合产物,而 C_3 植物则不能。空气中 CO_2 体积分数为 $3.4\times10^{-4}\sim3.5\times10^{-4}$。$CO_2$ 浓度和光强度对植物光合速率的影响是相互联系的。植物的 CO_2 饱和点是随着光强的增加而提高的;光饱和点也是随着 CO_2 浓度的增加而增加(图 6-8)。

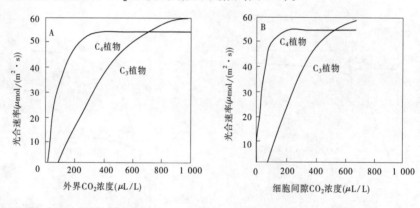

图 6-8　C_3 植物与 C_4 植物的 CO_2—光合曲线比较(自王忠,2001)

3.温度

光合作用中 CO_2 的同化过程,即所谓的暗反应是一系列的酶促反应。由于温度可以影响酶的活性,因而对光合速率有明显影响。温度对光合作用的影响同对其他生化过程的影响一样,存在着温度三基点:最低点、最适点和最高点。低温下(一般作物为 2~10℃),植物光合速率降低的原因主要是酶活性降低,另外叶绿体超微结构在低温下也受到损伤。一般来说,光合作用的最适温度是 25~30℃。在 35℃以上时,光合速率开始下降,40~50℃时,即完全停止。高温造成光合速率下降的原因主要是在高温下:①叶绿体和细胞结构受到破坏;②失水过多,影响气孔开度,CO_2 供应减少;③呼吸最适温高于光合最适温,于是呼吸速率的增加大于光合速率的增加。C_4 植物光合最适温高于 C_3 植物,这与 PEP 羧化酶最适温高于 Rubisco 的最适温相一致。

4.水分

叶片接近水分饱和时,才能进行正常的光合作用。而当叶片缺水达 20% 左右时,光合作用受到明显抑制。虽然水分是光合作用的原料之一,但植物吸收的水分,仅很少一部分

(约 5% 以下)用于光合作用。因此,水分缺乏使光合速率下降主要是间接的原因。水分亏缺使光合速率降低的原因主要有两方面:①水分亏缺可使气孔开度减小或关闭,进而影响 CO_2 向叶细胞内的扩散,在水分亏缺的情况下,C_4 植物比 C_3 植物有较高的净光合速率,因为 C_4 植物有 CO_2 泵的作用,虽然气孔开度减小,仍可供应 Rubisco 较充分的 CO_2,促进羧化反应的进行;②水分亏缺可影响叶片的正常生长,造成光合面积减少,因此间接影响了光合速率。

5. 矿质营养

矿质元素直接或间接影响光合作用。氯、锰对水的光解;铁、铜、磷对光合电子传递及光合磷酸化;氯对酶的含量;氮、镁、铁、锰对叶绿素的组成或生物合成过程等都产生直接影响。而钾、磷、硼对光合产物的运输和转化起促进作用,从而对光合作用产生间接影响。在一定范围内,营养元素增多,光合速率就加快。肥料三要素中以氮对光合作用的效果最明显。因为:①氮素促进叶片面积增大、叶数增多,从而增加光合面积,间接提高光合作用效率;②氮素促进叶绿素含量增加,加速光反应:氮素增加,提高光合作用过程中酶的含量,加速暗反应。因此,适当的氮素含量能促进光合速率与干物质的积累。总之,矿物质对光合作用的影响是多种多样的,保证植物矿质营养是促进光合作用的重要基础。

6. 光合速率的日变化

一天中,外界的光强、温度、土壤和大气的水分状况、空气中的 CO_2 浓度以及植物体的水分与光合中间产物含量、气孔开度等都在不断的变化,这些变化会使光合速率发生日变化,其中光强日变化对光合速率日变化的影响最大。在温暖、水分供应充足的条件下,光合速率变化随光强日变化呈单峰曲线,即日出后光合速率逐渐提高,中午前达到最高峰,以后逐渐降低,日落后光合速率趋于负值(呼吸速率),如果白天运量变化不定,则光合速率会随光强的变化而变化。当光照强烈、气温过高时,光合速率日变化呈双峰曲线,大峰在上午,小峰在下午,中午前后光合速率下降,呈现"午休"现象(midday depression of photosynthesis),且这种现象随土壤含水量的降低而加剧,引起光合"午休"现象的主要因素是大气干旱和土壤干旱。在炎热的中午,叶片蒸腾失水加剧,如此时土壤水分也亏缺,那么植物的吸水小于失水,就引起萎蔫和气孔导度降低,使 CO_2 吸收减少。另外,中午及午后的强光、高温、低 CO_2 浓度等条件都会使光呼吸激增,光抑制产生,这些也都是光合"午休"的原因。光合"午休"现象是植物遇干旱时普遍发生的现象,也是植物对环境缺水的一种适应方式。但是,"午休造成的损失可达光合生产的 30%,甚者更多,所以在生产上应适时灌溉,或选抗旱品种,增强光合能力,以缓和"午休"程度。

总之,光合作用受多种外界因素的影响。当各因子同时作用于光合作用时,光合速率往往受最低因子所限制。例如溶液培养的水稻在缺氮情况下,在小于 3 000lx 的条件下即达到饱和,再增加光照强度也不能使光合速率增高,只有增加氮素供应才能提高光合速率。同样,CO_2 与光照强度间的关系也相似,在弱光下,很低的 CO_2 浓度即达到饱和,这时光照便是限制因子,只有增加光强才能提高光合速率;但当光强达到一定程度后,CO_2 又可能成为限制因子。总而言之,在分析各个外界因子对光合作用的影响时,应考虑到它们的综合作用。

第三节　植物蒸腾作用

植物经常处于吸水和失水的动态平衡之中。植物一方面从土壤中吸收水分,另一方面又向大气中蒸发水分。早在18世纪,人们就已注意到植物根系吸收的绝大部分水分最终都以气态的方式散失到环境中。这种植物体以水蒸气状态向外界大气蒸散水分的过程称为蒸腾作用(transpiration)。植物体地上部分的各部分器官都可以进行蒸腾作用,但叶片是进行蒸腾作用的主要器官。进行强烈蒸腾的叶片在1小时内就可散失相当其全部重量的水分,因此如果不能及时得到水分补充的话,植物叶片会很快萎蔫死亡。陆生植物在一生中耗水量很大。据估计,一株玉米一生所消耗的土壤水分在200kg以上,而作为其组成成分的水不足2kg,其余大部分都以蒸汽的形式散发到空气当中。

一、蒸腾的意义与指标

蒸腾的生理作用是个争议较大的问题。虽然有研究者认为蒸腾可能在水分的运输或者矿质元素的运输方面有作用,但是蒸腾作用似乎并非这些过程所必需。例如某些生长在热带雨林高湿度条件下的植物,基本上没有蒸腾作用发生,但是仍然生长得非常茂盛。对矿质元素的跟踪研究也表明,植物可以重复利用自身的矿质元素,蒸腾的减少并不成为矿质营养的限制因子,而且高湿条件似乎对植物生长更加有利。在多数情况下,蒸腾反而是造成植物发生水分匮缺,甚至脱水的主要原因。因此,蒸腾作用也许是陆生植物为解决光合作用吸收的需要而不得不付出的水分散失的代价。在不影响光合作用的前提下,减少蒸腾作用可能更有利于植物的生长。为提高光合效率,植物体要尽可能地扩大其表面积,以吸收最多的光能,植物体的蒸发表面也因此增大;另一方面,光合作用不仅需要光能,同时也需要CO_2,然而在漫长的进化历程中,植物体并没有发育出一种适于CO_2进入细胞而不引起水分丧失的特殊结构,细胞质膜对气态的CO_2几乎是不可通透的,CO_2气体必须与湿润的细胞表面接触并溶解在水中方能进入叶肉细胞。因此,一旦湿润的细胞表面暴露在空气中,水分的散失便不可避免地发生了。

陆生植物在吸收光能进行光合作用时,叶片的温度会升高。过高的植物叶温会加速植物的呼吸作用,甚至破坏植物的光合系统。蒸腾作用可以通过水分的散失带走大量热能,蒸腾速率较高的叶片其叶温通常总是低于环境温度。这可能是蒸腾作用对植物生理活动的有利方面。

蒸腾作用的强弱,可以在一定程度上反映植物的水分代谢状况。常用的指标有蒸腾速率、蒸腾效率和蒸腾系数。蒸腾速率是指植物在一定时间内,单位叶面积上散失水分的量,一般以$g/(m^2 \cdot h)$表示。大多数植物的蒸腾速率白天为$15\sim250g/(m^2 \cdot h)$,夜晚是$1\sim20g/(m^2 \cdot h)$。蒸腾效率是指蒸腾失水1kg时所形成的干物质的克数,其数值越高,表示对水分的利用越经济,常用单位:g/kg。蒸腾系数又称需水量,是指形成1g干物质所消耗水分的克数,它是蒸腾效率的倒数。大多数植物的蒸腾系数在$125\sim1\,000$之间,木本植物的蒸腾系数比较低。白蜡树约85,松树约40;草木植物蒸腾系数较高,玉米为370,小麦为540,蒸腾系数越小,则表示该植物利用水分的效率越高。

二、植物蒸腾的方式

植物的蒸腾作用主要有三种方式：

一是通过角质层进行的蒸腾，称为角质层蒸腾（cuticular transpiration）。植物叶片的表层是排列紧密的表皮细胞，在表皮细胞的外侧或在叶片的表面通常有一层角质层。角质层本身不易让水和二氧化碳通过，但角质层中杂有果胶质，而且还有孔隙，可以使水通过。对于一般植物的成熟叶片来说，角质层蒸腾通常只占总蒸腾量的 3％～5％，但水生植物和生长在潮湿环境中的植物以及植物幼嫩叶子的角质层蒸腾却很强烈，有时甚至可达总蒸腾量的 1/2。

二是绝大多数水分的蒸腾是通过叶片上的特殊结构——气孔（stomata）进行的。气孔是由叶表皮细胞分化形成的保卫细胞围绕而成的小孔。叶片中叶肉细胞的排列比较松散，其间有较大的细胞间隙，在有些植物中叶肉细胞的间隙可以占到叶片体积的 70％。这个由细胞间隙贯通形成的空间经由气孔连接到外界大气空间，所以也称气孔下空间（substomatal space）。来自叶肉细胞的水分蒸发使孔下室为水蒸气所饱和。当气孔开放时，水蒸气便扩散进入大气。叶肉细胞的表面可以形成很大的细胞蒸发表面。但是许多研究表明，在叶肉细胞表面有角质层，因此不太可能作为水的主要蒸发表面。于是提出气孔附近的表皮细胞的内表面可能是水进行蒸发的主要部位。这种蒸发方式也称为孔缘蒸发（peristomatal evaporation）。目前关于水在叶内空间究竟是从叶肉细胞表面蒸发还是在孔缘蒸发还有待进一步的研究。因此，也许我们可以这样表述叶片上水的蒸腾途径：水是在叶肉细胞间隙表面，特别是在气孔附近的表皮细胞的内表面进行蒸发，水蒸气再通过气孔扩散到外界大气中（图 6-9）。

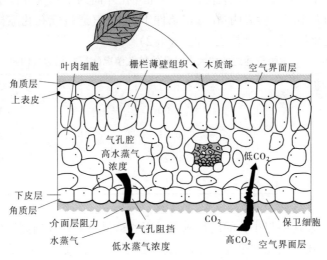

图 6-9　水和 CO_2 通过气孔的扩散示意图（引自周云龙，1999）

三是植物通过茎、枝上的皮孔也可以进行蒸腾，称为皮孔蒸腾（lenticel transpiration），但是皮孔的蒸腾量非常小，仅占全部蒸腾量的 0.1％左右。

三、气孔运动及其机理

气孔是个自动的反馈系统,它按照一定的规律开张和关闭。气孔的启闭是通过保卫细胞来调节的。保卫细胞不同于表皮细胞,其细胞体积较小,其中含有叶绿体,细胞壁厚薄不均匀,靠气孔腔的内壁厚、背气孔腔的外壁薄,这对于气孔的启闭运动是很重要的。

现在以双子叶植物的气孔为例:其保卫细胞呈半月形,当保卫细胞吸水膨胀时,其细胞体积增大,但因细胞壁厚薄不均匀,较薄的壁易扩展,而较厚的壁不易伸展,故一对保卫细胞都向外弯曲,于是气孔张开。而当保卫细胞失水时,其细胞体积缩小,气孔即关闭。

不同植物气孔的数目多少、大小和分布也有所不同。每平方厘米烟草叶子的表面就有大约 12 000 个气孔,气孔与孔下室相连,阳生植物具有较多的气孔,气孔数可以达到 $100\sim200$ 个 $/mm^2$;而阴生植物的气孔较少,一般为 $40\sim100$ 个 $/mm^2$。大多数植物叶的上下表皮都有气孔,例如玉米、水稻、小麦等禾谷类作物的叶片的上下表皮都有气孔分布,且数目大致相等;双子叶草本植物,如马铃薯、蚕豆、番茄等的气孔大多分布在下表皮;木本植物的气孔只分布在下表皮;而水生植物,如浮萍的气孔则仅分布在上表皮。据测定,阴生植物叶片内细胞间隙总面积比叶片外表面积大 $6\sim9$ 倍;在中生植物中为 $12\sim18$ 倍;在旱生植物中可以高达 $16\sim29$ 倍。多数植物气孔的面积只占叶表面的 $0.5\%\sim15\%$。

实验表明,气孔蒸腾量要比同面积的自由水面的蒸发量快 50 倍之多。那么,这是什么原因呢? 我们可用小孔定律来解释。

植物体内的水分通过气孔蒸腾的过程,首先是水分从湿润的细胞壁蒸发到细胞间隙的内部空腔,然后才是水蒸气从这些内部空腔通过气孔扩散到叶表面(图 6-9)。由于细胞间隙经常地被水蒸气所饱和,所以水蒸气由这些内部空腔通过气孔的扩散是气孔蒸腾的关键。其水分向外的扩散速率取决于气孔孔隙的大小和气孔外面的水蒸气界面层的厚薄,尤其是取决于气孔孔隙的大小。实验表明:在一定条件下,水蒸气通过气孔孔隙扩散的速率,不与小孔的面积成正比而与小孔的周长成正比(表 6-2)。

表 6-2　水蒸气通过各种大小气孔的扩散情况(引自周云龙,1999)

小孔相对面积	小孔相对周长	扩散失水相对量
1.00	1.00	1.00
0.37	0.61	0.59
0.05	0.21	0.18
0.01	0.13	0.14

那么,为什么蒸发速率与小孔的周长成正比呢? 这是因为在任何蒸发面上,气体分子除经表面向外扩散外,还沿气孔的边缘向外扩散。在边缘处,扩散分子相互碰撞的机会少,因此边缘的扩散率总比中央部分要快,这就是边缘效应。当扩散表面大(大孔)时,边缘与面积的比值则小,这种效应就表现不出来。只有当扩散表面小(小孔)时,经边缘的扩散才占有优势。因此,气体通过小孔表面扩散的速率不与小孔的面积成正比,而与小孔的周长成正比,这就是小孔扩散定律。叶片上的气孔巧妙安排正符合小孔扩散现象(图 6-10)。因此,水蒸气通过气孔的蒸腾速率要比通过同面积的自由水面的快得多。

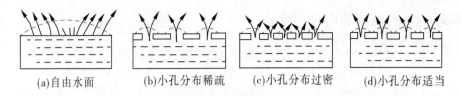

(a)自由水面   (b)小孔分布稀疏   (c)小孔分布过密   (d)小孔分布适当

图 6-10　水分通过自由表面与多孔表面比较(引自曹宗巽等)

气孔一般白天张开,夜间关闭。其开关过程是由保卫细胞的压力势变化引起的。当保卫细胞大量积累溶质时,其水势明显下降,于是水分从周围表皮细胞通道渗透运动进入保卫细胞,使保卫细胞产生强大的压力势,细胞膨胀,气孔张开;气孔关闭过程恰恰相反,它是保卫细胞丧失压力势的结果。对保卫细胞水势的变化起关键作用的是钾离子(K^+),又称 K^+ 泵假说。目前已对 50 多种植物气孔开关时保卫细胞中钾离子的含量变化进行过定量研究,结果表明:当气孔张开时,保卫细胞的钾离子浓度增高;而气孔关闭时,钾离子浓度降低。保卫细胞周围的表皮细胞起着钾离子库的作用,保卫细胞和其周围表皮细胞之间钾离子梯度的变化伴随着水的渗透运动,并最终导致细胞压力势的改变(表 6-3)。与钾离子一道被转运的阴离子是氯离子和苹果酸根离子,它们的主要作用是抵消钾离子的正电荷。还有证据表明,保卫细胞叶绿体进行光合作用形成的糖也是引起保卫细胞溶质浓度增大的原因之一。

表 6-3　叶片下表皮钾离子浓度、渗透势和气孔开度的关系(引自周云龙,1999)

光条件	钾浓度(mol/L)	渗透势(MPa)	开度(μm)
光照	424×10^{-14}	-3.5	12
黑暗	20×10^{-14}	-1.9	2

保卫细胞的细胞壁结构特点是与气孔运动密切相关的另一重要因素,这种结构特点包括两个方面:①构成细胞壁的纤维素微纤丝呈径向排列,它阻止保卫细胞的径向扩大,但不影响保卫细胞的延长;②保卫细胞背面(即保卫细胞与表皮细胞相连的一面)的细胞壁通常较薄,而腹面(保卫细胞相对的一面)和其他各方的细胞壁都比较厚,并且两个保卫细胞的末端(腹面)牢固地连接在一起,其长度并不因气孔的开关而变化。当保卫细胞吸水膨胀时,增大的压力势会使保卫细胞的外壁(背面)向外运动,然而由于径向微纤丝的阻碍作用,压力势的作用转化为对两个保卫细胞相邻细胞壁(腹面壁)的拉力,导致气孔张开(图 6-11)。

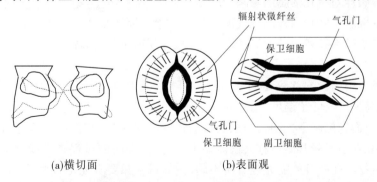

(a)横切面   (b)表面观

图 6-11　保卫细胞壁上径向排列的微纤丝与气孔的运动
(实线为气孔开放,虚线为气孔关闭)

四、影响气孔蒸腾的内外因素

气孔运动(stomatal movement)受着内部因素和外界因素的调节。气孔的特殊结构和生理特性使气孔运动具有调节的功能。以下讨论外界因素对气孔蒸腾运动的影响。

气孔蒸腾本质上是一个蒸发过程,气孔蒸腾的第一步是位于气孔下腔周围的叶肉细胞的细胞壁中的水分变成水蒸气,然后经过气孔下腔和气孔扩散到叶面的扩散层,再由扩散层扩散到空气中去。蒸腾速率与水蒸气由气孔向外的扩散力成正比,而与扩散途径的阻力成反比。扩散力大小决定于气孔下腔蒸气压与叶外蒸气压之差,即蒸气压梯度。蒸气压差愈大,蒸腾速率愈快;反之则慢。扩散阻力包括气孔阻力和扩散层阻力,其中气孔阻力主要受气孔开度制约,扩散层阻力主要决定于扩散层的厚薄。气孔阻力大,扩散层厚,蒸腾慢;反之则快(图6-12)。

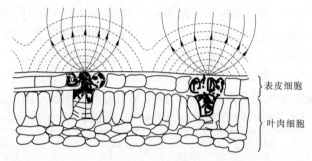

图6-12　气孔蒸腾中水蒸气扩散途径的图解
(水蒸气扩散途径以实线(箭头)表示,相等的水蒸气浓度界面以虚线表示)

(一)内部因素对气孔蒸腾的影响

(1)气孔频度。气孔频度为$1mm^2$叶片上的气孔数,气孔频度大,有利于蒸腾的进行。

(2)气孔大小。气孔的孔径较大,内部阻力小,蒸腾较强。

(3)气孔下腔。气孔下腔容积大,叶内外蒸气压差大,蒸腾快。

(4)气孔开度。气孔开度大,蒸腾快;反之,蒸腾减弱。

(5)气孔构造。气孔构造不同也会影响蒸腾的作用,气孔下陷的,扩散层相对加厚,阻力大,蒸腾较慢。

(二)外界条件对气孔蒸腾的影响

蒸腾速率取决于叶片内外的蒸气压差和扩散途径阻力的大小。所以,凡是影响叶片内外蒸气压差和扩散途径阻力的外界条件,都会影响蒸腾速率的高低。

1. 光照

光对蒸腾作用的影响首先是引起气孔的开放,减少气孔阻力,从而增强蒸腾作用。其次,光可以提高大气与叶子温度,增加叶内外蒸气压差,加快蒸腾速率。大多数植物的气孔在光照下张开;而在黑暗下关闭。但景天科酸代谢植物例外,它们的气孔通常是白天关闭,夜晚张开;气孔在清晨张开的过程大约需要1小时,而关闭的过程则延续整个下午,逐渐地进行。不同植物气孔张开所需光强有所不同,例如烟草只要有充足日照的2.5%光强即可,而大多数植物则要求较高的光强。光还可促进保卫细胞内苹果酸的形成和K^+、Cl^-的积累。

2. CO_2 浓度

低浓度 CO_2 可以导致大多数植物气孔张开。即使在黑暗条件下,用无 CO_2 的空气处理叶片同样会引起气孔的张开;而用高浓度的 CO_2 处理则会使气孔部分关闭。但是如果气孔完全关闭,用无 CO_2 的空气处理却无法使气孔张开,说明对气孔运动起作用的是气孔下空间的 CO_2 浓度,而不是叶面 CO_2 的浓度。在高浓度 CO_2 下,气孔关闭的可能原因是:①高浓度 CO_2 会使质膜透件增加,导致 K^+ 泄漏,消除质膜内外的溶质势梯度;②CO_2 使细胞内酸化,影响跨膜质子浓度差的建立。

3. 温度

温度对蒸腾速率影响很大;气孔开度一般随温度的上升而增大,温度每升高 10℃,水蒸发的速率提高 1 倍;在 30℃ 左右气孔开度最大,超过 30℃ 或低于 10℃ 的低温下,气孔部分张开或关闭。这表明气孔运动是酶促反应有关的生理过程。高温导致气孔关闭,可能是一种间接的影响。高温可能使水分散失的速率增加,或者使细胞的呼吸增加,导致叶内的 CO_2 浓度增加,从而使气孔关闭。但是也有一些植物在高温条件下,气孔反而会张开,结果蒸腾速率加快使叶温下降。当大气温度升高时,叶温比气温高出 2～10℃,气孔下腔蒸气压的增加大于空气蒸气压的增加,这样叶内外蒸气压差加大,蒸腾加强,当气温过高时、叶片过度失水,气孔会关闭,使蒸腾减弱。

4. 湿度

在温度相同时,大气的相对湿度越大,其蒸气压就越大,叶内外蒸气压差就变小。气孔下腔的水蒸气不易扩散出去,蒸腾减弱;反之,大气相对湿度较低,则蒸腾速度加快。许多植物对大气中水蒸气压非常敏感。当空气干燥,空气中水蒸气压和气孔下空间水蒸气压之间的差值达到一定阈值时,气孔就会关闭。当发生水分亏缺时,无论其他有关气孔运动的因素如何,气孔都会发生关闭。空气湿度的增加则可以明显地降低植物的蒸腾作用。

5. 风速

风速较大时,可将叶面气孔外水蒸气扩散层吹散,而代之以相对湿度较低的空气,既减少扩散阻力,又增大叶片内外蒸气压差,可以加速蒸腾;强风可能会引起气孔关闭或开度减小,内部阻力加大,蒸腾减弱。

6. 植物激素

细胞分裂素和生长素促进气孔张开,低浓度的脱落酸会使气孔关闭。采用酶放大的免疫鉴定法测定单个细胞中的脱落酸含量显示,当叶片未受到水分胁迫时,保卫细胞中含有微量脱落胶,当叶片因蒸腾失水而使其鲜重降低 10% 时,保卫细胞的脱落酸可增加 20 倍。脱落酸可作为信使,通过促进膜上外向 K^+ 通道开放,使 K^+ 排出保卫细胞,而导致气孔关闭。

蒸腾作用的昼夜变化主要是内外界条件所决定的:以水稻为例,在一天当中、早上 7 时开始逐渐增大、到上午 10 时迅速上升,中午 13 时左右达到高峰,而下午 14 时后逐渐下降,18 时后则迅速下降。蒸腾强度的这种日变化是与光强和气温变化一致的,特别是与光强的关系更为密切。虽然蒸腾气孔的运动受到各种环境信号的控制,但是气孔运动有其自身的内在节律。如果将植物置于黑暗中,气孔白天开张、夜晚关闭的 24 小时周期节律仍然可以维持一段时间。

五、适当降低蒸腾的途径

植物通过蒸腾作用会散失大量的水分,一旦水分供应不足,植物就发生萎蔫。因此,在农业生产上,为了维持作物体内的水分平衡,就要"开源节流",除了采取有效措施,促使根系发达,以保证水分供应之外,适当减少蒸腾消耗也是必要的。其途径主要有以下三种。

(一)减少蒸腾面积

在移栽植物时,可去掉一些枝叶、减少蒸腾面积,降低蒸腾失水量,以维持移栽植物体内水分平衡,有利其成活。

(二)降低蒸腾速率

避开促进蒸腾的外界条件,在午后或阴天移栽植物,或栽后搭棚遮阴,这样就能降低移栽植株的蒸腾速率。此外,实行设施栽培,也能降低棚内作物的蒸腾速率,这是由于在密闭的大棚或温室内,相对湿度较高的缘故。

(三)使用抗蒸腾剂

某些能降低植物蒸腾速率而对光合作用和生长影响不太大的物质,称为抗蒸腾剂。按其性质和作用方式不同,可将抗蒸腾剂分为三类。

(1)代谢型抗蒸腾剂。这类药物中有些能影响保卫细胞的膨胀,减小气孔开度,如脱落酸、阿特拉津等;也有些能改变保卫细胞膜透性,使水分不易向外扩散,如苯汞乙酸、烯基琥珀酸等。

(2)薄膜型抗蒸腾剂。这类药物施用于植物叶面后能形成单分子薄层,阻碍水分散失,如硅酮、胶乳、聚乙烯蜡、丁二烯丙烯酸等。

(3)反射型抗蒸腾剂。这类药物能反射光,其施用于叶面后,叶面对光的反射增加,从而降低叶温,减少蒸腾量,如高岭土。

第四节　植物生育与主要环境因子的关系

植物的环境(environment)是指作用于植物个体或群体的外界动力和物质的总和,包括植物存在的空间以及维持其生命活动所需要的物质和能量。环境是由许多环境因子(environment factor)组成的。其中能对植物的生长、发育和分布产生直接影响的环境因子特称为生态因子(ecological factor),如水、二氧化碳、氧气和温度等;另一些环境因子,如地形起伏、坡向、海拔高度和水体深度等,它们不直接对植物发生作用,而是通过气候、水文和土壤特性的改变间接地影响植物的生长发育和分布。

在地球表面的不同地点,各种环境因子的质和量是不同的,不同纬度地区的光照强度、光谱成分和光照持续时间不同。不同地区的降雨量、温度、土壤特性也不一样,不同地区分布的生物种类以及各种生物之间的相互作用也不尽相同。在这一系列因子的复杂配合下,就形成了极其多样的地区性环境特点,因此对不同植物个体或群体而言,它们常常面对不同的生活环境,我们通常把具体某种植物生长、发育、分布地段上各种环境因子的综合称为这种植物的生境(habitat)。生境与环境的概念本质上是一致的,区别在于更具体。一个特定的生境意味着一系列特殊环境因子的组合。例如,沙丘生境通常意味着基质不稳定、干燥、昼夜温差大等环境特点;而林下生境则代表光照强度弱、阴暗、相对湿度大、空气相对静止的环境条件。植物长期生活在其特定的生境中,常常产生不同的适应机制和特点。以便充分有效地利用环境资源,抵御不良环境的影响。

一、光的生态作用

太阳辐射能通过大气层时,一部分被反射到宇宙空间中,一部分被大气吸收,其余部分以光的形式投射到地球表面上,其辐射强度大大减弱。而地球截取的太阳能约为太阳输出总能量的 20 亿分之一,地球上绿色植物光合作用所固定的太阳能,只占从太阳接受的总能量的千分之一。太阳辐射的强度、时间(代表辐射的量)和光谱成分(代表辐射的光质)对植物的生长发育和地理分布产生重要的影响。

(一)光的时空分布规律

太阳辐射光谱主要由短波(紫外线、波长小于 380nm)、可见光(波长 380~760nm 之间)和红外线(波长大于 760nm)组成(图 6-13),三者分别占太阳辐射总能量的 9%、45% 和 46%,大约辐射能的一半是在可见光谱范围内。

地球表面的太阳辐射受到以下几方面主要因素的影响:第一,当太阳光射向地球表面时,因经大气圈内各种成分,如臭氧、氧、水气、雨滴、二氧化碳和尘埃等的吸收、反射和散射,最后到达地球表面的仅是总太阳辐射的 47%,其中直接辐射为 24%,散射为 23%。第二,太阳高度角影响了太阳辐射强度。以平行光束射向地球表面的太阳辐射与地面的交角,称为太阳高度角。太阳高度角越小,太阳辐射穿过大气层的路程越长,辐射强度越弱。第三,地球公转时,轴心以倾斜的位置(地球自转的平面与公转轨道平面的交角为 23°27′)接受太阳辐射(见图 6-14),这导致地球表面不同纬度,在不同季节,每天接受太阳辐射的时间呈周期性变化;第四,地面的海拔高度、坡向和坡度,也引起太阳辐射强度和日照时间的变化。

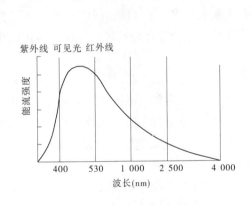

图 6-13 进入地球大气的太阳光谱
(引自 Mackengine 等,1998)

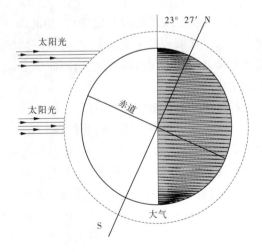

图 6-14 太阳高度角随纬度的变化
(引自孙儒泳,2002)

由于以上原因导致地球表面上太阳光的分布是不同的。从光质上看,低纬度地区短波光多,随纬度增加长波光增加,随海拔升高短波光增加;夏季短波光较多,冬季长波光较多;早晚长波光较多,中午短波光较多。不同光质对植物的光合作用、色素形成、向光性及形态建成等影响是不同的。

从日照时间上看,除两极外,春分和秋分时全球都是昼夜相等;在北半球,从春分至秋分昼长夜短,夏至昼最长,并随纬度的升高昼长增加(图6-15)。从秋分至春分昼短夜长,冬至昼最短,并随纬度升高昼长变短。北极夏半年全为白天,冬半年全为黑夜。赤道附近终年昼夜相等。各地日照时数的不等,对生物的生长和繁殖的影响也不相同。

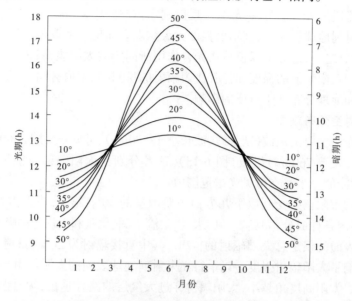

图6-15　不同纬度处的日照长度(引自曲仲湘等,1983)

地表的光照强度也随时间和空间而变化。一般来说,随纬度升高光照强度减弱,随海拔升高光照强度增加。一年中,夏季光照强度最大,冬季最弱。一天中,中午光照强度最大,早晚最弱。光照强度还随地形而变化,如北纬30°地方,南坡接受的太阳辐射总量超过平地,而平地大于北坡。由于地表上的总辐射量取决于光照强度和日照时间,所以中纬度地区的总辐射量有时可以超过赤道地区,因而小麦、土豆或其他作物能在较高纬度地区在较短的生长期中成熟。

(二)光质的生态作用

白光通过三棱镜可以分解为红、橙、黄、绿、青、蓝、紫不同质(不同波长)的光,阳光就是由不同波长的光所组成,不同的光质对生物的作用和影响也是不同的。植物的光合作用并不能利用光谱中所有波长的光能,只是可见光区(380～760nm),通常称这部分辐射为生理有效辐射,也就是被叶绿素吸收最强的光谱部分,占总辐射的40%～50%。在生理有效辐射中640～660nm波长的红光和430～450nm波长的蓝紫光被叶绿素吸收得最多,吸收最少的是绿光,因此又称绿光为生理无效光。光质不同也影响植物的光合强度,如菜豆在橙、红光下光合速率最快,蓝、紫光其次,绿光最差。红光对糖的合成有利,光质不同对植物形态建成、向光性及色素形成的影响也不同。如黄化苗对蓝光的反应特别敏感,蓝紫光还有利于蛋白质和有机酸的合成,促进花青素的形成,强烈抑制植物茎的伸长,所以在高山上,由于紫外光强,呈现出茎干粗短,叶面缩小,毛绒发达的生长型,阳生植物大多呈莲座状,而且茎叶含花青素,颜色特别鲜艳,这是对高山多短光波的适应,也是避免紫外线损伤的一种保护性适应。另外,短波的紫外线有杀菌作用,可引起人类皮肤产生红疹及皮肤癌,但促进体内维生素 D 的合成。

现在,各国已经利用彩色薄膜对蔬菜等作物进行试验发现:紫色薄膜对茄子有增产作用;蓝色薄膜下,草莓产量有提高,可是对洋葱生长不利;红光下栽培甜瓜可以加速植株发育,果实成熟提前 20 天,果肉的糖分和维生素含量也有增加。近年来,我国也有一些学者在进行不同波长的光对组织培养,以及塑料大棚对栽培作物的影响等方面的研究。

(三)光照强度的生态作用

1.光照强度对生物的生长、发育和形态建成的作用

光照强度促进植物细胞的增长和分化,对植物组织和器官的生长发育及分化有重要的影响。例如植物体遮光后,由于同化量减少,花芽的形成也减少,已经形成的花芽也会因体内养分不足而发育不良或早期死亡。在开花期与幼果期,光照减弱会引起结果不良或结果发育中途停止,甚至落果。光又是影响叶绿素形成的主要因素。一般植物在黑暗中不能合成叶绿素,但能形成胡萝卜素,导致叶子发黄,称为黄化现象,这是光对植物形态建成作用的典型例子。黄化植物在形态、色泽和内部结构上都与阳光下正常生长的植物明显不同,表现在茎细长软弱,节间距离拉长,叶片小而不展开,植株长度伸长而重量显著下降。另外,光照强度增加,有利于果实的成熟与品质的提高。在强光照下,能增加苹果、梨、桃等果实的含糖量与耐贮性,且由于果实花青素含量升高,使果实具更好的色彩。

2.植物对光照强度的适应性

很多种植物叶子的每日运动反映了光强度和光方向的日变化,而温带落叶树叶子的脱落就是对光强度的年周期变化的反映。当传入的辐射能是饱和的、温度适宜、相对湿度高、大气中 CO_2 和 O_2 的浓度正常时的光合作用速率称为光合能力。在不同植物种中,植物光合能力对光照强度的反应是有差异的。在 C_4 植物中,例如玉米、高粱,光合作用速率随有效辐射强度而增加(图 6-16)。在较普遍的 C_3 植物中,如水青冈(Fagus grandifolia)和小麦,光合作用速率变平。这是由于 C_4 植物能够利用低浓度 CO_2,伴随水的利用效率比 C_3 植物更大,其缺点需要消耗能量,因而 C_4 植物在热带和亚热带植物区系中更为普遍。

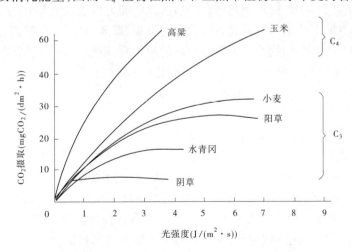

图 6-16　C_3 和 C_4 植物在最适温度和正常 CO_2 浓度时光合作用对光强的反应

(引自 Mackengine 等,1998)

光强在地球不同地区及群落内部的分布是不均匀的,植物长期适应一定光照强度便形成了不同的光强生态类型,即生长在阳光充足、开阔栖息地为特征的阳地种和遮阴栖息地为特征的阴地种。阳地植物和阴地植物间的差异,是由于叶子生理上的和植物形态上的差异造成的。

(1)阳性植物(heliophytes)。阳性植物是在强光下才能生长发育良好,而在荫蔽和弱光下生长发育不良的植物。阳性植物适应于强光照地区生活,一般在水、热条件适合的情况下,不存在光照过强的问题。这类植物多生长在旷野、路边,森林中的上层乔木,草原及沙漠中的旱生、超旱生植物。高山植物及多数大田作物等均属此类型。如杨、柳、槐、松和栓皮栎等。阳性植物叶子排列稀疏,角质层较发达,在单位面积上气孔增多,叶脉密,机械组织发达。叶绿素 a 和叶绿素 b 的比值(a/b 值)较大,叶绿素 a 在红光部分内的最大吸收光谱较宽,能在直射光下强烈地利用红光。叶子通常以锐角形式暴露于中午阳光中,这导致辐射的入射光在更大的叶面积上展开,因而降低了光强度。这类植物的光补偿点较高,光合作用的速率和代谢速率都比较高,在弱光下呼吸消耗大于光合生产便不能生长。

(2)阴性植物(sciophytes)。阴性植物是需要在较弱的光照条件下生长,不能忍耐高强度光照的植物。这类植物多生长在潮湿背阴或密林的下部,生长季节的生境往往较湿润,常见种类有苔藓类、部分蕨类、连钱草、观音座莲、铁杉、紫果云杉、红豆杉、热带相思树下的咖啡、亚热带地区山林中的茶树等属此类型。阴性植物枝叶茂盛,没有角质层或很薄,气孔与叶绿体比较少,叶绿素 a/b 值小。叶子通常以水平方向和单层排列。这类植物的光补偿点较低,其光合速率和呼吸速率都比较低。

(3)耐阴植物(shade plants)。介于上二类之间的植物,它们既可以在强光下良好生长,又能忍受不同程度的遮阴,对光照具有较广的适应能力,但最适宜的还是在完全的光照下生长。例如:青冈属(Cyclobalanopsis)、山毛榉属(Fsgus)、云杉(Picea asperata)等

另外,单株植物叶冠内不同结构的"阳叶"和"阴叶"的产生,是植物对自身存在的光环境的一种回应。通常,阳叶更小、更厚,含有更多的细胞、叶绿体和密集的叶脉,增加了每单位叶面积的干重。阴叶总是大、更加半透明,干重轻,光合能力可能仅有阳叶的 1/5。当然,这种划分并不是绝对的,有些植物随着北移或海拔的升高,即随温度降低,其需光性增强,耐阴性降低。在肥沃的土壤上,植物往往表现出较高的耐阴性,植物在幼年阶段通常较成年时期耐阴。阴性植物比阳性植物能更有效地利用低强度的辐射光,但其光合作用效率在较低的光强度上达到稳定。

3. 植物的光周期现象

在一天当中,白天和黑夜的相对长度称为光周期(photoperiod)。在地球表面的不同地区以及不同季节,光周期发生有规律的改变。光周期对花诱导有着极为显著的影响,不同植物只有在特定的光周期条件下才能开花。通常把植物的开花结果、落叶及休眠,是植物对白天和黑夜相对长度规律性变化的反应称为植物的光周期现象(photoperiodism 或 photoperiodicity)。光周期现象是一种光形态建成反应,是在自然选择和进化过程中形成的。它使生物的生长发育与季节的变化协调一致,对植物适应所处环境具有很大意义。

根据植物开花对日照长度要求的不同,可把植物分成 4 种类型:

(1)长日照植物(long day plant,LDP)。日照超过临界日长时才能开花的植物,如萝卜、菠菜、小麦、凤仙花及牛蒡。这类植物在全年日照较长时间里开花。人工延长光照时间,可

促进这类植物开花。这类植物起源和分布在温带和寒温带地区。

(2)短日照植物(short day plant，SDP)。日照小于临界日长时才能开花的植物，如玉米、高粱、水稻、棉花、牵牛等。这类植物通常在早春或深秋开花。人工缩短光照可促进植物开花。短日照植物多起源和分布在热带和亚热带地区。

(3)中日照植物(day intermediate plant)。昼夜长度接近相等时才开花的植物，如甘蔗只在每天12.5h的光照下才开花，光照超过或低于这一时数，对其开花都有影响。仅少数热带植物属于这一类型。

(4)日中性植物(day neutral plant)。开花不受日照长度影响的植物，如蒲公英、四季豆、黄瓜、番茄及番薯等。

所谓临界日长(critical day－length)，对于短日照植物来说，是指引起植物开花的最大日长；对于长日植物来说，则是引起开花反应的最小日长；日中性植物没有临界日长。例如，苍耳(短日照植物)的临界日长为16h，天仙子(长日照植物)的临界日长为9h(与温度有关)，当日照长度为14h时，两种植物都能开花。由此可见，长日照植物和短日照植物的差别，并不表现在它们各自对日照长短要求的绝对值方面，而在于对临界日长的反应。

除临界日长之外，影响植物开花光周期反应的另外两个重要因素是诱导周期数和光质。

诱导周期数是指光周期敏感植物成花诱导所需的光周期数(天数)。不同植物开花所需要的最小诱导周期数是不同的，有的植物只需要一个诱导周期，如裂叶牵牛(*Pharbitisnil*)、稻和苍耳等短日植物和油菜、毒麦(*Lolium remulentum*)、菠菜和白芥菜(*Sinapis alba*)等长日照植物；有些植物则需要几个到十几个诱导周期才能开花，如拟南芥的诱导周期数为4，菊花的诱导周期数则为12。诱导周期数是开花要求的最少光周期数，诱导周期数增加时，对开花更有利，可以提前开花或开花数增加。

目前有实验证据表明，无论是抑制短日照植物开花，还是诱导长日照植物开花，都是红光最有效。通常，短光期结合长暗期，可以诱导短日照植物开花，而使长日照植物保持营养状态；但如果在长暗期中给予一个短时间的红光处理(这种处理成为暗期间断或夜间断)，那么植物就会发生短夜反应，即短日照植物不开花；如果在红光间断后，立即再以远红光照射，就不发生夜间断现象，即远红光可以逆转红光的作用。这是因为植物体内的红光——远红光可逆色素系统起作用的缘故。

光周期敏感植物接受适当的光周期诱导后，就会发生成花反应，即茎端生长点开始花芽分化。也就是说，发生光周期反应的部位是芽，那么接受光周期刺激的部位又是什么呢？实验表明，植物感受光周期刺激的部位是叶而不是芽，并且，叶子感受光周期的能力与叶片年龄有关，未成熟的叶和衰老的叶敏感性小，叶子在完全展开前后对光周期诱导最敏感。有关光周期诱导开花的机理，Chailakhyan曾提出一个成花素(florigen)假说，他假定成花素是由形成茎所必需的赤霉素和形成花所必需的开花素(anthesin)共同组成，所以植物体内必须同时具有赤霉素和开花素，植物才能开花。长日照植物在短日照条件下由于缺乏赤霉素、短日照植物在长日照条件下由于缺乏开花素，所以两者都不能开花；而日中性植物本身具有赤霉素和开花素，所以不论在长、短日照条件下都能开花。遗憾的是，开花素至今尚未被分离出来。

植物的光周期现象在农林业生产中具有很大的应用价值。例如，使花期不同的植物同时开花，以便进行杂交；采用短日照诱导提高植物的抗性；将南方的黄麻栽种在北方取得好的收成等等。

(四)植物对极端光环境的适应

1. 紫外线辐射对植物的影响

紫外(Ultraviolet,UV)辐射约占太阳总辐射的9%,分为UV-A(315~400nm),UV-B(280~315nm)和UV-C(100~280nm)3部分(Larcher,1995)。其中,UV-B光量子的能量足以能打断O_3分子中氧原子间的化学键,能被O_3分子有效的吸收,减弱到达地球表面的UV-B辐射强度。但是,在全球变化过程中,平流层臭氧的耗损降低了它对UV-B辐射的吸收作用,从而导致到达地球表面的UV-B辐射明显增强。这一现象引起了科学界广泛的关注,进行了大量的植物生理生态研究,有望成为继CO_2升高对植物影响研究后的第二个热点。针叶植物被认为对紫外线辐射最具抗性,因此国外围绕着这类植物进行的工作较多,如欧洲赤松(*Pinus sylvestris* L.)、火炬松(*P. taeda* L.)等。研究分别从生化含量、光合生产、生物量、DNA合成酶、mRNA转录酶、形态解剖变化等不同方面切入,探讨了UV-B以及UV-B与O_3的复合作用以及植物的响应。大部分实验在野外直接进行,模拟UV-B增加幅度多为平流层O_3减少16%~25%后的辐射增加量。研究证明:在内部适应机制上,植物通过类黄酮等次生代谢物质的合成采取产生相应的保护反应(Sandermann等,1998);在形态解剖结构上,植物用于防御的碳投入增加(如增加表皮厚度、表皮腔中的单宁含量、外表皮酚醛树脂含量)。但是不同植物所采取的防御机制不同,甚至同科不同属的植物也存在着适应机制上的差异(Laakso等,2000)。在高纬度地区湖泊中,溶解增加的有机物质含量(由陆地生态系统带来)增加,将起到对紫外线的过滤作用。例如有人发现当可溶解的有机质增加时,水下的UV-B、UV-A和光合有效辐射(PAR)发生变化(Pienitz和Vincent,2000),使紫外辐射的危害程度相应减少。

2. 超光强对植物的影响

过量的光辐射在植物中产生光胁迫。植物的光合器官能有效地吸收和利用可见光,然而,强光给叶提供超过光合作用所利用的光化学能,光合过程的超负荷引起更低的量子利用和更低的光合产量(光抑制);极高的辐射破坏光合色素和类囊体结构(光损伤),这两种过程在最近的研究中均进行了大量的报道。主要的进展在于光系统 I 对强光抑制的保护机理研究,在强光胁迫下PSI的光化学能量贮藏要比PSII的光化学能量储藏稳定(Zhang和Gao,2000);光系统 I 反应中心P_{700}在远红外810~830nm处的吸收值增加(饱和常数K_s增加的幅度从阳生叶的3倍到阴生叶的40倍),从而使多余的光能转化成热能而耗散,使保护光系统 I 免受光氧化的危害(Barth等,2001);而光系统在强光下更易受危害,它的主要保护机制是通过叶黄素循环而使多余的能量耗散;而D_1蛋白的保护功能则很小(Thiele等,1997)。对于D_1蛋白对强光辐射的保护功能目前国内研究还很热。

二、温度的生态作用

(一)温度的分布规律

地球上不同地区的温度是不同的,但是温度在地球表面的分布仍有一定的规律可循,通常温度随纬度增加而降低,纬度每增加1°,年平均温度大约降低0.5℃。因此,从赤道到北极可以划分为热带、亚热带、温带和寒带。温度也随海拔高度增加而降低,一般海拔每升高100m,温度下降0.5~0.6℃。但是在冬季,一些山脉出于地形原因,会形成逆温层,即随海拔升高,温度却升高,到一定海拔高度后,温度又随海拔高度升高而降低了。山体冬季逆温层的存在,为林果业的发展提供了便利的条件,使树木不至于在冬季冻死。

温度变化不仅在空间上具有一定的规律性,而且在时间上也有一定的变化规律。首先,由于太阳高度角的变化导致一年四季温度有明显的不同,冬季温度最低,夏季温度最高。其次,温度的昼夜变化也比较明显,一天中的最低温发生在将近日出的时候,日出以后,气温开始上升,在13～14时达到最高值,以后温度又开始下降,一直下降到日出前达到最低点。

(二)温度与植物的地理分布

决定某种生物分布区的因子,绝不仅是温度因子,但它是重要的生态因子。温度制约着生物的生长发育,而每个地区又都生长繁衍着适应于该地区气候特点的生物。这里所讨论的温度因子,应该包括节律性变温和绝对温度,它们是综合起作用的。年平均温度、最冷月、最热月平均温度值是影响生物分布的重要指标。R.H.Boerker曾根据这个指标来划分植被的气候类型。日平均温度累计值的高低是限制生物分布的重要因素,有效总积温就是根据生物有效临界温度的天数的平均温度累计出来的。当然,极端温度(最高温度、最低温度)也是限制生物分布的最重要条件。例如,苹果和某些品种的梨不能在热带地区栽培,就是由于高温的限制;相反,橡胶、椰子、可可等只能在热带分布,它是受低温的限制。

在垂直分布上,长江流域及福建地区马尾松分布在海拔1 000～1 200m以下,在这个界限的上部被黄山松取代,此现象源于海拔1 000～1 200m是马尾松的低温界限又是黄山松的高温界限。

(三)温度与植物生长

任何一种植物,其生命活动中每一生理生化过程都有酶系统的参与。然而,每一种酶的活性都有它的最低温度、最适温度和最高温度,相应形成生物生长的"三基点"。一旦超过植物的耐受能力,酶的活性就将受到制约。例如,高温将使蛋白质凝固,酶系统失活;低温将引起细胞膜系统渗透性改变、脱水、蛋白质沉淀以及其他不可逆转的化学变化。

1.植物的"三基点温度"

不同植物的"三基点温度"是不一样的。例如水稻种子发芽的最适温度是25～35℃,最低温度是8℃,45℃中止活动,46.5℃就要死亡;雪球藻(*Sphaerella ivalis*)和雪衣藻(*Chlamydomans nivalis*)只能在冰点温度范围内生长发育;而生长在温泉中的生物可以耐受100℃的高温。一般地说,生长在低纬度的生物高温阈值偏高,而生长在高纬度的生物低温阈值偏低。在一定的温度范围内,生物的生长速率与温度成正比,在多年生木本植物茎的横断面上大多可以看到明显的年轮,这就是植物生长快慢与温度高低关系的真实写照。一定的温度是植物生命活动不可缺少的重要条件之一,任何植物的生活都有一个最适合的温度范围,温度过高或过低都会抑制植物的生长,甚至造成植物死亡。

不少陆地维管束植物能在较宽的温度范围内生活,即能适应较大的温度变幅,如松、桦和栎等能在-5℃到55℃温度范围内生活,这类植物可称之为广温植物,它们分布范围广,是广布种。还有一类植物只生活在很窄的温度范围内,不能适应温度的较大变动,这类植物可称为窄温植物。窄温植物对温度要求严格,生活在特定的温度条件下,分布范围较窄。如生活在低温环境中的雪球藻和雪衣藻,这些植物只能在冰点温度范围内发育繁殖。窄温植物中的另一种类则是只能生活在高温的环境中,如某些蓝绿藻等只能生活在70℃以上的温泉中;而喜高温的植物如椰子、可可等只分布在热带高温高湿地区。凡是仅能在低温范围内生长发育的最怕高温的植物,称为低温窄温植物;仅能在高温条件下生长发育最怕低温的植物,称为高温窄温植物。

由于温度能影响植物的生长发育,因而能制约植物的分布,另一方面由于植物长期生活在一定温度范围内,在生长发育的过程中,需要有一定的温度量和适应于一定的温度变幅,因此就形成了温度依赖性的植物生态类型。

根据不同植物对温度的反应,可分为以下三类:

(1)喜冷植物。生长温度为0～20℃,当温度在15～20℃以上即受高温伤害。例如某些藻类、细菌和真菌。

(2)中生植物。生长温度为10～30℃,超过35℃就会受伤。例如水生和阴生的高等植物、地衣和苔藓等。

(3)喜温植物。其中某些植物在45℃以上就受伤害,称为适度喜温植物,例如陆生高等植物,某些隐花植物;有些植物在65～100℃才受害,称为极度喜温植物,例如蓝绿藻、真菌和细菌等。

2.变温与植物生长

由于地表太阳辐射的周期性变化产生温度有规律的昼夜变化,使许多生物适应了变温环境,多数生物在变温下比恒温下生长得更好。首先,种子萌发期,大多数植物在变温下发芽较好。例如,毒芹(*Alpium praveolens*)、草地早熟禾(*PopPratensis*)和鸭茅(*Dactylisglomerata*)等。但也有些植物的种子在恒温下与变温下发芽同样良好,例如,胡萝卜(*Daususcarota*)、猫尾草(*Phelurnprotense*)、黑麦草(*Lolim perenne*)。其次是生长期:植物的生长往往要求温度因子有规律的昼夜变化的配合。据G.Bonnier试验(1943),波斯菊如生长在变温条件下(白天26.4℃,夜间19℃)比生长在恒温条件下(昼夜均为26.4℃或19℃)重量要增加1倍;F.W.Went(1944)在美国加利福尼亚技术研究所的试验,证明番茄的正常生长也要求昼夜温度的变化,而且在温度的变化中要求白天比夜间温度高(表6-4)。温度日变化较大的大陆性区域的植物在夜温比白天低10～15℃时发育最好;而海洋区域的植物种更喜欢昼夜5～10℃的差别。有些热带植物(如甘蔗等),在温度日变化不大时可繁茂生长,而且有的种更喜欢较高的夜间温度。植物的形态特点有时与变温也有关系。例如,番茄在变温条件下保持正常形态;如果夜温高,则叶子变大,颜色变浅,叶中海绵组织增加,栅栏组织变少,栅栏组织的细胞间隙变大;紫罗兰在昼夜11℃时是完全叶,昼夜19℃时,叶子产生裂片,而在昼温19℃夜温11℃时,叶虽全缘,但呈波状。

表6-4 变温对植物生长的影响(李博,2000)

温度条件	番茄茎的日生长量(mm)
昼夜26.5℃	23.1
昼夜19℃	19.5
白天20℃,夜间26.5℃	19.4
白天26.5℃,夜间20℃	26.1～35.0

3.变温与干物质积累

变温对于植物体内物质的转移和积累具有良好的作用。例如,银胶草(*Partheninm argeutatum*)在26.5℃或7℃的恒温下均不形成橡胶,而在昼温26.5℃、夜温7℃时则产生大量橡胶。Brown(1939)对草原早熟禾和狗牙根等牧草进行了昼夜温度与幼苗生长的试验,发现它们在变温条件下(昼温 27℃,夜温 16℃)比恒温条件下(22℃)生长率及可溶性氮的含量均高,大豆和小麦也有这样的情况。当昼温 28.2℃、夜温 11.8℃时,大豆进行光合作用所固定的 CO_2 量较之夜间所释放的 CO_2 量高出 15 倍,而当处于 28.2℃的恒温下,则此数值降至 9:10。小麦在我国青藏高原地区(日温差大)一般每千粒重 40~50g,比同一品种在平原地区重 5%~30%。这些现象说明,白天温度高,光合作用强度大,夜间温度低,呼吸作用弱,物质消耗少,对植物有机物质的积累是有利的。因此,可以说温周期现象是建立在相互补充的生理过程具有不同的温度基点上。

(四)植物对逆境温度的适应

1.植物对高温的适应

生物对高温环境的适应也表现在形态、生理和行为 3 个方面。就植物来说。有些植物生有密绒毛和鳞片,能过滤一部分阳光;有些植物体呈白色、银白色,叶片革质发亮,能反射一大部分阳光,使植物体免受热伤害;有些植物叶片垂直排列,使叶缘向光或在高温条件下叶片折叠,减少光的吸收面积;还有些植物的树干和根茎生有很厚的木栓层,具有绝热和保护作用。关于植物适应高温的机制,近来许多学者进行了探讨。植物对高温的生理适应主要是降低细胞含水量,增加糖或盐的浓度,这有利于减缓代谢速率和增加原生质的抗凝结力。其次是靠旺盛的蒸腾作用避免使植物体因过热受害。还有一些植物具有反射红外线的能力,夏季反射的红外线比冬季多,这也是避免使植物体受到高温伤害的一种适应。还有人认为高温主要是破坏光系统,表现在光系统量子产率 F_v/F_m 降低,而初始荧光 F_o 升高,但高 CO_2 浓度可抵消部分这种作用(Taub 等,2000)。另有人发现,在高温下植物合成释放异戊二烯降低,从而使植物在内部机制上调整生化合成速率,以免受高温(尤其是短时间内的温度升高)损伤(Singsaas 和 Sharkey,2000)。当超过临界温度阈值时,植物结构和细胞功能损伤,以致原生质立即死亡。在其他情况下,损伤渐渐发展,随着一个或多个过程失去平衡和受害,直到生命的重要功能停止和机体死亡。

2.植物对低温的适应

温度低于一定的数值,生物便会因低温而受害,这一温度值称为临界温度(critical temperature)。在临界温度以下,温度下降得越低,生物受害越重。低温对生物的伤害可分为冷害、霜害和冻害三种。

冷害是指零摄氏度以上的低温对喜温生物的伤害。例如海南岛的热带植物丁香,当气温降至 6.1℃时,叶片受害呈水渍状,降至 3.4℃时,顶梢干枯,受害更严重。冷害对喜温生物的伤害作用主要是由于在低温条件下 ATP 减少,酶活性降低、膜结构改变透性增加、原生质流动减慢或停止、水分代谢失调、光合速率减弱、呼吸速率大起大落、有机物分解占优势等所致。酶系统紊乱导致生物各种生理功能的降低,彼此之间的协调关系受到破坏。又如热带金鸡纳树,当其环境温度从 25℃降至 5℃时,植物体内过氧化氢酶的活性降低 28 倍,氧化酶的活性降低 14 倍。两者的协调关系被破坏,因而过氧化氢过度积累引起该植物中毒甚至死亡。冷害是喜温生物向北方引种和扩大分布区的主要障碍。

霜害是指由于霜的出现而使生物受害,霜是指当气温或地表温度降至零度时空气中过饱和的水汽凝结成的白色冰晶,霜害实际上并非霜本身对生物的伤害,而是伴随霜而来的低温冻害,因此霜害可归在冻害的范畴。

冻害(freezing injury)是指冰点以下的低温使生物细胞内和细胞间隙形成冰晶而造成的损害。冻害发生的温度限度,可因植物种类、生育时期、生理状态、组织器官及其经受低温的时间长短有很大关系。种子的抗冻性很强,现在研究的超低温种子保存技术,就是将种子在液氮(-196℃)中保存。冻害主要是冰晶的伤害,分为胞外结冰和胞内结冰。主要原因是冰晶对细胞器造成的不可逆的机械损伤。

长期生活在低温环境的植物通过自然选择,在形态、生理和行为方面表现出很多明显的适应。在形态方面,北极和高山植物的芽和叶片常受到油脂类物质的保护,芽具鳞片,植物体表面生有蜡粉和密毛,植株矮小并常成匍匐状、垫状或莲座状等,这种形态有利于保持较高的温度,减轻严寒的影响。在生理方面,生活在低温环境中的植物常通过以减少细胞中的水分和增加细胞中的糖类、脂肪和色素等物质来降低植物的冰点,增加抗寒能力。例如,鹿蹄草(Pirola)就是通过在叶细胞中大量贮存五碳糖、黏液等物质来降低冰点的,这可使其结冰温度下降到-31℃。最近有人对世界分布海拔最高的树木 Polylepistarapacana(树线在4 200～5 200m 之间)研究发现,植物贮存大量的渗透调节物如丙二醛、可溶性糖分、多胺和蛋白质,并凭借此在非常低的温度时免受冷冻造成的组织损伤(Rada 等,2001;周瑞莲等,2000)。低温的强度和持续期不同,对植物代谢活动、生长和生活力的损伤程度不同。

三、水的生态作用

水是任何生物体都不可缺少的重要组成成分。水是生命活动的基础。生物的新陈代谢是以水为介质进行的,水是生物新陈代谢的直接参与者,是光合作用的原料;生物体内营养物质的运输、废物的排除、激素的传递以及生命赖以存在的各种生物化学过程,都必须在水溶液中才能进行,而所有物质也都必须以溶解状态才能进出细胞。各种生物的含水量有很大的不同。植物体一般含水量达 60%～80%。水对稳定环境温度有重要意义。水的密度在 3.98℃时最大,水的这一特殊性质使任何水体都不会同时全部冻结,当水温降到 3.98℃以下时,冷水总是在水体的表层而暖水在底层,因此结冰过程总是从上到下进行,这对历史上的冰河时期和现今寒冷地区生物的生存和延续来说是至关重要的。此外,水的热容量很大,而且吸热和放热是一个缓慢的过程,因此水体温度不像大气温度那样变化剧烈,也较少受气温波动的影响,这样,水就为生物创造了一个非常稳定的温度环境。水比热大,可以调节和缓和环境中温度的剧烈变化,维持恒温。水能维持细胞和组织的紧张度,使植物保持一定的状态,维持正常的生活。

(一)水对植物数量和分布的影响

降水在地球的分布是不均匀的,这主要因地理纬度、海陆位置、海拔高度的不同所致。我国从东南至西北,可以分为三个等雨量区,因而植被类型也可分为三个区,即湿润森林区、干旱草原区及荒漠区。即使是同一山体,迎风坡和背风坡,因降水时的差异而各自生长着不同的植物。水分与植物的种类和数量存在着密切的关系,在降水量最大的赤道热带雨林中每100m^2 达 52 种植物,而降水量较少的大兴安岭红松林群落中,每100m^2 仅有 10 种植物存在。在荒漠地区,单位面积物种数更少。

(二)水对植物生长发育的影响

就植物而言,水分对植物的生长也有一个最高、最适和最低的"三基点"。低于最低点,植物萎蔫、生长停止;高于最高点,根系缺氧、窒息、烂根;只有处于最适范围内,才能维持植物的水分平衡,以保证植物有最优的水分生长条件。种子萌发时,需要更多的水分,因水能软化种皮,增强透性,使呼吸加强,同时水能使种子内凝胶状态的原生质转变为溶胶状态,使生理活性增强,促使种子萌发。水分还影响植物各种生理活动,如呼吸和同化作用等。

水分对植物产品质量的影响:如土壤含水量少时,淀粉含量减少,而木质素和半纤维素增加,纤维素不变,果胶质减少。水对植物繁殖也产生深刻影响:主要表现在对水生植物的传粉上,如金鱼藻、眼子菜等植物的花粉是靠水搬运和授粉的。水流和洋流能携带植物的花粉或孢子、果实(椰子、萍蓬草、苍耳)、幼株(红树和藻类部分的营养体及浮萍科、槐叶萍科完整的植株)到很远的地方。

(三)植物对水因子的适应

根据植物对水分的需求量和依赖程度,可把植物划分为水生植物和陆生植物。植物对于水的适应,由于对水的依赖程度的不同而面临着不同的问题。对于陆生植物而言,面对着如何解决失水的问题。而对于水生植物,则是如何呼吸和生存的问题。

1. 陆生植物对水环境的适应

陆生植物指生长在陆地上的植物,不需要利用水来排泄盐分和含氮废物,但在正常的气体交换过程中所损失的水却很多。如何保持根系吸收水和叶蒸腾水之间的平衡是保证植物正常生活所必需的。要维持水分平衡就必须增加根的吸收和减少叶的蒸腾,植物在这方面具有一系列的适应性。例如,气孔能够自动开关,当水分充足时气孔便张开,以保证气体交换;当缺水干旱时气孔便关闭,以减少水分的散失。当植物吸收阳光时,植物体就会升温,但植物体表面浓密的细毛和棘刺则可增加散热面积,防止植物表面受到阳光的直射和避免植物体过热。植物体表生有一层厚厚的蜡纸表皮可减少水分的蒸发,因为这层表皮是不透水的。有些植物的气孔深陷在植物叶内,有利于减少失水。此外,有许多植物靠光合作用的生化途径适应于快速地摄取 CO_2,并以改变的化学形式储存起来,以便在晚上进行气体交换,温度很低,蒸发失水的压力较小。

一般地,在低温地区和低温季节,植物的吸水量和蒸腾量小,生长缓慢;反之,在高温地区和高温季节,植物的吸水量和蒸腾量大,生产量大,但对水分的需求也是相当大的。当然,植物的需水量还和其他生态因子有直接关系,如光照强度、温度、风速和土壤含水量等。植物的不同发育阶段吸水量也不同。

根据植物对水分的需求情况,将陆生植物分为湿生植物、中生植物和旱生植物三种类型。

(1)湿生植物。指在潮湿环境中生长,不能忍受较长时间的水分不足,即为抗旱能力最弱的陆生植物。根据其环境特点,还可以再分为阴性湿生植物和阳性湿生植物两个亚类。

(2)中生植物。指生长在水湿条件适中的生境中的植物。该类植物具有一套完整的保持水分平衡的结构和功能。其根系和输导组织均比湿生植物发达。

(3)旱生植物。生长在干旱环境中,能耐受较长时间的干旱环境,且能维护水分平衡和正常的生长发育,多分布在干热草原和荒漠区。一般在形态结构上,旱生植物有发达的根系,例如沙漠地区的骆驼刺地面部分只有几厘米,而地下部分可以深达 15m,扩展的范围达 623m,可以更多地吸收水分;叶面积很小,例如仙人掌科许多植物,叶特化成刺状;许多单子叶植物,具有扇状的运动细胞,在缺水的情况下,它可以收缩,使叶面卷曲,共同的一点是尽量减少水分的散失。另一类旱生植物,它们具有发达的贮水组织,例如,美洲沙漠中的仙人掌树,可贮水 2t 左右;南美的瓶子树、西非的猴狲面包树,可贮水 4t 以上,这类植物能储备大量水分,同样适应于干旱条件下的生活;此外,还有的从生理上适应,它们的原生质的渗透压特别高,能够使植物根系从干旱的土壤中吸收水分,同时不至于发生反渗透现象,使植物失水。

2．水生植物对水环境的适应

水生环境与陆生环境有很大的差异,水体的主要特点在于:弱光、缺氧、密度大、黏性高、湿度变化平缓,以及能溶解各种无机盐类。因此,水生植物具有与陆生植物本质的区别:首先,水生植物具有发达的通气组织,以保证各器官组织对氧的需要,减轻体重、增大体积,例如荷花,从叶片气孔进入的空气,通过叶柄、茎进入地下茎和根部的气室,形成了一个完整的通气组织,以保证植物体各部分对氧气的需要;其次,机械组织不发达或退化,以增强植物的弹性和抗扭曲能力,适应于水体流动。同时,水生植物在水下的叶片多分裂成带状、线状,而且很薄,以增加吸收阳光、无机盐和 CO_2 的面积。最典型的是伊乐藻属植物,叶片只有一层细胞。又如有的水生植物,出现有异型叶,毛茛在同一植株上有两种不同形状的叶片,在水面上呈片状,而在水下则丝裂成带状。

根据生长环境中水的深浅不同,水生植物可划分为沉水植物、浮水植物和挺水植物三类。

(1)沉水植物。整株植物沉没在水下,为典型的水生植物。根退化或消失,表皮细胞可直接吸收水中气体、营养物和水分,叶绿体大而多,适应水中的弱光环境,无性繁殖比有性繁殖发达。如狸藻、金鱼藻和黑藻等。

(2)浮水植物。叶片漂浮水面,气孔多分布在叶的表面,无性繁殖速度快,生产力高。如凤眼莲、浮萍、睡莲等。

(3)挺水植物。植物体大部分挺出水面,如芦苇、香蒲等。

四、土壤的生态作用

土壤(soil)是陆地上能够生长植物的疏松表层,是岩石的风化物(成土母质)在生物、气候等因素的综合作用下形成的。土壤由矿物质、有机质、水分(土壤溶液)、空气(土壤空气)及土壤生物等共同组成,并具有不断供给植物生长发育所必需的水、肥、气、热的能力。自然土壤是由自然成土因素(母质、气候、生物、地形、时间等)的综合作用所形成,尚未受社会生产活动影响的各类土壤类型的总称。自然土壤的特点是生长自然植被,只具有自然肥力,主要分布在原始森林、天然草原、荒漠和沼泽等地区。农业土壤(也称耕作土壤)是在自然土壤的基础上,经过社会生产活动(耕作、施肥、灌排、土壤改良等)和自然因素的综合作用而形成的,是适于农作物生长的土壤。由于植物根系和土壤之间具有极大的接触面,在植物与土壤之间发生着频繁的物质交换,彼此强烈影响,因而土壤是非常重要的生态环境因子。

(一)土壤的物理性质与植物

土壤是由固体、水分和空气组成的三相复合体。三相中,固体是不均匀的。固相是土壤的物质基础,占土壤总重量的 85% 以上。它是由一系列包括矿质土粒、二氧化硅、硅质黏土、金属氧化物和其他大小不同的无机颗粒组成,固相中的有机部分主要包含有机物。按照国际统一标推:根据土粒直径大小把土粒分为粗砂(2.0~0.2mm)、细砂(0.2~0.02mm)、粉砂(0.02~0.002mm)和黏粒(0.002mm 以下)。土壤颗粒土壤固相颗粒的组成、性质及排列形式,决定了土壤的理化性质和生物特性。组成土壤的各种大小颗粒组合的百分比称为土壤质地(soil texture)。根据土壤质地,土壤可分为砂土、壤土和黏土 3 大类。砂土土壤颗粒较粗、土壤疏松、黏结性小,通气性能强,但蓄水性能差,易干旱,因而养料易流失,保肥性能差。壤土质地较均匀,土壤不太松,也不太黏,通气透水,是较好适宜农业种植的土壤。黏土土壤的颗粒组成细,质地黏重,结构致密,湿时黏,干时硬,保水保肥能力强,但透水透气性能差。

土壤结构(soil structure)是指固相颗粒的排列方式、孔隙的数量和大小以及团聚体的大小和数量等,且影响了土壤中固、液、气三相比例。土壤结构可分为微团粒结构(直径小于0.25mm)、团粒结构(直径 0.25~10mm)和比团粒结构更大的结构。团粒结构是腐殖质把矿质土粒互相黏结成 0.25~10mm 的小团块,具有泡水不散的水稳定性特点,是土壤中最好的结构。团粒结构能协调土壤中水、气矛盾,因团粒内部的毛细管孔隙可保持水分,团粒之间的大孔隙可充满空气。在下雨或灌溉时,大孔隙能排出水和通气,有利于植物根系伸扎和呼吸;流入团粒内的水分被毛细管吸力所保持,有利于根系吸水。同时,团粒结构还可以协调保肥和供肥的矛盾,使土壤中水、气、营养物处于协同状态,给植物的生长发育和土壤动物生存提供了良好的生存空间。结构不良的土壤,土体坚实,通透性差,肥力低,不利于根系生长,土壤中微生物和动物的活动也会受到抑制,不利于有机物分解。

土壤水分(soil moisture)主要来源于大气降水、灌溉和地下水的渗透作用,土壤水能直接被植物根吸收利用,还有利于矿物质养分的分解、溶解和转化,利于植物吸收。此外,土壤水分能调节土壤温度。水分过多或过少,对植物、土壤动物和微生物均不利。土壤水分过少时,植物受干旱威胁,并由于好气性细菌氧化过于强烈,使土壤有机质贫瘠。土壤水分过多,引起有机质的嫌气分解,产生 H_2S 及各种有机酸,对植物有毒害作用,并因根的呼吸作用和吸收作用受阻,使根系腐烂。

土壤空气(soil air)主要来自大气,但由于土壤动物、微生物和植物根系的呼吸作用和有机物的分解作用,不断消耗 O_2,产生 CO_2,再加上土壤的通气性能差,使土壤空气中的 O_2 含量和 CO_2 含量与大气有很大的差异。土壤空气的 O_2 体积分数一般为 10%~12%,CO_2 一般在 0.1% 左右,但这些体积分数是不稳定的,随季节、昼夜和深度而变化。在积水和透气不良的情况下,土壤空气含量可降到 10% 以下,抑制植物根系呼吸,影响植物正常生理功能。土壤中的高 CO_2,一部分以气体扩散和交换的方式不断进入地面空气层,供植物叶利用,另一部分直接为根系吸收。如果土壤中 CO_2 积累过多,达到 10%~15% 时,将会阻碍根系生长和种子发芽;若 CO_2 体积分数进一步增长会阻碍根系的呼吸和吸收,甚至因呼吸窒息而死亡。

土壤通气程度影响土壤微生物的种类、数量和活动情况,进而影响植物的营养状况。通气不良,抑制土壤中好气微生物活动,减慢了有机物的分解与营养物的释放;通气过分,使有机物分解速度过快,养分释放太快,而腐殖质形成减少,不利于养分的长期供应。因而农业上要经常调节土壤通气状况,促进土壤空气与大气进行交换。

土壤温度(soil temperature)随太阳辐射的变化也产生日周期、年周期和空间上的垂直变化。土壤温度对植物的生长发育有密切的关系。首先,土温直接影响种子萌发和扎根出苗,如小麦和玉米发芽的最低温度分别为 12℃ 和 10~11℃,最适为 18℃ 和 24℃。同一植物在发育不同时期,对土温的要求也不相同。其次,土温影响根系的生长、呼吸和吸收性能。大多数作物在土温10～35℃范围内,随土温增高,生长加快。这是因为土温增加,加强了根系吸收和呼吸作用,物质运输加快,细胞分裂和伸长的速度也相应加快。土温过低会影响根系的呼吸能力和吸收作用。例如,向日葵在土温低于10℃时,呼吸减弱;棉花在土温17～20℃并具丰富水的土壤中,会因根吸水减弱而萎蔫;温带植物冬季因为土温太低阻断根的代谢活动,而使根系停止生长。土温过高,也会使根系或地下贮藏器官生长减弱。第三,土温影响了矿物质盐类的溶解速度、土壤气体交换、水分蒸发、土壤微生物活动以及有机质的分解,而间接影响植物的生长。

(二)土壤的化学性质与植物

土壤的化学性质取决于形成土壤的母岩的化学成分和不同地理带上土壤形成过程的特点。其中,土壤酸度是土壤很多化学性质特别是岩基状况的综合反应,对土壤的一系列肥力性质有深刻的影响。

土壤酸度(soil acidity)包括酸性强度和酸度数量二方面,或称活性酸度和潜在酸度。酸性强度是指与土壤固相处于平衡的土壤溶液中的 H^+ 浓度,用 pH 表示。酸度数量是指酸的总量和缓冲性能,代表土壤所含的交换性氢离子、铝离子总量,一般用交换性酸量表示。由于土壤的酸度数量大于酸性强度,在调节土壤酸性时,应按酸度数量确定施加石灰等的用量。我国土壤酸碱度可分为5级:pH<5.0 为强酸性,pH值5.0～6.5为酸性,pH值6.5～7.5为中性,pH值7.5～8.5为碱性,pH>8.5为强碱性。

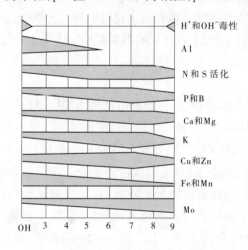

图 6-17 土壤 pH 对矿物养分的有效性影响
(引自 Begon 等,1996)

土壤酸度影响矿质盐分的溶解度,从而影响植物养分的有效性。土壤酸碱度对土壤养分的有效性有重要影响,一般在 pH 值6～7时,养分的有效性最高(图6-17),对植物生长最有利。在碱性土壤中,易发生 Fe、B、Cu、Mn、Zn 等的缺乏;在酸性土壤中,易产生 P、K、Ca、Mg 的缺乏。土壤酸度还通过影响微生物活动而影响养分的有效性和植物的生长。如细菌在酸性土壤中的分解作用减弱;固氮菌、根瘤菌等只能生长在中性土壤中,不能在酸性土壤中生存,使许多豆科植物的根瘤在土壤酸性增加时死亡。大多数维管束植物生活在土壤 pH 值3.5～8.5 的范围内,但最适生长的 pH 远比此范围窄。pH<3 或 pH>9 时,大多数维管束植物便不能生存。

土壤有机质是土壤的重要组成成分,与土壤的许多属性有关,是土壤肥力的一个重要标志。土壤有机质可分成腐殖质(humus)和非腐殖质。非腐殖质是死亡动植物组织和部分分解的组织,主要是糖和含氮化合物。腐殖质是土壤微生物分解有机质时,重新合成的具有相对稳定性的多聚体化合物,主要是胡敏酸和富里酸,占土壤有机质总量的85%～90%以上。腐殖质是植物营养的重要碳源和氮源。土壤中99%以上的氮素是以腐殖质的形式存在。腐殖质也为植物生长提供所需的各种矿物养料。腐殖质中的胡敏酸还是一种植物生长激素,可促进种子发芽、根系生长,增强植物代谢活动。土壤腐殖质还是异养微生物的重要养料和能源,能活化土壤微生物。土壤微生物活动旺盛,给植物提供丰富的养料。土壤有机质对土壤团粒结构的形成、保水、供水、通气、稳温也有重要作用,从而影响植物生长。

地壳中有 90 多种元素,但植物生命活动所需的仅有 9 个大量元素(钾、钙、镁、硫、磷、氮、碳、氧、氢)和 7 种微量元素(铁、锰、硼、锌、铜、钼和氯)。除碳、氢、氧以外,植物所需的全部元素均来自土壤矿物质和有机质的矿物分解。有一些元素仅为某些植物所必需,如豆科植物必需钴,藜科植物必需钠,蕨类植物必需铝和硅,藻必需硅等。在土壤中,近 98% 的养分呈束缚态,存在于矿物中或结合成有机碎屑、腐殖质或较难溶解的无机物中,构成了养分的储备源,通过风化和矿化作用,缓慢变为可利用态。溶解态的养分只占很小一部分,吸附在土壤胶体上。不同植物需要各种矿质元素的量是不同的,若比例不合适将限制植物生长发育,因此可通过合理施肥改善土壤的营养状况,以达到植物增产的目的。

(三)植物对土壤的适应

长期生活在不同土壤上的植物,对该种土壤产生了一定的适应特征,形成了不同的植物生态类型。根据植物对土壤酸度的反应,可以把植物划分为 3 类:酸性土植物(pH<6.5)、中性土植物(pH值 6.5~7.5)和碱性土植物(pH>7.5)。根据植物对土壤中钙质的关系,可划分植物为钙质土植物和嫌钙植物。生活在盐碱土中的植物和风沙基质中的植物,分别归为盐碱土植物和沙生植物。大多数植物适宜在中性土壤中生长,为中性土植物。钙质土植物(calciphyie)生长在含有高量代换性 Ca^{2+}、Mg^{2+},而缺乏代换性 H^+ 的钙质土或石灰性土壤上,不能生长在酸性土中。如柏木(*Cupressus funebris*)、蜈蚣草(*Pteris vittata*)、铁线蕨(*Adiantum cappillus*)、南天竺(*Nandina domestica*)等都是较典型的喜钙植物。酸性土植物只能生长在酸性或强酸性土壤中,且对 Ga^{2+} 和 HCO_3^- 非常敏感,不能在碱性土或钙质土上生长或生长不良,又称嫌钙植物。如水藓(*Sphagnum*)、铁芒萁(*Dicranopecris linearis*)、石松(*Lycopodium clavatum*)、茶树(*Camellia sinensis*)等。在此,重点介绍盐碱土植物与沙生植物的生态特征。

1.盐碱土植物

盐碱土是盐土和碱土以及各种盐化、碱化土的统称。盐土中可溶性盐含量达 1% 以上,主要是氯化钠与硫酸钠盐,土壤 pH 为中性,土壤结构未被破坏。我国内陆盐土形成是因气候干旱、地面蒸发大,地下盐水经毛细管上升到地面。海滨盐土受海水浸渍形成。碱土主要含碳酸钠、碳酸氢钠或碳酸钾,pH 在 8.5 以上,土壤上层结构被破坏,下层常为柱状结构,通透性和耕性极差。土壤碱化是由于土壤胶体中吸附很多交换性钠而造成。我国碱土仅分布在东北、西北部分地区。

盐碱土对植物生长的危害表现在伤害了植物组织,特别是根系;由于过多盐积累引起植物代谢混乱;能引起植物生理干旱,植物易枯萎;影响植物的营养状况;使土壤的物理性质恶化,土壤结构破坏。形态上,盐土植物矮小、干硬、叶子不发达、蒸腾表面缩小、气孔下陷,表皮具厚的外皮,常具灰白色绒毛。内部结构上,细胞间隙小,栅栏组织发达。有的具有肉质性叶,有特殊的贮水细胞,能使同化细胞不受高浓度盐分的伤害。生理上,盐土植物具一系列的抗盐特性。根据对过量盐类的适应特点,又可分为聚盐性植物、泌盐性植物和不透盐性植物。聚盐性植物的原生质抗盐性特别强,能忍受 6% 甚至更高浓度的 NaCl 溶液。它们的细胞液浓度特别高,根部细胞的渗透压一般为 40MPa,甚至可高达 7~10MPa,所以能够吸收高浓度土壤溶液中的水分,如盐角草、海莲子等。泌盐植物能把根吸入的多余盐,通过茎、叶表面密布的盐腺排出来,再经风吹和雨露淋洗掉,属于这类植物的有柽柳、红砂、滨海的各种红树植物等。不透盐性植物的根细胞对盐类的透过性非常小,它们几乎不吸收或很少吸收土壤中的盐类。这类植物细胞的渗透压也很高,是由体内大量的可溶性有机物,如有机酸、糖、氨基酸等产生的。高渗透压也提高了根从盐碱土中吸水能力,所以它们被看成是抗盐植物,如蒿属、盐地紫苑、盐地风毛菊、碱地风毛菊等都属这一类。

2.沙生植物

沙生植物(psammophyte)生长在以砂粒为基质的沙区,在我国北方分布在荒漠、半荒漠、干草原和草原4个地带中。

沙生植物在长期自然适应过程中,形成了抗风蚀沙割、耐沙埋、抗日灼、耐干旱贫瘠等特征。当被流沙埋没时,在埋没的茎上能长出不定芽和不定根,甚至在风蚀露根时,从暴露的根系上也能长出不定芽,如沙鞭(*Psammochloa mongolica*)、黄柳(*Salix flarida*)、沙引草(*Messerschmidia sibirca*)、黑沙蒿(*Artemisia ordosica*)等。它们的根系生长极为迅速,比地上部分生长快得多。有的植物根上具有根套,是由一层团结的沙粒形成的囊套,能保护暴露到沙面上的根免受灼热沙粒灼伤和流沙的机械伤害,如沙芦草(*Agropyron mongolicum*)、沙鞭等。沙生植物也具有旱生植物的许多特征,如地面植被矮,主根长,侧根分布宽,以便获取水分,同时起了固沙作用;植物叶片极端缩小,有的甚至退化,以减少蒸腾;有的叶具贮水细胞;有的在叶表皮下有一层没有叶绿素的细胞,积累脂类物质,能提高植物的抗热性;细胞具高渗透压,如红砂、珍珠渗透压达 5MPa,梭梭可达 8MPa,使根系主动吸水能力增强,提高植物的抗旱性。有的沙生植物在特别干旱时进入休眠,待有雨时再恢复生长,如木本猪毛菜(*Salsol arbuscula*)。

五、风的生态作用

大气不仅各组成成分以及它们在数量上的相对变化,对植物有很大的生态意义,而且空气的流动也能直接或间接地影响植物。空气相对地表的垂直运动叫对流,平行运动称为风。在自然界风是一相当重要的生态因子,特别是在山区、沿海、高山及荒漠地区,风的影响尤为明显。风对植物的生态作用是多方面的,它既能直接影响植物(如风媒、风折等)环境中的温度、湿度、大气污染物的变化,又能影响植物生长发育,严重时引起植物的折断、掘根现象,给生产带来很大的经济损失。据不完全统计,1990 年由"Vivian"和"Wiebke"森林风害造成欧洲森林直接损失木材达 1.0 亿 m³;1999 年发生在欧洲的"Lothar"和"Martin"森林风害损失木材达 1.8 亿 m³。风害不仅极大影响木材生产,同时对森林生态系统的稳定性也造成很大影响。

(一)危害类型

1.风对植物生长的影响

风经常地影响植物与环境间的气体交换、热交换和蒸腾作用。风速为 0.2~0.3m/s,能使蒸腾作用加强 3 倍。当风速较大时,蒸腾作用过大,耗水过多,根系不能供应足够的水分供蒸腾所需,叶片气孔便会关闭,光合强度因而下降,植物生长就减弱。据测定,风速 10m/s 时,树木高生长要比 5m/s 风速时低 1/2,比无风区低 2/3。风能减小大气湿度,破坏正常水分平衡,常使树木生长不良,矮化。盛行一个方向的强风常使树冠畸形,这是因为树木向风面的芽,受风作用常死亡,而背风面的芽受风力较小,成活较多,枝条生长较好。

发育在干热风和强风下的植物,光合作用往往达不到正常强度,其细胞也比正常情况下的小;某些时期内的干热风,对作物的收成会造成巨大的影响;局部经常受风影响的地方,甚至植被类型都不同于一般。这种种变化都与风对气体交换、热交换,特别是对蒸腾作用的影响有关。

2.风对植物繁殖的影响

陆生植物中,有相当多的一部分,如松柏类、颖花类、荑荑花序类植物等,它们的授粉都需借助风力才能进行。凡具这种特性的植物又通称为风媒(花)植物。有些种子靠风传播到远处的植物,称为风播种子植物。风媒植物主要分布在冷冻或寒冷的气候条件下,它们在形态上具有一系列适应风媒的特征。刮大风时,这些植物的花粉可被吹送到很远的地方,有少数植物,其花粉甚至可定期地被送到 1 500km 以外去。有的人在某一季节易生花粉热病,这也与风力的传粉作用有关。在自然界,风力还是一种重要的传播动力,许多植物的传播体都必需靠风力进行传播。这对植物分布区的扩大具有重要意义。通常,森林的乔木中风播比较盛行,但下层处于静风小气候下的植物,风播并不普遍。

3.风对植物的机械损害

风对植物的机械损害是指植物的倒伏、折枝、拔根以及后续危害,带有冰屑、土粒的强风引起植株擦伤等。在多风的生境中,某些正常情况下能直立的植物,往往会变得低矮、平展,正在发育的茎枝遭受定向强风的长期影响,可导致茎枝的位置和外观畸形,植株还会变矮;风所造成的危害程度主要决定于风速、风的阵发性和植物种的抗风性。风速超过 10m/s 的大风,能对树木产生强烈的破坏作用;风速为 13～16m/s,能使树冠表面每平方米受到 15～20kg 的压力,在强风的作用下,一些浅根性树种常常连根刮倒。受病虫害的、生长衰退的、老龄过熟树木,常被强风吹折树干。风倒与风折常给树木,特别是一些古树造成很大危害。

各种树木对大风的抵抗力是很不同的。根据 1956 年台风侵害调查,抗风性较强的树种有马尾松、黑松、桧柏、榉树、核桃、白榆、乌桕、樱桃、枣树、葡萄、臭椿、朴树、板栗、梅、樟树、麻栎、河柳、台湾相思、柠檬桉,木麻黄、假槟榔、桄榔、南洋杉、竹类及柑橘类树种。抗风中等的有侧柏、龙柏、旱柳、杉木、柳杉、檫木、楝树、苦槠、枫杨、银杏、广玉兰、重阳木、榔榆、枫香、凤凰木、桑、梨、柿、桃、杏、花红、合欢、紫薇、木绣球、长山核桃等。抗风力弱,受害较大的有大叶桉、榕树、雪松、木棉、悬铃木、梧桐、加杨、钻天杨、银白杨、泡桐、垂柳、刺槐、杨梅、枇杷、苹果树等。一般言之,凡树冠紧密,材质坚韧、根系深广强大的树木抗风力强;而树冠宠大,材质柔软或硬脆,根系浅者抗风力弱。同一树种也因繁殖方法、当地条件和栽培方式的不同而有异。扦插繁殖者比播种繁殖者根系浅,故易倒;在土壤松软而地下水位较高处根系浅,固着不牢,树木易倒;稀植的树木和孤立木比密植树木易受风害。

此外,风还可以通过冷、热气团的迁移、云雾的移动等改变水、热、光照状况;搅拌空气防止温度逆转、改变污染程度等,广泛而深刻地影响植物。特别需要提到的是,在一些多风、干旱而植被又遭到破坏的地方,风的侵蚀作用和沉积作用,往往会导致沙漠化和沙化的扩大。近年来,由于草原过度开发,造成的地面裸露,在风的作用下,形成沙尘暴天气,就是人类不合理开发利用自然资源的严重教训。

(二)影响风害的主要因素

风的危害程度不仅决定于风的本身,还与地形、土壤和植物生长状况等有很大关系。

1. 地形条件

风害多发生在山区风口处、山峰顶部、山脊和山坡上部,以及狭谷等风速大的地方。Schmoeckel 等对 1999 年发生在德国黑森林的"Lothar"风害与地形的关系研究表明,受害地点与地形有非常显著的相关关系。山峰之间的鞍形地带,以及山脊的北侧和迎风面的西侧发生了较大的破坏。在背风处受保护的地区一般受害较小,如背风坡面、溪谷、洼地和与平均风向垂直的峡谷地区。在芬兰,由风引起的灾害大体分布在皆伐地的边缘,其原因是由于皆伐地的边缘风速大,增加了树的风荷载。乌克兰 Carpathians 地区 16 个气象站 1945～1999 年的风暴(大于等于 20m/s)数据资料表明,在有记录的 6 631 次风暴事件中,发生在山顶的占 60%。在新西兰最严重的风暴事件,往往在与山地有关的地形背风波(下风波)和风隧道而加重,这是因为背风波导致山地下风向的低层风速增加。而 Everham 总结了 14 处温带和热带针叶林和阔叶林受台风影响的情况,表明地形因子与破坏强度间无明显相关性,这可能是由于台风强度太大而造成的。

2. 土壤条件

林地的土壤影响着根系的结构和分布,因此不同土壤类型下生长的林木抵抗风害的能力也不同。Oliver 等研究指出,欧洲赤松抵抗掘根的能力以生长在砂土(sandysoil)中的为最小,棕壤土(well‐drainedsoil)次之,泥炭土(peatygleysoil)最大。Moore 对生长在新西兰的 6 种土壤类型下的辐射松(Pinusradiata)研究表明,生长在北部黄褐土(yellow‐brownearths)和南部黄灰土(yellow‐greyearths)的辐射松其最大抵抗弯曲力矩要大于生长在黄褐浮石土(yellow‐brownpumicesoilearths)的辐射松。当掘根发生在矿质土壤中时,根土盘抵抗能力较大,也就是说,根系进入矿质土壤中的深度较大,因此树木的稳定性也高。另外,生长在不同的土壤厚度和土壤含水量下的林木抵抗灾害的能力是不同的。土层薄、湿度高的土壤比干旱的地方容易遭到破坏。一般来说,在湿地中生长旺盛的林分内主要的破坏类型是掘根,在干旱土壤中大部分的受灾林木是干折。

3. 植物生长条件

从总体上来看,树冠的大小和形状是很重要的。据 Peltola 对林分边缘单一的欧洲赤松研究表明,当树高增加时,掘根和干折所需的临界风速减小,特别是具有较小尖削度的林木更容易遭到风害。一般情况下,当树高超过 12m 时风害随树高的增加而增加。当然,如果风速达到一定程度时,所有的树都会遭到破坏,但是高度超过 12m 的树木所受危害最大。但风害并不是随树木一生高度的增加而一直在增加。如,据 Cremer 等对高度为 30～45m 的辐射松研究表明,风灾不随树高的增加而增加。这一方面的原因可能是当林木成熟时,树木高生长比直径生长衰退得快;另一方面可能是随树龄的增加木材的强度也增加了。在目前的研究中发现树木直径增加将明显的减少风害,并且认为尖削度可能是影响树木抗风能力最重要的因子之一。

林分特征,尤其是林分密度明显地影响着树木形态结构的发展,在密度较大的林分中生长的树木由于其尖削度小,容易遭到风害的破坏。不同的林分内其风速大小也不同,郁闭的林分内风速较小,林木稳定;而刚经过采伐的林分由于风能够穿透更深,进入树的冠层,增加了树的风荷载,林木的稳定性较差。例如,皆伐地边缘的林木和采伐迹地保留的母树最容易遭受风害。据 Petola 对面积不同皆伐地边缘欧洲赤松林内的风速研究表明,皆伐地的面积越大,风穿透林分边缘的能力越强,受灾的危险越高。此外,作为自然选择的结果,天然林的抗风害能力要比人工林强。然而,也有相反的研究指出,在人造林中,由于树木有一致的空间分布和均衡的冠层,所以在林分遭受严重破坏的情况下,人工林受到的破坏很小。通常情况下,针阔混交林抵抗风害的能力比针叶纯林强。

(三)防风林

植物能减弱风力,降低风速。降低风速的程度主要决定于植物的体型大小、枝叶茂密程度(冷平生,1995)。乔木防风的能力大于灌木,灌木又大于草木植物;阔叶树比针叶树防风效果好,常绿阔叶树又好于落叶阔叶树。在风盛行地区,可营造防风林带来减弱风的危害。防风林带宜采用深根性、材质坚韧、叶面积小、抗风力强的树种。乔灌木结合的混交林防风效果好。防风林带的防风效能与其结构有密切关系。一般根据林带的透风系数与疏透度,将林带分为紧密结构、疏透结构、通风结构三种。透风系数是指林带背风面1m处林带高度范围内平均风速与空旷地相应高度范围内平均风速之比。疏透度是指林带纵断面透光空隙的面积与纵断面面积之比的百分数。

1. 紧密结构

透风系数0.3以下,疏透度20%以下。林带枝叶稠密,气流为林带所阻,大部分从林带上越过。越过林带气流能很快到达地面,动能消耗少。在林带背风面,靠近林缘处形成一个有限范围的平静无风区,距林缘稍远,风速很快恢复原状。有效防风距离为树高的10~15倍。

2. 疏通结构

林带具有较均匀的透光空隙,透风系数为0.4~0.5,疏透度为30%~50%,大约有50%的气流从林带内部透过。最小弱风区在背风面3~5倍树高处,有效防风距离为树高的25倍左右。

3. 透风结构

林带稀疏,强烈透风,透风系数0.6以上,疏透度也在60%以上。这种林带气流易通过,很少被减弱,仅少量气流从林带上越过,气流动能消耗很少,防风效能不强。最小弱风区出现在背风面3~5倍树高。

中科院沈阳林业土壤研究所对这三种结构的防风效果进行了研究。其结果见表6-5。

表6-5　不同防风林带的相对风速　　　　　　　　　　　　　　　　　(%)

林带结构	0~5倍树高	0~10倍树高	0~15倍树高	0~20倍树高	0~25倍树高	0~30倍树高
紧密结构	25	37	47	54	60	65
疏通结构	26	31	39	46	52	57
透风结构	29	39	40	44	49	54

注:以旷野风速为100%。引自中科院沈阳林业土壤研究所,1973。

参 考 文 献

[1] 武维华.植物生理学.北京:科学出版社,2003
[2] 潘瑞炽,董愚得.植物生理学(第3版).北京:高等教育出版社,1995
[3] 何若韫.植物低温逆境生理.北京:中国农业出版社,1995
[4] 戈峰.现代生态学.北京:科学出版社,2002
[5] 蒋高明.当前植物生理生态学研究的几个热点问题.植物生态学报,2001,25(5)

〔6〕蒋高明.植物生理生态学.北京:高等教育出版社,2004

〔7〕杨继,郭友好,杨雄,等.植物生物学.北京:高等教育出版社,施普林格出版社,1999

〔8〕周云龙.植物生物学.北京:高等教育出版社,1999

〔9〕王忠.植物生理学.北京:中国农业出版社,2000

〔10〕孙儒泳,李庆芬,牛翠娟,等.基础生态学.北京:高等教育出版社,2002

〔11〕郑师章.普通生态学.上海:复旦大学出版社,1994

〔12〕林育真.生态学.北京:科学出版社,2004

〔13〕尚玉昌.普通生态学.北京:北京大学出版社,2002

〔14〕李秀芬,朱教君,王庆礼,等.森林的风/雪灾害研究综述.生态学报,2005,25(1)

〔15〕冷平生.城市植物生态学.北京:中国建筑工业出版社,1995

第七章　生态位理论及其应用研究进展

第一节　生态位理论

生态位就是研究某生物种(包括人类)在一定层次上一定范围内生存与发展所需条件(包括物质、能量、空间和时间)、发挥作用及其对周围生态环境影响的学问。生态位是生物种的一种属性特征,具有特有属性特征的物种,一旦生存于特定生态环境中,便会表现出其独特的角色形象和活动方式及规律。从1910年,Johnson最早使用了生态位一词以来,在生态位概念演进百年史上,众多学者对生态位概念的表述至今尚未形成明确公认、可适用的生态位概念模式和理论体系。也正是因为生态位理论的不够成熟,为各国科学家研究、探索生态位提供了广阔的空间。Grinnell(1917)、Charles.Elton(1927)、Hutchinson(1957)分别对生态位做出定义,分别被称为空间生态位、营养生态位或叫功能生态位和超体积生态位,使它们成为对生态位研究最具代表性的三位生态学家。在近20年来,广大科技工作者从生态位理论的基本含义出发,立足各自的科学实践,在种间关系、生物多样性、群落结构及演替、种群进化竞争系数估计、极限相似性、资源划分、土地评价、群落稳定性讨论、城市生态学、人类学等研究方面得到的广泛研究与应用,在理论和实践上取得了显著的成效。我国著名生态学家刘建国、马世骏(1990)提出的扩展的生态位理论,从纯碎的自然生态系统到社会—经济—自然复合生态系统,拓宽了生态位概念。朱春全(1997)提出的生态位态势理论,论述了生物单元生态位的测定方法和生物单元态和势的变化规律,以及生物单元生态位扩充的内在机制和动力。生态位态势理论和扩充假说,对于认识自然和社会系统中各种食物单元的地位与作用、生命系统演化和社会发展的动力和机制都有重要的意义。总之,生态位概念日渐明朗、理论日臻完善,成为近20年来生态学研究的热点之一,并且在现代生态学中占有愈来愈重要的地位。

一、生态位概念的产生与发展

(一)生态位概念的演变

1894年,密执安大学的Streere在解释鸟类物种分离而居于菲律宾各岛现象时,对"生态位"就很感兴趣,但未作任何解释。

1910年,Johnson最早使用了生态位一词"同一地区的不同物种可以占据环境中的不同生态位"。

Grinnell在1917年首先应用"生态位"(niche)一词来表示对栖息地再划分的空间单位,定义为"恰好被一种或一个亚种所占据的最后分布单位"(ultimate distributing unit),人们称它为空间生态位(space niche)。

Charles.Elton(1927)是动物生态学家,他强调生物有机体在群落中的功能作用,认为"一种动物的生态位表明它在生物环境中的地位及其与食物和天敌的关系",即所谓的营养生态位(trophic niche)或叫功能生态位(functional niche)。他给生态位的定义是"指物种在生物群落中的地位和角色"。

Hutchinson(1957)认为生态位是每种生物对环境变量(温度、湿度、营养……)的选择范围。从空间和资源利用等方面考虑,提出了比较现代的生态位概念。他认为,生物在环境中受着多个而不是二个或三个资源因子的供应和限制,每个因子对该物种都有一定的适合度阈值,在所有这些阈值所限定的区域内,任何一点所构成的环境资源组合状态上,该物种均可以生存繁衍,所有这些状态组合点共同构成了该物种在该环境中的多维超体积生态位。所以把 Hutchinson 的生态位定义称为超体积生态位(hypervolume niche)。他把生态位定义为"有机体与它的环境(生物和非生物)所有关系的总和"。因为环境变量是多维的,称为超体积。Hutchinson 进而在此基础上提出了基础生态位(fundamental niche)和现实生态位(realized niche)两个概念。他认为,在生物群落中能够为某一物种所栖息或利用的最大空间(广义空间)称为基础生态位,在这个范围内,环境可以容许个体或物种不受限制地生活下去。而把由于竞争者的存在,物种实际占有的生态位称为实际生态位。他认为很少有一个物种能全部占领基础生态位,由于竞争种类增多,可能使某一物种的实际生态位越来越小。这个观点在一定程度上说明了群落演替中物种的生境越来越特化的原因。Hutchinson 关于多维生态位或超体积生态位的概念,第一次给生态位以数学的抽象,它不仅解释了自然界中众多物种竞争而共存的生态分离现象,而且开辟了生态位定量研究的途经。但是 Hutchinson 的生态位理论在实际应用上也有一定困难和局限。首先,环境变量可以有很多,而在实际测定上就十分困难了;其次,并不是一切环境变量都可以线性排列和可以测定的,因此资源轴上刻度就难以确定;第三,这仅仅反映了生态位的静态状况,尚不能反映竞争过程中生态位变化的动态状况。为了避免这种困难,MacArthur(1968)建议只局限在一、二维上,而回避讨论整个基础生态位的难以测量的特征,他曾指出对于处在同一个栖息地中并联系在一起的相近种类的生态位,只要相应测定少数几个起主要作用的数据,就可以精确地进行比较。

E.P.Odum(1959)生态位定义为:一个生物在群落和生态系统中的位置和状况,而这种位置和状况决定于该生物的形态适应、生理反应和特有行为。Odum(1952)认为,生态位不仅包括有机体的群落类型、生境和物理条件,而且还包括某些它与群落所有其他成分有关的要素,它本身在群落动态中所起的作用。Odum 曾对栖息地和生态位作过一个十分生动的比喻,他说栖息地是生物的"住址",而生态位是生物的"职业"。

随后生态位的概念越来越和种间竞争的概念相联系,而根据竞争排斥原理,生态上类似的种很少能共存于一个生态位中,因而生活在一起的各个物种都必须有它们自己独特的生态位。

May(1976)把生态位概括为"某物种究竟怎样生活在地球上的诸生态因子中"。

E.R.Pianka(1983)认为,一个生物单位的生态位就是该生物单位适应性的总和。近年来,许多动物生态学家和理论生态学家则将生态位与资源利用谱等同,而有的植物学家(如Grubb,1977)视生态位为植物与所处环境的总关系。还有人(Pitelka 等)试图把生态位看成是环境的特质,而不是物种的特质。

王刚等仔细分析上述各生态位定义的内在含义,不外乎包括两个方面:一是有机体和所处生境条件之间的关系;二是生物群落中的种间关系。因此,如果把群落中一个种与其他种之间的动态关系(包括竞争、捕食—被食、寄生—寄主、共生互惠等关系)也看成一种广义的种与环境因子之间的关系,则可给生态位一个广义的定义。王刚等应用集合概念定义生态位,他认为种的生态位是表征环境属性特征的向量集到表征种的属性特征的数集上的映射关系。换言之,种的生态位是该种在生态学上的特殊性,即该种与群落中其他种及生境之间的特殊联系。

刘建国、马世骏(1990)提出了"扩展的生态位理论",认为现代生态位的研究已经从纯碎的自然生态系统到社会—经济—自然复合生态系统,探讨其物质循环与能量转化、信息传递、价值形成等生态经济学过程。进行这种过程的功能单位称之为生态元(Ecounit)。把生态元定义为"从基因到整个地球,所有的生物组织层次均具有一定生态学结构和功能的单元"。因此,拓宽了生态位概念、扩展了生态位理论的应用范围。一般在生态因子(包含时间因子)范围内能够被生态元占据、利用或适应的部分称为生态元的生态位。根据生态位的存在与非存在形式,以及生态位的实际和潜在被利用状态,可将生态位分为存在生态位(包括实际生态位和潜在生态位)和非存在生态位,他们把生态位定义为"在生态因子变化范围内,能够被生态元实际和潜在占据、利用或适应的部分"。

朱春全(1997)在提出生态位的态势理论与扩充假说时认为:从个体到生物圈,无论是自然还是社会中的生物单元都具有态和势两个方面的属性。生物单元的生态位是该生物单元态和势之和与所有被研究的生物单元态和势之和的比值,即生态位是生物单元在特定生态系统中与环境相互作用过程中所形成的相对地位与作用。生态位应当包含两个方面:一是生物单元的态,态是指生物单元的状态,是过去生长发育、学习、社会经济发展以及与环境相互作用积累的结果;二是生物单元的势,势是指生物单元对环境的现实影响力或支配力,如能量和物质变换的速率、生产力、生物增长率、经济增长率、占据新生境的能力。生物单元态的变化一般呈"S"形曲线,而势的变化则呈"钟"形曲线(图7-1)。常用的"S"形曲线是逻辑斯谛(logistic)曲线,即:

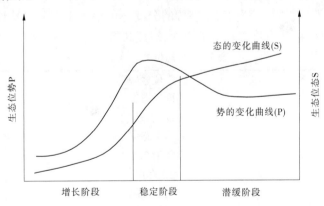

图7-1　生态位态、势变化曲线图

$$\frac{\mathrm{d}N}{\mathrm{d}t} = r(\frac{K - N}{K})N \tag{7-1}$$

式中:r 为个体增长率;N 为种群密度;K 为环境容量;$\frac{\mathrm{d}N}{\mathrm{d}t}$ 为增长率。

由于生物单元无限增长的潜力所引起的态和势的增加称为生态位的扩充,生态位的扩充是生物圈演变的动力,是生命发展的本能属性。他认为,前人的研究均是从生物单元的生态环境方面来表述其生态位的,然而,对于任何生物单元的研究都是对特定时刻、特定生物群体的状态描述,当前实际占据环境部分不能反映该生物单元所经历的环境变化的所有特征,而且,生物单元所占据的生态因子范围受多种随机因素的影响,因此特定时刻某生物单元所占据的环境范围对于该生物单元的生态作用没有实际意义。

张光明、谢寿昌(1997)认为,生态位本质上是指物种在特定尺度下在特定生态环境中的职能地位,包括物种对环境的要求和影响两个方面及其规律,生态位是物种的属性特征表现,它定量地反映物种与生境的相互作用关系。他们认为,一定生态环境里的某种生物在其入侵、定居、繁衍、发展以至衰退、消亡历程的每个时段上的全部生态学过程中所具有的功能地位,称为该物种在该生态环境中的生态位。一种生物的生态位既反映该物种在某一时期某一环境范围内所占据的空间位置,也反映该种生物在该环境中的气候因子、土壤因子等生态因子所形成的梯度上的位置,还反映该种生物在生态系统(或群落)的物质循环、能量流动和信息传递过程中的角色。物种的生态位具有特有性、层次性、区域性、时效性、可调性、相对稳定性和定量可测性。

综上所述,生态位概念自提出以来,生态位理论及其定义得到不断发展和深化,也有力地推动着现代生态学理论的发展,已成为生态学中特别引人注目的中心论题之一。然而,至今由于生态学家所基于的角度和出发点有所不同,各种生态位的定义仍未统一,形成类似和分歧并存的局面,这都有待于进一步研究和完善。

(二)生态位的分类

每一种生态因子对应着一种或一维特定的生态位。一维生态位对应于一条线段的一部分,二维生态位对应于一个平面的一部分,三维生态位对应于一个立体空间的一部分,四维和四维以上的生态位对应于所形成的超空间的一部分,即多维生态位或超体积生态位(Hutchinson,1957)。刘建国按照生态位的数学性质(连续或离散)、生态元的类别(不同研究层次)进行了分类(表7-1)。当然,生态位的分类还可根据生态元的特性、行为,生态位的功能,研究对象的属性,还有许多种分类方法,以反映生态位之间的特异性。

表 7-1 生态位的分类系统

分类标准		生 态 位 类 型	文 献 举 例
生态因子	1. 类型	温度生态位	Odum(1917)
		湿度生态位	Odum(1918)
		营养生态位	Bradshaw(1969)
		食物生态位	Eiton(1927)
		光生态位	Whittake(1972)
		空间生态位	Grant(1972)
		时间生态位	Mitchell(1979)
	2. 维数	一维生态位	Hutchinson(1957)
		二位生态位	
		三维生态位	Hutchinson(1957)
		多维生态位	Hutchinson(1957)
	3. 数学性质	离散生态位 Discrete niche	刘建国(1986)
		连续生态位 Continuous niche	刘建国(1986)

分类标准		生 态 位 类 型	文献举例
生态元	1.类型	基因生态位 Gene niche 细胞生态位 Cell niche 个体生态位 Individual niche 表现型生态位 年龄组生态位 性别生态位 种群生态位 物种生态位 Species niche 群落生态位 生态系统生态位 Ecosystem niche 城市生态位 景观生态位 生物圈生态位 Biosphere niche 地球生态位 Earth niche	刘建国(1987) 刘建国(1987) 刘建国(1987) Pinka(1978) Wilson(1975) Selander(1966) Hutchinson(1978) Emlen(1975) 刘建国(1987) Patten((1981) 王如松、马世骏 (1984)
	2.行为	生存生态位 Existence niche 繁殖生态位 Reproductive niche 再生生态位 Regeneration niche 取食生态位 Feeding niche 生产生态位 生活生态位	Hutchinson(1957) Greenfield(1983) Grubb(1977) Snow 和 Snow(1972) 王如松(1984) 王如松(1984)
竞争者存在与否		基础生态位 Fundamental niche 实现生态位 Realized niche	Hutchinson(1957) Hutchinson(1957)
生态位的来源		自产生态位 Self-produced niche 非自产生态位 Non-self-produced niche	Liu(1988) Smith(1984)
生态位的功能		优化生态位 亚优化生态位	
生态位的存在 与利用状况		存在生态位　　　　　Existing niche 实际生态位　　　　　Actual niche $\alpha-/\beta-$实际生态位　Alhpha / Beta actual niche 潜在生态位　　　　　Potential niche $\alpha-/\beta-$潜在生态位　Alhpha / Beta potential niche 非存在生态位　　Non-existing niche	

二、生态位量测度及其应用

生态位特征的定量化有利于进行群落中物种间占据空间范围和利用资源能力的比较，因而引起生态学家的普遍重视和研究。自 20 世纪 60 年代以来，有关生态位理论的研究，多集中在物种对资源的利用方面，而且最初主要以动物种群为研究对象，后来在植物群落中也开始得到重视和应用。生态位的概念是抽象模糊的，所能给人们具体了解的是一些刻画它的数量指标，即所谓的生态位测度(niche metrics)，如生态位宽度(niche breadth)、生态位重叠(niche overlap)、生态位体积(niche volume)及生态位维数(niche dimension)等。其中生态位宽度和生态位重叠是描述一个物种的生态位与物种生态位间关系的重要数量指标，目前研究主要集中在这两个指标的估算与分析上。

生态位维数(niche dimension)。虽然生态位的 n 维超体积模型是一个很好的模型(特别是对澄清概念),但实际应用起来却又太抽象,为了构造这样一个 n 维超体积,我们就必须了解有关生物的几乎一切方面,但实际上我们不可能掌握影响生物的所有因素。一般说来,竞争常常借助于小生境的利用、所吃食物和活动时间的差异而大大减弱,这样就可把生态位的有效维数减少到三个,即地点、食物和活动时间。我们可以把一个饱和群落看做是在这样的一个三维空间内占有的一定体积。迄今为止,大多数的生态位理论都是建立在一维生态位基础之上的,每个物种在其生态位空间内就只有两个相邻物种。沿着两个或两个以上的生态位维,各对物种最终的生态位重叠通常会适当减弱,因此生态位各维之间经常会发生互补。随着维数增加,生态位可以在一个维上重叠或完全重叠而在另一个维上却完全分离或相互邻接。维数的增加使每个物种的生态位空间都具有更多的相邻竞争者,因而大大地分散了竞争。Schoener(1974)评述了 80 多个自然群落内的资源分隔型,得出的结论是:对于生态位隔离,生境维比食物维更为重要,而食物维又比时间维更重要。

(一)一维生态位测度

1. 生态位宽度(niche breadth)

生态位宽度是生态位特征的定量指标之一。生态位宽度又称生态位广度(niche width)、生态位大小(niche size)。许多学者曾给生态位宽度下定义,E.P.Smith(1982)定义生态位宽度为:"在生态位空间中沿某些直线生态位的全部距离。"R.J.Putman 和 S.D.Wratten(1984)把生态位宽度定义为:"有机体利用已知资源幅度的测度。"在现有资源谱中,仅能利用一小部分的生物称为狭生态位的,而能利用其大部分的生物,则被称为广生态位。Slobodkin、Levins、Mac Arthur 所给的定义是:在生态位空间中,沿着某一具体路线通过生态位的一段"距离"。Hurlbert 则将其定义为:物种利用或趋于利用所有可利用资源状态而减少种内个体相遇的程度。Kohn 认为,生态位宽度是生态专化性的倒数。1965 年,Van valen 定义生态位宽度(niche breadth)为:"在有限资源的多维空间中为一物种或一群落片段所利用的比例。"

对于离散型资料,考虑以 S 个物种作为行,R 个资源状态作为列,形成表示资源利用状况的资源矩阵,那么一个种的生态位宽度可以借助于测定该种的个体在资源矩阵的资源状态中的分布一致性而估出。

资源矩阵

	资源状态					
物	N_{11}	$\cdots$	N_{1j}	$\cdots$	N_{1R}	Y_1
	N_{21}	$\cdots$	N_{2j}	$\cdots$	N_{2R}	Y_2
种	N_{i1}	$\cdots$	N_{ij}	$\cdots$	N_{iR}	Y_i
	N_{S1}	$\cdots$	N_{Sj}	$\cdots$	N_{SR}	Y_S
	X_1	$\cdots$	X_j	$\cdots$	X_R	Z

(7-2)

式中:N_{ij} 为第 i 个物种利用资源状态 j 的观测个体数;Y_i 是物种 i 的总观测个体数;X_j 为利用资源状态 j 的总观测个体数;Z 是总的观测个体数。

早期提出生态位宽度计量公式的出发点多是基于多样性的量度方法,用群落内物种多样性的指标,代替任一有机体利用资源的多样性。如高颖等研究 13 种鸟类栖位分布的生态位宽度;蒋志刚研究了高原鼠兔生态位宽度;杜道林等以森林群落演替系列群落样地作为不同资源综合体,对优势种栲树的生态位特征及其动态进行探讨。杨凯等对红松人工林群落不同树高级种群在光照、水分和土壤有机质含量梯度上的生态位宽度分别进行研究,并对种群在资源位上的资源利用效率加以考虑,探讨与生产力的关系;任青山等还应用空间生态位的分析方法对组成森林资源各树种的生态位分布宽度等问题进行研究。以上指的是生态位空间是离散时的情况,若生态位空间是连续时,表征因子可按物种进行判别分析,如Mcloskey(1976)指出判别得分的标准变量可以作为宽度的量度。如果差异不明显,适用于主成分分析,Rotenberry 和 Wiens(1980)用主成分轴的多样性作为宽度指标。计算生态位一般根据研究对象的特定研究内容,采用多种公式对比研究后,确定适宜的计算公式。一般情况下使用较多的公式是 Levins(1968) 、Simpson,Shannon – Winner 提出的几个公式,Feisinger 和 Spears(1981)提议使用比例相似性生态位宽度的公式。

以下列出的是计算生态位宽度的常用公式。

(1)Levins 公式。最早提出生态位宽度计测公式的是 Levins,其公式为:

Simpson 指数:

$$B_i = \frac{1}{\sum_{j=1}^{R} P_{ij}^2} = \frac{(\sum_{j=1}^{R} N_j)^2}{\sum_{j=1}^{R} N_{ij}^2} = \frac{Y_i^2}{\sum_{j=1}^{R} N_{ij}^2} \tag{7-3}$$

Simpson – Wiener 指数:

$$B_i' = -\sum_{j=1}^{R} P_{ij} \lg P_{ij} \tag{7-4}$$

式中:B_i 和 B_i' 为物种 i 的生态位宽度;$P_{ij} = N_{ij}$,是第 i 个物体利用资源状态 j 的个体数;Y_i 是第 i 个物种利用资源状态 j 的个体占该种个体总数的比例。

在物种 i 利用每个资源的个体数都相等的情况下,B_i' 和 B_i 均达到其最大值。这说明当物种对所有资源状态不加区别地利用时,才有较宽的生态位。上述公式虽然计算简单,生物学意义明确,但是忽略了种群对环境资源的利用能力或对生态因子的适应能力的差异及由此产生的对生态位的影响,故不能将这两个公式完全看做是对种群生态位宽度的定量分析。

(2)Schoener 公式。Schoener 将 Levins 公式改进为:

$$B_s = Y_i^2 / \left[A^2 \sum_j (P_{ij}/a_j)^2 \right] \tag{7-5}$$

式中:B_s 为生态位宽度;A 为所有可利用资源之和;a_j 是可利用的资源状态 j 的可利用率;其余符号含义同前。

式(7-5)尽管考虑了资源可利用性,但研究者如不按生物本身对资源的区分而划分资源状态时,B_s 值就会变化,且没有恰当的生物学解释。

(3)Hurlbert 公式。Hurlbert 建议对式(7-5)用资源可利用率进行加权而得出如下测定公式:

$$B' = Y_i^2 / \left[A \sum_{j=1}^{R} (P_j^2 / a_j) \right] \tag{7-6}$$

或
$$B_H = 1 / \left[\sum_{j=1}^{R} (P_j^2 / a_j) \right]$$

式(7-6)中种对稀有资源的选择性很敏感,因而给了一个较大的权重,且当 $a_j = 0$ 时,B' 值未定义。Hurlbert 公式虽然考虑到了种群对资源的利用能力和对生态因子的适应能力,但其在数学形式上,仍未摆脱 Simpson 公式的本质,参数意义不确切,存在一定的局限性。

(4)Golwell 和 Futuyma 公式。Golwell 和 Futuyma (1971)曾对 Levins 的测定方法提出过批评,认为该测定结果在很大程度上取决于所考虑的资源种类多少,因此很难使测定程序标准化,不利于对同一群落或不同群落中的物种生态位进行比较研究。Golwell 和 Futuyma 利用资源矩阵,对 Levins 公式进行了改进,把式(7-3)进行标准化后得:

$$\beta_i = \left[1 / \sum_j d_{jk} P_{ij}'^2 - 1 \right] [1 / (k - 1)] \tag{7-7}$$

把式(7-4)进行标准化后得:

$$\beta_i' = - k / \lg k \sum_i d_j (P_{ij}' \lg P_{ij}') \tag{7-8}$$

式中:P_{ij}' 含义同 P_{ij};d_j 为第 j 个资源状态的相对权重因子;k 为把原来 r 个资源状态扩展为 k 个资源状态的值(一般 $k = 10\,000$ 为宜)。

式(7-7)、式(7-8)首先考虑了资源的可利用性,其次对计测进行了标准化,虽然这种标准化仅适合在同一资源矩阵的种间进行比较。

式(7-7)、式(7-8)的不足之处是:①仅当所有资源状态被等量的生物利用时,才说明了资源不同的可利用性,且计算十分复杂;②式(7-7)、式(7-8)是在资源变异基础上进行的,而生态位宽度变异的概念基础是种对资源的选择性;③生物学解释不明确。

(5)Petraitis 公式。Petraitis 以观测利用比与可利用比的似然性为基础,提出了一个测定生态位宽度的统计方法:

$$W_i = (\lambda_i)^{1/N_i} \tag{7-9}$$

式中,$\ln \lambda_i = \sum_{j=1}^{R} n_{ij} \ln q_{ij} - \sum_{j=1}^{R} n_j \ln p_{ij}$,$n_{ij}$ 是资源状态 j 被第 i 个物种使用的数量,$N_i = \sum_{j=1}^{R} n_j$,q_{ij} 为环境中资源 j 出现的频率。

式(7-9)对于种对稀有资源的选择性不敏感,W_i 的变化取决于资源谱和种的利用曲线,越泛化的种具有越高的 W_i 值,且可按统计假设进行不同种间生态位宽度比较。但当种间有竞争或在同一资源中时,这种比较是无效的。

(6)Feinsinger 和 Spears 公式。Feinsinger 和 Spears 把生态位宽度定义为一个种群利用资源的概率分布与可利用资源的概率分布之间的相似程度。他们建议使用下面的百分比相似性测量作为物种 i 的生态位宽度:

$$P_S = \sum_{j=1}^{R} \min(p_{ij}, q_{ij}) = 1 - \frac{1}{2} \sum_{j=1}^{R} |p_{ij} - q_{ij}| \tag{7-10}$$

式中:q_{ij} 为种 i 可利用的资源状态 j 占整个可利用资源的比例。

P_S 值随资源谱的变化而变化,因此两个种不仅可在同一时间比较,也可在同一资源随时间变化比较两个种生态位宽度的不同反应。但式(7-10)不适合资源可利用性及利用的研究,同时其精确性取决于研究者对可利用资源特别是可利用但未利用资源定义的客观程度。

(7)Smith 公式。Smith 在对以上方法进行评述及统计分析的基础上,提出如下测定公式:

$$F_T = \sum_{j=1}^{R} (p_{ij}, q_{ij}) \tag{7-11}$$

该度量取值在 0、1 之间。类似于 Petraitis 的测量,F_T 也可以度量两个物种之间或一组物种之间的生态位重叠。式(7-11)对于稀有资源的选择性反应不敏感,在资源利用向量是多维的、资源可利用性是固定的且已知的情况下,可进行统计检验。相对来说,Smith 公式数学形式简单,几何意义明确,计算简便,并且便于分析和比较,所以周丹等建议用 Smith 公式计算羊草草原主要植物种群的生态位宽度,也可尝试用于其他种群。

(8)Pielou 公式。Pielou 提出了平均生态位宽度的概念,并定义为种内生境多样性权重平均值。计算公式为:

$$H_T = \frac{1}{N} \left\{ \lg N! - \sum_i \lg X_i.! \right\} + \sum_i \frac{X_i.}{N} \left\{ \frac{1}{X_i.} \lg X_i.! - \frac{1}{X_i.} \sum_j \lg X_{ij}! \right\}$$
$$= H_A + \sum_j u_i h_i(b) \tag{7-12}$$

式中:N 为总个体数;X_i 为在 c 个生境中第 i 个种出现的频率;$h_i(b)$ 为第 i 个种的生境多样性;u_i 为第 i 个种占的比例;$\sum u_i h_i(b)$ 为平均生态位宽度;H_A 为种的多样性;H_T 为总的多样性。

(9)多样性指数公式。Shannon . Wiener 认为,生态位宽度是生物利用资源多样性的一个指标。多样性指数为基础的生态位宽度指数,其计算公式为:

$$B_i = \frac{\lg \sum N_j - (1/\sum N_{ij})(\sum N_{ij} \lg N_{ij})}{\lg r} \tag{7-13}$$

式中:B_i 为 i 种的生态位宽度;N_{ij} 为 i 种利用 j 资源等级的数值;r 为生态位资源等级。其数值范围从 0~1,0 表示没有利用,1 表示对所有等级都同样地利用了。

(10)王刚等将生态位定义为从环境状态集合到物种的密度集合 $A = \{x/x = (x_1, \cdots, x_n)\}$ 到物种 Y 的密度集合的一个映射 $f(x_1, \cdots, x_n)$。在此定义下,y 在 x_i 轴上的生态位宽度即是点集 $A_i = \{x/p_{ni} f(x_1, \cdots, x_i, \cdots, x_n) > 0\}$ 的测度 $m(A_i)$,n 维向量 $W = (m(A_1), \cdots, m(A_i), \cdots, m(A_n))'$ 就是 y 在 n 维生态因子空间的生态位宽度。

2. 生态位重叠(niche overlap)

生态位重叠是两个种在生态上的相似性的量度,许多生态学家把两个种对一定资源位的共同利用程度作为生态位重叠。关于生态位重叠,目前有各种不同的定义。研究生态位理论的许多生态学家把两个种对一定资源位(Resource State,即 n 维生态因子空间中的一点或一很小的体积)的共同利用程度作为生态位重叠(Abrams,1980;Colwell,1971)。Hurlbert(1978)定义生态位重叠为两个种在同一资源位上的相遇频率;Pielou(1972)提出了资源位上平均生态位重叠的概念,并视之为资源位上种的多样性。王刚等定义生态位重叠是两个种在其与生态因子联系上的相似性。有的学者也用生态位相似性比例来表示生态位重叠的。由此,生态位重叠的计测便是种间相似性的计测。

杨效文等对生态位重叠的计测公式进行了综述,以下列出的是计算生态位重叠的主要方法。

(1)曲线平均法(Schoener 公式,又称相似百分率指数法):

$$a_{ij} = 1 - \frac{1}{2} \sum_{a=1}^{n} | p_{ia} - p_{ja} | \qquad (7\text{-}14)$$

式中:p_{ia} 和 p_{ja} 分别代表种 i 和种 j 中利用资源状态 a 的个体数。

对于连续数据,式(7-14)变为:

$$a_j = 1 - \frac{1}{2} \int | p_1(a) - p_2(a) | \, \mathrm{d}a \qquad (7\text{-}15)$$

该法的主要优点是:从离散数据向连续数据转化十分简单,几何意义明确。不足之处是 a_{ij} 有时为负值,没有意义。说明此公式不适合计算某些植物种群间的生态位重叠值,不能准确地反映出种群生态位重叠的实际情况。

(2)对称 α 法(Pianka 公式):

$$a_j = \sum_{a}^{n} p_{ia} p_{ja} \Big/ \Big[\Big(\sum_{a}^{n} p_{ia}^2 \Big) \Big(\sum_{a}^{n} p_{ja}^2 \Big) \Big]^{1/2} \qquad (7\text{-}16)$$

式中:$a_{ij} = a_{ji}$。

对称 α 法对种群的个体数量或其在群落中种群的数量特征不敏感,但它却能客观地反映出种群之间对资源利用或生态适应的相似性,并具有较为直观的几何解释,而且其生态位重叠不超过 1,便于对不同种群的生态位重叠进行客观比较,具有较强的实用性。

(3)不对称 α 法(Levins 公式):

$$\overline{a_{ij}} = \sum_{a=1}^{n} (p_{ia} p_{ja}) \Big/ \sum_{a=1}^{n} p_{ia}^2 \qquad (7\text{-}17)$$

该公式特点是 $\widetilde{a_{ij}} \neq \widetilde{a_{ji}}$,即种群 i 与种群 j 的重叠值与种群 j 与种群 i 的重叠值不相等。由于利用此公式计算的生态位重叠值不是归一化数据,因此不便于对两种群在不同环境因子梯度上的生态位重叠关系进行比较。而且,Levins 公式缺乏直观的几何解释,同时由于重叠矩阵的非对称性,对于梯度不同的两个种群,生态位重叠关系的比较十分复杂。但由于它比对称 α 法能更好地估计 Lotka Volterra 方程的竞争系数,因而常常被采用。如果 $p_{ja} = k p_{ia}$,则 $\widetilde{a_{ij}} = k$,这就反应出一个问题来,如果种 j 比种 i 能更有效地躲避调查者,那就影响 $\widetilde{a_{ij}}$ 值,所以在计数或计算二者比例时要格外小心。

(4)和 α 法和积 α 法。该法可以估计沿两个或更多资源轴 α 的联合效果。当资源轴互相独立时,则 α 的联合效果采用积 α 估计,即:

$$a_{ij}^p = \prod_{k=1}^{k} a_{ij}(A_k) \qquad (7\text{-}18)$$

式中:a_{ij}^p 是种 k 和 j 的 α 乘积;$a_{ij}(A_k)$ 是第 k 个 A 资源的 a_{ij} 值。

当资源轴不独立时,用和 α 法估计,即:

$$a_{ij}^s = \Big[\sum_{k=1}^{k} a_{ij}(A_k) \Big] \Big/ n \qquad (7\text{-}19)$$

式中:a_{ij}^s 是种 i 和 j 的 a 之和。

这种方法的最大优点是可以沿多个资源轴计测生态位重叠,但最大的难点是在生物系统中,一般难以判断资源的独立与否。

(5)信息函数法:

$$R_0 = \frac{\sum[(p_{ia} + p_{ja})\lg(p_{ia} + p_{ja})] - \sum p_{ia}\lg p_{ia} - \sum p_{ja}\lg p_{ja}}{(p_i + p_j)\lg(p_i + p_j) - p_i\lg p_i - p_j\lg p_j} \qquad (7\text{-}20)$$

式中:p_i 和 p_j 分别为种 i 和种 j 的总数。

式(7-20)不仅计算复杂而且分子分母没有清楚的生物学解释。

(6)似然法:

$$G = r^{1/N} = r^E \qquad (7\text{-}21)$$

式中:$r = \prod(c_j/p_{ij})n_{ij}$;$E = [\sum n_{ij}(\log_r c_j - \log_r p_j)]/N$;$N = \sum I_j$;$c_j$ 为所有种利用第 j 个资源的频率。

式(7-21)中的参数缺乏明确而恰当的生物学解释。

(7)概率比法:

Hurlbert 对曾经使用的生态位重叠公式提出了批评,并引入新的计算公式:

$$L = (A/XY)\sum_i(x_iy_i)/a_i \qquad (7\text{-}22)$$

式中:x_i 和 y_i 是利用资源状态 i 的种 1 和种 2 的数量;a_i 是可利用的资源状态 i;A 是所有可利用资源之和;X 和 Y 是种 1 和种 2 的总数。

式(7-22)能与资源状态的可利用性联系起来,因而比以前的公式具有更合理的生物学解释。

根据以上各公式的特点,在森林群落方面,生态位重叠计算使用较多的是 Pianka 公式;任青山、周丹等采用野外实测数据,对种群生态位重叠的计算公式进行了对比研究,发现用 Pianka 公式可客观地反映出种群之间的生态位重叠以及种群间生态位重叠关系的变化;另外一个使用较多的是王刚公式;还有 Levins 的生态位重叠公式及 Schoener 公式。张林静(2002)用 Levins、王刚和 Pianka 生态位重叠公式均可反映绿洲荒漠过渡带植物的生态位结构,但王刚生态位重叠公式较其他公式具有更为合理的生态学解释。最小生成树和极点排序结果也说明了这点。3 种生态位重叠公式的测度结果基本与生态位相似性比例一致,即生态位相似性较大,其生态位重叠也较大。

3. 生态位体积(niche volume)

根据王刚的定义,生态位体积表示一个种对其有关生态因子的利用或适应能力,是指函数 f 在其定义区域上的 n 的重积分,即:

$$N.V = \int\cdots\int f(x_1, x_2, \cdots, x_n)dx_1 dx_2\cdots dx_n \qquad (7\text{-}23)$$

式中:域 D 即为 f 之定义域,$D = I_1 \times I_2 \times \cdots \times I_i \times \cdots \times I_n$,$I_i$ 为 f 在 x_i 轴上的定义区间。

生态位体积表示一个种对其有关生态因子的利用或适应能力。

Litvak 认为,假设用 w_{ij} 表示第 j 个物种沿第 i 个资源轴的生态位宽度,则该物种的生态位体积由下式确定:

$$N_j = \prod_{j=1}^{p} W_{ji} \qquad (7\text{-}24)$$

两物种的生态位重叠体积由下式确定：

$$N_j \text{I} N_k = \prod_{j=1}^{p} (\beta_i - a_i) \tag{7-25}$$

式中：$\beta_i = \min\{\beta_{ji}, \beta_{ki}\}$，$a_i = \max\{a_{ji}, a_{ki}\}$；$\beta_{ji}$、$\beta_{ki}$ 分别为物种 j、k 的生态位在第 i 资源轴上较大边界；a_{ji}、a_{ki} 为较小边界。

根据任意事件的概率加法规则，黄英姿给出了 m 个物种构成的群落生态位体积：

$$N_1 \text{Y} N_2 \text{Y} \cdots \text{Y} N_m = \sum_{i=1}^{m} N_i - \sum_{j>i=1}^{m} (N_i \text{I} N_j) + \sum_{k>j>i=1}^{m} (N_i \text{I} N_j \text{I} N_k)$$
$$+ \cdots + (-1)^{n-1} (N_1 \text{I} \cdots \text{I} N_n) \tag{7-26}$$

（二）多维生态位测度

王刚认为，生态位宽度是指种 y 和 n 个生态因子的适应（或利用）范围。

(1)王刚公式。王刚等将生态位定义为从环境状态集合：$A = \{x/x = (x_1, \cdots, x_n)\}$ 到物种 Y 的密度集合的一个映射 $f(x_1, \cdots, x_n)$。在此定义下，y 在 x_i 轴上的生态位宽度即是点集 $A_i = \{x/p_{rji} f(x_1, \cdots, x_i, x_n)\} > 0$ 的测度 $m(A_i)$，n 维向量 $w = (m(A_1), \cdots, m(A_i), \cdots, m(A_n))$ 则是种 y 在 n 维生态因子空间上的生态位宽度；两物种的生态位重叠定义为两个种在生态学上的相似性，继而推导出计测生态位重叠的改进公式：

$$N.O. = \frac{\int_d \cdots \int \min[[f(x_1, \cdots, x_n), g(x_1, \cdots, x_n)]] \mathrm{d}x_1 \cdots \mathrm{d}x_n}{\max[\int_d \cdots \int f(x_1, \cdots, x_n) \mathrm{d}x_1 \cdots \mathrm{d}x_n \int_d \cdots \int g(x_1, \cdots, x_n) \mathrm{d}x_1 \cdots \mathrm{d}x_n]} \tag{7-27}$$

式中：$f(x_1, \cdots, x_n)$、$g(x_1, \cdots, x_n)$ 分别为两物种的连续型生态位。

(2)王刚等还给出了当 $x_1, x_2, \cdots, x_n$ 取离散值时的两物种的生态位重叠的离散型计测公式：

$$N.O. = \frac{\sum_{i=1} \cdots \sum_{i=n} \min[f(x_1^{i1}, \cdots, x_n^{in}), g(x_1^{i1}, \cdots, x_n^{in})] l_1^{i1}, \cdots, l_n^{in}}{\max[\sum_{i=1} \cdots \sum_{i=n} f(x_1^{i1}, \cdots, x_n^{in}) l_1^{i1}, \cdots, l_n^{in}, \sum_{i=1} \cdots \sum_{i=n} g(x_1^{i1}, \cdots, x_n^{in})]} \tag{7-28}$$

王刚等认为，以上生态位测度的改进公式有几何上的直观性，便于理解；在改进公式中引入生态因子间隔以消除生态因子配置不均匀性而产生的误差，改进公式分为连续型和离散型两种，生态因子可用生态距离代替，在植物群落中计测生态位重叠时，可利用群落梯度代替有关的多个生态因子。通过应用结果认为，在植物种之间生态位重叠的计测中利用群落梯度和生态距离，不仅简便易行，而且所得结果有较好的生态学之合理性。

此后，Levins 将生态位宽度确定为"任何生态位轴上包含该变量的所有确定为可见值的点组成部分的长度"。

(3)余世孝公式。余世孝等在 n 维生态位空间分割为分室的基础上（niche space compartmentalization），定义物种生态位宽度为物种在分室上分布与样本在分室的频率分布之间的吻合度。通过生态位轴划分的生态位空间分割法，为多维生态位分析提供了一条有效的途径。利用这一方法，生态位宽度可以用物种在各分室（compartment）的分布状况来表示。

设 F_1 代表种的观察频率分布，F_2 代表物种样本的观察频率分布，则零假设可表达为：

H_0 物种与样本在生态空间具有相同分布,即 $E(F_1 + F_2) = 2F_1^0 = 2F_2^0$,也就是观察频率并不显著偏离根据随机期望所确定的。

物种或样本在 n 维生态位空间中各分室的分布可以用 n 阶列联表来表示。例如如果在一个二维生态位空间,两个坐标轴,X_1 和 X_2,被分别划分为 r 和 t 个区间,即共有 $r \cdot t$ 个分室,而 2 阶列联表代表了物种分布:

$$
\begin{matrix}
p_{11} & p_{12} & \cdots & p_{1j} & \cdots & p_{1t} \\
p_{21} & p_{22} & \cdots & p_{2j} & \cdots & p_{2t} \\
\vdots & \vdots & & \vdots & & \vdots \\
p_{i1} & p_{i2} & \cdots & p_{ij} & \cdots & p_{it} \\
\vdots & \vdots & & \vdots & & \vdots \\
p_{r1} & p_{r2} & \cdots & p_{rj} & \cdots & p_{rt}
\end{matrix}
\tag{7-29}
$$

式中:p_{ij} 表示物种出现于由坐标 X_1 上区间 i 和坐标 X_2 上区间 j 所确定的分室上的性能或多度或比例。

同样样本的分布也可以用 2 阶列联表来表示:

$$
\begin{matrix}
q_{11} & q_{12} & \cdots & q_{1j} & \cdots & q_{1t} \\
q_{21} & q_{22} & \cdots & q_{2j} & \cdots & q_{2t} \\
\vdots & \vdots & & \vdots & & \vdots \\
p_{i1} & p_{i2} & \cdots & p_{ij} & \cdots & p_{it} \\
\vdots & \vdots & & \vdots & & \vdots \\
q_{r1} & q_{r2} & \cdots & q_{rj} & \cdots & q_{rt}
\end{matrix}
\tag{7-30}
$$

式中:q_{ij} 表示物种出现对应物种分布 p_{ij} 的分室中的数目,可转化为比例量,即可转化比例量,即可利用率。

$$
2I_{12} = 2 \sum_{i=1}^{r} \sum_{j=1}^{t} \left(p_{ij} \ln \frac{p_{ij}}{(p_{ij} + q_{ij})/2} + q_{ij} \ln \frac{q_{ij}}{(p_{ij} + q_{ij})/2} \right)
\tag{7-31}
$$

$2I_{12}$ 是检验 H_0 的合适判据。$2I_{12}$ 相当于 Kullback 的最小判别信息 3 统计量(m.d.i.s)当物种数据 p_{ij} 为频数(正整数)样本数目 q_{ij} 为实际量而非比例量时,$2I_{12}$ 具有自由度 $v = r \cdot t - 1$ 的 χ^2 分布,如果 H_0 成立,应用生态位空间分割法,$v = c - 1$,其中 c 为样本所占据的分室数目。

当物种仅占据最小可利用率 $q_{\min(ij)}$ 的分室时,$2I_{12}$ 具最大值:

$$
\begin{aligned}
2I_{\max} &= 2 \left\{ p.. \ln \frac{p..}{(p.. + q_{\min(ij)})/2} + q_{\min(ij)} \ln \frac{q_{\min(ij)}}{(p.. + q_{\min(ij)})/2} + 2 \sum_{i=1}^{r} \sum_{j=1}^{t} \left(q_{ij} \ln \frac{q_{ij}}{q_{ij}/2} \right) \right\} \\
&= 2 \left\{ p.. \ln \frac{p..}{(p.. + q_{\min(ij)})/2} + q_{\min(ij)} \ln \frac{q_{\min(ij)}}{(p.. + q_{\min(ij)})/2} + q.. - q_{\min(ij)} \ln 2 \right\}
\end{aligned}
\tag{7-32}
$$

$$
(q_{ij} \neq q_{\min(ij)})
$$

式中:$2I_{12}$ 相当于 Kullback 的最小判别信息统计量(m.d.i.s);$2I_{\max}$ 为当物种仅占据最小可利用率 $q_{\min(ij)}$ 的分室时,$2I_{12}$ 所具有的最大值;$p.. = \sum_{i=1}^{r} \sum_{j=1}^{t} p_{ij}$;$q.. = \sum_{i=1}^{r} \sum_{j=1}^{t} q_{ij}$。

根据最小判别信息统计量,推导出一可基于物种分布比例量,也可基于实测值的生态位宽度测度式:

$$H_B = 1 - \frac{2I_{12}}{2I_{\max}}$$ (7-33)

式中:H_B 为物种在生态位空间中各分室分布的均匀性,即生态位宽度。

对于 n 维空间即:

$$2I_{12} = 2\sum_{j_1=1}^{m_1}\sum_{j_2=1}^{m_2}\sum_{j_3=1}^{m_3}\left\{ p_{i_1j_2K_{j_n}}\ln\frac{p_{j_1j_2K_{j_n}}}{(p_{j_1j_2K_{j_n}}+q_{j_1j_2K_{j_n}})/2} + q_{j_1j_2K_{j_n}}\ln\frac{q_{ij}}{(p_{j_1j_2K_{j_n}}+q_{j_1j_2K_{j_n}})/2}\right\}$$

这时有 $c \leqslant \prod\limits_{i=1}^{n} m_i$,其中 m_i 为第 i 个生态位轴所划分的区间数。

根据近几年的研究资料,在森林群落方面,生态位宽度计算使用较多的是 Levins 公式与 Smith 公式。任青山、张光明等的研究表明,直接以重要值为自变量代入 Levins 公式中的 Shannon wiener 指数计算各树种生态位宽度的方法,求得的结果能更好地表达群落优势种生态位宽度对比关系的客观情况;杨远兵等、周丹等对种群生态位宽度的计算公式进行了对比研究,发现用 Smith 公式计算的生态位宽度与野外测试结果相一致,这充分表明,Smith 公式能较为客观地反映植物种群生态位宽度的大小,而且有利于不同种群间生态位宽度大小的比较。张林静(2002)使用 Simpson、Shannon－Winner 以及 Levins 生态位宽度公式均可用于计测绿洲荒漠过渡带植物生态位宽度,而以 Simpson 和 Shannon－Winner 生态位宽度计测方法较 Levins 公式更适用于绿洲荒漠过渡带植被类型。所有种对的生态位相似比例介于 0.000 1 和 0.304 3 之间,生态位相似性相当低,表明在绿洲荒漠过渡带,植物的生态位分化显著。

朱春全(1997)公式:

$$N_i = \frac{S_i + A_iP_i}{\sum\limits_{j=1}^{n}(S_j + A_jP_j)}$$ (7-34)

式中:N_i 为生物单元 i 的生态位;S_i、S_j 分别为生物单元 i、j 的态;P_i、P_j 为生物单元 i、j 的势;A_i、A_j 为量纲转换系数。

(三)多元统计分析(multivariate statistical analysis)

多元统计分析简称多元分析。当总体的分布是多维(多元)概率分布时,处理该总体的数理统计理论和方法。多元统计分析有狭义与广义之分,当假定总体分布是多元正态分布时,称为狭义的,否则称为广义的。前面所给出的生态位计测多是沿某一资源轴进行的,而 Hutchinson 定义是多维的生态位概念,因而在实际运用中比较困难。为此,Green 运用多元判别分析,首次使 Hutchinson 的超体积概念作为运用于实际的有效手段。多元统计分析(特别是多元回归分析、多元判别分析和主成分分析)被广泛用于生态位的研究之中,这在方法上是一个很大的推进。相应地也产生了许多不同的生态位宽度和重叠的计测方法。

1.回归分析

回归分析也称多元回归分析。其特点是同时处理多个因变量。

目标函数为:$y = a_0 + a_1x_1 + \cdots + a_nx_n$ (7-35)

单相关系数:$r_{ij} = S_{ij}/\sqrt{S_{ij} \cdot S_{ji}}$ (7-36)

复相关系数：$r_{ij \cdot q} = (r_{ij} - r_{ip}r_{jp}) / \sqrt{(1 - r_{ip}^2)(1 - r_{jp}^2)}$ (7-37)

偏相关系数：$r_{ij \cdot pq} = (r_{ij \cdot q} - r_{ip \cdot q}r_{jp \cdot q}) / \sqrt{(1 - r_{ip \cdot q}^2)(1 - r_{jp \cdot q}^2)}$ (7-38)

式中：$S_{ij} = \sum\limits_{k=1}^{n} X_{ki}X_{kj} - \dfrac{1}{n}\sum\limits_{k=1}^{n} X_{ki} \cdot \sum\limits_{k=1}^{n} X_{ki}$。

回归系数和常数的计算公式与通常的情况相仿，只是由于因变量不止一个，原来的每个回归系数在此都成为一个向量。

2. 判别分析

判别分析也称多重判别分析。由不同总体的样本来构造判别函数，利用它来决定新的未知类别的样品属于哪一类，这是判别分析所处理的问题。抽象地讲，判别分析的统计模型可以这样来描述：有 m 个 p 维总体 $G_1, \cdots, G_m$，分别服从一定的分布 $F_1(x), \cdots, F_m(x)$，现在有一个新的样品 $x = (x_1, \cdots, x_p)$，它可能来自这 m 个总体中的某一个。问题是要依据该样品的 p 项指标，判别它最可能来自哪一个总体。常用的方法主要是 Fisher 两组判别分析，指有 n 个样品，分别归属于第 1 类和第 2 类，每个样品有 p 个可供判别分类的变量，其线性判别方程的表达式为：

$$y = c_1 x_1 + c_2 x_2 + \cdots + c_p x_p \tag{7-39}$$

式中：$c_1, c_2, \cdots, c_p$ 为判别函数的待定系数。

无论用哪一种准则或方法所建立的判别函数和判别规则，都可能产生错判，错判所占的比率用错判概率来度量。当总体间区别明显时，错判概率较小；否则，错判概率较大。判别函数的选择直接影响到错判概率，故错判概率可用来比较不同方法的优劣。变量选择的好坏是使用判别分析的最重要的问题，常用逐步判别的方法来筛选出一些确有判别作用的变量。利用序贯分析的思想又产生了序贯判别分析。

3. 主成分分析

主成分分析（Principal Componènt Analysis，简称 PCA），又称主分量分析，是研究如何将多指标的问题转化为较少的综合指标的一种重要方法，即就是将高维空间的问题转化到低微空间去处理，使问题变得比较简单、直观，而且这些较少的指标之间互不相关，又能提供原有指标的绝大部分信息。

主成分的定义如下：

设 $X = (X_1 \cdots X_p)$ 为 P 维随机向量，它的第 i 个主成分为

$$F_i = u_{1i}x_1 + u_{2i}x_2 + \cdots + u_{pi}x_p = u_i' x \tag{7-40}$$
$$u_i' u_i = 1$$

并满足以下条件：

(1) F_1 是一切形如 $F_1 = u'x$ 中方差最大者；

(2) F_2 是一切形如 $F_1 = u'x$ 中与 F_1 不相关且方差最大者；

(3) $F_k (k = 3, 4, \cdots, p)$ 是一切形如 $F_1 = u'x$ 中与 $F_i (i \leqslant k - 1)$ 均不相关且方差最大者。

在根据样本进行主成分分析时又可分为 R 型分析与 Q 型分析。前者是用样本协差阵（或相关阵）的特征向量作为线性函数的系数来求主成分；后者是由样品之间的内积组成的内积阵来进行类似的处理，其目的是寻找出有代表性的"典型"样品，这种方法在地质结构的分析中常使用。对应分析 Q 这是 20 世纪 70 年代地质学家提出的方法。对非负值指标的

样本资料矩阵作适当的处理后,同时进行 R 型与 Q 型的主成分分析,将结果综合在图上进行解释,可以得到指标随时间、空间位置变化的规律。它的理论正在引起多方面的重视。如 Closkey 用生态位椭圆上沿单个轴上种内判别值的标准差作为生态位宽度的计测。Dueser 和 Shugart 用一个种距原判别空间的平均观测距离($\overline{d_j}$)为生态位位置(niche position)计测,变异系数($Sd_i/\overline{d_j}$)为生态位宽度计测等。

Litvak 认为,研究群落生态位(community niche)首先要利用多变量数据分析方法产生相互独立的资源轴。Litvak 认为,尽管任何产生正交轴的多变量排序过程都能用来构造群落生态位的 p 维空间,但数据的类型、群丛的测量及排序过程的选择都对表示该群落生态位空间的结构产生较大影响。因此,要构造一个具有生物学意义的群落生态位,重要的是将排序建立在一个与适当的排序过程相联系的群丛测量之一。

(四)适宜度分析法(niche-fitness models)

建立适宜度数学模型的理论基础是生态位理论。愈来愈多的种群生态学家视生态位等同于资源利用谱(Resource utilization spectra)(王刚等,1984;MacArthur,1968;Levins,1968;Pianka,1975;Pielou,1972;Roughgarden,1972;Whittaker&Levin,1975)。生态位是生物种的生态学特征的定量描述,它体现了一个种对环境的需求,环境对该种的影响,包括开拓和利用其环境的能力,也包括物种和其所处环境相互作用的种种方式。将生态位及其有关理论分析引伸,就可得到一个新的概念——种的生态位适宜度(Niche fitness)。定义其为一个种居住地的现实生境条件与最适生境条件之间的贴近程度(李自珍等,1993;唐海萍等,1994),也就是对种和环境之间适合性的一种测度。将生态位适宜度定义在(0,1)区间上,其值越大,表明诸环境因子满足生物种的需求程度越高。

李自珍、李文龙等在研究半干旱区自然条件对植物生态位适宜度和产量的影响时,把植物生态位适宜度定义为植物种最适生态位与现实资源位(resource state)之间的贴近度,它具体表征物种对其生境条件的适宜度。以半干旱地区自然降水资源的时空分布规律以及降水与植物耗水之间的制约关系,考虑与植物生长发育有关的 n 个生态因子:光照、温度、土壤水分和速效养分等将 n 个生态因子的量化指标分别记作 $x_1, x_2, \cdots, x_n$,其每一组值记作 $x = (x_1, x_2, \cdots, x_n)$,则 x 表示植物生境条件的一个现实资源位。而与植物需求有关的 x 全部变化范围构成 n 维资源空间中的一个"超体积",该"超体积"所界定的空间区域记作 E_n。

在植物资源利用的生态位关系,可用定义在 E 上的一种 n 元非负函数表示为:

$$NI = f(X) = f(X_1, X_2, \cdots, X_n) \tag{7-41}$$
$$NI \in \overline{R_1}, X \in E^n$$

其中:$X = (X_1, X_2, \cdots, X_n)$

在上述表征植物生态位的 E^n 中,若是存在着某一点 $X_a = (X_{1a}, X_{2a}, \cdots, X_{na})$ 使得:

$$f(X_a) = \max\{f(X)\}, X \in E^n$$

则称 X_a 为该植物种的最适生态位,它表征作物种的最佳需求。最适生态位也可用实验测定各生态因子的最适值确定。

另外,t 时刻对 n 个资源因子观测所得的每组值则构成表征植物生境条件的一个现实资源位,记作 $X_t (= X_{1t}, X_{2t}, \cdots, X_{nt})$。作物种的生态位适宜度是表征作物需求属性的最适生态位与其生境条件的现实资源位 X_a 之间的贴近度。其数学模型的一般形式为：

$$NF = \varphi(X_a, X_t), X_a, X_t \in E^n \tag{7-42}$$

式中：NF 为生态位适宜度值，$NF \in [0,1]$；$\varphi(X_a, X_t)$ 为关于 X_a、X_t 的相似性测度公式。

在区间 $[0,1]$ 上，NF 值越大则作物对生境条件的适宜程度越高，反之则低。

据以上分析，可建立植物生态位适宜度的如下模型：

限制因子模型：

$$NF = \min\{x_{1t}/x_{1a}, x_{2t}/x_{2a}, \cdots, x_{nt}/x_{na}\} \tag{7-43}$$

式中：NF 为作物生态位适宜度值；x_{it} 和 $x_{ia}(i=1,2,\cdots,n)$ 分别为第 i 个生态因子的实测值和最适值；n 为生态因子数。

平均模式：

$$NF_1 = \frac{1}{n}\sum_{i=1}^{n}\min\{x_{it}/x_{ia}, x_{ia}/x_{it}\} \tag{7-44}$$

Feinsinger 等百分比相似性公式：

$$PS = \sum_{j=1}^{n}\min(p_i, q_i) = 1 - \frac{1}{2}\sum_{j=1}^{n}|p_i - q_i| \tag{7-45}$$

式中：$p_i = x_{it}/\sum_{i=1}^{n}x_{it}$；$q_i = x_{ia}/\sum_{i=1}^{n}x_{ia}$；$p_i$ 与 q_i 分别表示第 i 个生态因子和其最适值所占的百分比。

三、与生态位相关的几个概念

(一)生物竞争(biological competition)

生态学中的"竞争"一词是由英文词"competition"翻译而来。那么什么是竞争呢？生态学家对竞争下了各种各样的定义，第一类定义注重的是引起竞争的原因。竞争是生物个体间的相互负作用；一般人们将这种原因归结为对有限资源的共同利用，即资源的短缺引起的竞争。主要代表是 Milne(1961)，他认为竞争是两个或多个物种为获得同一特定的资源或者是可提供这些资源的场所做的努力。第二类定义是将注意力放在竞争所产生的结果上。这种结果反映在个体上表现为：由于利用资源数量的增加而引起的资源短缺或者由其他因子造成的妨害作用会导致个体生活力的下降。反映在群体上则表现为随着共同资源利用个体数的增加，种群的死亡率上升，净增长率下降。

Odum(1959)认为："如果每个种的种群为争夺共同的资源而对另一个种的增长产生负影响，则可以说这些种处于竞争之中。"

Pontin(1982)则认为："竞争是两个(或多个)种之间的一种相互作用，这种作用导致两个(或多个)种群大小的减少。"

王刚在讨论了上述情况后认为："竞争是在同一因子(资源、资源组合或捕食者等)控制下所产生的有机体(同种的或异种的)之间相互妨害(碍)的作用。"

关于竞争的特征，植物生态学的奠基人之一 Warming(1909)认为：①竞争作用是植物群落的一个主要特征；②具有相似需求的种之间竞争表现得最激烈；③由不同需求的种对于土壤的利用是互补的。美国生态学家 Clements(1904)将竞争看作是控制演替方向的 6 个基本过程之一。他给出了关于竞争的两个法则：一是在最相似的个体间，竞争是最激烈的；二是竞争的密切性直接依赖于形态的相似。说明对决定竞争激烈程度的主导因子,Clements 已由达尔文的分类亲缘关系转向了功能相似性。

1. 竞争分类

种间竞争是一种由某个因子(不一定是有限资源)控制下的两个种之间的相互妨碍。种间竞争还包括除了资源竞争之外的其他种间相互作用类型,造成相互间的妨碍。因此,种间竞争可分为两类:有机体间对有限资源的竞争的共同利用而引起的妨碍,叫资源竞争;对一种资源竞争以外的竞争类型,称之为拟然竞争(apparent competition)(如:在一个捕食者——猎物系统中,有一种捕食者而有两种同时被捕食的猎物,则此时两种猎物之间存在相互的负作用)。资源竞争又可分为以下四类:

(1)种内竞争和种间竞争。从生物类群的角度,将同种生物有机体之间的相互负作用称为种内竞争(intraspecific competition),将不同种的有机体之间的相互负作用(竞争)称为种间竞争(interspecific competition)。

(2)利用性竞争和干扰性竞争。共同利用有限资源的生物个体之间的间接性的、以利用资源为中介产生的种间竞争,称为利用性竞争(exploitive competition),参与竞争的所有个体都在降低资源的可用性,而可用性下降了的更加有限的资源反过来影响所有个体;把一个个体行为上(对某一资源在数量或空间的独自占有)的直接对抗影响另一个个体,称为干扰性竞争(interference competition)。

(3)对称竞争和不对称竞争。参与竞争的个体之间各自施加于对方的影响和作用的程度相等的竞争称为对称竞争(symmetry competition);否则,称为不对称竞争。竞争基本上是不对称竞争,严格意义上的对称竞争在自然界几乎找不到。

(4)竞赛性竞争和抢夺性竞争。利用一个特定资源的种群随密度的增加,种群内每个个体所能分享的资源份额就会减少,所有个体因资源不足而死亡的竞争,称为抢夺性竞争(contest competition);若部分个体因资源不足而死亡,剩余个体得到的资源增加,且总资源一定时最后成活的个体数目也一定,此类竞争称为竞赛性竞争(scramble competition)。

2. 数学模型

1)种内竞争数学模型(Lotka - Volterra 竞争模型)

(1)离散模型

$$N_{t+1} = \frac{N_t R}{1 + \frac{(R-1)N_t}{K}} = \frac{N_t R}{1 + aN_t} \tag{7-46}$$

Maynard Simth 和 Slantkin(1973)改进式为:

$$N_{t+1} = \frac{N_t R}{(1 + aN_t)^b} \tag{7-47}$$

式中:N_t、N_{t+1}为种群在 t 时刻和$t+1$时刻的种群密度;K 为种群的环境容量;R 为周限增长率;$a = (R-1)/K$。

(2)连续模型(Logistic 模型):

$$\frac{\mathrm{d}N}{\mathrm{d}t} = rN(\frac{K-N}{K}) = rN(1 - \frac{N}{K}) \tag{7-48}$$

$$N_{t+1} = \frac{K}{[1 + (K/N_t - 1)\mathrm{e}^{-r(t_1-t_0)}]} \tag{7-49}$$

式中：$\frac{\mathrm{d}N}{\mathrm{d}t}$ 为净增长率；N 为种群密度；r 为个体增长率；K 为环境容量。

(3)自疏法则。自疏法则（The $-3/2$ Power self-thining law）：由日本生态学家 Yoda 等（1963）提出了著名的 $-3/2$ 自疏法则：

$$M = KN^{-3/2} \tag{7-50}$$

式中：M 为平均个体生物量；N 为种群密度；K 为常数。

此式适合于一个冠层密接的、同龄的、正在生长中的植物群体，在竞争自疏、密度减少的过程中，个体平均生物量与种群密度之间的函数关系。

(4)最后产量恒定法则（The constant final yield law）。Kira 等（1965）提出植物种群不管是有无自疏发生，其单位面积上的最后产量是恒定的，数学表达式为：

$$M = KN^{-1} \text{ 或者 } Y = K \tag{7-51}$$

式中：M 为平均个体生物量；N 为种群密度；Y 为单位面积产量；K 为常数。

2）种间竞争数学模型（Lotka-Volterra 种间竞争数学模型）

Lotka-Volterra 种间竞争数学模型是 Logistic 单种群增长方程的直接扩展。

$$\frac{\mathrm{d}N_1}{\mathrm{d}t} = r_1 N_1 \left[\frac{K_1 - (N + a_{12}N_2)}{K_1} \right] \tag{7-52}$$

$$\frac{\mathrm{d}N_2}{\mathrm{d}t} = r_2 N_2 \left[\frac{K_2 - (N + a_{21}N_1)}{K_2} \right] \tag{7-53}$$

式中：$N_1 N_2$ 为种1、种2数量；K_1、K_2 为种1、种2的环境容量；r_1、r_2 为种1、种2的个体增长率。

(二)资源与资源位

1. 资源

资源概念的发展是具有明显的时代特征的，与时俱进的，人们对于资源的理解受制于当时的历史条件。农业经济对应的是农业社会，主要依赖的是自然资源；工业经济对应的是工业社会，依靠的是自然资源和社会资源，依靠重心从自然资源逐步偏向社会资源；知识经济，对应的是知识社会，依靠自然、社会和知识三种资源，而且依靠重心偏向知识资源。因此，最原始的资源观念也就是传统的资源观念仅局限于自然资源——一元化。随着工业化的发展，资源的观念自然从自然资源引申释义到社会、经济资源，即二元化，发展到知识经济社会的自然资源、社会资源、知识资源的三元化。随着社会经济的发展，资源的范围变宽泛了，人力资源、信息资源、时间资源、技术资源等都被纳入到资源的范畴中，包含了人类社会发展可资利用的一切有形的或无形的、物质的或非物质的、自然的或者社会的要素或价值。

申玉铭和方创琳承归纳出资源的概念为："资源指在一定的时空范围，能够产生环境、社会或经济价值直接地或间接地以提高人类当前和未来福利的自然和人文要素的总称。"

周德群认为："泛资源是自然资源概念的延拓，是对人类或非人类有用或有价值的所有组分的集合。包括自然资源、人力资源、信息资源、科技资源、时间资源、空间资源、社会资源（如权力）。"并提出资源利用主体并非全是人类的观点，他把资源的享用主体称为"竞享元"，并认为："资源是相对于主体而言的，竞享元是指泛资源所对应的广义主体。因此，凡对泛资源有分享需求的任何对象均称为竞享元。根据这一定义，竞享元既可以是个人、集体、地区、国家甚至整个人类，也可以是植物、动物、生态等自然系统中的对象。"

对资源的分类,不同学者存在很大差别,主要有六分法和四分法。六分法将资源分为自然资源、经济资源、文化资源、人力资源、政治资源和制度资源等六大既相互独立又相互联系的子资源系统,其中后五种资源是人类社会劳动的成果,又通称社会性资源。四分法将资源分为自然资源、社会资源、经济资源、技术资源等四类。

(1)自然资源。Tilman(1982)将多种多样的资源概念定义概括为"资源是能被有机体消耗,且当其环境中的可利用性增加时,能导致有机体增长率提高的任何物质和因子"。联合国环境规划署(UNEP)在肯尼亚召开的一次会议上把资源定义为:资源是一定时间、一定空间条件下能产生经济价值以提高人类当前以及将来福利的自然环境因素和条件。

(2)经济资源。狭义的经济资源原指天然的财源,即可转化为生产资料和生活资料的自然物(如土地、矿产、森林等)。随着经济和社会的发展,资源概念的内涵和外延也发生了变化。一切可参与生产活动(无论以何种方式参与)、能转化为物质财富(无论何时转化)的要素(无论形态如何)都属于资源的范畴。它不仅指自然资源,而且包括社会物(如人力资源);不仅包括实体性要素(如生产资料),而且包括非实体性要素(如信息资源);既可以是直接的或现实的生产要素,也可以是间接的或潜在的生产要素(如研究机构、技术专利等)。在现代科技和经济条件下,社会物间接或潜在参与,信息形态的生产要素在资源构成中的比重明显提高,作用越来越大。

(3)社会资源。社会资源是一个内涵相当广泛的概念范畴,涉及人类知识的许多方面,具有多样化的类型。狭义的社会资源仅指人类劳动所提供的以物质形态而存在的人力资源和资本资源。广义的社会资源不仅包括物质形态的资源,还包括科学技术、教育、信息、管理、文化等非物质形态的资源。可分为人力资源、资本资源、科学技术资源、教育资源、信息资源、人文资源或文化资源等。

(4)技术资源。对于特定的组织(企业、地区或国家)来说,技术包含两个方面,其一是与解决实际问题有关的软件方面的知识(即 Know－how);其二是为解决这些实际问题而使用的设备、工具等硬件方面的知识。两者的总和就构成了这个组织的特殊资源,即技术资源。技术资源的本质特征在于它的知识性。

2.资源位与生态元

王刚等指出,(自然)资源位是生态因子空间中的一个点或一个很小的体积。扩展的生态位理论认为,现代生态位的研究已经从纯粹的自然生态系统到社会—经济—自然复合生态系统,探讨其物质循环与能量转化、信息传递、价值形成等生态经济学过程。进行这种过程的功能单位称之为生态元(Ecounit)。就是在广义资源空间中,能够被某经济系统(经济主体)实际和潜在利用、占据或适应的部分,就称为该经济系统的资源位。如在农业生态系统中,一种作物的个体或种群固然可视为生态元,而人类所从事的农事活动如种植业、养殖业、加工业也可看作为对该系统设计和调控经济生态位的活动。从这个意义上讲,一个系统若具备进行某种生产的充分条件,便可以认为它是系统存在这种生产的经济生态位。在农业生产中,人们必须协调生态元和生态位的关系,并通过生态元产生最大的生态效能,这是农业生态学重要的研究内容。昝廷全论述了(经济)资源位理论的基本思想,提出了资源位理论的分类系统,特别论述了存在资源位(实际资源位和潜在资源位)与非存在资源位;论述了资源位的构成及其相互关系,并构造了描述资源位构成之间相互关系的数学模型;利用资源位概念给出了产业经济系统自组织演化的数学模型,从形式上推广了配第－克拉克定律

(Pitty-Clarks Law)。

(1)经济资源位的层级结构。根据定义,经济资源位所对应的主体就是经济系统。根据系统经济学的研究成果,经济系统具有层次性,按照组织水平的不同,可以把经济系统划分为个人(最基本的经济元)、家庭经济系统、企业经济系统、区域经济系统、国家经济系统和全球经济系统等,得出资源位的层级结构:个人资源位、家庭资源位、企业资源位、区域资源位、国家资源位和全球资源位,甚至还可得出支撑人类在地球上长期可居住的全球生态资源位等。为了简明易见,可以将资源位的层级结构表示成图 7-2 的形式,区域资源位指标体系如图 7-3 所示。

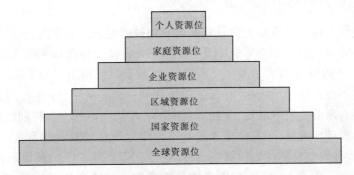

图 7-2 资源位的层级结构示意图

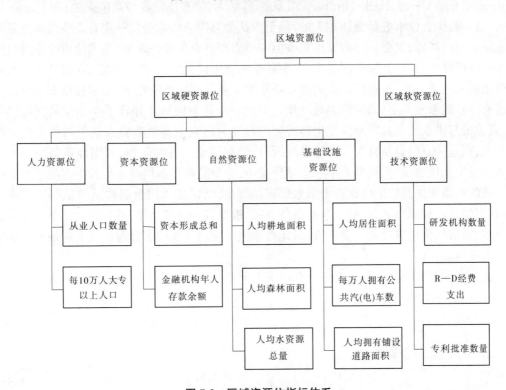

图 7-3 区域资源位指标体系

(2)资源位之间的关系。根据系统经济学的研究成果,经济系统划分中,个人是最基本的经济元,全球经济系统是迄今为止最大一级的经济系统组合。从不同层次的经济系统的相互关系上来讲,低层次的经济系统的形成、发展和演化要以高层次经济系统为背景和框架来展开。换句话说,高层次经济系统对低层次经济系统施加一定的约束和调控作用,或者说提供了一个基本的制度环境。反过来讲,高层次经济系统又以低层次经济系统为载体,高层次经济系统的许多行为要靠低层次经济系统来体现。

第二节　生态位理论研究与应用综合述评

一、生态位重叠与竞争的关系

生态位理论研究的一个重要方面就是通过对物种的生态位的宽度、重叠度等的计测,进而研究物种间的竞争关系。生态系统中竞争的结果是促使物种选择相适应的生态位。俄国生物学家 Gause 于 1934 年研究了两种草履虫的竞争结果后,得出了如下结论:"生态学上接近的两个物种是不能在同一地区生活的,如果是在同一地区生活,往往在栖息地、食性或活动时间等方面要有所分离",或者说,生物群落中两种生物不可能占有相同的生态位,这就是所谓的竞争排斥原理。可见,生态位概念与竞争排斥原理是紧紧地联系在一起的。一般地来讲,种内竞争促使两物种的生态位接近,种间竞争又促使两竞争物种生态位分开,这是两个相反的进化方向。但是,关于能否用生态位重叠来估计竞争还是有争议的。Colwell 和 Futuyma、Hespenheide、Heck、Hurlbert、Abrams 等认为,生态位重叠与竞争无关;而 Pianka 等认为,竞争与生态位重叠是密切相关的,但至少认为有生态位重叠就一定有竞争的观点是不全面的。在自然界,生态位经常发生重叠但并不表现有竞争排除现象,生态位重叠本身显然并不一定伴随着竞争,如果资源很丰富,两种生物就可以共同利用同一资源而彼此并不给对方带来损害。事实上,生态位的大范围重叠常常表明只存在微弱竞争,而邻接生态位反而意味着有潜在的激烈竞争(如种间领域现象),只是由于竞争回避才导致了生态位的邻接。可见,资源量与供求比以及资源满足生物需要的程度对研究生态位重叠与竞争的关系是非常重要的,而这一点很容易被人们所忽视。所以,根据理论生态学原理,利用性竞争的一个必要条件是生态位重叠,但重叠并不一定导致竞争,竞争是在资源供应不足且生态位重叠条件下形成的。由于生态位重叠比竞争系数更容易测定,所以常常用生态位重叠值等同于竞争系数(当然是在资源短缺,存在竞争的条件下)。根据机会均等原理,沿着任何一个特定的资源梯度,需求供应比应当是一个常数,因此竞争强度应当与在特定资源梯度上所观察到的生态位重叠值成正比。

关于竞争系数的计算公式常用的有以下三个:

Hurlbert 提出的公式为:

$$S_{x(y)} = \left[\sum_i (x_i y_i / a_i) \right] / \left[\sum_i (x_i^2 / a_i) \right] \tag{7-54}$$

Lawlor 提出的公式为:

$$S_{x(y)} = \left[\sum_j (k_j / r_j) w_j a_{1j} a_{2j} \right] / \left[\sum_i (k_j / r_j) w_j / a_{1j}^2 \right] \tag{7-55}$$

Schoener 提出的公式为:

$$S_{x(y)} = \left[\sum_i (p_{xi} p_{yi} / a_i^2) \right] / \sum_i (p_{xi} / a_i)^2 \tag{7-56}$$

式中：$S_{x(y)}$ 为两种间的竞争系数；k_j 和 r_j 分别为资源 j 的容量及个体增长率；a_{ij} 为消费者 i 对资源 j 的选择性；w_j 是资源的相对值；p_{xi} 和 p_{yi} 分别为种 x 和 y 利用资源 i 的个体数。

杨效文等认为不能用重叠估计竞争的原因有：

(1)当所考虑的资源没有稀少到限制消费者时，即使完全的重叠也不会导致竞争。

(2)竞争强度取决于消费者密度与资源密度之间的比例。如所有的资源在数量上平分，竞争一般会更激烈，但重叠不改变。

(3)重叠是否引起竞争，要比较实际生态位重叠和基础生态位重叠值，如果无差异或为零，说明均无竞争。

二、关于资源位与样方的区别

资源位的划分是定量测定生态位特征的基础工作。Hurlbert 和 Colwell 等人建议以样方或样方组合作为资源位。然而，资源位并不等同于样方。王刚等指出，资源位是生态因子空间中的一个点或一个很小的体积，而一个样方则是此空间中的某一区域，即样方中每个生态因子是一个范围值，有一个变化幅度。比如说，在一个云杉林中做一个样方，在所记录的植物中会有云杉、灌木和草本植物等。它们虽然同处于一个样方中，但其叶层处于不同的光照条件下，根系分布于不同的土壤深度中，其他有关的生态因子数值也不会一致。这样一个样方是一个分化了的生境，同在一个样方中的种并不一定在同一个资源位上。因此，要较精确地计测生态位特征值，就应该得到各个种在各资源位（而不是样方）上的种群分布数据。这样，就必须分别测定每个种在其所处生境中的有关生态因子的数据。然而，这样的测定工作量很大，在野外调查中很难实现。如果有两个种生活型相近，当它们出现于同一个样方中时，可粗略地看做是处在同一资源位上。这样做虽然较粗放，但比较简便和实用。

三、数据采集范围与物种生态位特征值的关系

每一个物种都有一定的分布范围，但是目前生态位特征值的计测中，各个种的种群分布数据通常是取自某一地区或地段。这样定量计算出的生态位特征值的解释就必须慎重。王刚等指出，取自某一地区或地段的数据所计测得的生态位重叠值只能反映了各种对在生态因子梯度上某一范围内的生态学相似性，可称之为"部分重叠"。如果能够取得各个种在各自的整个分布区内种群分布的数据（在通常情况下这很难办到），则由此数据计测得的重叠值反映了各种对在整个生态因子梯度上的生态学相似性，可称之为"全重叠值"。如用重叠值作竞争方程中的竞争系数，则应该用部分重叠值。因为某一组竞争方程只是描述某一具体生境条件（可用有关生态因子的某一范围值来表示）下的各有关种的种群动态。至于全重叠值则可用于较为全面地描述种的生态学特征。对于生态位宽度等生态位特征也同样如此。然而，如果数据采集地受干扰较轻，则种群的生态位特征值基本上能表征种群的自然特性；如果干扰过度的话，则这些特性里面就包含了干扰的效果，这时候就不能单纯用种群的自然生物学生态学特性去理解了。

四、关于测度指标的选择问题

由于生态位理论最初多应用于动物种群中，而且动物种群的个体计数较为容易，因此在生态位特征值的计算公式中通常为个体密度或个体数。然而，在植物群落中可应用于计算

的测度指标较多,如株数、盖度、频度、生物量和重要值等。但有些学者认为,不同植物种间的个体大小差异很大,很难在同一水平上进行比较,尤其在无性繁殖系和草本植物中,个体数目很难计数,即使可以计数,也容易产生较大的误差,因此在生态位特征值的计测中应用种群密度或个体数的数据是不大适宜的。应用植物的重要值(或者盖度和生物量)测度指标进行群落定量分析较为合适。总之,合理选择种群的测度指标是生态位分析的一个重要技术,必须认真加以考虑,以便取得更好的效果。

五、生态位理论应用研究综合述评

建立在生态位概念基础上的生态位理论、方法,基本内容有:生态位态势理论及分析方法、生态势理论、生态位扩充理论、生态位适宜度分析方法、生态位重叠和分离理论。生态位理论和方法不仅能广泛用于自然生态系统,而且对于社会、经济生态系统也具有重要意义。

在生态位概念演进百年以来,至今尚未形成明确公认、堪可适用的生态位概念模式和理论体系。Grinnell、Grinnell 和 Hutchinson 无疑是贡献最大、最有代表性的三位生态学家,他们的研究为各国科学家提供了广阔的认识空间。目前生态位理论已经从研究传统的个体、种群、群落和生态系统范围,扩展到其他组织层次,如基因、细胞、器官、景观,社会—经济—自然复合生态系统,生物圈、整个地球,从基因到地球所有的生物组织层次均是具有一定的生态学结构和功能的单元,故称为生态元(ecological unit 或 ecounit),所有的生态元都具有相应的生态位。生态位是生物种的属性特征表现,生态位在本质上定量地反映生物种与生境的相互作用规律。同一生物种在不同的尺度下会表现出明显不同的生态位。其中,生命层次的不同,一般决定了研究生态位内容及其指标与研究手段的不同,地域范围和时段的变化都可以从某生物种生态位的大小、强度方面找到其影响和意义。

随着科学技术的不断进步及相关学科领域的发展,生态位的定义由传统的生境生态位、功能生态位、超体积生态位发展到生态位扩展理论、生态位态势理论,并且还在不断地向前扩充、演进。在生态位的本质问题、主体问题和尺度问题上,在多种学科、多个领域、从多个层次内,使用多种方法进行了新的探索与认识,极大地促进了生态位理论发展,在竞争系数估计、极限相似性、资源划分、土地评价、群落稳定性讨论、城市生态学、人类生态学等方面已取得很好的应用成效。

参 考 文 献

[1] Cao Guanxia. The definition of the niche by fuzzy set theory. Ecological Modelling ,1995 ,77 (1)

[2] Leibold. M. A. The niche concept revisited: mechanistic models and community context . Ecology , 1995 ,76 (5)

[3] MachArthur, R. and R. Levins. The limiting similarity, convergence, and divergence of coexisting species. A m. Nat., 1967, 101:377~385

[4] Odum, E. P. Basic Ecology. CBS College Publishing,1983

[5] Petraits, P, S. Algebraic and graphical relationships among niche breadth measure. Ecology , 1981 , 62(3)

[6] Smith , E. P. Bias in estimating niche overlap. Ecology , 1982 ,63 (5) :1248~1253

[7] Thompson k , Gaston K J ,Band S R1Range size ,dispersal and niche breadth in the herbaceous flora of central England Ecology , 1999 ,87:155~1581

[8] 郭全邦,马平安,刘玉成. 缙云山次生林优势种群实际生态位动态. 地理学与国土研究,1998 ,14 (4)

[9] 韩路,王海珍.生态位理论的发展及其在农业生产中的应用.新疆环境保护,1999,21(4)

[10] 洪伟,陈辉,张潮巨,等.生态空间分布格局的理论研究.福建林学院学报,1994,14(1)

[11] 黄英姿.生态位理论研究中的数学方法.应用生态学报,1994,5(3)

[12] 蒋有绪.生态系统研究的理论分析参考.生态学杂志,1987,6(1)

[13] 李意德.海南岛尖峰岭热带山地雨林主要种群生态位特征研究.林业科学研究,1994,7(1)

[14] 林开敏,郭玉硕.生态位理论及其应用研究进展.福建林学院学报,2001,21(3)

[15] 林鹏.植物群落学.上海:上海科学技术出版社,1986

[16] 刘建国,马世骏.扩展的生态位理论.见:马世骏.现代生态学透视.北京:科学出版社,1990

[17] 刘建国.当代生态学博论.北京:中国科学技术出版社,1992

[18] 马克平.试论生物多样性的概念.生物多样性,1993,1(1)

[19] 欧阳志云,王如松.生态位适宜度模型及其在土地利用适宜性评价中的应用.生态学报,1996,16 (2)

[20] 彭少麟,王伯荪.鼎湖山森林群落优势种群生态位重叠研究.热带亚热带森林生态系统研究,1990 (6)

[21] 钱迎倩,马克平.生物多样性研究的原理与方法.北京:中国科学技术出版社,1994

[22] 曲仲湘,等.植物生态学.北京:高等教育出版社,1983

[23] 任青山,李茹秀,洪军,等.空间生态位的分析方法在森林资源评价中的应用.东北林业大学学报, 1998,26(4)

[24] 任青山.天然次生林主要种群生态位结构的研究.东北林业大学学报,1998,26(2)

[25] 尚玉昌.现代生态学中的生态位理论.生态学进展,1988,5(2)

[26] 李契,朱金兆,朱清科.生态位理论及其测度研究进展.北京林业大学学报,2003,25(1)

[27] 孙鸿良.生态位理论及其在生态农业建设中的拓广与应用.农业现代化研究,1987(4)

[28] 王刚,赵松岭,张鹏云,等.关于生态位定义的探讨及生态位重叠计测公式改进的研究.生态学报, 1984,4(2)

[29] 王刚.植物群落中生态位重叠的计测.植物生态学与地植物学丛刊,1984,8(4)

[30] 王刚,等.关于生态位定义的探讨及生态位重叠计测公式改进的研究.生态学报,1984,4(2)

[31] 余世孝,奥罗西.物种多维生态位宽度测度.生态学报,1994,14(1)

[32] 袁志忠,何丙辉.生态位理论及其在植物种群研究中的应用.福建林业科技,2004,3(2)

[33] 臧润国,刘静艳,懂大方.林隙动态与森林生物多样性.北京:中国林业出版社,1999

[34] 臧润国,刘涛.吉林白石山林区过划林的类型、乔木树种多样性及生态位分析.东北林业大学学报, 1997,19(1)

[35] 张光明,谢寿昌.生态位概念演变与展望.生态学杂志,1997,16(6)

[36] 张金屯.植被数量生态学方法.北京:中国科学技术出版社,1995

[37] 赵惠勋.群体生态学.哈尔滨:东北林业大学出版社,1990

[38] 赵志模,郭依泉.群落生态学原理与方法.重庆:科学技术文献出版社重庆分社,1989

[39] 朱春全.生态位理论及其在森林生态学研究中的应用.生态学杂志,1993,12(4)

[40] 朱春全.生态位态势理论与扩充假说.生态学报,1997,17(3)

第三编　水土保持防治措施对位配置的理论与方法

第八章　水土保持防治措施对位配置原理

　　黄土高原近 2 000 年来植被区系逐渐由亚热带森林与暖温带草原变化为暖温带落叶阔叶林、温带森林草原、温带草原与温带灌木草原。有史以来,随着农业耕垦活动的不断强化,乱伐滥垦,加上战争破坏,黄土高原天然植被长期处于持续不断的破坏之中,至新中国成立时,原始植被破坏殆尽。国家投入大量的人力、物力和财力,虽经长期不懈的努力,但是由于对自然生态规律认识不清,忽视当地自然资源特别是气候特点以及林草中的生物学、生态学特性、不同地形部位林草种选择不当、植物需水严重不足、植被管护跟不上等原因,至 1999 年底,黄土高原植被覆盖率才达 19%,植被建设中"成活率低,保存率低,效益低","种树不成林或成林不成材"的现象普遍存在。据调查,该区造林多年保存率只有 15% 左右,水土保持重点小流域为 30% 左右。黄土丘陵沟壑区郁闭度小于 0.4 的稀疏林分占总林分的 55%,总体蓄积量为低下或极低下的占 80%。

　　20 世纪 80 年代以来,我国水土保持工作进入了一个以小流域为单元进行治理的崭新的发展阶段。全国先后涌现出一大批高水平的治理典型,为面上治理提供了丰富治理实例。但是由于各地水土流失类型、社会经济发展、技术水平的差异,为面上应用带来了巨大困难。如何使这些实践经验上升为理论,特别是在小流域综合防治体系科学组装、措施结构优化及措施对位配置理论化研究等方面成为我国水土保持小流域治理走向高、深、细的主要难题和关键。1984 年张富等对这一重要技术问题,以生态学生态位理论为指导,在甘肃省定西市安定区安家沟流域开展了《小流域地形小气候、土壤水分特征及治理措施对位配置研究》,1988 年提出了水土保持防治措施对位配置,标志着治理措施的配置已从主观布设到按自然规律对位配置,这是认识和实践上的飞跃。经过众多科技人员 10 多年的多层次、多方位的研究,水土保持防治措施对位配置的理论和方法,在实践和理论上得到了进一步的完善。

第一节　水土保持防治措施对位配置理论的内涵

一、小流域生态系统及要素组成

(一)小流域生态系统

小流域是一个景观生态系统,是地球表层不同地段自然要素与人文要素的功能统一体,具有等级层次分异规律。一定层次单元是更高层次单元的结构组成部分,又是较低层次各单元的异质镶嵌组合图式。其不同的组成要素或子系统的不同分割,构成不同的小流域生态系统结构,表现为其间数量比例与时空方面稳定的关联方式,通常具有互补作用。不同层次或相同层次小流域生态系统在空间的依次更替和组合,直观显现生态系统的空间镶嵌组合规律。

(二)小流域生态系统的要素组成

小流域生态系统是诸多自然和人文要素相互作用、相互影响而共同组成的地域复合系统,这些要素主要包括自然因素和人文因素两个方面。

1.自然因素

自然因素主要包括气候、地质地貌、水文、土壤与植被等。

(1)气候要素是小流域生态系统的动力因素。气候是包括水热因素的全部气候要素相互综合影响关联的结果,它们在小流域生态系统的组织过程中都直接、间接地起到动力作用。水热气候要素在地球表层质与量的组合结构,直接影响甚至制约小流域生态系统中其他一切要素。地表植被及其生产,是小流域生态系统功能的主要表现。

(2)地质地貌是小流域生态系统的物质基础与空间形态基础。地貌特征对其组织过程和结构格局有明显的控制作用,地质和地貌是小流域生态系统空间分异的主要因素。在小流域生态系统中,地貌是一种状态函数,表现其空间形态。从物质和能量角度看,地貌主要是通过"分配效应"而起作用的,主要是利用其形态骨架改变各种要素过程及其空间分异,进而影响控制景观生态系统的组织过程。坡度能直接影响坡面上物质运动速度和物质能量的贮存能力。坡度大,重力分量大,物质运移速率快,对降水、太阳辐射等接受能力变小。坡向不同,对光热的吸收条件就不同,能形成不同的水热气候特征。凹形坡面,对物、能的聚集作用强,能形成较高能级的生态系统。

(3)植物与土壤是生态系统的功能指示物和过程调控枢纽。植被、土壤是地理环境的一面镜子,也是小流域生态系统重要组成要素和最显著的特征标志,它们是原生小流域生态形成发育过程的产物,又反过来作用于小流域生态系统自身,成为其最重要的物质能量贮存转化机制。通过与其他要素的反馈、负反馈关联,达到协调系统结构、完善系统功能,进而实现系统的自组织过程。

植被是小流域生态系统最易观察到的特征,又是类生物产品的来源,其量值的丰寡是系统生物生产功能的标志。除去自身生长、发育及分解诸过程,植被对景观生态系统中的其他所有过程有着一定的直接、间接的影响,具有典型的环境保护调节功能。

土壤是地球表层各种地理过程最为活跃的场所,是无机物与有机界彼此关联又可以互相转化的场所,也是小流域生态系统三种主要能量输入的集中作用场所,具有小流域生态系统各种过程功能的调节枢纽作用。

(4)水资源是生态系统的"血液",水文是小流域生态系统的过程脉络。小流域生态系统中,水是最为活跃的物质。具有能量的贮存、转换及输运功能,且活动范围广、交换速率高,是小流域生态系统中非常重要的组成成分之一。

2.人文要素

人文要素主要包括物质文化、智能文化、规范文化及精神文化四个方面。人文因素是现代小流域生态系统的主导因素,把人文因素纳入小流域生态系统的组成部分,是现代小流域生态系统特别强调的,人文因素的重要性不只体现为其系统组成部分作用,更是系统的环境影响作用,即人类对景观生态系统的管理、调控作用。人文因素文化是人类创造物的一部分。

(1)物质文化是人类的实体物质创造,如建筑、机械、道路(铁路、公路)等。

(2)智能文化包括科学、技术、知识等,是可能实体化的非物质文化。

(3)规范文化是指社会组织、制度、法律、伦理、道德、语言、教育等,是人类创造的人人必须遵守的行为准则。

(4)精神文化指宗教、信仰、审美文学艺术等,是社会成员个体或部分群体自赏或自约束的文化成分。其中物质文化是地球表层的实在之物,是小流域生态系统的组成因素。规范文化是人类活动行为准则,直接约束或限制指导人类行为,是景观生态系统的环境要素。智能文化体现在物质文化中时,即为小流域生态系统的组成成分,否则只具环境影响功能。

二、对位配置的内涵与层次结构

(一)与对位配置相关的几个概念

1.资源

随着社会经济的发展,人力资源、信息资源、时间资源、技术资源等都被纳入到资源的范畴中,包含了人类社会发展可资利用的一切有形的或无形的、物质的或非物质的、自然的或者社会的要素或价值。

2.生态元与资源位

(1)生态元。现代生态位的研究已经从纯碎的自然生态系统到社会—经济—自然复合生态系统,探讨其物质循环与能量转化、信息传递、价值形成等生态经济学过程。进行这种过程的功能单位称之为生态元(Ecounit)。

(2)资源位。在广义资源空间中,能够被某系统(主体)实际和潜在利用、占据或适应的部分,就称为该系统的资源位。资源位的组成及相关关系如图8-1所示。

水土流失是我国的头号环境问题。目前水土流失状况是人文、自然等各种因素历史积累的结果。控制水土流失促进区域社会经济的发展,必须要有包括发展所要求的自然环境、社会经济因素以及物质资源,从而构成一个多维的资源需求空间——资源位。不同的发展措施与途径所形成的资源需求空间是不一致的。如农业生产不仅要求合适的气候条件、地理条件与土壤条件,还要求劳动力及其他物质的输入等。这些条件构成农业生产的资源需求空间。而工业布局、城镇发展,更多关心的是交通、原材料、市场以及地理条件等因素。这些因素构成其资源需求空间。

为了描述方便,不妨称区域发展主体对资源需求所构成的多维空间,为区域发展的资源

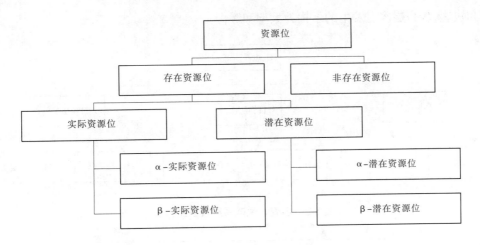

图 8-1　资源位的组成及相关关系图

需求生态位,简称为需求位。而把发展主体所处空间实际具有的资源,简称为资源位。

(二)对位配置的内涵

水土保持对位配置就是通过研究发展主体所处的环境资源位与发展主体或植物对环境资源的需求位之间的发展变化规律,按照生态位的能级分布层次,逐维分析环境资源分布特征对发展主体或生物发展条件的胁迫程度、限制性因子或适宜性,协调资源位和需求位之间的关系,选择与环境资源位特征相适宜的发展主体或生物种,或者改变环境资源位,使环境资源位满足发展主体或生物所需的生态位条件,达到生物需求位与环境资源位相互适宜、相互吻合——对位配置。

根据扩展的生态位理论,水土保持对位配置的概念也推广到社会—经济—自然复合生态系统,这就要求对位配置必须按照生态位的能级分布层次,将多维生态位按照限制因子定律,逐层逐维分析一个生物种或非生物的资源利用谱,用实际资源利用函数描述生物种或非生物生态位的变化。通过建立反映生物种或非生物适合性(适宜度)与环境资源利用程度关系的适合性(适宜度)分析,就可以实现生物种适宜生态位与环境资源(生态)位的对位配置。

水土保持防治措施对位配置反映了发展主体(或生物体)对环境资源依赖关系和环境资源位对适宜发展主体(或生物种及其适宜种群)的规律性,通过生态元产生最大的生态效能,使小流域生态系统达到"万物有位层位有序,人与自然和谐相处,防治措施对位配置,各居其位,各尽其效"的目标。

(三)水土保持对位配置的层次结构

小流域生态系统自身的多个层次水平决定了其结构的多等级性。一定层次的单元个体都是多个层次单元的结构组合型,又是更高层次单元的结构组成部分。

小流域生态系统是一种层系系统,一个层系系统的组分可以按功能尺度组建成层次。层系原理的提出,研究者必须把注意力放在感兴趣的特定层次上,上部层次于是成为边界约束,并可用于解释层次的意义,而下部层次可以解释和控制集中的层次的现象和过程。如图 8-2、图 8-3 所示。生态学中常用的层次水平是细胞、个体、种群、群落、生态系景观和区域。干扰在不同层次上的机制、功能和效果是不一样的。一般说来,低层次上发生的干扰为小型和快速,较高层次上发生的干扰为大型和缓慢。

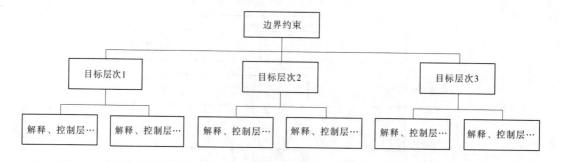

图8-2 小流域生态系统层系结构图

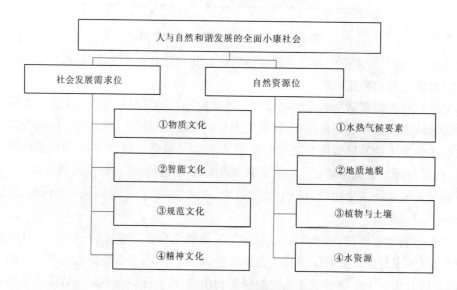

图8-3 小流域对位配置层系结构图

按照生态位的能级、层次分布原则,根据水土保持的工作内容(预防监督、综合治理、生态修复、监测预报)所对应的环境资源位与工作对象需求位的适宜性分析,进行对位配置。水土保持综合治理对位配置的系统化按工作顺序及层次,可描述为:

(1)宏观对位。小流域水土保持总体规划——流域发展需求位与环境资源位的对位配置。

(2)空间对位。水土流失防治措施空间布局——防治措施与其所需立地条件的对位配置。

(3)技术对位。小流域水土流失防治工程的实施技术——实施的防治措施与所需实施技术的对位配置。

(4)管理对位。小流域综合管理服务机构——服务对象(人或事)需求与管理功能的对位配置。

(5)时序对位。因地制宜制定实施程序——实施步骤或程序与实施条件的对位配置。

第二节 水土保持防治措施对位配置生态学原理

一、自然植被分布生态学原理

自然植被的分布是植物群落适应当地气候资源、优胜劣汰、适者生存、长期进化的结果。不同地域的大气环流、气候(气温、降水)、地形、土壤等自然地理条件,确定了特定的植物种群及植被群落的地带性分布。黄土高原生物气候分区见图 8-4。在山地丘陵地区,由于不同地形部位,不同坡度、坡向,不同土壤对区域气候具有强烈的分异作用,换句话说是具有强烈的再分配作用,使得植物所在区域近地面的小气候(特别是风速)、土壤状况发生巨大变化,就其立地条件而言适宜的植物种发生很大的变化。大小环境对植物具有不同影响,大环境决定植物可以在哪个大范围内定居,而具体定居于何处,则通常由小环境决定。

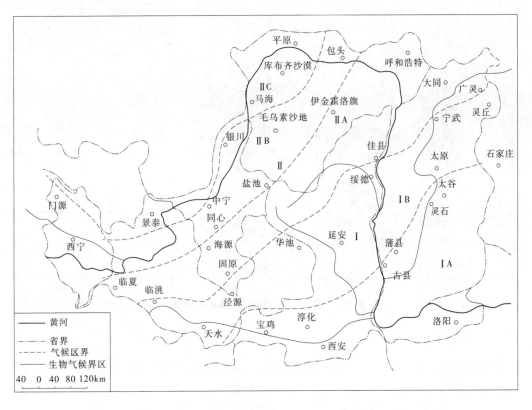

Ⅰ暖温带湿润半湿润区　ⅠA暖温带湿润半湿润森林区　ⅠB暖温带半湿润半干旱森林草原区
Ⅱ中温带干旱半干旱区　ⅡA中温带半干旱典型草原区　ⅡB中温带干旱半干旱荒漠草原区
ⅡC中温带干旱草原化荒漠区

图 8-4　黄土高原生物气候分区图(据吴钦孝,杨文治,1998)

我们可以从黄土高原造林实践中特有的"小老树"现象得到说明(图 8-5)。如在渭河上游分水岭—泾源—延安—广灵一线以北的广大地区,20 年杨树、刺槐的林分单位面积蓄积量只有 $10\sim20m^3/hm^2$,仅相当于正常生长林分的 $1/3\sim1/4$,树体矮小,且容易患腐心病枯死。人们常把这种现象归结于水分的原因,其实,这只是一种表面现象,实质是由于造林规划不合理造成的。对比一下图 8-4 与图 8-5,不难发现,图 8-5 中"小老树"集中分布的地区在图 8-4 中属温带典型草原及荒漠草原区,也就是说,在目前,这里的大环境只能适合草本的生长,而且这种"小老树"的形成也恰恰说明了这里最多只能适合灌木的生长,在该区的大环境未得到完全逆转之前,森林进入这个地区是不合理的,森林的进入使该区本已严重的水分亏缺形势更为严酷。这种不合理现象是人为地违背了上述规律以及逾越了退化生态系统的演替阶段造成的。因此,在进行退化生态系统的恢复和重建时,必须遵从大小环境对植物具有不同影响的原理。

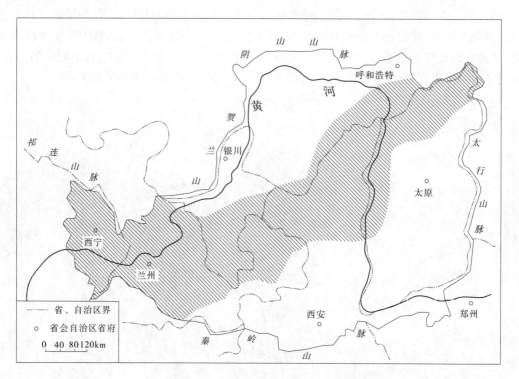

图 8-5　黄土高原"小老树"集中分布图

二、限制因子原理

植物的生存和繁衍依赖于各种生态因子的综合作用,但是其中必有一种或少数几种因子是限制植物生存和繁殖的关键因子。这些关键因子的多寡,直接影响到植物的生存和繁殖。找到了影响植被生长发育的限制因子,就意味着找到了影响植物生存和发展的关键因子,解决了限制性因子,就意味着解决了影响植物生长发育的瓶颈,就会产生相应的瓶颈效应,达到事半功倍的成效。

黄土高原水土保持植物措施的配置,在植被类型符合植被分布带和气候带的前提下,影响植物生长发育成败的主要限制性因子是土壤水分不足和由此而来的土层不断干化。水分之所以成为限制因子,降水偏少及降水方式是一个原因,更为重要的是,人为地在不适宜的地貌类型选择了不适宜的树种和不合理的种植密度,造成植物生育需水量远远大于自然降水补给量。这种结果造成了两种分异的结果:一是植物种不适宜林地所处的小地形气候条件,生长发育不良,形成"小老树";二是林地所处的小气候条件在黄土高原自然降雨不能满足植物生长发育需水的要求,形成"小老树"。

三、种群的密度制约与空间分布格局原理

无论何种生态系统,其间物种的生存都受环境容量的限制。根据 Allee 定律,种群密度太高或太低都可能成为种群发展的限制因子。种群的分布有随机、均匀和成簇分布三种基本格局,在自然生态系统中,成簇分布往往是最为普遍的分布格局。实际上,对于有些物种,成簇分布可能更有利于种群的生存和发展。因此,在恢复和重建退化生态系统时,必须因物种而异,在搞清该物种种群空间分布规律的基础上,选择合适的种群密度与布局方式,从而改变过去那种整齐划一的方格状布局。

四、群落内物种多样性与演替原理

(一)群落内物种多样性导致稳定性的原理

生物群落是在特定的空间或特定的生境下生物种群有规律的组合,其内部往往存在丰富的物种与复杂有序的结构,并且生物与环境间、生物物种间存在一种高度的适应与动态的稳定。这种群落的稳定性来源于生物物种的多样性,而且植物多样性又是生物群落其他生物多样性的基础。在黄土高原,20 世纪 50 年代形成山杏热,60 年代刺槐热和 70 年代杨树热,几乎每 10 年左右便形成一个新的树种热。这种单一树种形成的纯林,其结构简单,天敌之间缺乏制约,极易发生天敌爆发,毁坏整个种群。据国家林业局统计,三北防护林工程的陕、甘、宁、蒙、晋、辽等 6 省(区),1991 年以天牛为主的蛀干害虫危害,发生面积是 28.53 万 hm^2,1996 年共砍伐病虫林 14.20 万 hm^2,清理虫害树 2 亿多株。青海省 1999 年发生的森林病虫害面积为 19.48 万 hm^2,其中成灾面积 12.08 万 hm^2,占发生面积的 62%。而目前对这种病虫害的防治采用的主要措施仍是以施用杀虫剂等药物为主的治标措施。为什么经过人工培育的森林就这样易遭受病虫害,而经过自然选择形成的热带雨林却郁郁葱葱、生生不息呢?人工林缺乏物种多样性是一个重要的原因。对人工林病虫害的防治也应从构建物种多样性的角度考虑治本的措施。因此,恢复与重建退化生态系统,物种多样性是一个必须考虑的因素。

(二)群落演替原理

在自然界,尽管原生演替无时无刻不在进行着,但在进行退化生态系统的恢复和重建时,我们常常遇到的都是次生演替的问题。可见,研究次生演替的规律,在恢复生态学上具有更重要的意义。一般而言,次生演替系列中的各阶段,演替速度一般都较原生演替快。在群落退化过程中的任何一阶段上,只要停止对次生植物群落的持续作用,群落就从这个阶段开始它的复生过程。其演替方向仍趋向于恢复到受到破坏前原生群落的类型,并遵循着如原生演替一样的由低级到高级的过程。这一原理启示我们,对一些退化生态系统进行适度撂荒,减少人为干扰,将有助于生态系统的恢复。如前所述,黄土高原特有的"小老树"现象,就是由于人为地逾越了群落演替的阶段造成的。退化生态系统的恢复和重建必须遵循群落的演替规律。

五、生态系统高度和谐的原理

在自然生态系统中,生态系统作为一个系统,其内部结构和功能相协调,生物与环境相

和谐,生物亚系统内各组分之间的共生、竞争等关系相辅相成,使系统内部有机体或子系统大大节约物质和能量,减少风险,获得最大的整体功能效益。在一个森林生态系统中,不仅生物与环境相和谐,而且生物亚系统内各组分之间相协调。高大的乔木层必然是一些喜光植物,而这种高大的乔木林冠又为下层植物提供了阴凉场所,必然生存着一些喜阴植物。这些高大的乔木及林下灌木草本又为动物的生存提供了空间和食物,在其间又必然存在着一些与该植物群落有密切关系的动物群落,植物的枯枝落叶及动物的粪便又为微生物的生存提供了条件,必然存在着与该生物群落有关系的微生物。微生物的分解,使有机残体以无机养分的形式返回土壤,从而更进一步地促进植物的生存和发展。而在黄土高原地区,其人工林主要分布于三料俱缺区,枯枝落叶成为燃料、饲料及肥料,林地里长期形不成枯枝落叶层,致使该区生态系统内物质循环和能量流动受到中断或减弱,阻碍了生态系统的进一步发展。可见,在进行生态系统的恢复时,必须从系统的高度考虑,构建一个与当地生境相适应的物种丰富的功能和谐的生态系统。

第三节　水土保持防治措施对位配置研究方法

一、多元统计分析(multivariate statistical analysis)

由于环境变量的多维性、非线性排列以及非独立性、优势物种与劣势物种的共存性,使得 Hutchinson 的生态位模型运算存在巨大困难,常利用多元统计方法选取主要影响因子或省略重要性不大的维,以达到计算简便的目的。详见第七章第一节中的多元统计分析。

二、资源利用函数方法

用一个或用多资源维的利用函数给出,能够很好地解释资源利用性。超体积生态位与资源利用生态位(MacArthur 资源利用生态位:一个生物物种或种群的资源利用函数)相比,超体积生态位仅能考虑分析特殊维的有机体耐受性限度,而资源利用函数生态位表明了耐受性限度范围内发生的情况,反映了生物有机体如何作为和如何利用资源(Arthur,1987)。但是不管哪种方法,要全面地对资源利用与物种的生长及适合度联立分析。

(一)植物生态适宜度
详见第七章第一节中的适宜度分析方法。

(二)土地生态适宜度模型
欧阳志云等(1996)在《生态位适宜度模型及其在土地利用适宜性评价中的应用》一文中,提出了土地生态适宜度模型。研究认为,区域发展对资源的需求构成需求生态位,而区域现状资源也可以构成对应的资源空间,两者之间的匹配关系反映了区域现状资源条件对发展的适宜程度。其度量可以用生态适宜度来估计。当区域现状资源完全满足发展的要求时,显然生态适宜度为1,而当区域现状资源完全不能满足对应的资源需求时,生态适宜度为0。发展对资源环境的要求通常可分为 3 类:第一类必须满足其最低要求,而且越丰富越好;第二类是在资源可供给的范围内,存在一个适宜的区间,既不能高于一定值,也不能低于一定值,资源供给过多或者过少都将成为限制因素,如农作物对温度环境的要求即属于这一类;第三类即现状值越低越好,如区域灾害频率越低越好,即属于这一类。因此,我们可以由下列模型估计生态适宜度。

对于第一种情形,有:

$$X_i = \begin{cases} 0 & \text{当 } S_i < D_{i\min} \\ \dfrac{S_i}{D_{i\text{opt}}} \cdot R_i & \text{当 } D_{i\min} < S_i < D_{i\text{opt}} \\ R_i & \text{当 } S_i > D_{i\text{opt}} \end{cases} \tag{8-1}$$

式中:X_i 为 i 种资源的生态位适宜度指数;S_i 为 i 资源现状的测度;D_i 为对 i 资源要求测度;$D_{i\min}$ 为 i 资源要求的低限;$D_{i\text{opt}}$ 为 i 资源的理想要求值;R_i 为 i 资源的风险性测定,常用保证率来测度。

对于第二种情形,有

$$X_i = \begin{cases} 0 & \text{当 } S_i \leqslant D_{i\min} \text{ 与 } S_i \geqslant D_{i\max} \\ \dfrac{S_i - D_{i\min}}{D_{i\text{opt}} - D_{i\min}} \cdot R_i & \text{当 } D_{i\min} < S_i \geqslant D_{i\text{opt}} \\ \dfrac{D_{i\max} - S_i}{D_{i\max} - D_{i\text{opt}}} \cdot R_i & \text{当 } S_{i\text{opt}} < S_i < D_{i\max} \end{cases} \tag{8-2}$$

式中:$D_{i\max}$ 为资源要求的上限;其他符号含义同前。

对于第三种资源要求的情形,有:

$$X_i = \begin{cases} 1 \\ (1 - \dfrac{S_i - D_{i\max}}{D_{i\min} - D_{i\max}}) \cdot R_i & D_{i\min} < S_i \leqslant D_{i\max} \\ 0 & S_i > D_{i\min} \end{cases} \tag{8-3}$$

式中的符号含义同前。

而有的资源很难用连续的数量来描述或表达,如土壤质地,通常划分为沙土、壤土、黏土及其中间类型组成的系列。这类用类型描述的资源,突出可以在资源需求中给予对应的表达,以土壤质地为例,某种作物以壤土为最好,沙土次之,黏壤勉强适宜,黏土不宜等,其适宜度可以分别用 1.00,0.75,0.5,0 来表示。这类资源的适宜度估计,有时需要用间接的方法或实际经验判断。

区域发展的资源需求生态位是一个多种资源所构成的多维空间。根据谢尔福德限制性定律,任何一个生态因子,在数量或质量上的不足,就会使该种植物衰退或不能生存。显然这个定律也适合于分析区域发展与需求的关系,即,在区域需求发展生态位中,任何资源因素的现状条件,在数量或质量上的不足,或当其接近可利用的限度时,就会成为区域发展(严格意义上,应该是某种发展途径或措施)的制约因素。因此,在多维资源需求的生态空间中,只要有一种资源不能满足需求的最低要求,即有一种资源的生态适宜度为 0,则整个生态适宜度为 0。因此,多维资源的生态适宜度指数可用下式来估计:

$$X_j = (\prod_{i=1}^{n} X_{ij})^{1/n} \tag{8-4}$$

式中:X_j 为 j 发展措施或途径的生态适宜性指数;X_{ij} 为 ij 发展措施或途径的生态适宜性指数。

生态适宜性指数的大小反映了区域现状资源条件对发展需求的适宜程度,从而可以根据生态适宜值的大小,建立初步的区域发展方案与措施。

三、实地调查法

现存的生态类型是生物体与资源环境长期适应、长期共存的结果,体现了生物与环境、生物与生物之间的生物学、生态学以及生态型、生活型等各种关系协调发展的总和。因此,通过实地调查研究,不仅可以分析归纳生物体与环境资源以及生物体之间、环境资源之间相互适宜性关系,而且同样可以通过这种方法,确定生物体与所处资源环境之间的不协调、不匹配关系,是实现生物体生育需求位与环境资源位对位配置的高效途径。

参 考 文 献

[1] 郭廷辅,段巧甫.水土保持径流调控理论与实践.北京:中国水利水电出版社,2004

[2] 张富.黄土丘陵区小流域生态特征及植物对位配置研究.水土保持学报,1991(2)

[3] 郭廷辅,段巧甫.径流调控理论是水土保持的精髓——四论水土保持的特殊性.中国水土保持,2001(11)

[4] 张光明,谢寿昌.生态位概念演变与展望.生态学杂志,1997,16(6)

[5] 刘建国,马世骏.扩展的生态位理论.见:马世骏.现代生态学透视.北京:科学出版社,1990

[6] 李契,朱金兆,朱清科.生态位理论及其测度研究进展.北京林业大学学报,2003,25(1)

[7] 朱春全.生态位态势理论与扩充假说.生态学报,1997,17(3)

[8] 王德利.植物生态场导论.长春:吉林科学技术出版社,1994

[9] 张富,胡朝阳.黄土高原植被对位配置技术研究.中国水土保持,2003(1)

[10] 汪习军.对黄土高原水土流失治理的几点认识.中国水土保持,1999(12)

[11] 王正秋.黄土高原造林中几个问题的思考.中国水土保持,2000(4)

[12] 欧阳志云,王如松,符贵南.生态位适宜度模型及其在土地利用适宜性评价中的应用.生态学报,1996,16(4)

[13] 张厚华,黄占斌.黄土高原生物气候分区与该区生态系统的恢复.干旱区资源与环境,2001(1)

[14] 吴钦孝,杨文治.黄土高原植被建设与持续发展.北京:科学出版社,1998

[15] 彭祥林,贾恒义.黄土高原草地土壤生态.西安:世界图书出版西安公司,1997

[16] 石建省,李铮华,魏明建,等.黄土与古气候演化.北京:地质出版社,1998

[17] 孙建中.黄土高原植被与植被恢复问题.见:中国科学院水土保持研究所黄土高原土壤侵蚀与旱地农业国家重点实验室.土壤侵蚀环境调控与农业持续发展.西安:陕西人民出版社,1995

[18] 孙儒泳,李博,诸葛阳,等.普通生态学.北京:高等教育出版社,1993

[19] Eugene.P.Odum.生态学基础.北京:人民教育出版社,1981

[20] 蒋定生.黄土高原水土流失与治理模式.北京:中国水利水电出版社,1997

第九章 黄土高原水土保持植物措施对位配置

黄土高原植被建设有两个必须遵循的前提条件:一是植被建设属于区域发展的组成部分,植被建设必须在一个能够满足当地区域社会发展的、可持续的、人与自然和谐的总体规划之下进行;二是植被建设必须按照科学的自然观,遵循自然植被分布及其变化规律,充分考虑自然植被的分布与其所处自然环境因子(地理位置、气候、土壤、海拔、地质等)之间的有机联系。古代黄土高原植被的变迁,为我们绘制了一幅动态变化的蓝图,而现存自然植被的水平与垂直分布为我们提供了可供借鉴的范本,它是植物与自然因素长期相互适应、优胜劣汰、适者生存的结果。但是仅仅了解上述条件是不够的,因为自然植被在长期的人为破坏之后,不仅仅是土地的利用结构发生了巨大的变化,而且被破坏地的自然环境条件,包括地形小气候条件也相应发生了变化,也就是说,原来适宜当地自然地形、气候的植物种(种群),在其生境发生变化之后,是否还具有其相应的适宜性,这就必须对被破坏地自然资源环境及其地形小气候的前后变化幅度以及植物种和植物种群生态适宜度做出准确的科学评价,只有当植物所处地点的立地条件所形成的环境资源位与植物生育所需的生态位相一致、相适应时,才能发挥出其相应的社会经济生态效益,达到人们进行植被建设的目的和初衷。本章从不同方面、不同尺度重点介绍植被建设与环境因子的关系。

第一节 黄土高原植被建设的宏观背景研究

一、气候带与植被带的对应关系——对位配置的宏观背景

由于气候因子纬度的地带性和山地的非地带性分布,形成不同区域气候因子独特的气候资源位条件(如:年降水量、土壤质地、水分蒸发量等)与不同环境资源条件的组合类型,特定的气候资源位形成了与之相对应的、特定的自然植被群落,形成了不同自然资源位地带性与非地带性分布,从而形成了自然植被地带性和非地带性不同的分布规律。这种气候带与植被带的对应性,是植物及其种群长期适应自然的结果,是人力无法改变的自然规律,是植被恢复必须遵循的自然规律,因此是黄土高原植被恢复的前提条件,是林草植被区划和立地条件分类的首要因子和标准。

(一)气候因子分布规律

1.黄土高原降水特征

据王毅荣等(2004)研究,黄土高原西连青藏高原、东接华北平原,是中国东部季风区向西部干旱区过渡的地带。黄土高原降水的地域特点十分突出,从东南向西北依次减少。从1961~2000年的40年中黄土高原区域年平均降水为464.1mm,具体在黄土高原东南部的宝鸡—洛川—孟津一带年平均降水在600mm以上,阳泉—榆社—三门峡—西峰一线年平均

降水在 550mm 左右,高原中部的临洮—固原—吴旗—绥德—太原一带在 450mm 左右,西宁—民和—榆中—同心一带在 350mm 左右,靖远—海源—盐池一带在 250mm 左右,景泰—中卫—中宁一带小于 200mm。年平均降水最大的地方在华山 836mm、次大的是五台山 778.5mm、最少的是中卫 182.1mm,次少的是景泰 184.9mm。整个高原 2/3 面积范围年平均降水在 450mm 以下。

降水的季节性十分明显。总体夏季(6~8 月)占年降水的 54.8%,越是年降水多的地方夏季所占的比例越低,如年降水在 600mm 的地方,夏季占 43%~48%,其他地方夏季占 55%~60%。秋季(8~11 月)占年降水的 25.8%,春季(3~5 月)占 7.7%,冬(12 月~翌年 2 月)占 0.06%。可见黄土高原降水主要集中在夏季,冬季降水微乎其微,秋季多于春季。

降水的年际变化也很大。40 年中最多的年份区域平均为 704.7mm,最少的年份区域平均为 321.8mm,就整个高原来说,正距平与负距平的年份大致相当。区域单点最小值为 82mm,区域单点最大值为 126.3mm。20 世纪 60 年代平均降水量 503.7mm,70 年代为 461.1mm,80 年代为 468.0mm,90 年代为 428.7mm,20 世纪 60 年代降水最多,90 年代降水最少。

2. 黄土高原气温特征

区域年平均气温为 8.8℃,气温的差别主要随海拔高度的不同而异。经度和纬度造成的差别不大。年际平均气温变化的空间分布相当一致。夏季与冬季气温变化均呈同相位分布,变化趋势 1964 年后随时间系数持续上升(表 9-1)。

表 9-1 中国黄土高原各年代气温

要素	1961~1970	1971~1980	1981~1990	1991~2000	1961~2000
年平均气温(℃)	8.5	8.6	8.7	9.3	8.8
夏季平均气温(℃)	21.0	20.8	20.6	21.3	20.9
冬季平均气温(℃)	−5.3	−4.8	−4.5	−3.7	−4.6

黄土高原气温的年际变化是,年平均气温呈明显的上升趋势,即年平均气温以每年 0.026℃的速度上升,大于近 40 年来全国的增温速度(0.004℃/a)。且冬季升温最快,达 0.051℃/a,秋季次之,为 0.024℃/a,春季为 0.019℃/a,夏季升温最慢,为 0.007℃/a。

年平均气温距平变化曲线线性拟合斜率地域分布,呈黄土高原腹地较大、边缘较小的特征,其值介于 0.007~0.057℃/a 之间,均大于近 40 年来全国的增温速度,说明黄土高原近 40 年增温明显,且腹地增温较快,边缘增温较慢。

40 年平均气温 8.8℃,20 世纪 60 年代平均气温 8.5℃,70 年代和 80 年代平均气温为 8.6℃和 8.7℃,90 年代平均气温为 9.3℃,其年际变化与全国同步,平均气温最高的几年均出现在 20 世纪 90 年代最后几年,1997~2000 年,年平均气温分别达 9.7℃、10.3℃、10.2℃、9.6℃。

由表 9-2 可见,黄土高原年平均气温和夏季平均气温变率呈增大趋势,90 年代最大;而冬季平均气温变率呈减小的趋势,这是由于冬季气温增暖,变幅减小造成的。就季节而言,冬季绝对变率和相对变率均大于其他季节。

表 9-2　中国黄土高原平均气温变率

年代	年平均气温		夏季平均气温		冬季平均气温	
	V_a	V_r	V_a	V_r	V_a	V_r
1961~1970	0.28	0.033	0.31	0.015	0.87	-0.165
1971~1980	0.22	0.026	0.48	0.023	0.73	-0.151
1981~1990	0.32	0.037	0.29	0.014	0.72	-0.159
1991~2000	0.53	0.057	0.55	0.026	0.57	-0.152

中国黄土高原地质地貌独特,水土流失十分严重,大气与岩石之间作用明显,大气系统中降水量呈递减的趋势,各地域差异较大,气温呈明显的上升趋势,黄土高原腹地增温速度快,边缘慢,冬季增温较快,春秋次之,夏季增温较缓。气候系统比较脆弱,子系统相互间没有形成良性互相反馈机制。

(二)黄土高原自然植被的水平分布与垂直分布

1.自然植被的水平分布规律

黄土高原天然植被依据水热条件有规律地呈地带性分布。王义凤等把黄土高原自然植被从东南向西北细划为暖温性森林地带、森林草原地带、典型草原地带、荒漠草原地带、草原化荒漠带,各植被地带的环境指标见表 9-3。不同植被地带植被类型(包括组成、结构、生物量等)均不相同。据陈云明等(2002)研究,不同地带的天然植被类型主要建群种和伴生树种不同。不同地带有不同的植被类型,而相邻地带一些植物种有所交叉,但不同地带的植被类型有质的差别。

表 9-3　黄土高原植被地带的环境指标(王义凤,1991)

植被地带	年降水量 (mm)	生物气温 (℃)	干燥度	干湿分区	土壤
暖温性森林带	550~650	12~13	1.3~1.5	半湿润	褐色土
暖温性森林草原带	450~550	9~10	1.4~1.8	半湿润-半干旱	黑垆土
暖温性典型草原带	300~450	8~9	1.8~2.2	半干旱	轻黑垆土、淡栗钙土
暖温性荒漠草原带	200~300	8~9	2.4~3.4	半干旱-干旱	灰钙土、棕钙土
暖温性草原化荒漠带	<200	9~10	>4	干旱	漠钙土

注:生物气温为>0℃、<30℃各月平均气温之年均值;干燥度为彭曼干燥度。

在暖温性森林地带,主要以山杨(*Populus davidiana*)、辽东栎(*Quercus liaotungensis*)、栓皮栎(*Q.variabilis*)、槲栎(*Q.aliena*)、麻栎(*Q.acutissima*)、白桦(*Betula platyphylla*)、油松(*Pinus tabulaeformis*)、侧柏(*Platycladus orientalis*)等建群种组成的森林植被。林内有较多的伴生树种和灌、草植物种。

森林草原地带位于黄土丘陵沟壑区的中部。由于地形原因,造成水热条件的分异。梁峁坡天然植被以长芒草(*Stipa bungeana*)、白羊草(*Bothriochloaischaemum*)、铁秆蒿(*Artemisia gmelinii*)、茭蒿(*A.giraldii*)、兴安胡枝子(*Lespedeza davurica*)等优势种组成的草原或草甸草原植被。水分条件较好的沟谷可生长一些乔木和灌木组成的林分。但森林地带的很多建群种在该地带已无天然分布,主要乔木树种为非地带性森林建群种,而是一些散生树种,如小叶杨、榆树(*Ulmus pumila*)、杜梨(*Pyrus betulaefolia*)、臭椿(*Ailanthus altissima*)等;灌木多为森林地带的一些优势种和次优势种,如狼牙刺(*Sophora viciifolia*)、土庄绣线菊(*Spiraea pubescens*)、灰栒(*Cotoneaster acuztifolius*)、黄刺玫(*Rosa xanthina*)、紫丁香(*Syringaoblata*)、虎榛子(*Ostryopsis davidiana*)等。所以,森林草原地带的森林与森林地带的森林已有质的差异。

典型草原地带则是以长芒草、大针茅(*Stipagrandis*)、铁秆蒿、茭蒿、冷蒿(*Artemisia frigida*)、地椒(*Thymus mongolicus*)、星毛委陵菜(*Potentilla acaulis*)等组成的草原植被。虽也可生长一些乔、灌木,但森林地带和森林草原地带许多优势种在此已无天然分布,该地带的水热条件也不适宜于大片林木生长。

荒漠草原地带主要为以旱生小灌木和禾草组成的荒漠草原植被。主要优势种有短花针茅(*Stipabreviflora*)、沙生针茅(*S. glareosa*)、戈壁针茅(*S. gobica*)、蓍状亚菊(*Ajania achilloides*)、灌木亚菊(*A. frutioulosa*)、荒漠锦鸡儿(*Caragana roborovski*)、猫头刺(*Oxytropis aciphylla*)等。

2. 黄土高原自然植被的垂直分布规律

由于山地地形部位、坡向、坡位等下垫面因子对气候区气候因子的影响以及土质的非地带性分布,气候因子分布特征产生了相应的组合,形成了局部山地气候与植被分布的非地带性。山体越高大、山脊越长对气候影响越大,高大山体不仅形成自身独特的山地气候,而且往往成气候区的分界线。受子午岭、黄龙山、阴山、兴隆山山脉等的影响,在黄河中游的温带草原区也有非地带性的、分散分布的"岛状"山地森林。在半干旱、半湿润的气候条件下,山地沟谷及沟坡中下部自然植被为森林,梁峁、塬面及沟坡中上部的自然植被为草原。沟坡森林植被的分布高度,自南向北呈降低的趋势,而且受坡向的影响,阴坡往往高于阳坡。

(三)黄土高原地区植被与气候的关系

李斌等(2003)利用地理信息系统技术,结合典范对应分析(Canonical correspondence analysis,CCA)和数量区划的方法,研究了黄土高原地区植被与气候之间的关系。结果表明,黄土高原植被在地理分布上具有较强的地带规律性,这种分布与气候梯度之间的关系十分密切。纬向上,生态梯度中主要的制约因子是热量和水分因子,热量因子中的月平均最低气温、月平均最高气温、年均温对植被纬向分布都有很大的限制作用;水分因子中的年降水量对植被纬向分布的限制作用也较大。黄土高原沿南北方向气候的变化明显,表现出明显的纬向性递变;在经向上,生态梯度中主要的制约因子是热量因子、水分因子和风因子,热量因子中的全年日照时数、≥10℃积温、无霜期对植被经向分布都有很大的制约作用;水分因子中的全年最大蒸散量对植被经向分布的限制作用也较大。植被区及植被类型的垂直分布,随海拔逐渐升高,因此水热条件也随之发生变化,植被区及植被类型主要体现了草原区域及草原植被的再分划,即由下而上,植被区由荒漠草原亚区向典型草原亚区再向草甸草原亚区发展。植被类型由荒漠草原植被向典型草原植被再向草甸草原植被发展。黄土高原地域广阔、东西跨度大,使黄土高原植被表现出明显的经向性递变。由于黄土高原地处东南季风与西北大陆性气候的过渡地带,黄土高原的植被在气候、地貌等因素共同作用下,自东南向西北,从湿润的森林植被区过渡到干旱的荒漠半荒漠植被区。植被类型也由湿润的暖温性落叶林植被过渡到干旱的荒漠半荒漠植被。

二、黄土高原气候演变与植被

(一)黄土高原植被演变的自然因素

1.黄土高原气候变迁

据李裕元、邵明安研究,受地球轨道要素周期性变化的影响,2.5MaB.P.以来黄土高原气候呈现出明显的湿期(雨期)和干期(间雨期)交替的现象,即气候旋回,其变化周期为几万到几十万年时间尺度。黄土剖面中存在的多层黄土—古土壤有节律性的空间排列和黄土堆积范围的阶段性扩展,即是黄土高原气候变迁的有力证据。丁仲礼等(1989)根据黄土—古土壤序列的空间对比,将2.5MaB.P.以来的气候变化划分为37个大的旋回,然后又进一步将其划分为110个次级气候阶段。黄土剖面中的每一层古土壤都代表了一次暖湿气候阶段,而每一层黄土却代表了一次干冷气候阶段。从黄土地层来看,黄土的沉积旋回厚度越来越大,跨时越来越长,反映了季风气候波动周期越来越长,振幅加大,黄土与古土壤的叠覆状况说明气候的干湿对比越来越明显,也表明我国西北地区气候一直在向干旱化的方向演化。研究表明,全新世总体上属于大暖期气候,但其间的干湿冷暖仍有变迁。在6 000aB.P.的温暖时期年均温较现在高2.5~3℃,从仰韶文化时代到河南安阳殷墟时代,年均温较现在高2℃左右。殷周汉唐时代也属较温暖期,温度高于现代,其持续时间均在300年以上。从5 000年来的气候变迁来看,我国基本上是干冷同期、湿热同期,降水变化略滞后于温度变化。可以推断,较温暖的气候必然有利于自然植被的生长发育,也有利于农业的发展。中国以农业文明著称于世,历史上各朝代的鼎盛期往往是降水丰沛的温暖期,如夏、商、西周、汉、唐等朝代,而气候的干冷期往往是政局动荡的历史时期,甚至导致了一些王朝的灭亡,如夏、商、周、唐、宋、明、清等朝代的后期均出现了长期的干旱气候。中国唐代以后的温度变化一直低于现代,唐代黄河中游地区的降水量约为1 200mm(南洛河流域上游),而现在该地区的降水量仅500~600mm。唐以前,历史文献中曾多次记载关中地区有梅、竹林等的分布,并设竹监司管理竹木生产;在西周时期黄土高原还有漆(*Toxicodedronvericiflua*)的分布。梅、竹、漆等典型的亚热带植物种,证明黄土高原历史时期曾经有过暖湿气候时期,这就不难理解黄土高原历史时期曾经有过一定面积的森林分布,但随着气候向干冷方向的演化,加之人为破坏等的影响,自然植被由森林-森林草原向较耐干旱气候的草原-干草原植被发生了演化,现代黄土高原森林景观主要分布于沟谷之中和高山地带,而塬、梁、峁均为森林草原和草原植被。

朱士光等的研究表明,我国自公元前1000年的西周初期以后,气候连续发生了一系列的冷暖变化、寒温干湿的变动,其发展趋势有温暖时期越来越短与温暖程度越来越低,寒冷时期越来越长与寒冷程度越来越强的变化特点。据竺可桢的研究其温度摆动范围为1~2℃,这一情况使得黄土高原的植被区系由亚热带森林与暖温带草原变化为今天的暖温带落叶阔叶林、暖温带森林草原、温带草原与温带荒漠草原。而地形及水文地质条件的影响,又增强了局部地区的非地带性特征,使植被的分布状况更加复杂化。

2.黄土高原植被变迁

黄土高原目前年均降水量从东南的600mm向西北逐渐减少为200mm,现代天然植被也具有明显的地带性规律,即自东南向西北由华北落叶阔叶林区经森林草原区向干草原区进而向荒漠草原区逐渐过渡,而且现代气候条件与黄土中的水分状况也自东南向西北愈趋干燥,呈现出明显的方向性变化,这三者间具有完全吻合的变化规律。类比黄土高原现代植被与气候间的相互关系,可以推测地质时期古植被所反映的气候变迁。

我国第四纪以前(第三纪晚期)的气候较现在温暖得多,全国许多地方都处在热带亚热带气候笼罩之下,气候分带不太明显。西北地区是温带森林草原的半湿润气候,大约自2.5MaB.P.开始,与北半球气候变化相一致,中国大陆气候开始向干冷方向演化,并开始发生黄土堆积,黄土高原黄土-古土壤序列开始发育,植被中的热带亚热带分子迅速减少,草本植物花粉突然增加。由于青藏高原的隆起而建立的蒙古-西伯利亚冷高压反气旋造成东亚大陆冬季天气干冷的气候特色,在夏季风雨季到来之前,还会出现明显的春旱。由于东亚大陆东部缺乏明显的地形障碍,冬季寒流得以较顺利地向南侵袭,有助于适应大陆性气候的低温旱生多年生禾草植被-草原向东南方向扩展,而限制了要求温和湿润冬季的落叶阔叶林的分布。虽然在作为古代文明发祥地的中原地区(指黄河中下游地区),数千年来的人类垦殖活动消灭了原始的森林植被,助长了草原的发展,但总的说来,东亚大陆上落叶阔叶林的分布远不如世界其他同纬度地区(如西欧与北美地区)分布得广泛,其优势树种组成以较耐旱的落叶栎类(*Quercus*)为主,或为山杨(*Populus davidiana*)、桦木(*Betula spp.*)、榆(*Ulmus spp.*)等森林草原树种。孢粉分析显示,黄土高原黄土剖面中,即使在相对温湿的古土壤形成阶段植物分布也主要以草本为主,而且剖面中均含有较多的蒿属(*Artemisia*)植物孢粉,表明黄土高原在第四纪均以草原植被为主,只有少数几个时期,如1.197~1.176MaB.P.(S15)、0.865~0.852MaB.P.(S9)和0.468~0.505MaB.P.(S5)三个阶段木本植物处于较为明显的优势,显示这些阶段植被类型以森林为主。在我国整个北方地区,草本植物在时间和空间上均广泛分布,并且旱化程度及发展自东而西逐渐增强。

更新世以后,随着气候的变冷变干和季节性加剧,草本植物区又进一步演化与发展,出现在孢粉组合中的数量越来越大,显示其重要的地位和作用。木本成分也同样反映出干旱的影响。在更新世,以生态幅度大、适应性强的松树(*Pinus*)的分布最为普遍,阔叶树种类也主要是榆(*Ulmus*)、栎(*Quercus*)、椴(*Tilia*)、榛(*Corylus heterophylla*)等喜温耐干的成分。

更新世暖期的植被是温带针阔叶疏林和草原景观。李文漪(1998)对渭河盆地更新世植被与气候的研究表明,该区植被演化过程可能为:疏林草原—针阔叶混交林(云杉林为主)—草原—疏林草原,相应的气候发展过程为温和半干旱—寒温半湿润—温和半干旱。渭河盆地以北的黄土高原特别是黄土覆盖区气候应更为干旱,植被类型主要以森林草原-草原植被为主,森林植被主要零星分布在黄土高原的石质山区。以上说明黄土高原植被变迁的宏观趋势。考虑到黄土高原沟谷系统的存在,及其所具有的特殊微环境条件,即使在干冷气候阶段水分条件较好的沟谷之中也可能有森林的分布。刘东生等通过对洛川塬坡头孢粉的研究证明,地质时期黄土高原曾有森林-森林草原环境的沟谷和干草原-草原环境的塘、梁、峁彼此镶嵌的环境结构。

(二)黄土高原植被演变的人为因子

全新世以来黄土高原植被变迁(主要是森林面积的减少),从地史学角度来看包含了人类活动和自然环境变迁两个因素,主要原因在于人类的破坏。人类出现以来,特别是有史料记载以来黄土高原地区的植被状况曾发生了很大程度的变迁,草原界线南移,森林面积逐渐缩小。

1. 黄土高原人口与自然植被的变化

据史料记载和考古分析推测,黄河中游自西周以来森林植被的分布可划分为四个阶段:西周—战国、秦汉—北朝、唐宋、明清—新中国建立前夕。其间主要由于战争、城市和宫殿陵寝建设以及人口的自然增加导致的对薪炭、粮食等需求的增加,造成了对天然森林的严重破坏,致使其分布面积渐趋减少,其过程首先从平原地区开始,然后逐步向丘陵山地延伸。朱士光等的研究表明,在全新世初期,黄土高原原始农牧业产生之前大都为天然植被所占据,由仰韶文化时期至隋唐时期,历经五六千年的历史。由于春秋战国以前居民仍然保持射猎畜牧生产方式,广大的黄土丘陵山原地区天然植被依旧完好如初。秦、汉时期由于政府大力推行"移民实边"政策,原始植被开始受到人类活动的明显影响。以后虽然在东汉至南北朝时期由于游牧民族重又进驻高原,大批农田被荒弃,植被有所恢复。但自隋唐起,农业生产再次获得发展,特别是"安史之乱"以后,这一地区乱垦滥伐之风逐渐严重起来,再加上战争破坏,使天然植被遭到长期持续不断的、大规模的甚至是毁灭性的破坏,一直到后来除了一小部分山地尚有森林、草原的孑遗外,其余大部分地区则已破坏殆尽。至新中国成立前,整个黄土高原的森林植被覆盖率已经降到3%左右,一些县更在3%以下,而且保存下来的森林草原也是林相残败,草场退化。近3 000年来,气候连续发生了一系列的冷暖变化、寒温干湿的变动,这一情况使得黄土高原的植被区系在六盘山以东部分逐步由仰韶文化时期的亚热带森林与暖温带草原变化为今天的暖温带落叶阔叶林及草原,相应六盘山以西部分由暖温带森林草原和草原变为温带草原与温带荒漠草原,几千年来的农业耕垦、砍伐森林及战乱焚毁等人类活动,特别是明清以来的乱伐滥垦滥牧,则使黄土高原上许多地区的天然森林草原破坏殆尽,不少地区变成了光山秃岭。黄土高原历代人口变化见表9-4,森林面积及覆盖度变化见表9-5。

表9-4 从西汉末到公元 200 年黄土高原人口负载量的变迁

时期	东汉	三国	唐					宋			元		明	
年代(年)	2	140	280	609	713	752	813	980	1 079	1 102	1 210	1 290	1 381	1 391
人口(万人)	1 000	300	350	400	1 000	1 300	500	400	1 000	1 100	1 600	250	750	850

时期	明	清							民国				中华人民共和国	
年代(年)	1 491	1 661	1 724	1 749	1 812	1 840	1 860	1 880	1 925	1 928	1 936	1 949	1 982	2 000
人口(万人)	1 150	1 750	2 000	2 350	3 500	3 850	4 000	3 250	4 000	3 250	3 000	3 500	7 811	10 418

资料来源:陆建飞,王建革,刘学军,等.从黄土高原人口负载量的变迁看农业发展的生态制约.生态经济,1996

表9-5 黄土高原历史时期的森林面积变化

时间	西周	南北朝	唐宋时期	明清时期	1949 年	1988 年	1998 年
面积(万 hm²)	3 200	2 500	2 000	800	370	450	594
覆盖度(%)	53	40	33	15	6.1	7.2	9.5

2. 黄土高原人口与水土流失的变化

据王力等研究,近3 000年来,特别是明代中叶以来,人类活动强烈影响着黄土高原的植被演变,人类活动是本区环境演变的主导因素。黄土高原的土壤侵蚀量从公元 742 年到 1980 年的 1 200 余年里,从 11.6 亿 t 增加到 22.3 亿 t,增加了近 1 倍;人口从 1 010 万人增加到 7 520 万人,增加了 6 510 万人。其中,从公元 742~1821 年近 1 100 年间,侵蚀量仅增加了 1.7 亿 t,人口增加了 1 980 万人;而 1820~1980 年短短的 160 年时间里,侵蚀增加量达到了 9.0 亿 t,人口增加量达到了 4 530 万人。另外,当人口增加量的比值为 1:2.7:68.1 时,年侵蚀增加量的比值为 1:6.37:1.59,即 1820 年前,每增加 1 倍人口,年侵蚀量增加 1 倍;1820~1949 年,每增加 1 倍人口,年侵蚀量增加 6.37 倍;1949~1980 年,每增加 1 倍人口,年侵蚀量增加 1.59 倍,虽然倍数的增加下降,但土壤侵蚀量的绝对值却从 1949 年的 16.8 亿 t 增加到 22.3 亿 t,增加了 5.5 亿 t;说明人为加速侵蚀在现代侵蚀中占据主导地位(见表 9-6)。进入 20 世纪 90 年代后期,土壤侵蚀量有所下降,由 1980 年的 22.3 亿 t 下降到 1996 年的 16 亿 t,下降了 6.3 亿 t,说明 1980 年代后黄土高原的水土流失治理取得了一定的成效。

表 9-6 人口增加与侵蚀量变化的关系

年份	间隔年数	人口				侵蚀量				增加倍数
		数量(万人)	增加数(万人)	年均增加数(万人)	倍*	数量(亿 t)	增加数(亿 t)	年均增加数(万 t)	倍	
742		1 015.76				11.6				
1820	1 078	2 995.6	1 979.8	1.84	1.0	13.3	1.7	15.8	1.0	1(820 年前)
1949	129	3 639.5	643.9	4.99	2.7	16.8	3.5	271.3	17.2	6.37(1820~1949)
1980	31	7 521.6	3 882.1	125.2	68.1	22.3	5.5	1 709.7	108.2	1.59(1949~1980)
1996	16	9 544.8	2 023.2	126.5	68.8	16.0**	-6.3	-3 937.5	-249.21	-1.97

注:(1)资料来源:郑粉莉,唐克丽,白红英.黄土高原人类活动与生态环境演变的研究.水土保持研究,1994,1(5)

(2)带 * 指 1820 年一栏对应的年均增加人口数 1.84 万为基数计算的倍数。

(3)增加倍数:为人口增加 1 倍侵蚀量增加的倍数。

(4)带 ** 资料来源:申元村,洪清华.黄土高原土壤侵蚀有效防治战略.中国水土保持科学,2003,1(2)。

总的来说,从清代中叶之后,伴随着人口的急剧增加,土壤侵蚀量也急剧增加,说明人类活动对土壤侵蚀发生了极为显著的影响,人为加速侵蚀对生态环境的破坏占据了主导地位。但值得注意的是,改革开放以来,面上治理工作取得一定成效的同时,随着经济的高速发展,城市化步伐的加快,城市水土流失问题也变得让人们触目惊心。从全国范围来看,各省(市、区)的市城区都存在不同程度的水土流失。据新疆、山东、河南、安徽、广东、上海、辽宁、黑龙江、江西、福建、广西等 11 个省(市、区)的 57 个市调查报告,57 个市的总面积为 79 373.56 km²,水土流失面积 19 266.26km²,占城区总面积的 24.3%。其中山东省济南、潍坊、泰安、临沂、日照、莱芜、滕州 7 市土壤流失量高达 187.6 万 t。河道、排水道的泥沙淤积量累计达 69.4 万 t,年土壤侵蚀模数约 6 973t/km²,是"世界水土流失之最"的黄河中上游地区(年土壤侵蚀模数约 3 700t/km²)的 1.88 倍。而泰安市高达 20 280t/km²,是黄河中上游地区的 5.48 倍。广东省调查的 12 个平原市,1986~1995 年人为水土流失面积 475.13km²,平均每年 47.5km²，淤积山塘、水库 230 座，损失库容 1 085.66 万 m³；辽宁省的丹东市城区水土流失面积由新中国建立初期的 85km² 发展到 340km²，年土壤侵蚀模数由原来的 500t/km² 增至 1 000～1 200t/km²。

第二节　黄土高原植被建设的微观背景研究

太阳辐射、大气环流、地表下垫面性质，形成了一个地区的气候环境。黄土高原丘陵沟壑区所特有的地表下垫面性质，形成了半干旱地区地形小气候的分布规律。水热气候要素是小流域生态系统的动力因素。水热气候要素在地球表层质与量的组合结构是不同气候条件形成的基础，直接影响甚至制约小流域生态系统中其他一切要素。气候是包括水热因素的全部气候要素相互综合影响关联的结果，它们在小流域生态系统的组织过程中都直接、间接地起到动力作用。地表植被及其生产，是小流域生态系统功能的主要表现。地质地貌是小流域生态系统的物质基础与空间形态基础。具有四维结构的小流域生态系统相应于一定的地貌单元或地貌部分分布。地貌特征对其组织过程和结构格局有明显的控制作用，地质和地貌是小流域生态系统空间分异的主要因素。在小流域生态系统中，地貌是一种状态函数，表现其空间形态。从物质和能量角度看，地貌主要是通过"分配效应"而起作用的，主要是利用其形态骨架改变各种要素过程及其空间分异，进而影响控制小流域生态系统的组织过程。坡度能直接影响坡面上物质运动速度和物质能量的贮存能力。坡度大，重力分量大，物质运移速率快，对降水、太阳辐射等接受能力变小。坡向不同，对光热的吸收条件就不同，形成不同的水热气候特征。凹形坡面，对物、能的聚集作用强，能形成较高能级的小流域生态系统。水热条件与地质地貌的组合，使黄土高原丘陵沟壑区不同地形部位形成了显著资源位的差异，对不同地形部位资源位和植物生育需求位适宜性的了解，成为水土保持对位措施配置的先决条件。因此，要按照当地社会经济需求和在符合自然规律的前提下，科学合理地安排流域内农林牧各业生产，才能高效利用当地自然资源，提高农业生态系统功能。

我国从 1980 年开始推广以小流域为单元进行综合治理以来，对小流域综合治理的认识，起初只认识到综合治理包括工程措施、植物措施和保土耕作措施三者要结合；后来又从宏观上提出要山、水、田、林、路统一规划，综合治理；经过一段实践后，取得了不同类型区综合治理的经验，在水土保持法上规定小流域要形成综合防治体系；在以后实践中又强调各项措施之间的关系，即要优化配置。为探索半干旱地区小流域不同地形部位小气候因子数量分布特征，不同侵蚀部位（不同坡向、不同坡位）、不同季节、不同土层土壤水分运动变化规律，为同类型区全方位治理中的生境条件背景、工程措施的选择和设计提供依据，甘肃省定西市水土保持科研所针对这一重要技术问题，以生态学生态位、系统理论为指导，1982 年在全国率先开展了"小流域地形小气候、土壤水分特征及治理措施对位配置研究"，经过试验观测，取得了预期成果。他们已从主观布设治理措施到按地形小气候和土壤水分来对位配置各项治理措施，这是认识和实践上的飞跃。以后许多科研教学单位围绕不同地形部位治理措施的适宜度等理论和实践方面做了许多研究工作，使以小流域为单元的水土保持综合治理措施对位配置不断得到完善。

一、研究基地基本情况

安家沟流域是黄河流域祖厉河水系的一条小支沟，位于甘肃定西市安定区城东 3km

处,面积为 10.06km²。地理位置东经 104°38′13″～104°40′25″,北纬 35°33′02″～35°35′29″。海拔 1 900～2 250m。水土保持区划属黄土丘陵沟壑区第五副区。该流域早在 1956 年曾由中科院黄土高原综合治理考察队考察并列为省、地、县重点流域进行了规划和治理。

(1)地形地貌。安家沟流域四周为黄土丘陵所环抱,周界平面形如掌状。分水岭上丘陵线海拔 2 100～2 250m,高出河床 200～303m。流域主要沟道分两支,一支为马家岔沟,长度达 3.6km,流向初为由南到北,继则折向正西北;另一支为安家沟,长度稍短,仅 3.2km,其流向初由东南到西北,继则折向正西,两沟相汇于和平村。汇点以上,两沟为电杆梁所隔开,分成两个小流域。汇点以下,沟道继向西行,抵沟口铁路处,长度不足 1km,沟谷两旁为宽广的平地,属于北河河谷超河漫滩第二级冲积阶地的范围。流城内主支沟谷深度一般 20～30m,沟谷横断面一般呈 V 形,沟坡上方为陡崖,下方为斜坡;主要沟谷的沟缘以上,两侧均有台地分布,其宽度为数十米以至数百米,为农作物产量最高的耕地;台地以上两侧为丘陵坡面,坡面上发育很多侵蚀沟。

流域内梁峁顶、梁峁坡、阶(坪)地和沟谷分别占流域总面积的 0.9%、74.6%、10.8% 和 13.7%。沟壑密度 3.14km/km²,流域内 <5° 的土地占总面积的 11.7%,5°～10° 的占 14.1%,10°～15° 的占 38.9%,15°～20° 的占 15.1%,20°～25° 的占 9.3%,>25° 的占 11.2%,平均为 14.3°。

(2)气候。属中温带半干旱区,年均气温 6.3℃,年均≥5℃ 活动积温 2 933.5℃,年均≥10℃ 活动积温 2 239.1℃,极端最高、最低气温为 34.3℃ 和 -27.1℃,年均降水 427mm,空气相对湿度 65.8%。太阳辐射 592kJ/(cm²·a),有效生理辐射 49%。年日照时数 2 409h,无霜期 141d。年水面蒸发量 1 510mm。

(3)土壤。主要是发育在沟间地黄土上的黄绵土和沟道盐渍土,坡面黄土深厚,一般达 40～60m,无障碍层次,机械组成黏粒(<0.01mm)占 39.17%,粉粒(0.05～0.01mm)占 50.09%,砂粒(>0.05mm)占 10.74%,质地属粉壤土,有机质含量在 0.37%～1.34%,0～200cm 土壤容重 1.09～1.36g/cm³,平均 1.2g/cm³ 左右。土壤孔隙率平均约 55%。

(4)植被。属森林草原带干草原区。全流域共有野生植物 23 科,79 种,栽培植物 23 科,64 种。自然植被以禾本科、菊科、豆科等草本植物为主,有少量零星灌木分布。自然覆盖度阳坡一般为 25%～35%,阴坡一般为 50%～80%。在干旱阳坡以本氏羽茅、厚穗宾草,冷蒿为主组成群丛,在阴坡、半阴坡则以厚穗宾草、地椒、阿尔泰紫苑为建群种,而沟底则主要分布有耐盐碱的白花蒿、碱蓬、骆驼蓬、三尖草等。

二、不同地形部位小气候分布特征研究

太阳辐射、大气环流和下垫面性质是形成和影响气候变化的三大因素。由于下垫面性质的不均匀性,造成了近地面热量和水分收支的差异,在某一特定的区域内形成其独特的地形小气候。

小流域地形小气候研究,从 1983 年始到 1986 年止。在流域的梁峁顶、阴、阳坡中部,沟谷底部设四个典型代表点。四个观测点基本上处于同一断面上(见表 9-7)。4 个观测点均选用小气候综合观测仪(高原型)和曲管地温表观测。观测位置除地温外其余均在距地表 1.5m 高处。观测内容包括风速、风向、空气相对湿度、气温、水气压(绝对湿度)、气压、地表最高、最低温度、0cm、5cm、10cm、15cm、20cm 和 30cm 地温等 14 项内容。各点观测实行三段制(8、14、20时),各观测项目均按国家气象局有关规定进行整理汇总。各点观测起止日期为从4月1日至11月底(土壤封冻),为整个植物生长期。

表9-7　安家沟小气候观测点立地条件汇总

观测点名	地貌部位	坡向	坡度(°)		土地利用措施	海拔(m)
			地形	地面		
梁顶	顶部	—	<5	0	农业	2 190
阳坡	中部	SW	13	0	农业	2 115
阴坡	中部	NE	14	0	农业	2 115
沟底	底部	—	<5	0	灌木林	1 935

注:观测时间4月1日~11月底,观测年限1983~1986年。

(一)不同地形部位太阳辐射

气候区大气上界太阳辐射量受纬度和季节的影响。太阳辐射经过深厚的大气层,由于大气层的吸收、散射和反射,仅有大约48%的太阳辐射能到达地面(其中30%左右为直接辐射,18%左右为散射辐射)。在本区太阳辐射中,生理有效辐射占49%。太阳辐射是地表最主要的能量源泉,是大气中一切物理过程和现象的基本动力,也是形成小气候的物理基础之一。到达地面的太阳辐射能,由于地形起伏(高程、坡向、坡度)及植被的影响而重新分布。根据理论计算(见表9-8),在林木生长季节的5~10月,太阳辐射量以阳坡最高,梁峁顶次之,阴坡最低,阴、阳坡中部分别是梁峁顶的91.2%和101.2%,年内太阳辐射最高峰阳坡出现在5月,梁峁顶为5月底6月初,阴坡为6月底至7月初。在5~8月梁峁顶太阳辐射高于阴坡和阳坡,9~10月梁峁顶低于阳坡而高于阴坡。阴阳坡相比,在7月前阴坡略低于阳坡,而8月后阳坡高于阴坡的幅度较大。由于坡向、坡度的不同,导致了林木生长期内太阳辐射能的重新分布。

表9-8　安定区安家沟流域太阳辐射量计算

项目	地点	月份						
		5月	6月	7月	8月	9月	10月	合计
太阳辐射 (J/cm^2)	梁顶	66 151	66 989	64 477	63 639	46 892	37 681	345 830
	阳坡	64 728	64 477	62 425	62 341	51 749	44 338	350 058
	阴坡	61 085	65 858	62 425	59 118	59 118	26 670	315 350

(二)不同地形部位空气温度与土壤温度

由于大气吸收太阳辐射的能力很弱,吸收地面长波辐射的能力很强,低层大气热量主要来源于地面,故气温与地温的年变化具有相同的趋势,只不过在数值上有高低、前后变化而已;随着海拔高度的增加,平均地温降低趋势也比较明显。由图9-1~图9-8可以看出,气温和0cm、5cm、10cm、15cm地温在4月初至7月底一直处于增温过程,自7月底至8月初先后达到最高,8月中旬至10月为降温过程,20cm、30cm地温变化略后于气温。地表最高地温出现时间,梁峁顶为8月上旬(58℃),阳坡为7月上旬(61℃),阴坡为5月上旬(55.5℃),沟底为 8 月上旬(59℃),地面最低地温出现时间均在 11 月底,梁峁顶、阴坡、阳坡、沟底分别为－29℃、－21℃、－15℃、－13.5℃。20～30cm 地温与气温相比,最高值出现在 8 月上、中旬,推迟近半个月。在整个增温过程中明显存在有两个降温期,这是因为 0～30cm 地温在增温前(4 月初至 5 月中旬),由于太阳辐射强度的增大,土壤含水量比较稳定,地表无植被覆盖,增温过程比较一致,而在 5 月中旬至 7 月上旬,由于地表覆盖度的增加和土壤含水量的变化,在 5 月中旬至下旬各层土壤温度平均下降近 1℃;此后直至 7 月上旬各层土壤温度增温过程又趋于正常,但在 7 月上中旬由于降雨增多,土壤含水量迅速增加,土壤平均温度又一次下降 0.2～0.8℃,随后又恢复正的增温过程。

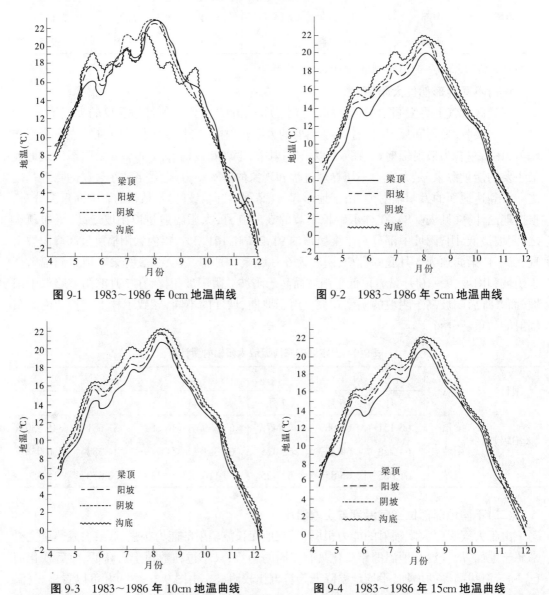

图 9-1　1983～1986 年 0cm 地温曲线　　　图 9-2　1983～1986 年 5cm 地温曲线

图 9-3　1983～1986 年 10cm 地温曲线　　　图 9-4　1983～1986 年 15cm 地温曲线

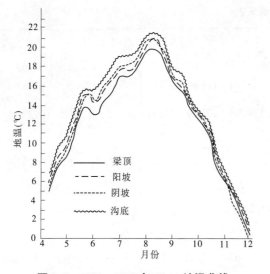

图 9-5　1983～1986 年 20cm 地温曲线

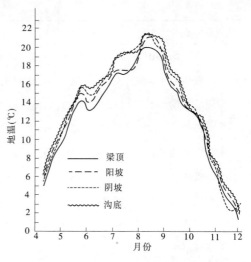

图 9-6　1983～1986 年 30cm 地温曲线

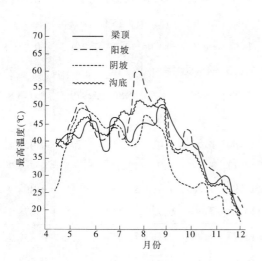

图 9-7　1983～1986 年地面最高温度曲线

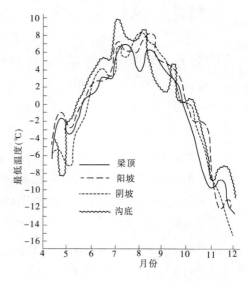

图 9-8　1983～1986 年地面最低温度曲线

各点各层次土壤温度变动系数 $(C_v = S/X)$ 均随深度的增加而减小(见表 9-9)。

表 9-9　安家沟流域不同地形部位气温及土壤温度观测汇总

项目	地点	4 月	5 月	6 月	7 月	8 月	9 月	10 月	11 月	平均	方差	变动系数
气温 (℃)	梁顶	7.48	12.36	14.22	16.97	16.95	11.70	6.44	1.86	11.00	5.069 2	0.460 8
	阳坡	8.61	13.34	15.32	18.26	17.96	12.07	7.03	1.52	11.76	5.327 5	0.453 0
	阴坡	8.51	13.46	15.57	15.57	17.95	12.37	6.78	1.48	11.77	5.571 7	0.473 4
	沟底	9.02	14.49	16.57	16.57	18.19	12.78	7.80	1.81	12.42	5.657 5	0.455 5

项目	地点	4月	5月	6月	7月	8月	9月	10月	11月	平均	方差	变动系数
地面最高(℃)	梁顶平均	40.78	44.17	43.25	43.31	47.66	39.74	31.04	31.04	25.51	9.232 9	0.234 2
	极值	48	52.5	58	54.5	55.5	50.5	45	37	58		
	阳坡平均	41.32	47.21	42.13	53.61	47.72	40.1	33.59	33.59	24.42	9.205 5	0.223 1
	极值	49	55.5	48	54.5	49.1	42	37.2	33.9	55.5		
	阴坡平均	40.7	45.38	45.00	50.14	47.92	36.42	29.45	29.54	24.39	9.744 0	0.244 0
	极值	45	53.5	55	61	59	49.5	35.5	30	61		
	沟底平均	35.70	48.78	44.44	44.78	41.43	27.85	25.85	25.85	19.50	11.516 8	0.319 6
	极值	59	55.5	52	51.2	47	35.5	31	23.5	59		
地面最低(℃)	梁顶平均	-5.72	-2.67	3.67	6.17	4.88	0.63	-3.01	-10.9	-1.49	7.840	-0.190 1
	极值	-10	-29	-1	0	-6	-13.5	-16	-14	-29		
	阳坡平均	-3.62	0.23	3.98	6.04	5.77	1.78	-4.39	-14.38	-0.32	5.804 2	-0.055 0
	极值	-7.01	-2.4	1.5	3.5	2	-4.5	-6	-15.00	-15		
	阴坡平均	-6.41	-0.79	4.25	6.67	5.79	1.17	-6.67	-13.05	-1.13	7.251 5	-0.155 8
	极值	-14	-13	-0.5	2.5	1	-6.5	-18.00	-21	-21		
	沟底平均	-3.79	1.55	6.84	7.58	3	1.58	-5	-4.92	0.86	5.979 5	0.143 8
	极值	-13.5	-1.5	2.5	3.5	1	-1.5	-11.5	-13.5	-13.5		
地温(℃)	0cm 梁顶	10.67	15.40	18.4	20.60	20.18	15.06	8.53	1.48	13.79		0.457 4
	0cm 阳坡	10.77	16.57	18.24	20.52	19.68	14.17	7.97	1.78	13.71		0.461 7
	0cm 阴坡	10.71	16.88	19.33	21.83	20.00	13.92	7.28	1.19	13.89		0.404 9
	0cm 沟底	9.99	17.83	18.47	20.19	17.38	15.65	7.80	0.71	13.50		0.478 3
	5cm 梁顶	7.95	3.20	15.84	18.57	18.68	13.73	7.98	2.14	12.27		0.451 9
	5cm 阳坡	8.84	14.95	16.97	19.34	19.20	14.05	8.47	1.85	12.96		0.448 7
	5cm 阴坡	9.23	14.80	17.59	20.00	18.91	13.93	7.77	1.06	12.91		0.471 3
	5cm 沟底	9.85	15.80	19.00	20.70	20.35	14.32	9.00	2.33	13.99		0.436 4
	10cm 梁顶	8.04	13.13	15.88	18.51	18.4	13.98	8.34	2.35	12.34	5.480 4	0.444 1
	10cm 阳坡	9.17	14.43	16.95	19.26	19.12	14.16	8.87	2.41	13.05	5.582 7	0.427 8
	10cm 阴坡	9.03	14.94	17.43	19.86	14.23	14.20	8.38	1.36	13.05	5.986 4	0.458 7
	10cm 沟底	9.85	15.52	18.61	20.43	20.24	15.28	9.29	2.63	13.98	5.897 7	0.421 9
	15cm 梁顶	7.75	12.82	15.53	18.24	18.41	14.00	8.52	2.51	12.22	5.355 8	0.438 3
	15cm 阳坡	8.79	14.21	16.58	19.02	18.97	14.26	9.21	2.89	12.99	5.396 3	0.415 4
	15cm 阴坡	8.38	14.94	17.15	19.51	19.20	14.68	8.93	1.82	13.02	5.805 9	0.445 9
	15cm 沟底	9.25	15.23	18.29	20.06	15.81	15.23	9.43	3.16	12.31	5.735 2	0.430 9

项目	地点		4月	5月	6月	7月	8月	9月	10月	11月	平均	方差	变动系数
地温 (℃)	20cm	梁顶	7.39	12.85	15.56	18.20	18.43	14.24	8.88	2.96	12.31	5.282 7	0.429 1
		阳坡	8.58	14.02	16.62	18.81	19.14	15.50	9.54	3.19	13.05	5.298 4	0.406 0
		阴坡	7.86	14.13	16.75	19.23	19.27	14.84	9.33	2.35	12.97	5.656 5	0.436 1
		沟底	9.51	14.91	17.83	19.88	19.97	15.29	9.91	3.67	3.87	5.457 1	0.393 4
	30cm	梁顶	7.73	15.21	15.82	18.30	18.95	14.49	9.20	3.37	12.63	5.219 7	0.413 3
		阳坡	8.80	14.13	16.7	18.5	19.51	14.60	9.77	4.25	13.28	5.102 9	0.384 3
		阴坡	10.00	14.67	17.64	20.08	19.61	15.40	9.93	2.65	13.75	5.439 3	0.395 6
		沟底	9.27	15.00	18.11	20.02	20.58	15.30	10.10	4.35	14.09	5.376 1	0.381 6
	0~ 30cm 平均	梁顶	8.25	3.78	16.17	18.74	18.86	14.25	8.58	2.47			
		阳坡	9.16	4.72	17.01	19.24	19.27	14.29	8.79	2.73			
		阴坡	9.2	4.99	17.65	20.09	18.54	14.5	8.56	2.74			
		沟底	9.62	5.72	18.39	20.2	19.06	15.28	9.26	2.81			

从不同观测点看来,在整个地温的变化过程中(见图 9-1~图 9-8),除 0cm 处变化不稳定外,其余各层土壤梁峁顶均低于沟底。梁峁顶 5cm、10cm、15cm、20cm、30cm 平均土温分别比相同部位沟底低 1.72℃、1.64℃、1.09℃、1.56℃、1.46℃;且一般情况下两测点的温差,增温过程大于降温过程,梁峁顶各层次地温旬平均值变动系数均大于沟底。

阴阳坡各层土壤温度的变化幅度及其数值,介于梁峁顶与沟底之间,由于太阳辐射强度的影响,土壤解冻阳坡略早于阴坡(3~5 天),土壤封冻阴坡略早于阳坡(2~4 天)。在整个生长期内,由于植被、太阳辐射、土壤水分的综合影响,阴阳坡各层地温曲线不时交错,无显著差异。

各观测点空气温度与地温变化非常相似,随海拔高程的增加气温降低,总的变化趋势是沟底气温曲线高于梁峁顶,阴、阳坡介于两者之间且相互交错。在升温过程中(4 月初至 7 月底),升温速度以沟底最快,阴、阳坡居中,梁峁顶最慢。阴坡、阳坡、沟底三点在 8 月上旬气温达到最高值,梁峁顶在 8 月中旬达到最高值,随后四个观测点气温逐渐降低。方差分析表明,各点观测地温在数量分布上无显著差异。

(三)不同地形部位水汽压与空气相对湿度

观测期空气温度变化过程曲线见图 9-9。水汽压在植物生长期内的变化与同期降水、土壤蒸散及近地面风速(乱流)有关。从 4 月初至 8 月中旬,水汽压一直处于上升阶段,即空气绝对湿度在不断增加,以后直至 11 月水汽压则不断下降(见图 9-10)。在整个变化过程中,沟底和梁峁顶分别处于最高和最低位置,阴阳坡居中间,两者不时发生交错。在 4 月初至 8 月中旬水汽压上升阶段,6 月底、7 月初至 7 月底,由于地面空气交流剧烈,乱流旺盛,大量的地面水汽被携至高空,故水汽压曲线在此段初现一凹谷,同时由图 9-10 与图 9-12 明显地看出,近地表风速的大小与水汽压呈负相关,大风日的出现意味着低水汽压的到来。随地形部位海拔高度的增加,近地表热量交换的加剧,水汽压也随之降低。四个观测点,总的趋势是水汽压随地形高度的上升而降低,沟底(1.045MPa)比梁峁顶(0.924MPa)高0.121MPa,高 13%,比阴坡(0.974MPa)和阳坡(0.940MPa)分别高 0.071MPa 和0.105MPa,分别高7%和11%;阴坡水汽压高于阳坡 0.034MPa,高 4%,这是由于阴坡风速(0.82m/s)较阳坡(1.21m/s)小,日较差阴坡也较阳坡小的缘故。

与水汽压等因素相比,植物生长季相对湿度变化曲线具有独自规律,这是水汽压、气温、风速等因素综合作用的结果(图 9-11)。在 4 月至 8 月上旬,虽然水汽压迅速上升(从 8 月初的 0.52~0.62MPa 上升到 6 月底的 1.31~1.46MPa),但因气温的上升和高风速日(特别是4 月下旬)的出现,相对湿度在上升的过程中出现较大的波动,相对湿度曲线在 4 月下旬和 6月上旬出现低湿期,在 5 月下旬和 7 月上旬出现(峰值)高湿期。在 7 月上旬至 8 月中旬,由于气温高峰期与风速高峰值的出现,再次导致了相对湿度在该时段的低值。8 月中旬以后,

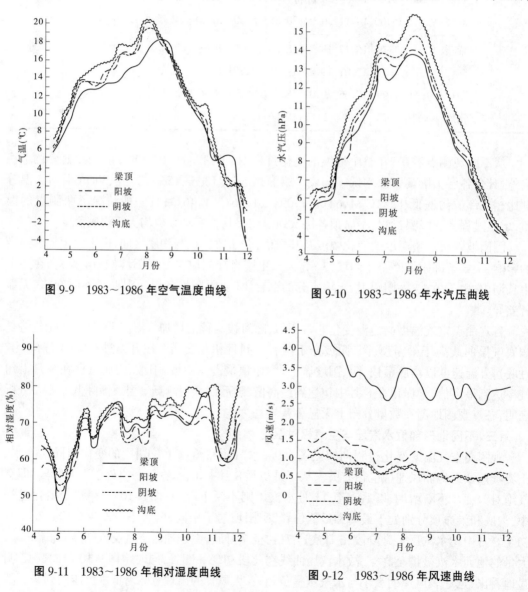

图 9-9 1983~1986 年空气温度曲线

图 9-10 1983~1986 年水汽压曲线

图 9-11 1983~1986 年相对湿度曲线

图 9-12 1983~1986 年风速曲线

水汽压、气温的迅速下降,由于气温下降较水汽压更快,故相对湿度呈逐渐上升趋势,但同样

很明显地看到风速波动对相对湿度的影响。并在11月上旬至中旬出现一个低湿期。

各点间相对湿度由于水汽压、风速、气温等多因素的影响,在数值分布上常相互交错,但从整体来看,沟底相对湿度较其他三点为高,曲线基本上位于其他三条上方。从平均值来看,相对湿度以沟底为高(72%),阴坡和梁峁顶次之(两者均为68%),阳坡最低(67%),经方差分析,各观测点水汽压值在数量分布上未形成显著差异,而相对湿度形成了显著差异,各点间平均数仅沟底与其他三点形成了显著差异(表9-10)。

表9-10 安家沟流域不同地形部位相对湿度及水汽压观测汇总

项目	地点	4月	5月	6月	7月	8月	9月	10月	11月	平均	方差	变动系数
相对湿度 (%)	梁顶	57.05	64.15	70.15	71.83	71.98	71.99	74.38	63.29	68.1	13.358 1	0.196 2
	阳坡	55.95	60.58	68.73	69.69	69.88	72.28	71.61	64.83	66.82	9.565	0.143 2
	阴坡	59.48	62.11	70.03	69.25	71.67	74.45	73.15	64.54	68.09	10.2	0.149 9
	沟底	62.02	65.15	71.28	72.62	74.45	77.61	79.75	73.00	71.99	9.818 9	0.136 4
水汽压 (hPa)	梁顶	5.63	8.8	11.43	13.38	13.14	10	7.11	4.43	9.24	3.297 7	0.356 4
	阳坡	5.86	8.73	12	13.5	13.48	10.16	7.15	4.35	9.4	3.428 5	0.364 5
	阴坡	6.25	9.4	12.25	13.89	13.96	10.43	7.35	4.35	9.74	3.515 8	0.361 0
	沟底	6.36	9.93	12.95	14.88	15.13	11.63	7.97	4.72	10.45	3.808 4	0.364 4

(四)不同地形部位风速

近地面风速,除受大气环流影响外,同时与地表、空气进行热量交换时产生的乱流有很大关系。大气环流决定了年内风速的总趋势。不同地形部位由于地形高度的增加,迎风面地形对风的抬升作用,使风速增大,这点从图9-12中可以非常明显地看到。梁峁顶风速在任何时候都远高于其他三点。阳坡又明显高于阴坡及沟底,而阴坡与沟底相差不大,曲线相互交错,各点平均值以梁峁顶最高(3.25m/s),阳坡次之(1.21m/s),阴坡、沟底最低(分别为0.82m/s和0.75m/s)。梁峁顶风速分别比阳坡、阴坡、沟底高169%、296%、333%。方差分析表明,各点风速的数量分布形成了极显著的差异,除阴坡与沟底两点间平均差异不显著外,其余各点间均形成了极显著的差异(见表9-11)。阳坡随坡位抬升,风速增大的幅度较阴坡大。

表9-11 安家沟流域不同地形部位风速观测汇总

地点	平均风速(m/s)									方差	变动系数
	4月	5月	6月	7月	8月	9月	10月	11月	平均		
梁顶	4.14	3.72	3.23	3.1	3.05	3.04	2.69	3.01	3.25	0.722 8	0.222 4
阳坡	1.57	1.6	1.18	0.95	1.2	1.12	1.09	0.95	1.21	0.336 6	0.278 2
阴坡	1.31	1.12	0.82	0.72	0.73	0.59	0.58	0.69	0.82	0.295 6	0.360 5
沟底	1.10	0.94	0.80	0.72	0.69	0.55	0.57	0.62	0.75	0.271 7	0.362 3

(五)不同地形部位小气候对植物生长的影响

综上所述,不同地形部位地面性质的差异,引起了小气候资源的再分配,这种差异显著地表现在风速、相对湿度两个因素上(见表9-12～表9-15),其余各小气候因素在各地形部位上无显著差异。因此,在小流域综合治理农林牧布局(规划)时,要充分注意这两个因素的差异在农林牧业生产上所引起的效果,尤其是风速对植物生长的影响。

表 9-12　相对湿度方差分析

变差来源	自由度	离差平方和	均方	均方比	F_α
组间	3	1 260.133	420.044	3.537	$f_\alpha = \begin{cases} f_1 = 3 \\ f_2 = 351 \end{cases} 2.62$
组内	351	41 687.772	118.769		
总的	354	42 947.905			

注:$\alpha = 0.05$。

表 9-13　相对湿度平均数差异显著性检验(U 值)

地形部位	U 值		
	$X_i - X_2$	$X_i - X_3$	$X_i - X_4$
梁顶(X_1)	0.936	0.061	1.969*
阳坡(X_2)		1.028	-3.526**
阴坡(X_3)			-2.377*
沟底(X_4)			

注:当 $\alpha = 0.01$ 时,$u_\alpha = 2.575\ 8$;当 $\alpha = 0.05$ 时,$u_\alpha = 1.960\ 0$;当 $\alpha = 0.10$ 时,$u_\alpha = 1.644\ 9$。

表 9-14　风速方差分析

变差来源	自由度	离差平方和	均方	均方比	F_α
组间	3	383.487	127.829	633.130	$f_\alpha = \begin{cases} f_1 = 3 \\ f_2 = 362 \end{cases} 3.82$
组内	362	73.100	0.201 9		
总的	356	456.587			

注:$\alpha = 0.01$。

表 9-15　风速平均数差异显著性检验(U 值)

地形部位	U 值		
	$X_i - X_2$	$X_i - X_3$	$X_i - X_4$
梁顶(X_1)	24.334**	29.708 7**	30.872 3**
阳坡(X_2)		22.276 7**	10.097 8**
阴坡(X_3)			1.591 9
沟底(X_4)			

注:当 $\alpha = 0.01$ 时,$u_\alpha = 2.575\ 8$;当 $\alpha = 0.05$ 时,$u_\alpha = 1.960\ 0$;当 $\alpha = 0.10$ 时,$u_\alpha = 1.644\ 9$。

风对植物的直接作用,可以分为两个主要方面:一是对土壤的直接作用;二是对植物本身的作用。风所携带的巨大能量直接作用于地表时,将会产生不同程度的风蚀,土壤颗粒的搬运和堆积,使表层土壤变粗、变薄、沙化等。中国科学院地理研究所的资料(见表 9-16)风速达到 0.6m/s 时即可引起<0.05mm 直径的土粒的移动,而黄土高原多数地区<0.06mm 的粉粒含量占 60%～75%,定西尤为突出,自然土壤的粉粒含量达 89.26%,而各点地表部

位平均风速均超过 0.6m/s,在春季更大。风对植物的效应有截然不同的两种效果,这主要取决于风速的大小及植物的生物学特性(植物种、叶型、株高、密度、生育期、抗机械损害能力等)和生态学特性,当风速低于产生破坏性临界值时,不但对植物生长无害,还可对植物的光合作用有所促进,当植物长时间暴露在某个临界风速之上时,将导致植物形态和生态生理上的变化,达到 2m/s 以上的风,对植物特别是作物的影响更大。

表 9-16   起动沙粒风速状况

风速 (m/s)	0.25	0.6	1.5	3.0	4.0	5.0	6.0	7.5	10~11	11~15	20~30
沙的粒径 (mm)	0.03	0.05	0.12	0.25	0.32	0.40	0.50	0.60	0.60~1.0	1.0~2.0	2.0~4.0

为了弥补观测中缺少风速因子的不足,在回归方程中引进了与环境因子相关的、易于测定的蒸发量。蒸发速度是风速、饱和气压差和气压的函数。将道尔顿(DaLton)定律进行推导:

$$Q = A(E - e)/P \tag{9-1}$$
$$Q = A(E - e)/P = A \cdot E(1 - \gamma)/P \tag{9-2}$$

式中:Q 为蒸发速度;A 为与风速有关的系数;P 为气压;E 为饱和水汽压;e 为水汽压;γ 为相对湿度。

从推导后的式(9-2)可以看出,蒸发速度与风速、气温(饱和水汽压随气温升高而迅速增加)呈正相关,与相对湿度、气压呈负相关,这在环境因子及蒸发量相关性分析(见表 9-17)中明显地反映出来。蒸发量在回归分析中作为一复合因子,引入方程后,对增加回归效果起了很好的作用。

表 9-17   环境因子及蒸发量相关性分析

特征值	蒸发(mm/d) X_1	相对湿度(%) X_2	土壤含水量(%) X_3	气温(℃) X_4	有效生理辐射强度 ($\mu E/(cm^2 \cdot s)$) X_5
平均	6.72	64.05	11.67	18.7	1 032.6
方差	2.52	12.05	11.35	3.05	313.8

相关系数: 数组:22×5

相关	r_{i1}	r_{i2}	r_{i3}	r_{i4}	r_{i5}
r_{1i}	1	-0.800 9**	-0.561 8**	0.543 1**	0.465 6**
r_{2i}		1	0.592 1**	-0.306 5	0.384 6*
r_{3i}			1	-0.021 4	-0.163 0
r_{4i}				1	0.475 9*
r_{5i}					1

注:自由度 $f = 20$;$r_{0.1} = 0.359\ 6$;$r_{0.05} = 0.422\ 7$;$r_{0.01} = 0.536\ 8$;$r_{0.001} = 0.652\ 4$。

三、地形小气候对林木生长的影响

(一)环境因子对林木蒸腾强度影响

张富等使用 L_1—1600 型恒态气孔仪(L_1—1600 Steady State Porometer)测定光照、气温、相对湿度、风速和采用取土钻取样测定 0~200cm 土层土壤水分等因子与林木蒸腾强度的关系,观测树种主要有青杨、接杏、苹果、茄梨、苹果梨等。观测时间为 1985 年 5 月至 6 月。每日从上午 7 时至下午 19 时,间隔时间 2h,每天 7 次。用梯形面积表计算整理了每日的观测数据,整理结果见表 9-18。

表 9-18　不同树种观测期内环境因子及蒸发量与蒸腾强度平均值汇总

树　种	水面蒸发 (mm/d)	相对湿度 (%)	土壤含水率 (%)	空气温度 (℃)	有效生理辐射 ($\mu E/(cm^2 \cdot s)$)	蒸腾强度 ($mg/(cm^2 \cdot d)$)
山　杏	6.7	64	11.67	18.7	1 032	101.1
苹　果	6.8	62		19.1	950.5	142.33
杞　柳	6.1	66	10.82	18.4	1 172	205.54
茄　梨	8.1	57	10.82	20.8	1 219	161.55
苹果梨	6.1	64		18.4	1 017	176.74
青　杨	6.8	64	15.04	19	914	171.11

1.环境因子及蒸发量与蒸腾强度线性相关分析

影响植物蒸腾作用的因子是多方面的,既有内在因素,也有外在因素。内在因素有根压、蒸腾拉力、叶面积、气孔大小、密度以及在上下叶表面的分布、气孔的开闭等;外在因素有光照、气温、风速、大气湿度等。从环境因子及蒸发量与蒸腾强度相关性分析(表 9-19)中看出,对大部分树种来说,气温和有效生理辐射与林木蒸腾强度密切线性相关;而蒸发量、相对湿度、土壤含水率与蒸腾强度的线性相关程度较差。因此,为了准确地反映环境因子与林木蒸腾强度的关系,应考虑用复合因子(多元的、线性的或非线性的)来描述。本节为了便于分析和计算,用多元线性回归对所取得的成果进行了分析。环境因素与蒸散强度的日变化见图 9-13。

表 9-19　蒸腾强度与各因子相关性分析汇总

树种	$X(1)$ 蒸发量	$X(2)$ 相对湿度	$X(3)$ 土壤含水量	$X(4)$ 气温	$X(5)$ 生理辐射强度	相关系数检验 $P=0$ 的临界值(r)
茄　梨	0.217 1	0.383 6	0.528 4	0.522 8	−0.424 3	$r_{0.1}=0.729$
杞　柳	0.701 6	−0.346 8	0.569 9	0.853 5	0.607 3	$r_{0.1}=0.521$
苹果梨	−0.040 2	0.082 7	—	0.574 3	0.693 0	$r_{0.1}=0.426$
苹　果	0.262 3	0.029 3	—	0.742 2	0.435 0	$r_{0.1}=0.360$
接　杏	0.366 3	−0.425 4	−0.128 7	0.349 0	0.527 8	$r_{0.1}=0.360$
青　杨	0.253 4	0.014 0	0.050 6	0.526 4	0.521 1	$r_{0.1}=0.369$

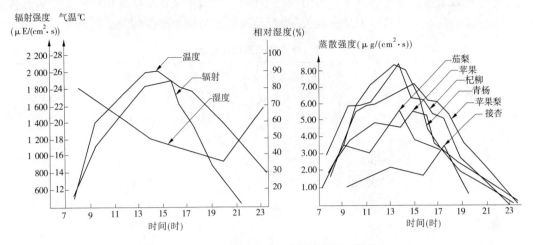

图 9-13　环境因素与蒸散强度的日变化

2. 多元线性回归方程的建立及分析

我们对所观测的资料,以树种为单元进行了多元线性回归分析,表明引入方程的各因子对林木蒸腾强度有显著的作用,复相关系数达到了显著水平,建立了六个树种的回归方程,取得了理想的效果(见表 9-20)。

表 9-20　各树种回归方程汇总

树　　种	回归方程	r	n
杞　柳	$y = -97.174 + 9.123X_1 + 0.769X_2 + 9\,263X_4 + 0.020X_5$	0.885	11
苹果梨	$y = 16.761 - 10.975X_1 + 0.267X_2 + 7.666X_4 + 0.068X_5$	0.789	16
苹　果	$y = -89.051 - 9.018X_1 + 0.182X_2 + 14.170X_4 + 0.011X_5$	0.896	22
接　杏	$y = 54.213 - 1.234X_2 + 4.445X_3 + 0.916X_4 + 0.055X_5$	0.595	22
青　杨	$y = -41.340 - 6.846X_1 + 1.562X_3 + 10.948X_4 + 0.031X_5$	0.641	21
茄　梨	$y = -81.355 - 18.878X_1 + 5.402X_2 + 19.473X_4 - 0.512X_5$	0.941	6

注: y 为蒸腾强度($mg/(cm^2 \cdot d)$); X_1 为日水面蒸发量(mm/d); X_2 为日均空气相对湿度(%); X_3 为土壤含水率(干重%); X_4 为气温(℃); X_5 为有效生理辐射强度($\mu E/(cm^2 \cdot s)$); r 为相关系数; n 为样本数(个)。

环境因子对各树种蒸腾强度的影响程度,是通过林木内在的生理机能起作用。标准回归系数则是直接比较回归方程中各因子对蒸腾强度影响度(即贡献大小)的数量指标。各树种回归方程中标准回归系数的比较说明,进入方程变量(环境因子及蒸发量)对蒸腾强度的影响不尽一致(见表 9-21),根据各树种回归方程标准回归系数对蒸腾强度影响大小次序,可将 6 个树种分为四个类型。

从表 9-21 看出,不同树种除标准回归系数大小不同外,还有符号的正负之别,即环境因子与蒸发量有数值的增减,将会导致各树种蒸腾强度的增减或减增。所观测的 6 个树种,除茄梨有效生理射辐与蒸腾强度呈负相关之外,其他树种气温与有效生理辐射均呈正相关。蒸发量与蒸腾强度除杞柳呈正相关外,其余均呈负相关,也就是说,蒸发量达到一定水平之后,蒸发量与蒸腾强度存在着相反的数量关系,这也就说明因风速的增加导致了蒸发量的增加,同时也导致了蒸腾强度的减少。与前面三个因素相比,土壤含水率及相对湿度则对蒸腾强度的直接影响较小,且基本上呈正相关(接杏蒸腾强度与相对湿度的关系则例外)。

表 9-21　标准回归系数比较表

树　种	蒸发 (mm/d) b_1	相对湿度 (%) b_2	土壤含水量 (%) b_3	气温 (℃) b_4	生理辐射 ($\mu E/(cm^2 \cdot s)$) b_5
茄　梨	−1.636 3		0.259 5	1.690 9	−0.519 7
杞　柳	0.456 7	0.242 2		0.460 6	0.229 9
苹　果	−0.702 0	0.072 4	—	1.242 8	0.141 9
接　杏		−0.335 6	0.135 2	0.063 0	0.390 5
青　杨	−0.439 5		0.101 1	0.706 7	0.279 3
苹果梨	−0.420 2	0.063 8		0.412 8	0.523 3

(1)青杨、茄梨组。方程中各因子标准回归系数对蒸腾强度贡献大小次序是气温>蒸发量>有效生理辐射>土壤含水率。

(2)苹果、杞柳组。次序是:气温>蒸发量>有效生理辐射>相对湿度。

(3)接杏组。次序是:有效生理辐射>相对湿度>土壤含水率>气温。

(4)苹果梨组。次序是:有效生理辐射>蒸发量>气温>相对湿度。

由于各树种和生物学、生态学特性的不同和所处立地条件的不同,各树种对环境因子生态适应性不同,其结果导致了蒸腾量也有很大的差异(见图 9-14)。不同树种,乔木不一定比灌木大,同一树种,不一定阳坡的蒸腾量比阴坡人。如同为一组,分别生长在梯田、梯田地坎上的苹果树和杞柳,标准株(丛)年蒸腾量阴坡分别为 1 350.8kg 和 2 348.8kg,在阳坡上分别为 782.4kg 和 2 309.7kg,杞柳比苹果树分别高 74% 和 195%(见表 9-22),这是因为除树种对环境适应性不同外,苹果叶片主要以叶下表皮蒸腾,上表皮蒸腾仅占下表皮的百分之几,且水分营养面积小,而杞柳以上下表皮蒸腾,强度几乎相等,水分营养面积大(生长在地坎上)。又如同为一组的青杨、茄梨的标准株年蒸腾量,茄梨阳坡(2 132.8kg)比阴坡(2 020.8kg)增加 6%,而青杨阳坡(788.5kg)比阴坡(1 634.8kg)降低 52%。

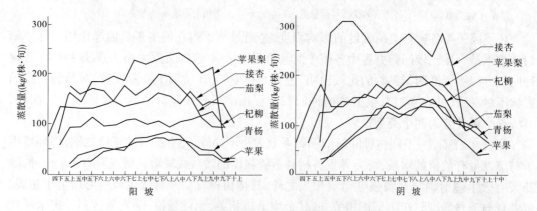

图 9-14　不同树种不同环境条件蒸发量年变化

表 9-22　各种树种阴阳坡标准木逐月蒸腾量

树种	坡向	单株耗水量(kg/株)								阳−阴 阳 ×100%
		4月	5月	6月	7月	8月	9月	10月	合计	
茄梨	阴	—	204.42	394.19	461.53	497.88	371.70	91.09	2 020.81	+5
	阳	—	225.68	414.84	511.19	523.36	363.12	94.62	2 132.81	
杞柳	阴	201.19	350.59	477.34	511.51	513.41	294.75	—	2 348.79	−2
	阳	198.95	380.32	445.42	513.21	499.82	271.98	—	2 309.70	
苹果梨	阴		293.12	357.09	431.06	449.05	356.89	83.40	1 970.61	+24
	阳		356.32	442.71	553.67	569.00	473.66	213.95	2 609.31	
接杏	阴	—	420.85	595.88	559.93	548.22	183.26	—	2 308.14	−29
	阳	—	390.72	336.43	335.01	346.49	315.22	69.64	1 793.51	
青杨	阴		199.61	316.67	393.60	406.23	261.43	57.26	1 634.80	−107
	阳		97.16	152.13	195.33	194.54	119.93	29.40	788.49	
苹果	阴	—	118.95	262.49	366.36	380.60	180.06	42.31	1 350.77	−73
	阳	—	66.46	146.72	223.54	217.43	101.57	26.68	782.40	

(二)地形小气候与林木适应性评价

由于地形因子对气候因子的再分配,导致了不同地形部位气候因子的差异,不同地形部位树木生长期不同。据观测,一般情况下,同一种树生长期阳坡较阴坡长(见表 9-23)。

表 9-23　标准木物候观测汇总

树种	坡向	展叶期(月·日)		落叶期(月·日)		叶面蒸发期 (d)
		始期	盛期	始期	盛期	
接杏	阴坡	5.6	5.11	7.15	10.24	118
	阳坡	4.28	5.3	9.20	10.25	146
苹果	阴坡	5.3	5.7	10.24	11.10	180
	阳坡	5.4	5.7	10.17	11.12	178
苹果梨	阴坡	5.2	5.7	9.23	10.24	157
	阳坡	5.3	5.7	10.2	11.1	165
杞柳	阴坡	—	—	8.15	11.5	(162)

注:叶面蒸腾期取展叶中期和落叶中期间距;观测时间 4～11月。

利用定西市水土保持科学研究所 1983～1985 年三年的小气候观测及太阳有效生理辐射资料,计算了阴、阳坡各树种生长期内标准株蒸腾量(见表 9-22、图 9-14),结果表明,阴坡年蒸腾量以杞柳最大,达到了 2 348.8kg/丛,阳坡以苹果梨最大,达 2 609.3kg/株,阴、阳坡以苹果最低,为 1 350.8kg/株、782.4kg/株。

(1)阳坡小气候对林木蒸腾的影响。从表9-22中看出:由于阳坡风速、气温等较高,土壤含水率及相对湿度较低,使青杨、苹果、接杏等树种的蒸腾及生长处于非常不利的地位。生长在阳坡的青杨、苹果、接杏比生长在阴坡时蒸腾量分别减少107%、73%、29%,蒸腾量急骤下降,直接影响了林木光合作用和干物质积累速度,影响了其正常生长发育。因此,在阳坡梁峁顶不宜种植。苹果梨虽然在阳坡蒸腾量大(2 609.3kg/(株·a)),据观测,其对不利环境因子抗性较强,在隔坡梯田上种植时,较适宜在阳坡生长,茄梨虽然对环境条件的反映较复杂,回归因子与蒸腾强度线相关性差,但多因子回归后与综合因子的相关性较强,只要注意造林密度,在有径流来源的土地上适宜发展。杞柳因单丛蒸腾量过大(12 309.7kg/(株·a)),在阳坡栽植时经济上是不合算的,故不宜栽植。

(2)阴坡、沟底小气候对林木蒸腾的影响。由于阴坡、沟底太阳有效生理辐射强度、风速等较低,气温较高,一般情况下,在无其他限制条件时,适宜于阴坡生长的树种,同样适宜沟底栽植。茄梨、苹果、接杏、苹果梨在阴坡下部、沟口造林较适宜,杞柳与果园相比则经济效益较低,不宜栽植。据研究,将其栽植在梯田地埂荒坡上时(距地面2m以下),不但有较高的防护田埂、减少冲刷、滑塌、改善农田小气候的作用,还具有较高经济效益。

影响林木蒸腾强度的因素是多方面的,通过对林木蒸腾强度与环境因子及蒸发量关系的多元线性回归,探讨了不同树种对不同环境因子的反映,但这仅仅反映了一个侧面,要看到影响林木成材的因素则更多。就水分因子来说,我们要了解到不同立地条件下林木蒸腾量的变化,而且还要注意林木水分供应是否能满足林木正常的生理要求。对某一树种来说蒸腾量达不到一定水平时其生物产量也就下降;达不到一定蒸腾强度时会直接影响成林速度和成材质量。因此,半干旱地区造林应选择或研究耗水量小,耗水系数低,对不良条件抗性特别是耐性强的深根性树种,以抵御降雨少且强度大、分布不均匀的不利因素。发展径流林业,大力推广隔坡、反坡梯田,加强林地抚育管理,减少水分散失,使有限的自然降水得到充分、合理的利用,在掌握造林树种的生物学、生态学特性的基础上,充分注意林地小气候的选择,不同树种对不同环境条件的适应方式及程度都有所不同,有些树种因环境因子(主要为风速)影响导致蒸腾强度下降达不到正常要求,直接影响了光合作用速度和干物质积累,从而形成"小老树"。

试验表明,微风条件可增大叶表面水分梯度,使植物蒸散强度增大,强风条件会导致大多数植物气孔关闭,使植物蒸腾强度大幅度降低。对林木蒸腾与小气候的因子关系研究表明:在阴、阳坡中部的青杨、苹果、苹果梨、茄梨、接杏、杞柳等6个树种,其蒸腾强度主要受太阳生理有效辐射、气温、风速、土壤含水率和空气相对湿度的影响,各因子对树种的影响程度不尽一致,影响效果正负不一。总体来看,影响程度的顺序太阳生理有效辐射最大,其他因子按上列依次减弱。效果的影响:太阳生理有效辐射除茄梨外,与其他树种均呈正相关;气温及土壤含水率与各树种呈正相关,风速与杞柳呈正相关,与其余五个树种呈负相关;相对湿度除接杏外,与其他树种呈正相关。由于阳坡风速较大(生长季平均风速1.21m/s),使青杨、苹果、接杏等树种的蒸腾及生长处于非常不利的地位,其蒸腾量在阳坡比阴坡分别减少51%、38%、29%,蒸腾量急骤下降。同一部位(阳坡上、中部)青杨林2m土层内土壤含水量较荒坡提高29mm和22mm,分别提高了15.6%和11.9%。同一部位的青杨×榆混交林与柠条林,5m土层内土壤含水率分别为246.5mm和173.3mm,前者比后者高73.2mm,高42.2%,年蒸腾量前者为933.72mm,后者为971.69mm,前者比后者低37.97mm。青杨则由于干物质积累少而形成"小老树",白榆境况更差。形成造林难成林,成林难成材的局面,使较好的光热资源未得到充分利用。与乔木林相比,灌木林由于矮干低冠叶面小,对风的抗性较强,林分生长较好,生物量较高,但其生长效果还是阴坡优于阳坡,沟谷优于坡面,坡面下部优于上部(见表9-24)。安家沟流域不同地形部位林木生长情况调查见表9-25。

表9-24　不同立地条件下柠条生长量

指　标	单　位	阴　坡	沟台地	阳　坡	梁峁顶
树　龄	a	9	10	10	9
树　高	m	1.22	1.03	0.69	0.9
地　径	cm	1.12	0.83	0.57	0.95
保留密度	万枝/hm²	38.7	45.3	46.35	7.8
产柴量(鲜)	kg/(hm²·a)	4 237.5	1 867.5	943.5	397.5

表9-25　安家沟流域不同地形部位林木生长调查

林种	林龄(a)	坡向	坡位	整地方式	密度(株(丛)/hm²)	树高(m)	胸(地)径(cm)	产柴量(kg/(hm²·a))
青杨	20	阳	上	水平台	4 305	6.5	6.9	0
	8	阳	中	反坡台	1 695	2.47	1.67	0
	12	阳	下	水平台	825	9.10	8.44	0
	20	阴	路旁	水平台	0	11.2	18.1	0
加杨	18	阴	中	反坡台	5 085	7.30	5.68	0
榆树	20	阳	上	反坡台	4 305	2.6	3.2	0
山杏	28	阳	中	反坡台	3 330	3.93	9.1	0
	28	阴	上	反坡台	0	3.60	4.9	0
柠条	10	阳	上	反坡台	3 330	0.9	0.95	405
	10	阳	中	反坡台	0	0.69	0.57	945
	8	阳	下	反坡台	19 245	0.77	0.80	4 245
沙棘	4	阳	上	反坡台	0	1.16	1.4	0
	4	阴	中	反坡台	0	2.07	2.08	2 505
红柳	3	阳	上	反坡台	0	0.6	0.34	0
	3	阳	中	反坡台	0	0.66	0.41	0
	5	阳	沟道	沟坝地	0	1.84	1.96	2 400
杞柳	1	阴	中	地埂	4 305	1.51	0.86	10 725

注:(1)胸(地)径:即乔木林按胸径计算、灌木林按地径计算;
　　(2)杞柳:造林30a(每年平茬)。

四、地形小气候对作物、牧草产量的影响

风对农作物及牧草的影响,虽然没有高秆植物那样剧烈,但也还是很明显的,由表9-26看出,农作物产量无论是梯田还是坡地、阴坡还是阳坡,均是坡面上部低于中部,中部低于下部,下部又低于(阶地)平川地,减产幅度阳坡高于阴坡。在其他条件一致的情况下,可以说小气候因子起了很主要的作用。不同地形部位的多年生苜蓿,也显示了基本一致的规律。

表9-26　1984~1987年不同地类作物、牧草产量调查　　　　　(单位:kg/hm²)

坡位	阳坡			阴坡			平均		
	草地	农坡	荒坡	草地	农坡	荒坡	草地	农坡	荒坡
上部	7 003	1 842	5 500	7 498	1 943	6 536	7 250	1 892	5 793
中部	10 505	2 303	6 297	7 733	1 952	7 495	9 119	2 128	6 896
下部	7 062	2 397	7 058	8 879	3 083	8 601	7 970	2 740	7 829
平均	8 190	2 181	6 135	8 037	2 326	7 544	8 113	2 253	6 839

五、不同土地利用方式土壤水分与植物生育的适宜性

(一)不同地形部位坡面土壤水分动态研究

1.水分的季节变动及时期划分

在植物生长期(3月中旬~11月上旬),每隔15~30d,在2m深土层内,分13个层次进行水分测定。历年测验结果按时序相比,土壤水分最低值出现在7月下旬左右,最高值一般在9月下旬前后。但同期各年的土壤湿度并不相同。方差检验(如表9-27)表明,年际和季节的变化对土壤水分状况的影响是极显著的,而季节变化对水分的影响更显著。因此,依年内水分状况及变化趋势可将水分变化过程分为四个阶段:即旱季水分亏缺期、雨季水分补偿期、秋后缓慢失墒期和冬春冻隔期四个时段。

表9-27　不同年份、不同季节对土壤水分影响的方差分析

变差来源	自由度	离差平方和	均方	F	F_α
因素A(年份)	3	256 513.29	85 504.43	22.41	$F_{0.01} = 3.88$
因素B(季节)	3	372 870.17	124 290.06	32.58	
误差项	233	888 958.74	3 815.27		
总和	239	1 518 342.20			

旱季水分亏缺期(3月中旬~7月)。期内土壤湿度从始期的9.64%降至期末的8.35%,降低1.29%。2m土层消耗31mm土壤贮水量,其中1m土层占67%。尽管期内消耗的土壤贮水量仅占同期水分散失量的15.4%,但土壤水势从-0.33MPa降至-0.55MPa,而且1m土层水势低于1~2m土层的水势(见表9-28)。因而,水分在吸力梯度差作用

下,从下向上移动散失,使土壤湿度达到年内最低值,这是本期水分运动的特点。

表 9-28　不同时期土壤水分及土水势情况

坡向		水分亏缺期			水分补偿期			缓慢失墒期			冬季冻融期		
		阳	阴	平均	阳	阴	平均	阳	阴	平均	阳	阴	平均
土壤湿度(%)	始期	9.02	10.27	9.64	7.54	9.16	8.35	11.17	12.39	11.78	10.95	12.75	11.84
	终期	7.54	9.16	8.35	11.17	12.39	11.78	10.95	12.72	11.84	9.02	10.27	9.64
	消耗	1.48	1.11	1.29	-3.63	-3.23	-3.43	0.22	-0.33	-0.06	1.93	2.45	2.20
土壤耗水(mm)	2m土层	35.26	26.80	31.03	-86.62	-79.05	-82.83	4.92	-8.54	-1.21	46.43	60.77	53.60
	1m土层	15.55	26.20	20.88	-63.20	-68.53	-65.86				40.85	35.34	38.10
	1m占%	44.10	97.76	67.29	72.96	-86.69	79.51				87.98	58.15	71.08
土壤水势(MPa)	2m土层 始期	-0.42	-0.26	-0.33	-0.75	-0.40	-0.55	0.19	-0.13	-0.16	-0.21	-0.12	-0.16
	2m土层 末期	-0.75	-0.40	-0.55	-0.19	-0.13	-0.16	-0.21	-0.12	-0.16	-0.42	-0.26	-0.33
	1m土层 始期	-0.72	-0.28	-0.43	-1.34	-0.65	-0.91	-0.17	-0.10	-0.13	-0.20	-0.12	-0.15
	1m土层 末期	-1.34	-0.65	-0.91	-0.17	-0.10	-0.13	-0.20	-0.12	-0.15	-0.72	-0.28	-0.43
	1~2m土层 始期	-0.25	-0.24	-0.25	-0.48	-0.25	-0.34	-0.22	-0.18	-0.20	-0.21	-0.13	-0.16
	1~2m土层 末期	-0.48	-0.25	-0.34	-0.22	-0.24	-0.20	-0.21	-0.13	-0.16	-0.25	-0.24	-0.25

水分补偿期(7 月中、下旬~9 月)。因同期降水增加,且大于耗水,使 2m 土层含水率从始期的 8.35%增至 11.78%;水势也从-0.55MPa 升至-0.16MPa。期内 1m 土层水势高于 1~2m 土层水势(见表 9-28)。水分受吸力差和重力势作用逐层下渗补充。这是本期水分运动的明显特点。期内有 83mm 的补充水量,其中 1m 土层的补充量占 80%。

秋后缓慢失墒期(9 月底~11 月上旬)。测定结果表明,本期降雨量(38mm)与散失量(36mm)基本平衡。土壤湿度从始期的 11.78%变至 11.84%,2m 土层的水势从始期的-0.16MPa 至期末仍为-0.16MPa。从 1m 与 1~2m 土层的水势变化(如表 9-28)看,本期水分运动是以上层水分对下层进行补充平衡为显著特点。

春冬冻融期(11 月上、中旬~翌年 3 月中旬)。本期大部时间是土壤封冻期,因此水分散失强度是年内最弱时段。但在土壤封冻前后时段,仍有水分散失。期内 2m 土层含水率从 11.84%降至 12.64%。土壤水势也从-0.16MPa 降至-0.33MPa。其中 1m 土层从-0.15MPa 降至-0.43MPa,大于 1~2m 土层下降的幅度,促成下层水分在吸力作用下向上移动。期内土壤耗水达 53mm,其中 1m 土层占 71%。

2.土壤剖面的水分分布特征

水分在剖面上分布状况因土层深度不同而异。雨季基本结束的 9 月底,年内土壤湿度较高的时期 0~50、50~100、100~150、150~200cm 土层的土壤湿度,分别为 14.66%、12.30%、10.22%和 9.93%,即土壤湿度随土层深度增加而降低。此后,各土层的湿度逐渐降低。到次年水分最低的 7 月底时,各土层湿度分别为 8.03%、8.08%、8.39%和 8.92%,即变成土壤湿度随土层深度增加而增加的趋势。这表明水分的剖面分布不仅因土层深度不同而异,而且随时间变化而变化,表现为逐时变化幅度因土层深度不同而异。测定结果(见

表 9-29），各土层的变化幅度依次为 6.81%、4.90%、2.83% 和 2.51%，即变幅随土层深度增加而减小。

表 9-29　典型时期水分的剖面分布　　　　　　　　　　　　　　（%）

土层 （cm）	3月15日			7月25日			9月28日			11月1日		
	阳坡	阴坡	平均	阳坡	阴坡	平均	阳坡	阴坡	平均	阳坡	阴坡	平均
0～50	8.45	11.59	10.02	7.46	8.59	8.03	13.56	15.75	14.66	12.66	14.94	13.80
50～100	8.71	10.31	9.51	7.12	9.04	8.08	11.56	13.04	12.30	11.29	12.71	12.00
100～150	9.15	9.45	9.30	7.52	9.25	8.39	9.81	10.62	10.22	10.10	11.49	10.80
150～200	9.75	9.69	9.72	8.07	9.77	8.92	9.73	10.12	9.93	9.73	11.73	10.73
0～200	9.02	10.27	9.64	7.54	9.16	8.35	11.17	12.39	11.78	10.95	12.72	11.84

依据剖面土壤湿度水平及年内变化幅度大小分析，地表下 50cm 土层的水分变化最大，土壤湿度的变幅为 6.80%～7.80%，是水分变化活跃层；50～100cm 土层的变化变幅为 4.5%～6.70%，是水分变化次活跃层；1m 以下土层湿度变化较均匀，变幅在 2%～3% 之间，属土壤水分变化相对稳定层，是水分的调节土层。农地、荒坡、草地各土层含水率年内变化幅度见表 9-30。

表 9-30　各土层土壤湿度的年内变化幅度

土层 （cm）	坡位	农坡			荒坡			人工草地			平均		
		阳坡	阴坡	平均	阳坡	阴坡	平均	阳坡	阴坡	平均	阳坡	阴坡	平均
0～50	上部	8.38	6.8	7.61	4.53	6.33	5.43	5.46		5.46	6.12	6.21	6.17
	中部	6.37	8.73	7.55	7.27	8.67	7.97	5.05	7.16	6.11	6.23	8.19	7.21
	下部	7.03	9.5	8.31	7.32	6.77	7.02				6.54	7.54	7.04
	平均	7.26	8.38	7.82	6.37	7.24	6.81	5.26	6.31	5.79	6.3	7.31	6.81
50～100	上部	7.6	3.87	5.74	3.75	3.93	3.84	4.43		4.43	5.26	4.08	4.67
	中部	4.4	6.00	5.2	4.91	5.5	5.21	3.38	5.34	4.59	4.38	5.61	5
	下部	4.95	7.16	6.06	5.62	3.44	4.55				4.91	5.16	5.04
	平均	5.56	5.68	5.67	4.77	4.29	4.53	4.13	4.89	4.51	4.85	4.95	4.9
100～150	上部	6.48	2.5	4.49	1.91	1.48	1.7	2.51		2.51	3.63	2.16	2.9
	中部	4.84	3.05	3.95	2.59	2.94	2.76	1.54	2.7	2.12	2.99	2.9	2.94
	下部	2.67	3.51	3.09	3.61	1.53	2.57				2.77	2.55	2.26
	平均	4.66	3.02	3.84	2.7	1.98	2.34	2.02	2.61	2.32	3.13	2.54	2.83
150～200	上部	4.74	2.2	3.47	1.27	2.38	1.83	1.9		1.9	2.64	2.16	2.4
	中部	4.84	2.58	3.71	2.5	4.03	3.26	1.31	2.3	1.81	2.88	2.97	2.93
	下部	2.45	2.52	2.49	3.1	1.42	2.26				2.39	2.01	2.2
	平均	4.01	2.43	3.22	2.29	2.61	2.45	1.61	2.1	1.86	2.64	2.38	2.51

3. 不同利用方式下的土壤耗水强度

从测定结果(见表 9-31)看出,农地、荒坡、草地不仅各水分时期土壤耗水强度不同,而且同期的耗水也不相同。就土壤耗水情况相比,在旱季水分亏缺期 2m 土层内,农坡地土壤耗水量(47~60mm)最多,人工草地(27~43mm)较小,荒坡消耗(22~23mm)最少。土层耗水强度也以农坡强,人工草地次之,荒坡小。期内土层消耗的水量,因坡向不同而异。阳坡 2m 土层占 50% 以下,阴坡消耗的水量中 64%~90% 是由 1m 土层提供。到水分补充时期,土壤水分由消耗转为补偿,从水分散失量相比,则是人工草地(105~117mm)最多,荒坡(87~98mm)次之,农坡(56~93mm)最少。进入秋后缓慢失墒期,其顺序又颠倒过来。到冬春冻融期,土壤耗水情况变为荒坡(45~48mm)多,人工草地(36~42mm)次之,农坡地(17~29mm)最少。三种土地利用相比,1m 土层耗量占 2m 土层耗水量的比例,随水分时期从亏缺期到冻融期的顺序而在变化。在阳坡,1m 土层所占比例逐渐增多;而在阴坡,农坡则随水分时期的变化减少,荒坡和人工草地则变化不大。这是由于阳坡水分比阴坡少,随降水土层水分增多而增加,阴坡因水分较多,土壤耗水一直主要由 1m 土层提供而形成。

表 9-31　不同利用方式水分消耗及其强度

坡向		阳　坡						阴　坡					
利用		农坡		荒坡		人工草地		农坡		荒坡		人工草地	
土层		2m	1m 占%	2m	1m 占%	2m	1m 占%	2m	1m 占%	2m	1m 占%	2m	1m 占%
中/3 ～ 下/7	土壤耗水量(mm)	60.26	45.52	23.22	31.85	27.31	50.71	47.33	90.26	23.08	71.01	43.82	63.51
	强度(mm/d)	0.636		0.236		0.290		0.490		0.248		0.476	
	水分散失量(mm)	222.88	85.19	186.12	91.83	198.38	93.22	207.15	97.78	183.95	96.36	206.90	92.27
	日散失量(mm)	2.351		1.972		2.140		2.144		1.976		2.249	
	%	27.04		11.99		13.77		22.83		12.55		21.18	
下/7 ～ 下/9	土壤耗水量(mm)	-112.04	67.89	-83.88	70.45	-63.99	13.95	-78.51	88.43	-74.98	83.17	-85.04	81.64
	强度(mm/d)	-1.729		-1.285		-0.983		-1.186		-1.129		-1.264	
	水分散失量(mm)	56.16	164.07	87.29	128.40	118.04	108.73	93.87	109.67	98.99	112.75	104.58	114.93
	日散失量(mm)	0.867		1.337		1.813		1.418		1.419		1.554	
	%	-199.50		-96.09		-54.71		-83.64		-75.75		-81.32	
下/9 ～ 上/11	土壤耗水量(mm)	22.58	71.30	15.99	74.05	0.59	722.03	14.12	121.67	3.66	189.89	-1.79	416.20
	强度(mm/d)	0.588		0.422		0.013		0.353		0.093		-0.044	
	水分散失量(mm)	59.37	89.09	52.89	92.15	38.38	109.82	53.24	105.75	41.22	107.96	36.81	124.94
	日散失量(mm)	1.546		1.396		1.54		1.331		1.049		0.944	
	%	38.03		30.23		1.28		26.52		8.88		-4.86	
上/11 ～ 中/3	土壤耗水量(mm)	29.20	112.02	45.56	88.10	36.09	98.97	17.05	55.78	48.23	80.92	43.01	79.40
	强度(mm/d)	0.193		0.300		0.239		0.116		0.318		0.283	
	水分散失量(mm)	67.25	105.22	83.61	93.52	74.12	99.50	51.16	85.26	85.75	89.27	8.079	89.04
	日散失量(mm)	0.444		0.550		0.489		0.347		0.566		0.532	
	%	43.42		54.49		48.69		33.33		56.24		53.24	

4.不同利用条件下、不同坡向、坡位土壤水分状况比较

不同坡向、坡位土壤湿度水平是不同的。三种利用中,农坡地的土壤湿度(11.76%)比荒坡(9.59%)、人工草地(8.98%)高2.17%和2.78%,方差检验表明,其差异达显著水平。阴、阳两坡差异也达显著水平。但同种利用措施相比,除荒坡两坡间的差异极显著外,其余措施未达到显著水平。对于上、中、下三个坡位间除阳山荒坡外,均是上部坡位的水分高于中部,中部高于下部,其差异不显著。

从不同利用条件下,各坡向、坡位土壤的相对湿度相比(见表9-32),农坡、荒坡和人工草地分别为56%、46%和43%,以人工草地最干燥;阴坡(52%)比阳坡(45%)较湿润,上部部位(50%)比中部(48%)及下部坡位(47%)稍湿润些。因此,在土地利用上应考虑恰当利用地形条件对水分造成的影响。使植物的生态要求与土地生境相匹配,以达到资源合理利用,提高产量的目的。

表9-32　不同土地利用措施不同坡向、坡位土壤相对湿度　　（%）

坡　位	上部		中部		下部		总平均
	阳	阴	阳	阴	阳	阴	
农　坡	57.27	63.41	54.26	59.89	46.21	55.17	56.03
荒　坡	37.73	53.52	36.30	53.85	43.00	50.93	45.86
人工草地	44.92		41.59	42.31			43.42
平　均	46.64	53.98	44.06	50.02	44.15	49.95	48.44

5.土壤水分状况对产量的影响

数据分析表明,阴、阳坡相比,阴坡土壤水分高于阳坡,产量高于阳坡。随坡位抬升、风速增大,不同坡位间植物产量有随坡位降低而增加的趋势(见表9-33),不同坡位间产量与水分状况的关系并不密切(农坡、荒坡和人工草地的相关系数 r 分别为0.647 6、-0.380 3和-0.726 7)。但同坡位,阴、阳坡产量的相关程度(上部 $r=0.975\ 6$、中部 $r=0.876\ 4$,下部 $r=0.999\ 1$)十分密切。说明地形小气候对植物生长的影响是第一位的,土壤水分含量居于次要位置。

表9-33　阳、阴坡不同坡位产量汇总　　（单位:kg/hm²）

坡　位	阳坡			阴坡			平均		
	草地	农坡	荒坡	草地	农坡	荒坡	草地	农坡	荒坡
上　部	3 501	921	2 750	3 749	971	3 268	3 625	946	2 897
中　部	5 253	1 152	3 149	3 866	976	3 748	4 559	1 064	3 448
下　部	3 531	1 199	3 529	4 440	1 541	4 300	3 985	1 370	3 915
平　均	4 095	1 090	3 067	4 018	1 163	3 772	4 057	1 127	3 420

(二)不同地形部位梯田土壤水分及作物适宜性

1.梯田土壤水分

1)梯田在不同坡向及不同部位的土壤水分差异

根据旱梯田所处坡向及部位的6个点连续四年观测数据进行汇总分析,2m土层阴坡梯田土壤湿度加权平均值为11.98%,阳坡梯田土壤湿度加权平均值为10.69%,阴坡梯田比阳坡梯田高出1.29%,相当于多出30.96mm水量,尤其在60~100cm深的土层平均土壤湿度,阴坡比阳坡梯田高出1.69%,仅这一层就多出8.11mm水量,说明阴坡比阳坡梯田具有较强的抗旱能力(见表9-34)。

表9-34 1982~1985年不同坡向、坡位旱梯田2m土层平均土壤湿度 (%)

深度	阳 坡				阴 坡			
	上部	中部	下部	平均	上部	中部	下部	平均
0~60cm	12.19	11.69	10.15	11.34	13.22	11.85	13.71	12.93
60~100cm	10.67	10.84	9.02	10.18	12.44	10.46	12.72	11.87
100~200cm	11.20	11.11	9.14	10.48	12.40	11.88	10.07	11.45
0~200cm	11.39	11.25	9.42	10.69	12.65	11.09	12.19	11.98

旱梯田在流域所处的海拔相比较,由于流域中、下部小气候条件有利于农作物生长发育,产量随坡位抬升而降低(见表9-35)。同理,坡位越低,植物生长越旺盛,光合作用越强,蒸腾耗水越多,所以形成了梯田土壤湿度上多下少。上部梯田土壤湿度高于中坡,中部又高于下部,形成梯田土壤湿度随海拔升高而增加的趋势。根据表9-34数据分析,2m土层梯田土壤湿度在流域上部(包括阴、阳两坡,下同)平均为12.02%,中部为11.7%,下部10.81%,上部比中部多0.85个百分点,相当于多出20.4mm水量,中部比下部多0.36个百分点,相当于多出8.6mm水量。

表9-35 1984~1987年不同部位农作物产量 (单位:kg/hm²)

坡 向	坡 位		
	上 部	中 部	下 部
阴 坡	1 403	1 547	1 958
阳 坡	782	1 763	2 147

2)年内土壤湿度变化时期的划分

本试区土壤湿度变化,除遇中雨以上的降雨时期外,终年平均在田间持水量以下,根据土壤湿度图将年内变化分为四个阶段:

(1)土壤水分冻结期。从11月中旬至翌年3月中旬,由于气温下降,土温从上至下逐渐降至0℃以下,土壤水冻结,深可达1.2m以下。这一时期除0~15cm土层在冬春时的旱风使一小部分水分蒸发损失外,基本保持秋墒不变。呈固态存在的土壤水分是稳定的,冻层以下的液态土壤水也很少移动。土壤冻结初至翌年春冻解,2m土层总水量平均值仅低于封冻初总水量的0.72%,相当于16.7mm,顺风口不能积雪的旱梯田最大损失量也仅比封冻初损失3.2%,相当于74.2mm。个别地块冬季背风积雪的地方,到解冻时反比封冻初的水量有所增加,但增加量也仅在1.49%~0.07%之间,即2m土层贮水增加34.6~1.62mm之间。

(2)土壤水分大量损耗期。从 3 月下旬至 7 月下旬,这一时期的土壤水分受到两方面的消耗:一是正值太阳辐射强烈气温迅速升高,大气降水偏少的蒸发旺季;二是春作物生长发育盛期,蒸腾作用强烈。所以,一般春麦地在 7 月中下旬,2m 土层的土壤湿度达到全年最低值。尤其在干旱年,有效水甚至完全耗尽。如 1982 年 7 月 14 日,测得阳坡中部梯田 2m 土层平均土壤湿度仅 7.13%,1m 土层平均土壤湿度仅 5.26%,低于凋萎湿度,春小麦未能完成全生育期,提前青干,颗粒瘪瘦,损失严重。

(3)土壤水分补充积聚期。从 7 月下旬至 9 月底,本期正值雨季,大部分作物都已成熟收获,蒸散量越来越少,入渗雨水超过蒸散损失,于是土壤中水分积聚补充,从全年土壤湿度最低点猛增到最高点,该时期水分积聚多少,是决定翌年作物丰歉的重要因素之一,一般年份该时期 2m 土层可贮水 280～370mm,可增水 70～160mm,如遇丰雨年,2m 土层贮水可达 420mm,可增加 210mm。

(4)土壤水分缓慢蒸发期。从 9 月底至 11 月中旬,该时期雨季过去,太阳辐射渐弱,气温下降,作物全部收获,但土地裸露,蒸发强度虽小仍继续进行,使前期贮水有一部分因土壤蒸发而损失,尤其是土壤近地表层损失较多。全期 2m 土层平均土壤湿度损失量为 0.35%,相当于 8.2mm。

3)梯田横断面的水分分布

从梯田的水分状况测定来看,近地边部分的土壤水分较中部、内部为少。由于地埂与田面双重蒸散,造成蒸散量较其他部分多,而在承接降雨时,田面水平一般不产生径流,而地埂面则将部分降雨以径流形式进入下一块梯田,于是梯田坎下的实际承受降雨量,在一般情况下较其他部分多,所以,测定结果是近地边 2m 处地块平均土壤湿度低 0.52%～0.82%,相当于 2m 土层中少 12.2～19.2mm 水量,距地块 2m 处却比地块平均土壤湿度高 0.47%～0.78%,相当于 2m 土层中多 11～18.3mm 水量。横断面的土壤湿度等值线不平行田面,而是与田面线成一角度,角顶在近埂坎处。

4)梯田垂直断面的水分分布

从地表越往下土壤水分越稳定。由于地表受到大气变化与太阳辐射的制约,且旱梯田土层的补充水源只有大气降水,而消耗水也只有蒸腾和蒸发(至于形成地下水流失的可能性极小,可以视为零,侧渗的可能性也很小,因为上地块土层基本不相连接,也可以视为零)。所以,根据实测资料将梯田垂直断面分为以下几层:60cm 以上的活跃层,60～100cm 次活跃层;100～200cm 常年基本稳定层。在活跃层中,0～10cm 的变化最大,因为降雨入渗首先满足它的蓄水,一旦雨停首先蒸散的水分也是它,所以,4 年测定结果证明 0～10cm 土层基本上随每次降雨的变化而增减,从 0～60cm 水分活跃层来看,它是本区土壤贮水的主要部分,入渗降水首先满足该层,如继续降雨的情况下可逐步达到田间持水量,该层增墒最多。而植物根系吸收到的水分大部分由该层供应。所以,在植物生长期该层失墒最多。即使休闲地,土壤蒸发也是从本层开始提供水分。据 4 年资料表明,该层土壤湿度最低时可达 5.49%,最高时可达 22.97%,中位数为 14%～16%,分散度达 17.48。60～100cm 为土壤水分次活跃层,该层在上一层达到田间持水量以后才可能有重力水进入,所以,除了秋雨季节外,一般没有重力水进入该层,水分变化完全依靠基模吸力。该层是本区深层贮水的主要部位,一般年份在雨季增墒时,入渗深度就达此层(只有丰雨年才可能下渗到 120～160cm)。该层也是植物根系吸收的有效部位,尤其在植物生长盛期消耗有效水最多。据测定,该层常年土壤湿度最低是 6.41%,最高是 20.73%,中位数是 12%~14%,分散度为主 4.32。100~200cm 是常年稳定层,它的土壤湿度变化较前两层小,豌扁豆的根系很少涉足该层贮水。这类植物仅依靠在上层基模吸力大时,由下往上移动本层贮水后才能利用。但是,春麦、马铃薯、糜、谷等作物的根系可以直接进入该层利用贮水,尤其在大旱之年,该层有效水也几乎用尽。如 1982 年阳坡一些梯田,7 月 14 日测定该层土壤湿度下降到 9.0%。该层增墒情况:如果是休闲地水分不但不损失,雨季入渗的降雨在第一年贮水的基础上增墒,可以从上往下进入该层。一般地块除秋雨丰富年之外,该层仅依靠基模吸力增加部分水分。本层测定结果是,土壤湿度最低为 9.33%,最高为 17.45%,中位数是 10%~12%,分散度 8.12。

5)田间贮水量

根据本试区土壤的田间持水量 24.4% 计算,2m 土层可贮水 570.96mm,每公顷相当于纯水 8 565t,减去凋萎湿度可得最大有效水贮量为 420.3mm,相当于纯水 4 203t/hm²,实际上旱梯田 2m 土层完全达到田间持水量几乎不可能,从实测资料来看,历年最高贮水量为 420mm,减去凋萎湿度以下不可利用水,实际最高有效水贮量 269.3mm,相当于纯水 2 693t/hm²。旱年最低贮量仅 280mm,减去凋萎湿度,仅存有效水 129.3mm,只有纯水 1 293t/hm²。不同作物不同土层水分利用情况见表 9-36。

表 9-36　不同作物不同土层水分利用情况

作物	土层深度 (cm)	播种时土壤 实际贮水量 (mm)	播种时土壤实际有效贮水量 (mm)	收获时土壤实际贮水量 (mm)	全生育期土层消耗量 (mm)	占播种时有效水贮量的 (%)	剩余有效水量 (mm)
春小麦	0~50	88.03	51.01	51.87	36.16	70.89	14.85
	50~100	62.10	25.07	42.78	19.32	77.06	5.75
	100~150	66.12	28.77	48.14	17.98	62.50	10.79
	150~200	71.02	33.35	57.62	13.40	40.18	19.95
	0~200	287.27	138.20	200.41	86.86	62.85	51.34
扁豆	0~50	87.98	50.54	39.35	48.63	96.22	1.91
	50~100	54.22	17.19	50.51	3.71	21.58	13.48
	100~150	60.03	22.68	57.65	2.38	10.49	20.30
	150~200	68.85	31.18	63.24	5.61	18.00	25.57
	0~200	217.08	121.59	210.75	60.33	49.62	61.26
豌豆	0~50	83.49	46.46	39.79	43.70	94.06	2.76
	50~100	56.52	19.49	45.83	10.69	54.85	8.80
	100~150	59.91	22.62	55.45	4.46	19.72	18.16
	150~200	67.10	29.43	61.37	5.73	19.47	23.70
	0~200	267.20	118.00	202.44	64.76	54.88	53.24
马铃薯	0~50	87.75	50.72	96.14	−8.39	−16.5	59.11
	50~100	64.29	27.26	75.21	−10.92	−40.1	38.18
	100~150	63.05	25.69	64.73	−1.68	−65.0	27.37
	150~200	64.94	27.27	68.09	−3.15	−11.6	30.42
	0~200	280.03	130.94	304.17	−24.14	−18.4	155.08

表 9-36 统计得出下面 4 个结果:①夏熟作物消耗土壤贮水,而秋作物马铃薯多年平均不仅不消耗,且因生育期处于雨季使土壤贮水有所增加;②夏熟作物耗水以春小麦最多,由于春小麦根深,除 0～100cm 土层中有效水的 74% 皆被吸收外,100～200cm 土层中 51% 的有效水也被吸收利用;③豌豆主要利用 0～100cm 土层中的有效水,尤其是 0～50cm 土层中有效水被吸收利用了 94.06%,100～200cm 土层中的有效水仅消耗 19.6%,扁豆则更明显,它将 0～50cm 土层的有效水几乎耗尽,达 96.22%;④从收后剩余水量比较,可以看出,夏熟作物消耗土壤水最多为春小麦,其次为豌豆,最少的是扁豆。所以,本区农民群众倒茬种植的积极意义不仅仅是豆科作物可以增加肥力,在干旱、半干旱地区来说,土壤有效水分的积累也是十分重要的。

2.梯田水分运动和农作物需水

土壤是一个极其复杂的综合体,它包括固、液、气相,固相由大小不等和形状各异的土粒构成。据测定,安家沟流域土壤中砂粒和粉粒的主要矿物组成是:石英＞50%,长石占 23%,黑云母占 2%,方解石占 25%,磷灰石＜0.5%,绿泥石高＜1% 等。由于富含正长石、正斜长石、黑云母、白云母等,所以本区土壤中钾的含量可以满足作物需要。土壤中黏粒主要是伊利石及蛭石、高岭土和蒙脱石,此外,固相中还含有 0.4%～1.2% 的有机质。固相物质是土壤的骨架,对土壤理化性质都起着决定作用。土壤属黏壤土,容重偏小,孔隙度大,所以土壤含水的饱和点可达 48.7%～50.4%。由于本区土层厚,田间持水量为 22%～24%。所以,旱梯田中没有出现饱和含水的可能,也就是说,一部分孔隙中是由气体物质占据着的,它的组成物质和大气相同,但 CO_2 的浓度远比大气中的含量高得多。土壤与大气的气体交换依靠:①气体分子通过土壤孔隙的扩散作用进行交换;②降雨入渗可以取代出同体积的气体流入大气;③温度、压力的变化也可以进入一些少量的交换。

土壤中水分的运动我们可以根据水量平衡方程式

$$E_t = P - I + R - \Delta D_e - \Delta D_r \tag{9-3}$$

式中:E_t 为蒸散量,mm;P 为降水量,mm;I 为植物截流量,mm;R 为净径流量,mm;ΔD_r 为排水量,mm;ΔD_e 为土壤贮水增量,mm。

根据本试区旱梯田的条件来看,$R \approx 0$,梯田在百年一遇的大雨条件下不产生径流。$D_r \approx 0$,本区土层深厚经常处于不饱和状态,地下水极少,无水可排。所以,田间的水量平衡方程式可简化成 $E_t = P - I - \Delta D_e$。从简化式中可以看出,旱梯田水的来源是降雨(P),消耗土壤水是蒸散量(E_t)。

在土壤和植物体系中,水的运动是依靠水势做功,而土壤中的总水势是:

$$\psi_t = \psi_p + \psi_s + \psi_m + \psi_z \tag{9-4}$$

式中:ψ_t 为总水势;ψ_p 为压力势;ψ_s 为溶质势;ψ_m 为基膜势;ψ_z 为重力势。

旱梯田条件下土壤水处于非饱和状态,所以 ψ_p 可以不予考虑。ψ_s 的数值也很小,也可略而不计,主宰旱梯田进行水分运动的能量主要是基模势。为此,我们以水量平衡方程为依据,以土壤脱水曲线为参照,对本区旱梯田的土壤水分运动状态简述于下。

1)梯田年水分运动

本区 3 月中旬即惊蛰以后,气温迅速上升,土温也随之升高,封冻的土壤从上、下两面向距地面 30cm 为中心的部位融解，此时，地表没有任何覆盖物，0～15cm 由于解冻、耕耱、播种等影响，土壤疏松。当受到干燥空气迅速流动作用后，土壤蒸发的速度很快，甚至可以耗尽表层有效水分。据测定，3 月中旬 0～10cm 土壤湿度最低仅 7.77%，平均土壤湿度也只是 11.12%，而春播的种子基本上分布在 6～15cm 深处，往往因土壤水分不足影响种子发芽。从 3 月到 4 月，安定区的降雨多年平均值仅 35.7mm，相对湿度平均值为 58%，此时大气的负水势可能达到几个或几十个兆帕。土表的水不断汽化并输出大气，土壤蒸发量大于降雨平均值的 1.7 倍。当表土含水量下降后，地表以下的土壤与表土之间的吸力梯度增加，于是下层土壤水分通过毛管源源不断地上移，当土壤水分含量降低到足以使土表与大气趋近均衡的风干状态时，水分又以水汽扩散的方式，透过已干燥的土层向大气运动，此时，近地面层已在土壤断裂湿度以下，蒸发逐渐减慢，这就是本试区早春土壤水分的蒸发损失。一般年份，早春土壤水分在毛管断裂湿度以上，干旱年份则可能降低到毛管断裂湿度以下，播前，若能采取植物残体或塑膜进行覆盖，则可防止蒸发损失，保证作物出苗需水。

当 5、6 月份的气温月平均值达 12～16℃ 时，春播作物正处于 60d 以上的生长发育盛期。由于太阳辐射增强，气温增高，日照时数增加，蒸散量因具有充足的能量而强度增加，土壤耗水由蒸发为主逐渐变成以蒸腾为主，5、6 月多年平均降雨 73.3mm，还不足春小麦蒸散量的 30%。于是，土壤贮水不断消耗，1m 土层到 6 月中旬含水量接近全年最低值，一般年份在 10%～12%，干旱年份在 8%～10%，此时，基膜势达 -1.0～-1.5MPa，有效水基本耗尽，迫使作物根系向深层吸收水分以维持其生命过程。于是，1m 以下深层贮水受到两方面的消耗：一是植物根直接延伸深层吸收水分（我们测定到本区春麦根系可延伸到 180cm）；二是由于上层含水量降低，吸力梯度增加，水又从下往上运动。据 1982 年测定，旱年可将基本稳定层的有效水的 84% 吸收利用，5～6 月是春作物生长发育的关健时刻，对产量的构成会造成重要影响。此阶段若降雨不足，而深层土壤有效水量尚能补充蒸散量与降雨之差，则作物生长发育不受或少受影响，所以，蓄秋墒不仅可以抗"春旱"，深层贮水主要还是在抗"春末夏初旱"中起了作用，本段时期搞好保墒工作，将对提高作物产量起较大作用。

7 月份正值高温季节，太阳辐射及气温都达到全年最高值，降水也逐渐增多，而春作物的蒸腾作用逐渐转弱，需水量比 6 月份少，因此土壤含水量可以较 6 月底略有增加，即 7 月份的降水量大于该月蒸散量，此时，土壤水势发生了相反方向的变化，近地面部分比下层的基模吸力小，春麦地里 1m 上层上下是全剖面基模吸力最大的地方，平均含水量 9.68%，相当于 -0.987MPa，而 0～60cm 平均含水量在 12.9%，相当于 -0.257MPa，于是水由近地面的活跃层向次活跃层移动，这一时期就是全年增墒的开始。

8、9 月份，能降落全年 40% 的降雨量，此时的土壤水分不断得到补充，是土壤水分补充积聚期。春作物也已收获，这一部分梯田的总蒸散量就是土壤蒸发量。加上耕翻耙耱等蓄水保墒措施，进一步控制了水分损失，而这时的太阳辐射强度减弱，气温逐渐下降，使土壤水分增加很快。入渗的水分依靠重力和基模吸力往下移动。当入渗土层在田间持水量 24.4% 或小于田间持水量时，基膜势等于或小于 -0.033MPa 时，往下移动的水分则完全依靠两层之间存在的吸力梯度进行运动。据我们测定，这一阶段 2m 土层平均增墒 100mm，最高达 179.5mm，最低 68.3mm。本阶段一般到 9 月中、下旬结束（即雨季结束）。

从雨季结束到封冻前,土壤水分基本得到补充,但土壤蒸发虽不强烈,仍有少量损耗,此时期上层内水分再分布过程依靠吸力梯度继续进行,是本区缓慢失墒期。据我们测定,这一时期可以损耗8.2mm,个别年份甚至没有损耗或略有增加。

封冻以后,土壤深层虽然继续着水分的再分布,但变化很小,可以认为是处于稳定状态。可以观察到的除近地表的汽化损失外,近埂坎处的土壤含水量在封冻前略高于近坡部位,而在解冻时各点含水量趋于平衡,说明封冻后,近埂坎部位深层的贮水有向近坡部位移动的横向运动。

旱梯田全年各期水分运动受土壤,气候与人类生产活动的影响,年复一年,周而复始。

2)梯田水分运动和农作物需水的讨论

根据试区测定结果可以看出,耕层水分极易损耗,尤其是作物生长期内,50cm以上土层水分变化剧烈,这一部分是农作物80%以上生长需水的供应区。根据J·Seeman提出谷类作物以0~50cm土层为根区来计算有效持水量(R_c),本试区谷类作物的$R_c=101.9$mm,马铃薯以0~60cm土层为根区来计算,其$R_c=123.4$mm,按农业气象试验结果证明,谷类作物适宜水分供应量为51~82mm,马铃薯的适宜水分供应量为61.7~98.7mm,是R_c的50%~80%。

J·Seemann认为,低于根区持水量R_c的40%,就可能出现限制产量的危害作用,而本区旱梯田几乎每年对各种作物都产生过低于根区持水量40%的情况,只不过多和少、长和短之差而已,所以,本区旱梯田由于土壤水分限制,即使土壤肥力供应充足,气温、太阳辐射全部满足农作物的需要,也不可能达到理论产量水平。最适水分供应量相当于0~60cm土壤湿度在15.3%~20.7%,实际本区0~60cm土壤湿度在13.6%以下的时期,占全生育期的76%。所以,本区旱梯田依靠天然降雨不可能达到理论产量水平,但是,据定西水保所盆栽试验资料证明,土壤湿度维持在12%以上的水平,春小麦产量可以达到3 000~4 500 kg/hm²。该所旱梯田高产稳产试验研究,已探寻出不少抗旱保墒的增产措施,可以减少无效蒸发,增加土壤蓄墒,提高供水能力,增加粮食产量。

(三)不同地形部位林地土壤水分动态及林地适宜性

安家沟流域树种主要以油松、山杏、柠条、红柳、杞柳、文冠果等乔灌木为主,在保持水土、拦泥蓄洪方面起到了很大的作用,具有很高的水土保持效益。但从林地生物产量来看,由于不同地形部位的小气候、土壤水分和各树种生物学、生态学特性的差异,部分造林地不适树或树不适地现象比较严重,林分分化大,林木病虫害多,经济效益也很低。

1. 不同地形部位林地土壤水分含量及分布特征

在自然状况下,土壤水的分布由于坡向影响,其在剖面上的分布差异很大,阳坡不同层次土壤干化状况均大于阴坡,土壤水的补偿程度及数量阴坡也好于阳坡,在0~200cm范围内,阴阳坡匀未出现恒湿层。土壤水年内分布状况,在4~7月出现强烈失水,在8月以后土壤水才能得到较多的补偿。林地土壤水的分布除受地形因子影响外,受树种及其生长发育状况、整地工程质量影响也很大。总的来看,土壤各层次干化程度,林地远远大于荒地,柠条林又大于杨树林。以1983年为例,柠条林使200~500cm土层的土壤容积含水量达到0.05~0.07g/cm³,而青杨×榆混交林在200~400cm和400~500cm土层土壤容积含水量达到0.07~0.09g/cm³和0.09~0.11g/cm³。年内土壤水分布状况,各树种不尽一致,总的来看,各层次土层含水量随降水量大小而上下波动,波动幅度随土层加深而变小。

由于地形小气候的差异,导致了不同地形部位土壤含水率的差异。从测定结果来看,荒地同一坡向不同部位(分梁峁坡面上、中、下部)土壤含水率从上至下依次略为增高,但无显著差异,而不同坡向同一位差异非常显著($\alpha=0.01$,见表 9-38)。2m 内土壤含水率阴坡比阳坡平均多蓄水 70.5mm,每公顷多蓄水 705m³,坡面上部阴坡比阳坡平均贮水高 70.03mm、每公顷多蓄水 700.3m³,坡面中部阴坡比阳坡高 76.18mm,每公顷多蓄水 761.8m³。

坡面下部阴坡比阳坡高 59.3mm,每公顷多蓄水 593m³,形成了极显著差异。林地土壤含水量的多少,主要受降雨补给量和林木蒸散量的影响。一般条件下林地比荒地多蓄水 50mm,有效地增加了土壤水补给量。相同地形部位由于不同树种生态学、生物学特性不同,导致了各树种林地土壤含水量差异,如相同地形部位的青杨×榆树混交林与柠条林相比,由于混交林吸水能力及深度较柠条小,在 2m 土层内,四年平均青杨×榆树混交林土壤含水量较柠条高 46mm,两林地土壤含水率分别为 9.31% 和 6.19%(见表 9-37)。

表 9-37 2m 土层土壤水分特征值汇总

土地利用	田间持水量（%）	凋萎湿度（%）	最大有效含水量		实际有效含水量	
			%	mm	%	mm
荒 地	20.91	6.31	14.60	346.60	3.31	78.6
青杨林	19.76	6.37	12.39	298.60	3.00	72.3
柠条林	19.76	5.40	14.36	390.60	0.80	21.7

青杨、榆树受干旱影响也较柠条大,适应性较柠条差,胸径变动系数($\overline{x}/S\times100\%$)达43%～60%。林分分化很大。同为杨树林地,2m 土层土壤含水量阴坡比阳坡多近 20mm。林地土壤含水量年内分布,以春初、秋末为高,低值出现在 7～8 月,变率较荒地缓和。在同期年降水量 502.1mm 的条件下,在阴坡林地 2m 土层内土壤含水量得到补偿,3 年内增加土壤水分 96.80mm,其补偿数量以阴坡中部林地最高,达 106.80mm,阴坡上部、阴坡下部分别为 83.15mm、100.45mm,但 5m 土层内土壤含水量未得到补偿,1983 年 5 月初至 1984 年 10月底,平均亏缺 -22.31mm,阴坡上部、阴坡中部林地分别亏缺 -19.13mm、-15.13mm;阳坡 2m 内土壤含水量上、中部均出现亏缺,亏缺值以阳坡上部林地最大,达 -29.73mm,阳坡中部为 -13.58mm。1983 年 5 月初至 10 月底,5m 土层内土壤补偿量,阳坡上部林地均出现亏缺,最小为两块柠条林地,达 -36.15mm 和 -9.9mm,榆×杨为 -45.58mm,阳坡中部青杨幼林土壤水分补偿量亏缺 -22.35mm,阳坡中部红柳幼林地,土壤水补偿出现亏缺,达 -11.62mm。

荒坡和林地土壤水分方差分析见表 9-38～表 9-40。

表 9-38 荒坡土壤水分方差分析

变异来源	自由度	离差平方和	均方	均方比	F_α
组间	5	249 814.7	49 962.5	$F=22.90$	$F_{0.01}=3.11$
组内	192	418 821.9	2 181.4		
总的	197	668 634.6			

表 9-39　荒坡土壤水分多重比较分析

$\overline{x}_i$	$\overline{x}_i - \overline{x}_6$	$\overline{x}_i - \overline{x}_5$	$\overline{x}_i - \overline{x}_4$	$\overline{x}_i - \overline{x}_3$	$\overline{x}_i - \overline{x}_2$
$\overline{x}_1 = 185.52$	-71.78^{***}	-76.78^{***}	-76.03^{*}	-12.48	-0.69
$\overline{x}_2 = 186.21$	-71.18^{***}	-76.18^{***}	-75.43^{*}	-11.88	
$\overline{x}_3 = 198.00$	-59.30^{***}	-65.30^{***}	-63.55		
$\overline{x}_4 = 261.55$	4.25	-0.75			
$\overline{x}_5 = 262.30$	5.0				
$\overline{x}_6 = 257.30$					

注:(1)$\alpha = 0.01$ 时,$D = 37.40$;

(2)$\overline{x}_1,\cdots,\overline{x}_6$ 依次代表阳、阴坡上、中、下部位。

表 9-40　林地土壤水分方差分析

变异来源	自由度	离差平方和	均方	均方比	F_α
组间	5	11 844.90	23 689.8	$F = 14.04$	$F_{0.01} = 3.11$
组内	192	323 905.3	1 687.0		
总的	197	442 354.4			

综上所述,大部分林地土壤含水率虽然在 2m 土层内均有所提高,但深层土壤不断干化,土壤水未得到有效补偿,出现亏缺,土壤水分补偿数量一般阴坡大于阳坡,灌木大于乔木(见表 9-41)。

表 9-41　林地土壤水分多重比较分析

树种	$\overline{x}_i$	$\overline{x}_i - \overline{x}_6$	$\overline{x}_i - \overline{x}_5$	$\overline{x}_i - \overline{x}_4$	$\overline{x}_i - \overline{x}_3$	$\overline{x}_i - \overline{x}_2$
青杨×榆	$\overline{x}_1 = 214.55$	-30.33^{*}	-19.03	-13.03	46.00^{*}	6.22
青杨	$\overline{x}_2 = 208.33$	-36.55^{*}	-25.25	-19.25	39.78^{**}	
柠条	$\overline{x}_3 = 168.55$	-76.33^{*}	-65.03^{*}	-59.03^{*}		
杞柳	$\overline{x}_4 = 227.58$	-17.30	44.00			
加杨	$\overline{x}_5 = 233.58$	-11.30				
青杨	$\overline{x}_6 = 244.88$					

注:(1)$\alpha = 0.01$ 时,$D = 32.89$,$\alpha = 0.05$ 时,$D = 27.6$。

(2)$\overline{x}_1,\cdots,\overline{x}_6$ 依次代表阳、阴坡上、中、下部位。

2.不同立地条件下林地水分散失

林地土壤水分散失主要受树种、坡向的影响。2m 土层内,土壤水分日平均散失量阳坡高于阴坡,分别为1.36mm/d和1.29mm/d,年散失量分别为496.9mm和469.8mm,前者比后者多6%(见表9-42)。

依土壤水分散失强度及数量可划分为三个时期,1期:前一年11月初至第二年4月底,2期:第二年5月初至8月底,3期:第二年9月初至10月底,蒸散强度及数量,以1期最小,2期最大,3期居中,0～500cm土层散失强度及数量阴阳坡平均值1期为0.35mm/d、62.7mm;2期为3.32mm/d、408.1mm;3期为1.78mm/d、108.4mm。0～200cm土层散失强度及数量1期为0.42mm/d、76.0mm;2期为2.74mm/d、337.1mm;3期为1.20mm/d、73.2mm。阴坡与阳坡相比,2m土层内土壤水散失量及强度,1期阳坡分别低于阴坡18%,2期阳坡比阴坡高10%,3期阳坡比阴坡高20%(见表9-42)。坡位引起的差异不显著,在阴阳坡上部散失强度略高于坡中坡下。以树种来看,柠条、红柳等灌木深层(0～500cm)较乔木土壤水散失量低,达1.42～1.51mm/d,而且老龄灌木散失量比幼林小,如24龄和4龄柠条林土壤水散失量分别为1.4mm/d和1.51mm/d。混交林土壤水散失量比纯林大,如榆×杨为主1.63mm/d,杨树为1.60mm/d。无论2m或5m土层内土壤含水量的补充量均小于散失量,其导致的结果是土壤水不断耗散,日益干化。

表9-42　荒地、林地不同时期土壤水分散失强度及数量

利用措施	土层厚度	散失强度及散失数量	1期(11～4月)		2期(5～8月)		3期(9～10月)	
			阴坡	阳坡	阴坡	阳坡	阴坡	阳坡
荒地	0～200cm	散失强度(mm/d)	0.29	0.49	2.77	2.57	1.75	1.54
		散失量(mm)	52.50	88.7	340.7	316.1	106.8	93.9
林地	0～200cm	散失强度(mm/d)	0.45	0.39	2.61	2.87	1.09	1.31
		散失量(mm)	82.2	69.8	321.2	353.0	66.4	80.0
	0～500cm	散失强度(mm/d)	0.40	0.29	3.78	2.85	1.9	1.65
		散失量(mm)	72.14	53.3	465.1	351.0	116.1	100.7

不同立地条件下林地土壤水分蒸散发观测结果见表9-43。

3.林木生长量与不同立地条件土壤水分关系

(1)林木生长量。从选择的11块林地来看(见表9-44),灌木林(柠条、杞柳、红柳、文冠果等),林木生长量的大小除受土壤含水量的大小影响外,还受地形小气候影响较大。由于柠条林低干、矮冠、叶面小,耐旱性能强,增强了抵抗不利小气候条件的能力,特别是风速的影响,使柠条生长潜力得到比较充分的发挥,使非常有限的土壤水分得到有效利用,林木生长状况良好,林木生长量亦较稳定,年均产柴量达3 210kg/hm²。而处于阴阳坡上部、中部、顶部的青杨林及山杏林,由于风速过大抑制林木蒸腾,使生长处于不利地位,有限的土壤水分得不到充分的利用,加重了生长期供水不足对光合物质积累速度的影响,林木生长缓慢。如20年生青杨树高仅为6.50m,胸径仅为6.87cm且林木病虫害严重。形成造林难成林、成林难成材的局面。

(2)林木生长与不同立地条件下土壤水分关系。自然荒坡阴坡土壤含水量显著高于阳坡,阴坡2m土层土壤含水量平均值在260mm左右,阳坡在190mm左右。同一坡向相同部

表 9-43　不同立地条件下林地土壤水分蒸发过程

点号	利用现状	立地条件	项目 指标	单位	土壤含水 基期	1982年 3期(61d)	1983年 1期(181d)	1983年 2期(123d)	1983年 3期(61d)	1984年 1期(181d)	1984年 2期(123d)	1984年 3期(61d)	1985年 1期(181d)	1985年 2期(123d)	合计	年均
2	青杨	阳坡上部	同期降水	mm		80.2	102.5	284.3	99.2	44.4	439.7	58.6	33.2	364.1	1 506.3	502.1
			土壤贮水	mm	178.56	203.3	234.78	274.18	263.58	216.12	287.5	217.77	216.66	148.83		
			贮水增减	mm		24.74	31.48	39.4	-10.6	-47.46	71.38	-69.73	-1.11	-67.83	-29.73	-9.91
			水分散失	mm		55.46	71.02	244.9	109.8	91.86	368.32	128.33	34.31	432.03	1 536.08	512.01
			散失强度	mm/d		0.91	0.39	1.99	1.8	0.51	2.99	2.01	0.19	3.51		1.4
1	青杨	阳坡中部	土壤贮水	mm	172.64	199.97	233.52	281.32	280.19	217.11	189.32	244.6	217.59	159.06		
			贮水增减	mm		27.23	33.65	47.8	-51.13	-13.08	-27.79	55.28	-27.01	-58.53	-13.58	-4.53
			水分散失	mm		52.97	68.85	236.5	150.33	57.48	464.49	3.32	60.21	422.73	1 519.88	506.63
			散失强度	mm/d		0.87	0.38	1.92	2.46	0.32	3.8	0.05	0.33	3.44		1.39
12	柠条	阳坡下部	土壤贮水	mm	123.17	138.96	187.68	206.91	193.55	146.39	147.56	215.6	148.79	212.55		
			贮水增减	mm		15.79	48.72	19.24	-13.37	-47.16	1.17	68.04	-65.81	62.76	89.38	29.79
			水分散失	mm		64.41	53.78	265.06	112.57	91.56	438.53	-9.04	99.01	301.44	1 416.92	472.31
			散失强度	mm/d		1.6	0.3	2.15	1.85	0.51	3.57	-0.15	0.55	2.45		1.29

点号	利用现状	立地条件	项目 指标	单位	土壤含水 基期	1982年 3期(61d)	1983年 1期(181d)	1983年 2期(123d)	1983年 3期(61d)	1984年 1期(181d)	1984年 2期(123d)	1984年 3期(61d)	1985年 1期(181d)	1985年 2期(123d)	合计	年均
15	杞柳	阳坡上部	土壤贮水	mm	169.22	204.43	256.67	245.53	269.71	243.87	263.37	319.95	162.59	252.37		
			贮水增减	mm		35.21	52.24	-11.14	24.18	-25.84	19.5	56.58	-157.37	89.79	83.15	27.72
			水分散失	mm		44.99	50.26	295.44	75.02	70.24	420.2	2.02	190.57	274	1 423.15	474.38
			散失强度	mm/d		0.74	0.28	2.4	1.23	0.39	3.24	0.03	1.05	2.23		1.3
22	杨树	阳坡中部	土壤贮水	mm	228.27	235.5	240.49	255.15	233.16	209.21	268.99	278.62	259.23	335.07		
			贮水增减	mm		7.23	4.99	14.66	-21.99	-23.95	59.78	9.63	-19.39	75.84	106.85	35.6
			水分散失	mm		72.97	97.51	269.64	121.19	68.25	379.92	48.98	52.59	288.36	1 399.5	466.5
			散失强度	mm/d		1.2	0.54	2.119	1.99	0.38	3.09	0.8	0.29	2.34		1.28
20	青杨	阳坡下部	土壤贮水	mm	213.95	220.26	259.39	290.4	279.83	251.46	264.5	274.06	232.71	313.4		
			贮水增减	mm		6.31	39.13	31.01	-10.57	-28.37	13.04	9.56	-41.35	81.69	100.45	33.43
			水分散失	mm		73.89	63.37	253.29	109.77	73.77	426.66	49.04	74.55	282.51	1 405.85	468.62
			散失强度	mm/d		1.21	0.35	2.06	1.8	0.4	3.47	0.8	0.41	2.3		1.28

续表 9-43

点号	利用现状	立地条件	指标	单位	土壤含水 基期	1982年 3期(61d)	1983年 1期(181d)	1983年 2期(123d)	1983年 3期(61d)	1984年 1期(181d)	1984年 2期(123d)	1984年 3期(61d)	1985年 1期(181d)	1985年 2期(123d)	合计	年均
附4	柠条	阳坡上部	同期降水	mm				284.3	99.2	44.4	439.7	58.6			826.2	
			土壤贮水	mm	267.6			255.53	229.98	245.7	234.93	231.45				
			贮水增减	mm				-12.07	-25.55	15.72	-10.77	-3.48			-36.15	1.47
			水分散失	mm				296.37	124.75	28.68	450.47	62.08			962.35	541.23
			散失强度	mm/d				2.41	2.05	0.16	3.6	1.02				1.48
附5	青杨×榆	阳坡上部	土壤贮水	mm	292.12			304.11	298.49	272.94	302.45	246.54				
			贮水增减	mm				11.99	-5.62	-25.55	29.51	-55.91			-45.58	-51.95
			水分散失	mm				272.31	104.82	69.95	410.19	114.51			971.78	594.65
			散失强度	mm/d				2.21	1.72	0.39	3.33	1.88				1.63
附6	柠条	阳坡上部	土壤贮水	mm	183.24			198.04	180.63	163.76	196.41	173.34				
			贮水增减	mm				14.8	-17.41	-16.87	32.65	-23.07			-9.99	-7.29
			水分散失	mm				269.5	116.61	61.27	407.05	81.67			936.1	549.99
			散失强度	mm/d				2.19	1.92	0.34	3.31	1.34				1.51

续表 9-43

点号	利用现状	立地条件	项目 指标	单位	土壤含水 基期	1982年 3期(61d)	1983年 1期(181d)	1983年 2期(123d)	1983年 3期(61d)	1984年 1期(181d)	1984年 2期(123d)	1984年 3期(61d)	1985年 1期(181d)	1985年 2期(123d)	合计	年均
附7	杨树	阳坡中部	土壤贮水	mm	251.43			272.6	270.01	239.2	259.49	229.08				
			贮水增减	mm				21.17	-2.59	-30.81	20.29	-30.41			-22.35	-40.93
			水分散失	mm				263.13	101.79	75.21	419.41	89.01			948.55	583.63
			散失强度	mm/d				2.14	1.67	0.42	3.41	1.46				1.6
附3	红柳	阳坡中部	土壤贮水	mm	241.74			227.84	205.62	215.72	221.51	230.12				
			贮水增减	mm				-13.9	-22.22	10.1	5.57	8.16			-11.62	24.5
			水分散失	mm				298.2	121.42	34.3	433.91	49.9			937.82	518.2
			散失强度	mm/d				2.42	1.99	0.19	3.53	0.82				1.42
附1	山杏×柠条	阳坡上部	土壤贮水	mm	260.93			270.92	290.64	230.95	205.95	241.8				
			贮水增减	mm				9.99	19.72	-59.68	28.94	-24.12			-19.13	-54.84
			水分散失	mm				274.31	79.48	104.06	410.76	82.72			945.33	597.54
			散失强度	mm/d				2.23	1.3	0.57	3.34	1.36				1.64
附2	木瓜	阳坡中部	土壤贮水	mm	221.09			240.05	237.43	206.84	721.21	209.68				
			贮水增减	mm				18.96	-2.62	-30.59	14.37	-11.53			-11.41	-31.75
			水分散失	mm				265.34	101.82	74.99	425.33	70.13			917.61	570.45
			散失强度	mm/d				2.16	1.36	0.41	3.46	1.22				1.56

注：(1)1期：前一年 11 月初至本年的 4 月底；2 期：本年 5 月初至至 8 月底；3 期：本年 9 月初至至 10 月底。

(2)附加点平均值为 1984 年值。

(3)附加点取土深度为 0～500cm，其余为 0～200cm。

表 9-44　水分点林木调查汇总

地名	树种	年龄	坡向	坡度	坡位	整地工程 名称	整地工程 规格	造林 方式	株(丛)行 距(m×m)	密度 株(丛) /hm²	林分特征 树高 (m)	林分特征 地径 (cm)	胸径 方差	胸径 变动系数 (%)	病株 %
乱坟山	青杨×白榆	20	SE	10	上	水平台	宽2m,连台	扦插	2×1.5	4 305	6.5	6.87*	4.12	60	50
		20	SE	10	上	反坡台	宽2m,个台	植苗			2.6	3.15*	1.36	43	2
乱坟山	柠条	10	SE	10	上	反坡台	宽2m,间距1m	直播		3 330	0.69	0.57			
八队辽坡	柠条	4	SE	20	上	反坡台	宽2m,间距1m	直播		3 330	0.42	0.53			
照石坡	青杨	8	SW		中	反坡台	宽2m,间距1.5m	植苗	1×3	1 695	2.47	1.67*	0.67	40	15
七队辽山	红柳	4	SW	20	中	反坡台	宽1.5m,间距1m	扦插	2×1.3	11 100	0.96	0.73			
照石坡	柠条	8	S	16	下	反坡台	宽1m,间距1m	直播	0.3×3	19 245	0.77	0.8			
电杆梁	山杏×柠条	28	NE		上	反坡台	宽2m,间距0.5m	直播	2×2.5	1 995	3.6	4.9			
										4 080	1.31	1.24			
电杆梁	杞柳	15	NE	16	上	反坡台		扦插	1.3×1.3	11 115	3.14	0.95			
老站	文冠果	15	NE		中	台地	宽3m	植苗	2×1	2 880	3.3	8.1			
老站后	加杨	18	NW	10	中	反坡台	宽2m,连台	植苗	2×1	4 995	7.3	5.68*	2.57	45	0
老站下林地	青杨	14	NE	10	下	反坡台	宽3m,连台	植苗	3×4	825	9.1	8.44*	2.44	29	0

注:地径栏中带＊者为胸径。

位荒坡,在造林后因树种不同,土壤水分含量变化不尽一致。分布在阳坡上、中部位的青杨林,不但未降低土壤水分含量,与同一部位荒地相比,2m 土层含水量分别提高了 29.3mm 和 22.21mm,提高了 15.6% 和 11.9%,阳坡下部柠条林土壤含水量比同一部位荒地降低 29.45mm,降低了 14.9%。出现这种情况的原因:一是上中部杨树林郁闭后,林下植物生长受抑制,对土壤水消耗量减少;二是整地工程有效拦蓄了自然降水,提高了土壤含水率;三是杨树抗旱性能差,加之梁峁坡上、中部风速过大,导致青杨蒸腾强度下降,根系吸水能力降低,使高吸力范围的土壤水未得到利用,160cm 以下土壤容积含水量在 $0.11 \sim 0.13 \mathrm{g/cm^3}$,而柠条林由于抗旱性能强,根系分布广而深且吸水性能强,加之林下密被针茅,使高吸力范围内的土壤水分亦被利用,地表至 5m 深的土壤干化,容积含水量达到 $0.07 \sim 0.09 \mathrm{g/cm^3}$,在根系密集区 $60 \sim 200 \mathrm{cm}$ 的土层容积含水量达到 $0.05 \sim 0.07 \mathrm{g/cm^3}$,接近吸湿系数 $0.064 \, 8 \mathrm{g/cm^3}$。阴坡林地土壤含水量与同一部位荒坡相比,均有所下降,上、中、下部林地 2m 土层含水量分别比相应部位荒地降低 33.97mm、28.72mm 和 12.42mm。

综合上述,2m 内土壤水分耗散量在年降水 502mm 的条件下,阴坡林地得到补偿,三年内增加近 96.8mm,阳坡上、中部林地均出现亏缺,三年内共亏缺 21.79mm。但 5m 土壤内水分耗散均未得到补偿,1983 年 5 月至 1984 年 10 月两年内,阴坡共亏缺 -22.31mm,阳坡林地亏缺 -25.12mm。不同利用亏缺值:24 龄柠条为 -36.15mm,4 龄柠条林为 -9.9mm,青杨×榆混交林为 -45.58mm,青杨林为 -22.35mm。因此,在一般条件下,已成林林地土壤含水量与林分生长的好坏和林龄的大小呈负相关,林分长势越好林龄愈大,所耗越多,林地土壤含水量亦愈低。由于灌木林对不良环境的抗性较乔木强,灌木林地土壤含水量也较乔木林低。

4.不同地形部位林地适宜性

(1)不同地形部位小气候的差异,形成了乔木树种在生长量上的显著差异。不利的地形小气候条件(特别是风速),造成了林木生长不良、土壤水利用率差、林地生物量低下,经济效益很差的结果,受害程度一般乔木树种大于灌木树种,阳坡大于阴坡,因此在阴阳坡之上部、阳坡中下部,除特殊地形及需要外,不宜大面积营造乔木林,而只能以抗旱性强的灌木树种为主。

(2)半干旱山区土壤水来源完全依赖于大气降水,高质量的坡面水保工程有效地拦蓄了坡面径流。反坡梯田在集流比 1:1～1:1.5 的条件下,在林木生长季节可增加土壤水 254～280mm,为适生树种准备了较好的水分条件。但由于大气降水不能直接为林木吸收利用,其生长量受其他生理、生态因素影响,土壤含水量的高低未造成杨树等乔木林在生长量上的显著差异,而造成了灌木树种在生长量上有显著差异。

(3)土壤水的散失量扣除径流量外,植物对土壤水的消耗乔木林>灌木林>荒坡杂草。但无论何树种,在观测期年降水量较高的情况下,土壤水补偿量均小于散失量,深层土壤不断干化,土壤有效贮水量很低,消除深层土壤干化的基本途径之一是发展径流林业,加大集流比。

(4)造林密度。仅从水分因子来看,个别耗水量的乔木树种(如青杨),最大成林密度在 3 000 株/hm² 左右外,其他树种一般在 1 500 株(丛)以下。主要树种造林适宜最大密度见表 9-45。

表 9-45　阴阳坡主要造林适宜保留密度

坡向	项目	单位	杞柳	苹果梨	接杏	青杨	苹果	茄梨
阳坡	降水补给量	t/hm²	2 541	2 541	2 541	2 541	2 541	2 541
	蒸腾量	kg/株	2 310	2 609	1 794	789	782	2 133
	最大密度	株(丛)/hm²	1 095	975	1 410	3 225	3 255	1 185
阴坡	降水补给量	t/hm²	2 541	2 541	2 541	2 541	2 541	2 541
	蒸腾量	kg/株(丛)	2 349	1 971	2 308	1 635	1 351	2 021
	最大密度	株/hm²	1 080	1 290	1 095	1 560	1 875	1 260

注:(1)降水补给量:按254mm计算,未考虑土壤蒸发量;
　　(2)坡地整地工程集流比1:1~1:1.5。

第三节　不同地形部位水土保持植物措施对位配置模式

一、植被恢复的自然背景

黄土高原天然植被的地带性分布取决于气候地带分布控制之下的水、热条件,这是林草植被建设区划和立地条件分类的首要标准。由于年降水量、土壤质地、水分蒸发量的地带性分异,造成的土壤水分的地带性差异,是限制黄土高原植被地带性分布与生长状况的主要因子。

(一)气候条件的地带性分布对植物生长发育的影响

研究表明,于3.4MaB.P.左右,青藏高原开始强烈隆升,到第四纪初(2.5MaB.P.),青藏高原平均海拔高度已达到1 500~2 000m,到0.15MaB.P.,青藏高原面已上升到平均海拔接近4 000m,亚洲季风气候建立并逐渐加强,我国西北地区开始出现大面积的黄土堆积,黄土高原开始形成。从早更新世到晚更新世,黄土堆积的发展标志着我国北方存在着气候变干的总趋势。黄土高原植被在全新世中期时(距今8 000~3 000年,即仰韶温暖期),黄土高原地貌平缓、气候湿润、土质肥沃、植被茂密,生产生活条件优越,社会经济、农牧业生产非常发达。到全新世晚期,即距今3 000年来,在自然植被类型没有发生大的变化。只是在自公元前1 000年的西周以后,温暖期逐渐变短,寒冷期逐渐变长、寒冷程度逐渐变强,植被区系逐渐发生南移。目前黄土高原的自然植被自东南向西北依次分布着暖温带落叶阔叶林带与温带草原带之森林草原、干草原、荒漠草原三个亚地带。其具体分界线为:

(1)暖温带落叶阔叶林带北界:山西恒山—芦牙山—兴县紫金山—陕西清涧—延安蟠龙—安塞西河口—志丹—吴旗—甘肃华池—合水—正宁—(子午岭西麓)—华亭—六盘山南段—清水白沙—天水甘泉寺—漳县四族—渭源峡城—和政吊滩—临夏马家集—小积石山。

(2)温带草原带森林草原亚带北界:晋陕长城—陕西定边与宁夏盐池交界处—甘肃环县—宁夏固原炭山—六盘山北端—甘肃会宁老君—临夏新集—小积石山。

(3)温带干草原与荒漠草原的分界线是:内蒙古包头—杭锦旗与鄂托克旗—宁夏盐池、同心—甘肃会宁郭城—永靖杨塔—小积石山—青海循化、同仁。此线以北地区为温带荒漠草原亚地带。

根据现代生物气候地带性原理,一定的气候条件(热量和水分条件为主导因素)必然发育与其相适应的植被类型,当气候条件发生演变时,植被类型也必然发生相应的变化。现存的自然植被是物种长期适应自然"优胜劣汰、适者生存"自然选择的结果,它的存在显示了植物与自然生态条件的长期适应关系;在考察植被分布时必须强调其地带性分布,克服"独木成林"、一点带面、以偏赅全的错觉。

梁一民等通过对气候带与植被带之间的适应性,以及适地适树(草)与适地适林之间的关系,提出了"应用植被地带分布规律指导人工林草植被建设,选择地带性植被优势种作为主要造林种草的植物种,模拟天然植被结构实行乔灌草复层混交是快速建造稳定植被"的适宜林草种选择的科学方案(表9-46)

表9-46　黄土高原人工林草植被适宜树草种(梁一民等,1999)

植被地带	人工林草植被主要树草种	主要伴生或"四旁"绿化树种
暖温性森林地带	油松、刺槐、侧柏、白桦、槲栎、栓皮栎、辽东栎、水杉、沙棘、连翘、山桃、山杏、紫穗槐、二色胡枝子、榛子、狼牙刺、苜蓿、小冠花、红三叶、白三叶	小叶杨、新疆杨、旱柳、泡桐、白榆、杜梨、臭椿、元宝枫、银杏、茶条槭、国槐、椴树、白蜡、玫瑰
暖温性森林草原带	油松、刺槐、侧柏、辽东栎、沙棘、柠条、山杏、山桃、紫穗槐、火炬树、连翘、二色胡枝子、狼牙刺、苜蓿、沙打旺、红豆草、小冠花、白羊草、兴安胡枝子	小叶杨、河北杨、新疆杨、旱柳、杜梨、白榆、臭椿、元宝枫、茶条槭、国槐、椴树、白蜡、玫瑰
暖温性典型草原带	柠条、沙棘、山杏、山桃、扁核木、苜蓿、红豆草、沙打旺、兴安胡枝子、芨芨草	小叶杨、河北杨、新疆杨、旱柳、杜梨、白榆、臭椿
暖温性荒漠草原带	沙枣、柽柳、柠条、羊柴、花棒、山桃、乌柳、芨芨草、沙蒿、白刺	旱柳、新疆杨、小叶杨、白榆、臭椿

(二)水分条件的地带性分布对植物生长发育的影响

由于黄土高原半干旱地区植物光热的生产潜势,远远大于水分的生产潜势,因此人工植被普遍出现了生物产量高、土壤干化严重的现象。水分成为影响植物生长发育的主要限制因子,水分环境的好坏制约着植物生产力的高低。自20世纪60年代中期在黄土高原发现土壤干层以来,不同植被条件下的土壤水分问题一直成为土壤学和生态学领域研究的热点,已有的研究成果表明,在黄土高原地区农田、草地和人工林地均存在不同程度的水分亏缺,即使经过雨季,某些土层土壤水分也不能恢复到正常水平,形成所谓的土壤干层,限制了农作物的生产,并导致了许多人工植被因水分亏缺而衰败,甚至成片死亡,严重制约了黄土高原的生态环境建设。就其对林木生长的制约程度而言,森林带＜森林草原带＜典型草原带。森林带的水分生态条件可满足林木成材对水分的需求,林木采伐后,土壤水分在经过3个雨季后可基本恢复。森林草原带可基本满足10龄以下林木生长对水分的需求,人工沙棘林茬后,经过3个雨季,土壤水分可得到部分恢复,但恢复的水平远低于森林带。典型草原带不能满足人工林生长对水分的需求,即使林木采伐后的土壤水分恢复也很困难。解决环境水分承载力与植物生产力之间的矛盾是植被建设与生态环境恢复的关键措施。与天然荒坡比较,由于物种和密度的不同,不同植被地带的人工林下均存在一定程度的水分亏缺和不同深度的土壤干化层现象,为使植被建设达到预期目标,按照不同立地条件的降水补给量、林木需水量,确定适宜的造林密度(在半干旱地区乔木树种一般在 1 500 株/hm²,灌木载 3 000 株/hm² 左右),匹配与之适应的径流聚集工程,解决水分承载力与植物生产力之间的矛盾,是林木正常生长发育的保证条件。

二、小流域地形小气候与植物的适应性

地形地貌对小流域生态环境的影响体现在多个方面,通过坡度、坡向、坡形等影响景观生态系统中对太阳辐射、降水、营养物、污染物输入输出过程;通过海拔、坡向等形成不同的小气候条件,包括日照、太阳辐射、降水等,进而影响生态系统的整体组织过程和特征;地形状态不同,地表物质的侵蚀、剥蚀、沉积、聚集、迁移等过程就有差异,从而形成生态系统中不同的物质流特点;地表形态不同,对生态系统各种干扰,如风、水、人类影响等的频率、分布和强度就有不同。由于地形下垫面对气候因子的再分配,不同地形部位具有不同的地形小气候(资源位)条件,只能满足特定植物的生育需求;不同植物种具有不同的生态适应性,只能在特定的小气候条件下正常生育。地形小气候(资源位)条件只有满足植物种生态位条件——即对位配置,植被建设才能取得相应的实际效果。研究表明,受气候因子影响,土地生产潜力随坡位的抬升、风速增大而降低;在自然表面上部的水土流失,土壤水分和肥分也随坡位的抬升而迅速降低;在无灌溉条件时,土壤水分支出大于收入,土层不断干化,特别是在干旱、半干旱和荒漠地区,植物生育状况越好对水分利用强度越大,土层干化越严重。风对植物蒸腾、光合作用的效应取决于风速的大小和植物种的生物学特性(植物种、叶型、密度、株高、生育期、抗机械损害能力等)和生态学特性。风速低于植物生育破坏临界值(2m/s)时,对植物光合作用有所促进;大于临界值时,导致植物在形态学、生态学、解剖学上的变化。由于坡面中部以上风速较大,使阔叶乔木林蒸腾作用受到抑制,生长发育不良,相比之下,灌木、牧草由于低秆、矮冠、叶面小,对风的抗性较强,生长发育良好,但其生长效果阴坡优于阳坡,沟谷优于坡面,坡面下部优于上部(表 9-47、表 9-48、表 9-49)。

表 9-47 定西安家沟流域不同地形部位各业产量汇总 （单位:kg/hm²)

坡位	阳 坡			阴 坡			阴阳坡平均			
	草地	坡地	梯田	草地	坡地	梯田	草地	坡地	梯田	梯田增产(%)
上部	3 501	921	782	5 250	972	1 403	4 376	947	1 092	15
中部	5 253	1 151	1 763	3 867	977	1 547	4 560	1 064	1 655	56
下部	3 528	1 199	2 147	4 440	1 542	1 958	3 986	1 371	2 052	50
平均	4 095	1 091	1 563	4 520	1 164	1 635	4 308	1 127	1 599	42

注:(1)草地产量为干重。

(2)农作物产量仅指粮食。

(一)小流域植物措施的对位配置

1.农牧业措施

农业措施主要是修建水平梯田,其分布范围为阴坡的上、中、下部,阳坡的中、下部。田

面宽一般 8～23m,坡度 10°以下的缓坡可达 20～30m。由于水平梯田的拦蓄径流、保水、保土、保肥作用,产量明显高于坡地,单产平均高出 42%(见表 9-47)。梯田增产幅度坡面中、下部要比上部高出 34%～40%,这表明即使坡地修成梯田后,在接近梁峁的上部产量仍然提高不多。因此,基本农田建设应以坡面中下部为宜。定点试验和调查研究表明,在流域内不同的地形部位对农、牧业生产有着不同程度的影响。从表 9-47 还可以看出,坡位对粮食产量的影响比较明显,随着坡位的升高,粮食产量明显降低。影响农业产量的自然因素比较多而且复杂,我们从地形小气候观测结果来分析,认为构成坡位影响的主要因素是风速,因为随着坡位抬升,风速明显增大,由沟底的 0.75m/s 逐步增大到梁峁顶 3.25m/s。据调查,1982 年曾发生干热风(当地称为"火南风"),坡位越高受害越重,尤其在较高的阳坡地,几天内小麦全部变白死去。这是因为当年大旱,干热风使本来干旱的土壤蒸发量增大,变得更加干旱,作物缺水枯死,同时高温引起叶绿素加速分解,叶片变黄变白;坡向对农作物产量的影响不太明显。这是由于在干旱年份,土壤水分往往成为作物生长的限制因素,这时阳坡水分条件比阴坡差,如上所述的干热风等灾害,阳坡比阴坡严重,所以阳坡产量低;在丰水年,当水分充足,不成为作物生长的限制因素时,阳坡较高的太阳辐射量,又成为作物生长的优势,因而产量又较阴坡高。特别是在小麦开花灌浆期较长时期的连绵阴雨天气往往使籽粒青秕,造成减产,这种危害阳坡较阴坡要轻。所以从试验期内几年的平均产量来看,坡向间差异不显著。以上结果表明,农业措施的配置,应充分注意坡位对产量构成的影响,将基本农田尽可能配置于坡面中、下部为宜。

表 9-48　安塞县纸坊沟 14 年生刺槐林生长调查

土地类型	海拔(m)	坡向	坡度(°)	密度(株/hm²)	盖度(%)	生长势	胸径(cm)	树高(m)	蓄积量(m³/hm²)
梁峁地	1 280	S15°E	7	2 863.5	75.6	差	6.6	8.4	39.6
沟坡地	1 250	N10°E	26	2 283.0	62.5	良	8.6	10.1	55.8
沟坡地	1 250	S15°E	25	1 482.0	50.2	良	8.7	10.1	45.8
沟谷地	1 200	—	13	795.0	30.0	优	13.4	12.9	64.5

表 9-49　定西安家沟流域不同立地条件柠条生长量调查

指　标	单　位	阴坡中部	沟台地	阳坡中部	梁峁顶
树　龄	a	9	10	10	9
树　高	m	1.22	1.03	0.69	0.9
地　径	cm	1.12	0.83	0.57	0.95
保留密度	万枝/hm²	38.7	45.3	46.35	7.8
产柴量(鲜)	kg/(a·hm²)	4 238	1 868	944	398

牧草地种草为紫花苜蓿,由于牧草种植年限不尽相同,对各点产量的比较有所影响,但总体来看,即使在条件最差的坡面上部每公顷产量(干草)仍达 3 500～5 250kg,因而可以推断,在同样的种植管理条件下,坡面中、下部的产量不至于比上部低。所以,牧草在流域内各地形部位都较适应。

2. 林业措施

流域内林业措施的配置起步早,有些林木已达三十余年,有些是新造的幼林。在阳坡中、上部陡坡至梁峁,以反坡梯田为主要整地方式营造坡面防护林,田面宽一般 1.5m 左右,有些较缓的坡面可达 2~3m,造林树种以柠条为主,部分配置有榆、杏、杨等乔木树种。在坡面下部支毛沟及主沟道沟坡主要造林树种有沙棘、红柳、柠条、杞柳、杨、柳、榆等乔灌木树种。沟道盐碱坝地营造红柳林,地埂营造杞柳护埂林。结合地形部位小气候及土壤水分动态研究,在相应的地形部位对主要树种林木生长量进行了观测调查,结果表明,在安家沟流域阳坡及阴坡中、上部的杨树、榆树等乔木树种生长缓慢,20 年都不能成材,而杨树在阴坡下部十多年可成椽材,在"四旁"20 年可成小檩材。为了验证在安家沟流域试验结果的代表性,我们在景泉乡官兴岔和宁远乡八盘山林场进行了补充调查,得到了同样结果。官兴岔阳山林场及宁远八盘山林场的阳坡,杨树生长更差,11~18 年生林木高仅 3~3.2m,胸径 2.9~3.5cm,其中八盘山林场的 80% 已枯死(调查 150 株,枯立木 229 株)。在位于阴坡的官兴村林场,坡面上部 11 年生杨树高 4.4m,胸径 3.9cm,林木分化大,长势差,成材希望不大;在下部 10 年以上的杨树林内,近几年已砍伐椽材几百根,现有 6 年生杨树,平均高 5.0m,胸径 4.8cm,长势良好,成材有望。位于八盘山林场阴坡的上部同样也是林木生长不良,下部长势良好,下部 18 年生平均株高 6.2m,胸径 6.6cm,已成椽材的约占调查株数的 18%。

从安家沟流域不同立地条件下杨树生长过程图中可以看出,在阴坡树高平均生长曲线比较平稳,连年生长量总趋势是上升的,在 20 年左右平均生长量和连年生长量曲线再次相交,并有下降的趋势;而在阳坡平均生长量和连年生长量都是下降的趋势。这表明杨树在阴坡下部 20 年以后高生长速度趋于减缓,而在阳坡从幼林开始生长速度就是减小的趋势。为了更进一步从广度上验证试验成果,探讨不同地形部位对林木生长的影响,我们查阅了有关科研单位、大专院校的研究、调查资料。从中可以看出,各地坡向对林木生长的影响也是比较明显的。位于阳坡的巉口林场山顶、符川林场、华家岭林带王家店等地,每年青杨单株材积生长量为 0.103~0.261dm^3;而位于阴坡的华家岭林带李塘、漫湾等地青杨年单株材积生长量为 0.303~0.447dm^3,阴坡明显高于阳坡。同样,榆树生长也是阴坡优于阳坡,年单株材积生长量阴坡为 0.141dm^3,阳坡为 0.043~0.053dm^3。从灌木生长情况来看,当地适宜性最强的柠条,虽然前期生长速度缓慢,但在条件严酷的阳坡梁峁地区生物产量还是比乔木树种高得多。如与山杏相比,年生物产量鲜重柠条为 1 575kg/hm^2,山杏为 852kg/hm^2,柠条较山杏高 85%。因此,在无指望成材的梁峁、阳坡及阴坡上部营造抗旱灌木薪炭林要比营造乔木林合算。这与在安家沟流域得到的结果是一致的。

1)不同树种的需水量及密度

降水总量不足、水土流失严重加剧了植物水分的供求矛盾,造成了土壤的不断干化。准确掌握降水补给量、林木需水量,匹配与之适应的径流聚集工程,是保证林木正常生长发育的基本条件。

不同树种需水量。林木蒸腾强度主要受太阳生理辐射、风速、气温、土壤含水率和日空气相对湿度的影响,树种不同影响程度不一、影响效果不同。大多数树种的蒸腾强度与太阳生理有效辐射、气温、土壤含水率和空气相对湿度呈正相关(接杏除外),与风速呈负相关(杞柳除外)。受上述因子影响,不同树种标准木年蒸腾量在 1.3~2.6t/株之间,生长发育良好的树种蒸腾量大、生物量高、土壤干化现象严重,否则相反。由于阳坡风速较大(生长季平均

1.21m/s),青杨、苹果、接杏等树种的蒸腾急剧下降,对生长非常不利,其蒸腾量在阳坡比阴坡分别减少51%、38%、29%。在同一部位(阳坡上中部)的青杨林,2m 土层土壤含水量较荒坡提高29mm。青杨则由于干物质积累少而形成"小老树",白榆境况更差。

整地工程与供水量。为满足不同树种生长发育期的需水量,安定区在九华沟流域治理中,以系统工程和径流调控理论为指导,在植物措施对位配置的前提下,增加坡面产流、提高拦蓄标准,以满足植物需水为目标,创造性地提出了径流聚集工程,使林木成活率、保存率达到90%以上,生长量较对照提高1倍以上,取得显著成效。其主要措施如下:

(1)隔坡软埂水平阶。适宜地类为退耕还林(草)地,适宜植被类型为乔、灌、草混交。集水区(种草区域)面积为10~16m²,栽植区面积(造林区域)为3.75~6m²。灌木适宜栽植密度为1 500~2 400株/hm²,阔叶乔木适宜栽植密度为450~720株/hm²。整地方式根据地形条件分片划段,沿等高线自下而上里切外垫,表土逐台下翻,最后一台就近取表土覆盖台面。乔木栽植区为"斗"形,其内坡坡度横档和前坎部分为1:0.6,后坎为1:0.75;灌木栽植区为"条"形,埂边高出阶面,阶面水平。阶面深度按保证拦蓄200年一遇最大24h暴雨(一次产流深74.97mm)计算,阶面深"条"形为0.2m,"斗"形为0.5m。林木成活率达95%~98%,其中云杉为97%,侧柏为98%。隔坡软埂水平阶设计规格见表9-50。

表 9-50　隔坡软埂水平阶规格设计($P=75\%$)

树种	林木年需水量 (m³/株)	阶面宽度 (m)	隔坡宽度 (m)	长度 (m)	降水补给量 (m³)
阔叶乔木	1.3~2.6	1.5	4	2.5	1.50
				3	1.80
				4	2.39
			5	2.5	1.53
				3	1.84
				4	2.45
		2	4	2.5	1.95
				3	2.34
				4	3.12
灌木	1.2~1.5	1.2	1	2	0.90
				3	1.34
			2	2	0.92
				3	1.39

(2)漏斗式聚流坑。适宜退耕还林(草)地,适宜植被为经济林。针叶乔木区密度以1 600株/hm²为宜,阔叶乔木树种主要为经济林果,栽植密度以625株/hm²最佳。坑深按保证拦蓄200年一遇最大24h暴雨一次产流深74.97mm设计,按0.3m和0.5m布设,内坡比为1:1.2,在$P=75\%$年份,可拦蓄降水2.3~4.3m³,林木成活率可达92%~98%,其中苹果为92%,梨为98%,年生长量可提高50%~125%。

(3)燕尾式聚流坑。适宜在25°以上的荒坡修建并种植乔木树种。集流区面积为16m²,聚流坑深度为0.6m,聚流坑口直径为0.8~1.0m,容积1.6m³,有满足200年一遇最大24h暴雨一次产流深74.97mm的拦蓄能力。在$P=75\%$的年份可集水量为1.4m³,可满足种植花椒、侧柏、云杉、油松等树种对水分的要求,种植密度为625株/hm²左右。林木成活率侧柏为83%,云杉为95%。

(4)竹节状聚流坑。适宜地类为荒坡,适宜树种为乔、灌木。集水面积为3m²,上口规格5m×14m,下口规格0.5m×0.5m,按200年一遇最大24h暴雨一次产流深74.97mm拦蓄能力设计,聚流坑深度为0.6m。在$P=75\%$年份可集水量为2.3m³,能满足种植仁用杏、山毛桃、杨树等树种对水分的要求。种植密度为1050株/hm²左右,林木成活率92%~95%。

2)树种搭配

人工造林不但要考虑适地适树的原则,而且必须考虑它们的群落学特性或林学特性,利用树种间的相辅现象,增加树种结构的多样性,可以形成生态系统的分层性和空间异质性,从而创造合理的生态位结构,以提高林带的可塑性及抵抗外来灾害的能力。在适地适树的基础上,以适地适林为目标,应依据植被地带性分布规律和树种的生物生态学及群落学特性、生态位理论,选择适宜的树草种及相应的林分(植物群落)结构。实践证明,由于物种的生物学、生活型特性的不同,物种的种内和种间搭配会产生相宜和相克等不同效果,纯林结构的群落稳定性和生产力不如混交林,应尽量避免单一的林分结构,特别是避免榆树、臭椿、杨树等实践证明适地不能(适)成林树种;在营造混交林时,要注意速生与慢生树种、深根性与浅根性树种的搭配,以提高资源的利用率。同时注意避免相克树种如毛白杨与桑科植物(易受天牛的危害)、杨树与落叶松(易发生黄粉病)的混交,降低病虫害的危害。半干旱地区不同部位适宜树种见表9-51,适宜草种见表9-52。

表9-51 半干旱区水土保持综合治理植物措施对位配置模式(一)

地形部位		适宜树种
梁峁顶部		云杉、毛条、山毛桃、爬地柏、沙棘
阴坡	上部	油松、河北杨、侧柏、柠条、紫穗槐
	中部	油松、侧柏、云杉、河北杨、华北落叶松、沙棘、紫穗槐、文冠果等
	下部	油松、侧柏、云杉、河北杨、毛白杨、青杨、旱柳、华北落叶松等
阳坡	上部	侧柏、山毛桃、柽柳、狼牙刺
	中部	侧柏、油松、樟子松、山毛桃、毛条
	下部	侧柏、油松、梨、刺槐、杏山毛桃、毛条、花椒、爬地柏、沙冬青
沟床		河北杨、青杨、新疆杨、小叶杨、二白杨、旱柳、刺槐、梨等
"四旁"		河北杨、新疆杨、刺槐、旱柳、杏等

(二)小流域植物措施的对位配置模式

(1)在阴、阳坡上部(包括梁峁顶)、中部及阳坡下部不宜营造阔叶乔木林,相对适宜于发展抗风、耐旱的灌木林。阔叶乔木林仅宜在阴坡下部、沟道及"四旁"栽植,造林密度最大不超过3000株/hm²,一般在1500株/hm²以下。

表 9-52　半干旱区水土保持综合治理植物措施对位配置模式(二)

海拔(m)	适宜草种
2 500	禾本科牧草
2 500~2 000	禾本科牧草
2 400~2 000	红豆草、紫花苜蓿、禾本科草
2 200~2 000	紫花苜蓿等
<2 000	紫花苜蓿、豆草等
<1 900	香豆子等

(2)随坡位抬升,农作物产量呈降低趋势,因此坡面中、下部为种植农作物适宜部位,尤其以下部为佳,如修成梯田后更能增加粮食产量的稳定性。

(3)相对而言,在流域内各地形部位种植紫花苜蓿都比较适宜。

(4)研究表明,半干旱区土壤水分处于亏缺状态,因此在治理措施上应充分注意改土、整地、聚流节水技术应用,同时要选择抗旱、耐寒植物种,以获取高的经济效益。

半干旱地区植物措施径流调控工程对位配置见表 9-53。

表 9-53　半干旱区水土保持径流调控工程对位配置

地形部位		适宜树种	工程		适宜草种	模式
			形式	规格		
梁峁顶	坡面	侧柏、油松、青海云杉、华北落叶松	隔坡水平坑	长×宽 16m×1.4m,间距 0.6m	沙打旺等多年生牧草	坑(阶)内造林,坑(阶)间种草,组成以灌草为主,常绿乔木灌草带
		柠条、沙棘	隔坡水平阶	阶面宽 1.2m,隔坡宽 1m,长度 0.3m		
	退耕梯田	仁用杏、花椒	网格状聚流坑	长×宽 4m×4m,间距 0.3m		坑内造林,坑边种草或灌木
梁峁坡	阳坡					
	<25°坡面	侧柏、油松、青海云杉、华北落叶松	隔坡水平坑	长×宽 16m×1.4m,间距 0.6m	沙打旺、紫花苜蓿、红豆草或一、二年生草木樨	坑(阶)内造林,坑(阶)间种草,组成以灌草为主,常绿乔木灌草带
		柠条、沙棘	隔坡水平阶	阶面宽 1.2m,隔坡宽 2m,长度 3m		
	>25°坡面	侧柏、油松、青海云杉、华北落叶松	品字状鱼鳞坑	底宽 1.0m,间距 4m×4m		坑内造林,坑间种草,组成以灌草为主,常绿乔灌混交
		柠条、沙棘	品字状鱼鳞坑	底宽 0.8m,间距 4m×4m		
	阴坡	<25°坡面	油松、青海云杉、华北落叶松	隔坡水平坑	长×宽 15m×1.4m,间距 0.6m	沙打旺、紫花苜蓿、红豆草	坑(阶)内造林,坑(阶)间种草,组成乔灌草带
		柠条	隔坡水平阶	阶面宽 1.2m,隔坡宽 2m,长度 2m		
	>25°坡面	油松、青海云杉、华北落叶松	品字状鱼鳞坑	底宽 0.8m,间距 4m×4m		坑内造林,坑间种草,组成乔灌草混交
		沙棘	品字状鱼鳞坑	底宽 0.8m,间距 4m×4m		

地形部位		适宜树种	工程		适宜草种	模式
			形式	规格		
沟谷	谷坡 <25°坡面	新疆杨、河北杨、旱柳、油松、青海云杉、华北落叶松	隔坡水平坑	长×宽 15m×1.4m～6m×1.4m,间距0.6m	沙打旺、紫花苜蓿、红豆草或一、二年生草木樨	组成乔灌草
		柠条、沙棘	隔坡水平阶	阶面宽1.2m,隔坡宽1m,长度2～3m		
	谷坡 >25°坡面	新疆杨、河北杨、旱柳、油松、青海云杉、华北落叶松	品字状鱼鳞坑	底宽0.8～1.0m,间距0.6m		组成乔灌混交
		柠条、沙棘	品字状鱼鳞坑	底宽0.8～1.0m,间距0.6m		
	谷底	新疆杨、河北杨、柠条、沙棘	谷坊(坝)		草木樨	坑(坝)内营造乔木林、速生丰产乔木林、坑(坝)坡种草灌
水平梯田及台地		山杏、仁用杏、花椒、侧柏、云杉、落叶松	网格状漏斗式聚流坑,水窖、微灌设施	长×宽 2.5m×2.5m～4m×4m,间距6m	箭舌豌豆、毛苕子、燕麦、草高粱、紫花苜蓿、草木樨、红豆草	坑内经济林果
"四旁"		新疆杨、河北杨、旱柳、油松、花椒、早酥梨、苹果梨、杏、仁用杏	竹节式带状聚流坑,集流面、集流渠、微灌设施	长×宽 5m×1.4m,间距0.6m		坑内适生用材乔木林、经济林果

参 考 文 献

[1] 王毅荣,尹宪志,袁志鹏.中国黄土高原气候系统主要特征.灾害学(增刊),2004(10)

[2] 李斌,张金屯.黄土高原地区植被与气候的关系.生态学报,2003(1):82～89

[3] 王义凤,等.黄土高原地区植被资源及其合理利用.北京:中国科学技术出版社,1991

[4] 李裕元,邵明安.黄土高原气候变迁、植被演替与土壤干层的形成.干旱区资源与环境,2001(1)

[5] 朱士光.黄土高原地区环境变迁及其治理.郑州:黄河水利出版社,1999

[6] 王力,李裕元,李秧秧.黄土高原生态环境的恶化及其对策.自然资源学报,2004(3)

[7] 郭廷辅,段巧甫.水土保持径流调控理论与实践.北京:中国水利水电出版社,2004

[8] 郭廷辅,段巧甫.径流调控理论是水土保持的精髓.中国水土保持,2001(11)

[9] 张富.黄土丘陵区小流域生态特征及植物对位配置研究.水土保持学报,1991(2)

[10] 汪习军.对黄土高原水土流失治理的几点认识.中国水土保持,1999(12)

[11] 王正秋.黄土高原造林中几个问题的思考.中国水土保持,2000(4)

[12] 张富,胡朝阳.黄土高原植被对位配置技术研究.中国水土保持,2003(1)

[13] 张信宝.黄土高原植被建设的科学检讨和建议.中国水土保持,2003(1)

[14] 张富,李登贵,邱保华.小流域地形小气候研究——半干旱山区农林牧布局初探.见:甘肃省水土保持学会,甘肃省水土保持局编.甘肃省小流域治理学术研讨会论文集

[15] 吴钦孝,杨文治.黄土高原植被建设与持续发展.北京:科学出版社,1988

[16] 梁一民.从植物群落学原理谈黄土高原植被造建的几个问题.西北植物学报,1999(5)

[17] 杨新民,杨文治,等.纸坊沟流域人工刺槐林生长状况与土壤水分条件研究.水土保持研究,1994(3)

[18] 陈云明,刘国彬,杨勤科.黄土高原人工林土壤水分效应的地带性特征.自然资源学报,2004(3)

[19] 张富.西北半干旱地区林地土壤水分动态研究.中国水土保持,1990(2)

[20] 高椿翔,高祯霞,朱成民.科技兴林 建造合理的生态位结构.防护林科技,2000(1)

[21] 陈云明,梁一民,程积民.黄土高原林草植被建设的地带性特征.植物生态学报,2002,26(3)

[22] 唐海萍,史培军,李自珍.沙坡头地区不同配置格局油蒿和柠条水分生态位适宜度研究.植物生态学报,2001,25(1)

[23] 西北水土保持研究所土壤水分组.陕西省东旱塬农田土壤墒情调查.土壤,1975(6)

[24] 刘增文,王佑民.人工油松林蒸腾耗水及林地水分动态特征的研究.水土保持通报,1990,10(6)

[25] 李玉山.黄土区土壤水分循环特征及其对陆地水分循环的影响.生态学报,1983,3(2)

[26] 杨文治,余存祖.黄土高原区域治理与评价.北京:科学出版社,1992

[27] 李代琼,从心海,梁一民.黄土高原半干旱区沙棘林净初级生产量与耗水量研究.水土保持通报,1990,10(6)

[28] 梁一民,李代琼,从心海.吴旗沙打旺草地土壤水分及生产力特征.水土保持通报,1990,10(6)

[29] 陈一鹗,刘康.渭北旱塬紫花苜蓿蒸腾强度与水量平衡研究.水土保持通报,1990,10(6)

[30] 吴钦孝,杨文治.黄土高原植被建设与持续发展.北京:科学出版社,1998

[31] 杨文治,邵明安,彭新德,等.黄土高原环境的旱化与黄土中水分关系.中国科学(D辑),1998,28(4)

[32] 刘东生,安芷生,文启忠,等.中国黄土的地质环境.科学通报,1978,23(1)

[33] 丁仲礼,刘东生,刘秀铭,等.250万年以来的37个气候旋回.科学通报,1989,34(9)

[34] 中国科学院黄土高原综合考察队.黄土高原地区农业气候资源图集.北京:科学出版社,1990

[35] 黄培华.中国第四纪时期气候演变的初步探讨.科学通报,1963(1)

[36] 朱照宇,丁仲礼.中国黄土高原第四纪古气候与新构造演化.北京:地质出版社,1994

[37] 李文漪.中国第四纪植被与环境.北京:科学出版社,1998

[38] 刘东生,等.黄土与环境.北京:科学出版社,1985

[39] 史念海.历史时期黄河中游的森林.河山集(二集).北京:生活·读书·新知·三联书店,1981

[40] 任振球.从全球变化看当前我国气候和环境问题.第四纪研究,1991(2)

[41] 竺可帧.中国近五千年来气候变迁的初步研究.中国科学,1973(2)

[42] 王邨.中原地区历史旱涝气候研究和预测.北京:气象出版社,1992

[43] 李裕元.浅论近5000年来中原地区气候的水旱变化规律与中国历史朝代的演替与兴衰.华北水利水电学院学报(社科版),1999,15(4)

第十章　小流域治理的技术效应和结构效应

马克思、恩格斯在总结近代第一次技术革命和19世纪生产力发展的时候就指出："生产力中也包括科学。"随着物质生产的发展,科学逐渐地应用于物质生产过程并极大地推动了生产的发展,即生产力中包括了科学,"而科学反过来成了生产过程的因素即所谓职能。"科学作为精神要素列入生产要素中,正是在这个意义上科学被看成是生产力,不过它是"另一种生产力",一种特殊形态的生产力。马克思认为,生产力有知识形态的生产力(一般的生产力、潜在的生产力)和物质生产力(直接生产力)两种类型。科学技术属于知识形态的生产力,它既区别于各种物质形态的生产力,又与它们密切联系、相互转化。科学技术要转化为直接生产力,就要将科学技术并入物质生产过程中,使科技与物质生产力中的各种要素相结合,以提高生产效率和水平,从而提高物质生产力。

邓小平1978年在全国科技大会开幕式上强调指出:"科学技术是生产力,这是马克思主义历来的观点。"1988年邓小平在接见外宾的一次谈话中,进一步提出科学技术是第一生产力的观点。他说:"马克思讲过科学技术是生产力,这是非常正确的。现在看来这样说可能不够,恐怕是第一生产力。"这是在现代科技发展新形势下,对马克思主义关于科技思想的新发展。1991年,邓小平再次肯定:"科技是生产力,而且是第一生产力。"1992年初,邓小平南巡谈话中反复强调"经济发展得快一点,必须依靠科技和教育,我说科学技术是第一生产力。"

我国农业发展面临的基本国情是人口众多,人均资源占有量很低,资本严重短缺,社会对农产品的需求增长很快。这就决定了在加大对农业大量投入资本和物质来刺激农业增长的同时,还必须大力发展农业科学技术,推进农业新技术革命,才能提高农产品的科技含量,提高科技进步对农业和农村经济增长的贡献率,大量节约各种资源,提高资源利用率,通过科学技术进步,调整农业生产结构,使农业向生产的深度化发展。

搞好水土保持能有效地保护水土、植物资源。在水土流失区,通过水土保持,可以建立水土资源和环境保护的体系,维护和提高土地生产力,合理利用水土资源,建立良好的生态环境,最大限度地发挥水土资源的生态、经济和社会效益。流域作为地面水天然汇集的自然区域和水土流失与开发治理的基本单元,在综合治理过程中,通过水土保持治理措施的实施,提高农业生产的技术含量,优化流域土地利用结构、劳动力投入结构及产出结构,是水土保持工作的关键所在。由于水土流失区无论从自然、社会条件的特异性、地域性来看,还是从水土保持的蓄水保土、经济、社会、生态效益的多重性来看,不同水土流失区,通过优化各种水土保持防治措施在时空上的分布与产投结构,形成了不同的水土保持综合防治模式,水土保持综合防治模式都不具有唯一性,即不同水土流失区应有不同的防治模式。流域间社经、自然条件差异越大,其相应的治理模式也越不同。通过对现有成功的防治模式加以解析,寻找出不同水土流失区各项防治措施布设的时空规律、防治措施数量结构优化规律,才能使已有的模式在生产应用领域发挥更大作用。因而对小流域水土保持治理技术效应和结构效应,进行定量化和合理性分析是准确评价小流域治理效果的重要依据指标,也是摆在水土保持科技工作者面前亟待解决的课题之一。

第一节　小流域治理的技术效应

张富采用冯海发等"农业总生产率研究"的理论方法,对甘肃省通渭县张家山流域水土保持综合治理的技术效应进行了定量分析。

一、流域情况

张家山流域为渭河水系散渡河二级支流,面积 12.32km²,属黄土丘陵沟壑区第五副区,包括新景、陇山、鸡川三个乡的 14 个自然村,共 1 794 人、773 个劳力。该流域 1983 年进行重点治理,已基本形成以梯田建设为主体,"三荒地"造林种草与封山育林育草相结合,支毛沟谷坊、塘坝相配套的比较完整的综合防护体系。至 1989 年底,全流域对位配置各项水保治理措施面积 8.65km²,治理程度由 1982 年的 30.6% 提高到 70.2%。土地利用率由 1982 年的 59.9% 提高到 83.6%。并通过加强预防管护工作,推广旱农耕作综合栽培技术,引种繁育畜禽优良品种,发展农副产品加工等途径,大大提高了治理效益。治理期后五年(1985~1989)平均人均产粮 524kg,人均收入 378 元(1980 年不变价计),比治理前五年(1978~1982)分别提高 135% 和 206%,每平方公里产值 7.99 万元,是国家每平方公里治理投资 1.45 万元的 3.4 倍;减少土壤侵蚀量 83% 以上;农、林、牧土地利用结构由 1982 年的 87:6:6 变为 56:27:17,农、林、牧、副经济结构由治理前的 62:1:33:4 变化为 56:7:30:12,土地利用结构和经济结构均明显趋于合理;流域内人口、能源、家畜基本容量比治理前提高 171%、100% 和 93%。

二、技术效应分析

农业生产效率的提高依赖科学技术的进步,科学技术的进步最终又反映为农业总生产率的提高。农业总生产率是农业总产出与农业总投入的比率,亦即在不改变农业生产结构的条件下,由于生物生产效率的改进而使农业产出的绝对增加。与土地生产率、劳动生产率、资本生产率等某一部分生产率相比,它则反映了每单位投入所生产出来的农产品数量(见表 10-1)。

表 10-1　农业生产率的表现形式

农业投入		农业产出 (农业总产品、农业净产品、农业最终产品、农业商品产品)
部分投入	土地	土地生产率
	劳动	劳动生产率
	资本	资本生产率
总投入	总生产率	

张富利用张家山流域 1978~1989 年 12 年的农业总产出(品)、土地投入、劳动投入、农业净产出(品)、资本投入序列资料,以 1980 年为基准年,计算出它的产出、投入指数(见表 10-2)。

表 10-2　张家山流域总产值、投入序列

年度	总产值(元)	净产值(元)	播种面积 （hm²）	平均投劳 （工日/hm²）	资本投入(元)
	A	B	C	D	$E = A - B$
1978	251 311	144 697	616.27	540	106 614
1979	252 658	144 940	608.00	542	107 718
1980	263 775	153 087	604.13	546	110 688
1981	350 419	201 556	605.00	549	148 863
1982	489 580	317 858	590.20	564	171 722
1983	368 596	215 467	587.67	584	153 129
1984	419 391	234 680	562.00	601	184 711
1985	902 208	589 673	557.13	631	312 535
1986	918 536	592 777	547.40	670	325 759
1987	964 763	624 869	542.93	715	339 894
1988	1 059 663	703 914	521.00	747	355 749
1989	1 075 545	699 143	499.20	764	376 402

注：价值均以 1980 年不变价计。

（一）农业总投入计算

农业总投入是土地投入、劳动投入、资本投入的总和。由于历史的和体制的原因，我国的土地投入和劳动投入目前尚无价值化的资料，无法求得绝对形式的农业总投入，因此仅计算农业总投入指数及农业总生产率指数。

冯海发等证明，农业总投入指数等于部分投入指数的加权平均数。而这个权数正是基期的部分投入在总投入中所占比重。各类投入在产出中的作用权数等于各类投入的生产弹性。我们可以利用多元功效函数求得各类投入的生产弹性系数，对其归一化处理后，即得各类投入的权重。这样，农业总投入指数就等于部分投入指数与相应投入权重的乘积之和。

张富用多元功效函数建立了计算模型如下：

$$Y = A^\alpha L^\beta K^\gamma \qquad (10\text{-}1)$$

对数化处理得：

$$\lg Y = \alpha \lg A + \beta \lg L + \gamma \lg K \qquad (10\text{-}2)$$

式中：Y 为理论产出量；A 为土地投入量；L 为劳力投入量；K 为资本投入量；α、β、γ 分别为土地、劳力、资本的生产弹性。

利用表 10-2 资料：以式(10-1)为基本模型，求解得：

$$Y = 1.395 \times 10^{-6} A^{1.066\,72} L^{0.282\,83} K^{1.242\,86}$$

$$Q = 0.005\,897; S.D = 0.027\,15; r = 0.996\,0$$

即　$\alpha = 1.066\,72; \beta = 0.282\,831; \gamma = 1.242\,86$

归一化处理后，各类投入权重为：

$$\alpha^{※} = \alpha/(\alpha + \beta + \gamma) = 1.066\ 72/2.592\ 4 = 0.411\ 5$$
$$\beta^{※} = \beta/(\alpha + \beta + \gamma) = 0.109\ 1$$
$$\gamma^{※} = \gamma/(\alpha + \beta + \gamma) = 0.479\ 4$$

即各类投入对总投入的贡献份额(权重),土地为41.15%,劳力为10.91%,资本为47.94%。农业总投入指数计算结果见表10-3。

表10-3 张家山流域总产出、投入指数序列 (%)

年度	总产值指数	农业投入指数				总生产率指数
		土地投入指数	劳动投入指数	资本投入指数	总投入指数	
1978	95.3	102.0	98.9	96.3	96.3	98.9
1979	95.8	100.6	99.3	97.3	96.9	98.9
1980	100.0	100.0	100.0	100.0	100.0	100.0
1981	132.8	100.1	100.5	134.5	113.9	116.7
1982	185.6	97.7	103.3	155.1	147.5	125.8
1983	139.7	97.8	107.0	138.3	118.4	118.0
1984	159.0	93.0	110.1	166.2	122.0	130.3
1985	342.0	92.2	115.6	282.4	184.0	185.9
1986	348.2	90.6	122.7	294.3	181.6	191.8
1987	365.8	89.9	131.0	307.1	184.3	198.5
1988	401.7	86.2	136.8	321.4	196.4	204.5
1989	407.8	82.6	139.9	340.1	192.1	212.3

注:以1980年为基数,1980年为100%。

(二)农业总生产率计算

$$农业总生产率 = \frac{农业总产出指数}{农业总投入指数} \times 100\% \qquad (10\text{-}3)$$

表10-3的计算结果表明:1989年农业总产出是1978年的4.28倍、1982年的2.20倍,年递增率分别为13.67%和18.68%,分别是总生产率的1.90倍和1.82倍。

1989年的农业总生产率是1978年的2.15倍,是1982年的1.69倍,年递增率分别为7.19%和10.28%(表10-4)。这就说明实行农村承包责任制对农村生产潜力的极大发掘。重点治理期农业总产出对农业新技术的依赖程度明显增大。

表10-4 农业总生产率贡献份额

时段	增长率(%)			贡献份额(%)	
	总产出	总投入	总生产率	总投入	总生产率
重点治理前(1978~1982年)	17.45	11.25	6.20	64.47	35.53
重点治理后(1983~1989年)	18.68	8.40	10.28	44.97	55.03

(三)农业总生产率贡献份额的分析

农业总生产率贡献份额即农业总生产率增量占农业总产出增量的相对比重。从张家山流域不同时段农业总生产率贡献份额看到(表 10-4),该流域重点治理前由于实行了承包责任制,加强了经营管理,农业总产出年递增率达到 17.45%,其中总投入增长贡献份额占 64.47%,农业总生产率贡献份额占 35.53%,亦即农业总产出的增长主要依赖于农业投资的增加。重点治理期内由于在增加了农业投资的同时,加强了农业科技成果的推广,使该流域农业总产出得以持续增长,农业总产出年递增率达 18.68%,其中,农业总投资贡献份额达 44.97%,总生产率贡献份额 55.03%。农业扩大再生产类型由重点治理前的外延型转变为交错型(表 10-5)。农业总产出的增长转向依赖科学技术,转向农业投入与农业技术同步发展的轨道。

表 10-5 农业扩大再生产类型的识别标准

农业扩大再生产类型		农业总生产率贡献份额
内含型	初步内含型	60~70
	中度内含型	70~85
	高度内含型	85~100
外延型		20~40
交错型		40~60

(四)农业总生产率相伴关系分析

农业总生产率相伴关系是指农业总生产率与农业部分生产率之间的相互依赖关系。总生产率与部分生产率作为农业生产率的两种表现形式,其中,土地生产率、劳动生产率和资本生产率三者之间存在着必然的内在联系。由表 10-6 可以看出,部分生产率中的土地生产率、劳动生产率和资本生产率三者均为上升趋势,土地生产率上升速度远大于资本生产率和劳动生产率。1978~1989 年,土地生产率绝对值由 203.90 元/hm^2 上升到 873.00 元/hm^2,年递增率达 13.63%,每年增加 60.9 元/hm^2;劳动生产率绝对值则由 465.39 元/人,增加到 1 407.78 元/人,年递增率为 10.20%,每年增加 85.67 元/人;资本生产率基本保持稳定。土地生产率的递增率高于劳动生产率,是土地资源数量不变与不断增加的人口数量导致的必然结果。

表 10-6 张家山流域农业部分生产率序列

年度	土地生产率		劳动生产率		资本生产率	
	绝对值 (元/hm^2)	指数 (%)	绝对值 (元/人)	指数 (%)	绝对值 (元/元)	指数 (%)
1978	203.9	95.27	465.39	96.33	35.25	98.91
1979	202.1	95.78	466.15	96.49	35.10	98.42
1980	218.6	100.00	483.10	100.00	35.70	100.00
1981	284.4	132.84	638.28	132.12	35.25	98.77

年度	土地生产率		劳动生产率		资本生产率	
	绝对值 （元/hm²）	指数 （%）	绝对值 （元/人）	指数 （%）	绝对值 （元/元）	指数 （%）
1982	397.4	185.10	868.04	179.68	42.75	119.63
1983	299.1	139.73	631.15	130.64	36.00	101.00
1984	340.4	158.99	697.82	144.44	34.05	95.27
1985	732.3	342.03	1 429.8	295.96	43.20	121.23
1986	745.5	348.22	1 370.94	283.77	42.15	118.32
1987	783.0	365.75	1 355.98	279.30	42.45	119.10
1988	860.1	401.72	1 418.55	293.63	44.55	124.99
1989	873.0	407.75	1 407.78	291.40	42.75	119.90

注：表内生产率指流域内总产品生产率；土地投入量为全流域土地总面积。

第二节　小流域治理的结构效应

维护和提高土地生产力，合理利用水土资源，建立良好的生态环境，最大限度地发挥水土资源的生态、经济和社会效益，是水土保持工作的根本宗旨。在综合治理过程中，通过水土保持治理措施的实施，对土地利用结构、劳动力投入结构及产出结构进行合理调整，是水土保持工作的关键所在，因而小流域水土保持结构效应的定量化和合理性分析，是准确评价小流域治理效果的重要依据指标。本节应用我国"农村经济改革的理论与政策"项目的研究成果，对黄土丘陵区第五副区五条典型小流域进行了探索与分析。

一、结构及其效应的分析方法

在小流域经济系统中，结构是指总体与农、林、牧、副业等农村产业各部分的数量化比例。结构效应是指在生产效率不变的情况下，通过调整生产结构而实现产出量的绝对增加。

（一）结构指标

结构指标是指总体与各农村产业比例。经济结构指标根据其产出与投入不同，可分为产出指标和投入指标。产出的结构指标一般用价值量作为产出的度量标准。为减弱自然条件产生的随机影响，在水土保持效益分析中，一般用治理前 5 年作为基期，治理后 5 年作为末期，也可用滑动平均数计算逐年值。投入结构指标，可分别计算投入要素的结构，也可把投入要素价值化后计算总投入结构。在水土保持工作中一般仅计算土地利用结构、劳动就业结构和资金投入结构。产出结构、投入结构的计算，可由式(10-4)表达：

$$SNI = N_i / \sum N_i \times 100\% \tag{10-4}$$

式中：SNI 为结构指标；$\sum N_i$ 为总体各农村产业的占有量之和；N_i 为总体第 i 农村产业的占有量。

(二)结构变化值

结构变化值是反映经济结构变化过程的指标。它等于末期经济结构指标值与基期经济结构指标值绝对离差的加总。其算式为:

$$SCV = \sum |SV1_i - SV0_i| \qquad (10\text{-}5)$$

式中:SCV 为结构变化值;$SV1_i$ 为末期第 i 农村产业结构指标值;$SV0_i$ 为基期第 i 农村产业结构指标值。

平均结构变化值可用下式计算:

$$SCV = \frac{\sum |SV1_i - SV0_i|}{N} \qquad (10\text{-}6)$$

式中:N 为末期与基数相间年数;其余符号含义同前。

结构变化值尽管概括变革的总程度,但它不能反映结构中各农村产业的变化方向。此时可计算结构变化百分点与结构变化速度。

结构变化百分点(SCP),即末期经济结构的某一农村产业数值与基期对应值的差值:

$$SCP = SV1_i - SV0_i \qquad (10\text{-}7)$$

结构变化速度(SCR),即末期某一农村产业数值与基期相应值差值的比例百分数

$$SCR = \frac{SV1_i - SV0_i}{SV0_i} \times 100\% \qquad (10\text{-}8)$$

(三)结构效应值

结构变化导致经济系统的产出发生变化,改变后的结构与改变前的结构相比,产出的增量即为结构效应。结构效应值反映的是改变结构的实际得益,而不是结构本身,根据王广森、冯海发等设计的算式

$$SEV = \left[\frac{\sum F_0 Q_1}{\sum Q_1} - \frac{\sum F_0 Q_0}{\sum Q_0} \right] \times \sum Q_1 \qquad (10\text{-}9)$$

式中: SEV 为结构效应值;F_0 为结构改变前各农村产业生产水平(元/人、元/hm²、元/元);Q_0 为基期各农村产业的生产规模(人、hm²、元);Q_1 为末期各农村产业的生产规模(人、hm²、元);$\sum Q_0$ 为基期各农村产业的总规模(人、hm²、元);$\sum Q_1$ 为末期各农村产业的总规模(人、hm²、元)。

相对结构效应即由于结构变革而增加的产出量与产出总增量的比率。反映在总增量中,则系结构改变所增加的产出量所占的相对份额,即

$$RSE = \frac{SEV}{\sum F_1 Q_1 - \sum F_0 Q_0} \times 100\% \qquad (10\text{-}10)$$

式中:RSE 为相对结构效应;F_1 为结构改变后各农村产业生产水平(元/人、元/hm²、元/元);其余符号含义同前。

二、结构合理性的评判原则

(一)资源利用最佳化

在一定的生产力水平下,能够最充分、最合理、最有效地利用自然资源和经济资源的结构。

(二)农村产业配合最优化

产业配合最优化即经济系统的各个环节、各个部门相互适应地按比例协调发展,只有合理配合,才能有各产业平衡协调的发展,也才有系统整体功能的提高。

(三)满足社会需要

合理的结构,是能满足社会需要的结构,主要体现在提高国民收入水平,丰富国民消费内容,满足国民消费层次,增进国民的生活质量。

(四)效益最大化

效益包括生态效益、经济效益和社会效益。效益最大化是经济结构得以满足社会需要的基础,各个部门的优化组合,自然资源的最佳利用是提高结构效应的前提,能取得良好效益的结构才是合理的结构。

上述四个原则是一个有机的整体,结构具有地域性和动态性,合理的经济结构是相对于一定时间、地点和条件来说的。

三、小流域治理的结构效应分析

根据上述理论、原则和现有资料,我们对定西市安定区安家沟,官兴岔、石家岔、榆中县孙家岔和通渭县张家山五条小流域综合治理的劳力投入及土地利用结构效应进行了分析、验证。

五条典型小流域地处西北半干旱地区,年平均气温 $6.3 \sim 6.7℃$,年降水 $351 \sim 427mm$,且多集中在 7、8、9 三个月,水土流失面积占总土地面的 97% 以上,水土流失非常严重,年径流模数在 $17\ 000m^3/km^2$ 左右,年输沙模数在 $5\ 500t/km^2$ 以上。治理前人口密度 83 人/km^2 ,人均土地资源较丰富,但土地条件(主要是地形条件)差。农、林、牧土地利用率低(仅 54.69%)。

流域内农村生产结构以农为主,总耕地占土地面积的 46.03% ,当地农业生产处于广种薄收、单一经营、忽视林草,土地利用及经济结构极不合理的局面,直接导致了土地生产率下降,生态环境恶化,经济发展停滞不前的状态。粮食、"三料"(燃料、饲料、肥料)、人畜饮水的亏缺,一直是阻碍当地农业经济复苏与发展的制约因素,以其生活贫困、经济落后而著名于世。在治理期内,以治坡、固沟为中心,从提高土地利用率、提高水土资源利用率入手,大力推广应用科技新成果,大规模、高速度实施水土保持对位配置治理技术,在较短的时间内,共治理水土流失面积 $53.68km^2$ 。其中梯田 $1\ 092hm^2$,造林 $2\ 389hm^2$,种草 $1\ 887hm^2$,治理程度达 65% ,初步形成了较完整的水土保持防护林体系,大幅度提高了小流域系统的"造血"功能,从根本上扭转了生态环境恶化的局面,为当地农业生产的发展打下了良好的基础。

(一)劳力投入结构分析

劳力投入结构是反映经济结构最主要的指标之一。一般情况,劳力投向反映了当地生活、生产水平及各农村产业的生产力水平。以安家沟流域为例,治理前,劳动力在农、林、牧、副各业中的投入比例为 57:7:7:29,治理后变为 36:12:21:31(表10-7)。结构变化值为 42% ,年均 6.77% ;农、林、牧、副各业结构变化百分点依次为 21、5、14、2,变化速度依次为 $-36.8%$ 、71.4% 、200% 、6.9% ,正增长速度中以牧业为最,林业为次,副业最小。

(二)土地投入结构分析

土地投入结构是反映农村产业结构,尤其是种植业结构的主要指标。五条典型流域治理前(基期)农、林、草、荒、非生产用地比例结构为 46:6:2:34:12,治理后(末期)变为 40:25:18:8:9(表 10-8)。结构变化值达 70%,年均 11.29%,农、林、草、荒、非生产用地结构变化百分点依次为 -6、19、16、26、3;结构变化速度依次为 -12%、322%、671%、-75%、-24%,增长速度中以草地为最,林地次之。负增长速度中以荒地最快,非生产用地次之,农业用地最小。由此可知,土地利用结构的调整主要是减少了荒地和非生产用地,从而大幅度地提高了土地利用率和土地生产率。

表 10-7　定西市安定区安家沟流域治理前后劳力投入结构

时段	项目	农业	林业	牧业	副业	合计
治理前 (1978~1982 年)	用工量(万工)	7.086 8	0.848 4	0.830 2	3.640 2	12.405 6
	占总(%)	57.13	6.84	6.69	29.34	100
治理后 (1983~1987 年)	用工量(万工)	6.010 4	1.947 0	3.447 6	5.075 8	16.480 8
	占总(%)	36.47	11.81	20.92	30.80	100

表 10-8　典型流域土地投入结构

土地结构		孙家岔		安家沟		官兴岔		石家岔		张家山		合计	
		基期 (1982)	末期 (1988)	基期 (1982)	末期 (1987)	基期 (1982)	末期 (1985)	基期 (1982)	末期 (1987)	基期 (1982)	末期 (1989)	基期	末期
土地面积(hm²)		4 208		1 006		14 010		4 029		1 232		12 551	
投入结构(%)	农地	42.0	38.3	57.6	52.1	43.0	36.0	44.0	36.4	62.0	55.5	46.03	40.29
	林地	1.5	11.9	12.9	29.2	14.0	28.0	5.1	36.1	3.9	22.6	5.87	24.79
	草地	0.9	29.3	1.6	9.7	2.0	8.0	3.6	13.2	3.7	14.5	2.28	17.59
	荒地	35.6	10.1	21.8	2.7	36.0	21.0	38.0	4.3	25.9	1.3	34.38	8.59
	非生产用地	20.0	9.9	6.1	6.3	5.0	7.0	9.3	10.0	4.4	5.4	11.44	8.74
合计		100.0	100.0	100.0	100.0	100.0	100.0	100.0	100.0	100.0	100.0	100.0	100.0

(三)产出结构分析

投入结构的调整,促进了流域内各种产业的协调发展,各业产值出现稳步增长的良性循环局面。五条流域治理前产值为 1.27 万元/km²,治理后达到 3.62 万元/km²,增长185.5%;农、林、牧、副产业结构由治理前的 63:2:21:14 变为治理后的 52:3:21:24(见表 10-9);结构变化值达 22%,年均 3.55%;结构变化百分点依次为 -11、1、3、7;结构变化速度依次分别为:-17%、50%、14%、50%。

(四)结构效应分析

1.劳力投入结构效应

以安家沟流域为例:

$$SEV = \left(\frac{38.022\ 4}{16.480\ 8} - \frac{35.210\ 0}{24.405\ 6} \right) \times 16.480\ 8 = -8.753\ 0(万元)$$

$$RSE = \frac{-8.753\ 0}{119.26 - 35.21} \times 100\% = -10.41\%$$

表 10-9　典型小流域产出结构分析

产出结构		孙家岔		安家沟		官兴岔		石家岔		张家山		合计	
		基期	末期	基期	末期	基期	末期	基期	末期	基期	末期	基期	末期
产值 （万元）	合计	19.26	92.48	35.21	119.26	37.96	53.80	44.63	90.55	22.13	98.41	159.19	454.50
	农业	14.18	52.86	20.40	46.22	26.40	32.71	24.77	52.52	13.78	50.29	99.49	234.29
	林业	0.21	0.69	0.21	2.57	0	2.06	2.63	3.62	0.29	6.89	3.34	15.91
	牧业	2.35	0.13	0.22	7.06	9.71	10.42	13.92	19.02	7.25	9.03	33.43	95.45
	副业	2.52	18.80	14.38	53.41	1.85	8.60	3.30	15.35	0.81	12.20	22.93	108.85
产出 结构 （%）	合计	100.0	100.0	100.0	100.0	100.0	100.0	100.0	100.0	100.0	100.0	100.0	100.0
	农业	73.6	57.9	57.9	38.6	69.5	60.8	55.5	58.0	62.3	51.1	62.5	51.5
	林业	1.1	0.8	0.6	2.2	0	3.8	5.9	4.0	1.3	7.0	2.1	3.5
	牧业	12.2	21.8	0.6	14.3	25.6	19.4	31.2	21.0	32.8	29.5	21.0	21.1
	副业	13.0	20.3	40.8	44.8	4.9	16.0	7.2	17.0	3.7	12.4	14.4	23.9

注：(1)基期起止年限：孙家岔、安家沟、张家山均为 1978～1982 年；官兴岔为 1972 年；石家岔为 1982 年。

(2)末期起止年限：安家沟、石家岔 1983～1987 年；孙家岔为 1987～1988 年；官兴岔为 1982～1985 年；张家山为 1985～1989 年。

(3)表中数据均为 1980 年不变价。

劳动力投入结构的变化，引起安家沟流域产值的负效应。进一步分析不难看出，大规模农田基本建设和造林、种草占用的劳动消耗，在治理期内经济上并没有得到完全补偿。

2. 土地投入结构效应

五条典型小流域的土地投入结构效应

$$SEV = \left(\frac{311.581\ 3}{15.555\ 8} - \frac{136.306\ 6}{10.296\ 5} \right) \times 15.555\ 8 = 105.652\ 0（万元）$$

$$RSE = \frac{105.625\ 0}{454.50 - 159.19} \times 100\% = 35.78\%$$

即通过土地利用结构的调整，使流域总产值增加了 105.65 万元，占总产值总增量的 35.78%。

四、结构合理性的评判

上述五条小流域资料研究表明：一是资源利用率有了显著提高。五条小流域在鉴定验收时输沙模数和径流模数分别比治理前减少了 46.5%～83% 和 37%～61%；流域内粮食产量由 435～735kg/hm² 提高到 1 380～1 485kg/hm²，光、水潜势利用率由 5.1% 和 25.6% 左右提高到 9.5% 和 47%；土地生产率由 108.6 元/hm² 提高到 285.9 元/hm²。农地及人工林、草地面积的比例由 54.69% 提高到 82.62%。二是产业部门发展协调，实现了同步增长。五条典型流域农、林、牧、副各业的产值比治理前分别提高了 135.5%、376.3%、185.5% 和 374.7%，总产值增长了 185.5%。三是影响当地国民经济发展的粮食、"三料"供给量达到或超过了需求量；人畜饮水供给量达到了吃一余一的指标。四是土地生产率的提高，产值的增加，使生活贫困的农民群众稳定脱贫，提高了生活水平，带来了安定的生活环境，为当地国民经济的稳步发展打下了良好的基础。说明上述五条典型小流域的结构变革是良性的、合理的。

第三节 小流域治理模式对比研究

所谓模式是指某事物的标准形式,或使人们可以照着做的标准式样,它具有很强的可操作性。水土保持综合防治模式,是指在水土流失区通过优化各种水土保持防治措施在时空上的分布与产投结构,最大限度地发挥当地水土资源潜势,获得最佳蓄水保土、经济、社会、生态效益的水土保持防治体系。水土流失区无论从自然、社会条件的特异性、地域性来看,还是从水土保持的蓄水保土、经济、社会、生态效益的多重性来看,水土保持综合防治模式都不具有唯一性,即不同水土流失区应有不同的防治模式。流域间社会经济、自然条件差异越大,其相应的治理模式也越不同。通过对现有成功的防治模式加以解剖,寻找出不同水土流失区各项防治措施布设的时空规律、防治措施数量结构优化规律,才能使已有的模式在生产应用领域发挥更大作用。为此,张富等人对此进行了调查研究。

一、流域概况

本项研究选择的定西市安定区官兴岔、花岔及通渭县张家山三条典型重(试)点小流域,位于丘五副区中、南部温带半干旱区,年平均降水 382～500mm,时空分布不均,7、8、9 三个月的降水量占全年降水的 57％ 左右,且多以暴雨形式出现,水土流失面积占总面积的 97％以上。治理前,三流域土壤侵蚀模数达 5 115～8 000t/km²,人均产粮仅 222～291kg,人均纯收入 71.0～223.0 元(1980 年不变价,下同),粮食、燃料、饲料、肥料及人畜饮水供需矛盾突出,生态环境非常脆弱。以张家山流域为例,人均产粮 222.4kg,燃料亏缺 61％,饲草亏缺68％。粮食、"三料"、人畜饮水困难、人均纯收入低成为长期制约当地农业经济发展的主要因素(见表 10-10)。

表 10-10 重(试)点治理前三流域社经情况统计

流域名称	年降水量 (mm)	流域面积 (km²)	人口密度 (人/km²)	人均产粮 (kg/人)	人均纯收入 (元/人)
官兴岔	382.0	20.76	82	256.0	71.0
花 岔	425.1	34.64	100	291.0	223.0
张家山	450～500	12.32	130	222.4	124.3

二、调查研究方法

(一)防治措施时空分布及治理模式调查

利用万分之一地形图为底图,对各典型流域采取的水保防治措施实施的时间、顺序进行定量调查,探索水保措施实施时空顺序与治理模式之间的关系。

(二)水土保持效益调查

1.蓄水保土效益调查

以万分之一地形图为底图,以集水单元为单位,在典型流域的 31 座坝库、593 道谷坊和 57 个涝池控制范围内,对各项防治措施一一作了勾绘、测算,对各坝库拦泥量及泥沙来源进行调查。以此为据,按自然条件及治理模式的不同,分定西、通渭两组进行防治措施与产沙量的统计分析。

2.社会经济效益

根据三条流域的鉴定验收资料或调查数据,进行效益计算分析。

三、调查结果分析

梯田、造林、种草始终是典型流域所在地区水土保持治理工作的主要措施,三项措施的分布与比例结构构成了防治体系的基本骨架,奠定了防治效益发挥的基础。三条典型流域水保治理始于 20 世纪 50 年代末或 20 世纪 60 年代初,虽起步早晚不一,但均为零星治理,未形成规模,无统一规划。至 20 世纪 80 年代初,这些流域的治理才逐步走向规范化、系统化。尽管三流域治理程度相近,但由于其治理措施的时空分布不同,所产生的防护、开发效益也因之而异。

(一)防治措施时空分布及治理模式

1.定西官兴岔、花岔流域

官兴岔、花岔两个小流域的共同特点是梯田修建首先从缓坡地、村庄邻近处开始,梯田在流域内分布较为零散。以官兴岔为例,至 1990 年底,流域内三项防治措施(梯田、人工造林、种草,下同)在各地貌部位的分布见表 10-11,各地形部位上三项措施的分布见表 10-12。

表 10-11　官兴岔流域防治措施在各地形部位上的分布 　　　　　　　　　　　　(%)

地形部位		梯田	林地	坡耕地		荒　坡		庄场	道路	水域
				农坡地	草地	草地	荒芜			
梁峁		8.85	62.96	6.99	17.81	18.56	0	0	22.96	0
坡面	上	42.42	7.26	24.38	31.23	33.09	8.75	12.06	29.08	0
	中	31.17	14.53	49.47	23.32	39.68	9.34	41.11	25.51	0
	下	17.11	14.13	19.04	27.38	8.67	0	46.83	18.88	0
沟壑		0.45	1.13	0.11	0.26	0	81.91	0	3.57	100
合　计		100	100	100	100	100	100	100	100	100

经过多年治理,官兴岔流域基本形成了"农、林、牧综合发展的立体镶嵌的大农业模式"(见图 10-1),其防治措施在地域上的分布,从流域整体讲,特别是在坡面径流控制方面,还没形成完整的径流控制带。

2.通渭张家山流域

张家山流域梯田首先从坡面中部修建,逐步成带连片,随后主要向坡面下部推移。流域内三项措施在各地形部位的分布见表 10-13,不同地形部位上三项措施的分布见表 10-14。基本形成了"以水平梯田为主体,牧草植物措施紧密结合的水土保持综合防护体系"(见

图10-2),三项措施在地域分布基本成带连片,特别是作为坡面主要控制工程的梯田,集中成带分布在坡面中、下部,基本上切断了坡面径流下泄,既发挥了很好的拦泥蓄水作用,又有效地发挥了土地生产潜力。

表10-12 官兴岔流域不同地形部位上各防治措施分布 （%）

地形部位		梯田	林地	坡耕地		荒 坡		庄场	道路	水域	合计
				农坡地	草地	草地	荒芜				
梁 峁		15.07	74.28	4.46	1.91	4.17	0	0	0.10	0	100
坡面	上	65.43	7.76	14.10	3.03	6.73	18.6	0.97	0.11	0	100
	中	44.54	14.39	26.50	2.11	7.48	1.84	3.05	0.09	0	100
	下	43.42	24.86	18.13	4.38	2.90	0	6.18	0.12	0	100
沟壑		1.90	3.26	0.17	0.07	0	47.19	0	0.04	47.37	100

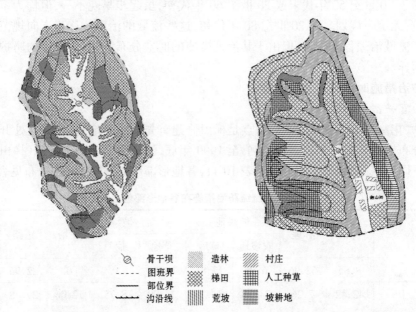

骨干坝　造林　村庄
图班界　梯田　人工种草
部位界　荒坡　坡耕地
沟沿线

图10-1 官兴岔流域(部分)防治措施布设图　　图10-2 张家山流域(部分)防治措施布设图

表10-13 张家山流域防治措施在各地形部位上的分布 （%）

地形部位		梯田	林地	坡耕地		荒 坡		庄场	道路	水域
				农坡地	草地	草地	荒芜			
梁 峁		1.76	12.64	5.19	0	7.36	0	0	13.08	0
坡面	上	16.56	10.69	68.86	34.75	32.95	0	11.98	19.60	0
	中	49.21	4.53	19.59	47.28	51.62	6.25	21.55	26.55	0
	下	32.46	3.58	6.36	17.97	8.07	9.43	66.47	40.77	0
沟壑		0	68.56	0	0	0	84.32	0	0	100
合计		100	100	100	100	100	100	100	100	100

表 10-14　张家山流域不同地形部位上各防治措施分布　　　　　　　　（%）

地形部位		梯田	林地	坡耕地		荒　坡		庄场	道路	水域	合计
				农坡地	草地	草地	荒芜				
梁　峁		10.71	54.16	19.10	0	12.94	0	0	3.09	0	100
坡面	上	19.44	8.85	48.93	9.03	11.18	0	1.67	0.89	0	100
	中	52.63	3.41	12.69	11.20	15.97	0.26	2.74	1.10	0	100
	下	59.03	4.59	7.00	7.23	4.24	0.67	14.36	2.88	0	100
沟　壑		0	92.27	0	0	0	6.33	0	0	1.40	100

(二)不同防治模式蓄水保土效益

系统结构决定系统功能。由于防治措施时空分布及数量结构的不同,治理后虽治理程度相近,但其蓄水保土效益有显著差别。为了解不同防治模式减沙效果,我们分类型对调查数据进行了统计分析,结果如下:

定西组:

$$y = 1\,545.79 - 256.25\ln x_1 - 2.77x_2 + 40.58x_3 + 26.65\,x_4^{0.288\,69}$$
$$- 314.70 \times 0.783\,8^{x_5} - 0.94^{x_6} + 137.31 \times 1.026\,6^{x_7} - 5.38x_8$$
$$F = 5.04 > F_{0.05} = 3.73 \quad r = 0.923\,2$$

通渭组:

$$y = 1\,958.70 + \frac{6\,293.11}{x_1} - 93.670\,2x_2 + 78.647\,7x_3 - \frac{23\,310}{x_4} + 52.425\,3x_5$$
$$- 54.054\,6x_6 - 2.971\,9x_7 + 47.213\,6x_8 + 10.054\,3x_9$$
$$F = 4.209\,8 > F_{0.01} = 4.14 \quad r = 0.939\,9$$

式中:y 为流域产沙模数(m^3/km^2);$x_1 \sim x_9$ 依次为梯田、林地、退耕草地、坡耕地、庄场、道路、荒坡、荒沟、荒沟林草面积占总面积的百分数,即每平方公里内各项面积的公顷数(hm^2/km^2)。

分析结果表明,由于防治措施时空分布不同,同一措施减沙效果也不相同。官兴岔、花岔流域治理程度由 36.3% 和 43.3% 上升到 69.4% 和 61.8%,产沙模数分别由重点治理前的 856m^3/km^2、721.03m^3/km^2 减少到 620m^3/km^2、604m^3/km^2,治理程度每增加一个百分点,减沙效益提高 0.83%～0.90%。张家山流域治理程度由 30.6% 提高到 70.6% 时,流域产沙模数由 2 135m^3/km^2 降低到 444m^3/km^2,治理程度每增加一个百分点,减沙效益提高 2.0%,这说明张家山流域的防治体系的时空布局比官兴岔、花岔流域更能有效地控制水土流失。

(三)不同防治模式社会经济效益

经多年重(试)点治理,典型流域内社会经济状况发生了显著变化。困扰当地国民经济发展的粮食、"三料"、人畜饮水从根本上得到了解决。以官兴岔和张家山流域为例,官兴岔流域在试点期末(1985 年),流域总产值达 70.05 万元,比试点前增长 147%;人均纯收入达 317 元,增长 399%;人均产粮达 571.5kg,户均燃料 2 470kg,饲草 2 320kg,正常年的人畜饮水可有半年节余。张家山流域重点治理期末(1989年)总产值达98.41万元,比重点治理前增长206%,人均收入达378.58元,增长205%;人均产粮达523.8kg,增长136.4%;户均燃料5 514kg,增长77%;户均饲草4 699kg,增长71%。但是两流域间在水土资源潜势利用率方面存在有明显差异。官兴岔流域平均产值3.37万元/km²,而张家山为7.99万元/km²;官兴岔粮食产量由675kg/hm²增加到1 635kg/hm²,水热潜势利用率由14.82%增加到35.9%,而张家山流域水热潜势利用率由12.56%增加到37.72%;官兴岔人工草地产量为2 325kg/hm²,潜势利用率为24.34%,而张家山人工草地产量为4 362kg/hm²,潜势利用率为45.67%;官兴岔流域土地利用结构效应占总产值的-36.85%,而张家山为9.29%。经济分析结果表明,小流域综合治理的产投比官兴岔为1.910,张家山为3.818。

由此可见,由于防治措施的时空分布不同,张家山流域先以坡面中部开始连片成带地布设以梯田为主的治理时序,既有效地切断了坡面径流侵蚀,充分利用了宝贵的水土资源,又有效地发挥了治理措施的生产力,具有明显的科学性、经济合理性和实用性。

四、结论

对比研究表明,在定西黄土丘陵沟壑区的小流域治理中,首先从坡面中部开始水保工程治理具有明显的理论意义和实际意义,它既符合水土流失的防治理论,又具有明显的社会经济效益,应给予高度的重视与应用。

参 考 文 献

[1]《马克思恩格斯全集》第46卷(下册).北京:人民出版社,1980
[2]《马克思恩格斯全集》第47卷.北京:人民出版社,1979
[3]《邓小平文选》第2卷.北京:人民出版社,1989
[4]《邓小平文选》第3卷.北京:人民出版社,1989
[5]胡恒觉,等.陇中半干旱区农田生产潜力开发对策的研究.干旱地区农业研究,1989(1)
[6]杨文治,余存祖,等.黄土高原区域治理与评价.北京:科学出版社,1992
[7]郭廷辅.把小流域治理提高到一个新水平.中国水土保持,1991(1)
[8]冯海发,王广森,吴永祥.农业总生产率研究.陕西杨凌:天则出版社,1989
[9]张富,水土保持综合治理的技术效应.中国水土保持,1991(11)
[10]王广森,吴永祥,冯海发,等.结构变革与农村发展.北京:中国财政经济出版社,1991
[11]张富,边作仁.水土保持综合治理的结构效应.中国水土保持,1992(12)
[12]张富,赵守德,许富珍.小流域水土保持综合治理模式及其效益对比研究.中国水土保持,1993(1)
[13]张富,赵守德.黄丘五副区土地利用方式与土壤侵蚀关系研究.中国水土保持,1993(1)

第十一章 水土保持效益指标体系 及其量化分析

水土流失防治效益是水土保持工作的出发点和归宿。不同地区由于自然地理、社会经济条件的差异,水土流失给当地带来的灾害种类、危害程度均有很大差异,反映在效益指标上则难以用统一的度量标准来衡量,尤其是其社会、生态效益的指标及其数量化、价值化进程,尚不能满足水土保持工作的实际需求,给水土流失防治工作的决策和发展带来了许多不便和困惑。20多年来,国内外自然科学、经济科学工作者,对生态经济工程效益的评价原理与计算方法进行了有益的探索与研究,从不同的学术理论角度,根据各自工程项目的目标要求,取得了许多研究成果,并运用于工程自身的评价中。但是,由于理论依据、工程项目目标的差异,从水土保持科学体系的角度看,所得指标体系缺乏足够的系统性、全面性,对大面积水土流失防治工程整体效果的评价上,往往很难全面地反映其防治效果的实际效益。近年来,由于系统论、控制论、信息论、生态经济学、农业经济学等科学理论在水土保持工作中的引进与发展,尤其是《水土保持综合治理技术规范》(GB/T16453.1~16453.6—1996)、《水土保持综合治理 验收规范》(GB/T15773—1995)、《水土保持综合治理 效益计算方法》(GB/T15774—1995)的颁布实施,为水土流失防治效益的研究创造了极为有利的条件。

第一节 水土保持效益指标体系

为探索半干旱地区水土保持防治措施效益评价指标体系及其量化研究,定西市水土保持科学研究所和安定区关川河流域治理指挥部,结合世界银行项目"关川河流域水土保持综合治理工程"实施,对半干旱地区水土保持综合防治工程效益指标体系进行了研究,以期对该类地区同类工作有所裨益。

世界银行援助的关川河流域水土保持综合防治工程是我国早期引进外资进行水土保持治理开发项目之一,其目的在于:减轻生活在资源匮乏、人口稠密地区人们的贫困程度。通过该项工程实施,增加食物、饲料及农产品加工的产量,以满足人口和收入增加引起的需求;增加农村收入和劳动就业机会,提高收入,增加粮食,解决饲料、燃料、人畜饮水困难,改善交通条件。因此,对该项工程效益的分析评价,是一项极其复杂的生态经济工程,其效益类型多样,涉及面广、投资额大,要达到的目标众多。对其效益的科学评价,无疑在半干旱地区具有重要的借鉴意义。

一、水土保持效益分类

水土保持的效益是相对于水土流失的危害而言,严重的水土流失灾害,必然导致流失区灾害频繁、生产力下降、生态环境恶性循环、地域经济活力衰退等恶果。严重的水土流失加剧了自然降水不足的矛盾,严重地限制了当地农业生产的发展,使农业这个国民经济的基础处于非常脆弱的困境,进而导致了整个流失区国民经济的徘徊不前,人民群众生活极其贫困,粮食、"三料"、人畜饮水困难时有发生,脆弱的生态环境陷于恶性循环之中。因此,水土保持作为农业的基础,其工作成效的好坏,牵涉到社会发展的各个方面,其效益是多方面的,指标数量也是非常庞大的,这些无疑对水土保持效益指标体系的研究带来了困难。

(一)效益指标分类原则

根据《水土保持综合治理 效益计算方法》规定,水土保持效益分为蓄水保土效益、经济效益、社会效益、生态效益四类。

(二)指标选定的原则

根据《黄土高原综合治理定位试验示范综合研究》项目成果和《水土保持综合治理效益计算方法》规定,结合当地实际,着重考虑下述原则:

(1)目的性。所选指标要能反映水土流失防治措施(工程)的减灾效果及其地域经济振兴效果。

(2)科学性。所选指标及其评价方法要符合生态学和经济学原理及其有关学科的基本概念,并尽可能地应用现代科学手段予以权衡和定量表达。

(3)整体性。从生态经济系统出发,全面反映生态、社会、经济系统实际效益。

(4)结构性。生态经济学原理表明,生态系统是经济系统运行的基础。系统各要素之间的比例关系(即系统结构),决定了系统的功能,功能决定了效益。

(5)重点性。在众多的效益指标中,选择能反映系统功能、系统效益的主要指标,并尽可能定量表达。

(6)动态性。即反映现状及系统的发展趋势。

(7)普遍性。即指标和方法用于评价同一事物应有可比性。

二、水土保持效益指标体系

根据效益分类原则及选定标准,我们邀请有关专家进行了论证,确定了半干旱地区水土保持综合防治工程效益评价指标体系,共包括四大类 30 项指标。

(一)蓄水保土效益指标

(1)防治措施结构。

(2)防治体系结构。

(3)治理程度。

(4)防治措施蓄水量。

(5)防治措施保土量。

(6)防治措施蓄水效率。

(7)防治措施保土效率。

(8)洪峰流量削减率。

(9)径流系数,包括①年径流系数,②汛期径流系数,③非汛期径流系数。

(二)经济效益指标

(1)产值(产出效益)。

(2)净产值(净效益)。

(3)产投比。

(4)投资回收年限。

(5)内部回收率。

（三）社会效益指标

(1)生产率,包括①劳动生产率,②土地生产率,③资金生产率。

(2)技术进步效应,包括①总生产率增长率,②总投入增长率,③总产出增长率,④技术进步贡献份额。

(3)结构调整效应,包括①土地利用结构调整效应,②劳力投入结构调整效应,③资金投入结构调整效应,④结构调整综合效应。

(4)劳力资源利用率。

(5)土地等级提高效果。

(6)生活质量提高效果,包括①恩格尔系数(贫、温、小康户比例),②生活设施增长率。

(7)产品商品率,包括①农产品商品率,②林产品商品率,③畜产品商品率。

(8)交通条件改善效果,包括①干线、道路密度(km/km^2),②支线道路密度及效益。

(9)户通电率。

(10)减灾效果,包括①减灾效益,②环境抗逆力。

(11)环境容量。

（四）生态效益指标

(1)林草覆被率。

(2)基本农田。

(3)资源潜势利用率,包括①光热资源潜势利用率,②水资源潜势利用率,③土地资源潜势利用率。

(4)生态环境供需平衡,包括①粮食供需平衡,②"三料"供需平衡,③人畜饮水供需平衡程度。

(5)能量产投比。

第二节　水土保持效益指标量化分析

一、蓄水保土效益

（一）防治措施结构

$$防治措施结构(\%) = \frac{某防治措施面积}{防治措施总面积} \times 100\% \qquad (11\text{-}1)$$

（二）防治体系结构

$$防治体系结构(\%) = \frac{某部位防治措施面积}{防治措施总面积} \times 100\% \qquad (11\text{-}2)$$

（三）治理程度

$$治理程度(\%) = \frac{治理措施面积}{水土流失面积} \times 100\% \qquad (11\text{-}3)$$

（四）防治措施蓄水量

$$防治措施蓄水量 = 各防治措施蓄水量之和 \qquad (11\text{-}4)$$

（五）防治措施保土量

$$防治措施保土量 = 各防治措施保土量之和 \tag{11-5}$$

（六）防治措施蓄水效率

$$防治措施蓄水效率（\%）= \frac{\Delta W_n}{W}\left(\frac{H_n}{H_{cp}}\right)^n \times 100\% \tag{11-6}$$

式中：ΔW_n 为各防治措施年蓄水量之和；W 为治理前流域多年平均径流量；H_n 为治理后某年汛期降雨量，mm；H_{cp} 为治理前多年汛期平均降雨量，mm；n 为年径流量与汛期雨量相关系数。

若计算的 ΔW_n 已消除不同降雨频率对蓄水量的影响，此时

$$防治措施蓄水效率（\%）= \frac{\Delta W_n}{W} \times 100\% \tag{11-7}$$

（七）防治措施保土效率

$$防治措施保土效率（\%）= \frac{\Delta S_n}{S}\left(\frac{H_n}{H_{cp}}\right)^{n'} \times 100\% \tag{11-8}$$

式中：ΔS_n 为各防治措施年保土量；S 为治理前流域多年平均土壤流失量；n' 为年土壤流失量与汛期降雨量相关指数；H_n、H_{cp} 含义同前式。

若计算的 ΔS_n 已消除不同降雨频率对保土量的影响，此时，保土效率（\%）= $\Delta S_n/S \times 100\%$。

（八）洪峰流量削减效率

$$洪峰流量削减率（\%）= \left(\frac{Q_m - Q}{Q_m}\right) \times 100\% \tag{11-9}$$

式中：Q_m 为治理前某一频率暴雨产生的洪峰流量，$\mathrm{m^3/s}$；Q 为治理后相同频率暴雨产生的洪峰流量，$\mathrm{m^3/s}$。

（九）径流系数

$$径流系数（\%）= \frac{径流深（mm）}{同期降雨量（mm）} \times 100\% \tag{11-10}$$

当径流深为全年、汛期、非汛期时，即得年径流系数、汛期径流系数、非汛期径流系数。

（十）径流模数

$$径流模数（\mathrm{m^3/km^2}）= \frac{流域径流量（\mathrm{m^3}）}{流域面积（\mathrm{km^2}）} \tag{11-11}$$

（十一）侵蚀模数

$$侵蚀模数（\mathrm{t/km^2}）= \frac{流域土壤流失量（t）}{流域面积（\mathrm{km^2}）} \tag{11-12}$$

二、经济效益（经济分析法、财务分析法）

（一）产值（B、B_0）

(1)静态：

$$B = \sum_{j=1}^{m} B_j = \sum_{j=1}^{m}\sum_{i=1}^{n} B_{ij} \tag{11-13}$$

(2)动态：

$$B_0 = \sum_{j=1}^{m} B_{0j} = \sum_{j=1}^{m} \sum_{i=t_0}^{n} B_{ij}(1+r)^{(t-i)} \tag{11-14}$$

式中：B_j 为第 j 项防治措施产值静态折算总值；B_{0j} 为第 j 项防治措施产值动态折算总值；j 为第 j 项防治措施，$j = 1, \cdots, m$；i 为第 i 年，$i = t_0, \cdots, n$；t_0 为计算起始年；n 为计算终止年；B_{ij} 为第 i 年第 j 项防治措施产值；r 为折算率（利率）；t 为基准年。

又：
$$B_{ij} = A_{ij}P(q - q_1) \tag{11-15}$$

式中：A_{ij} 为第 i 年第 j 项防治措施生效面积或数量；P 为第 j 项防治措施产出实物单价；q 为第 j 项防治措施单位面积（或数量）产出实物量；q_1 为实施第 j 项防治措施前单位面积产出实物量。

(二)净产值(P、P_0)

(1)静态：
$$P = B - (K + C) \tag{11-16}$$

$$K = \sum_{j=1}^{m} K_j = \sum_{j=1}^{m} \sum_{i=t_0}^{n} K_{ij} \tag{11-17}$$

$$C = \sum_{j=1}^{m} C_j = \sum_{i=t_0}^{n} \sum_{j=1}^{m} C_{ij} \tag{11-18}$$

(2)动态：
$$P_0 = B_0 - (K_0 + C_0) \tag{11-19}$$

$$K_0 = \sum_{j=1}^{m} K_{0j} = \sum_{i=t_0}^{n} \sum_{j=1}^{m} K_{ij}(1+r)^{(t-i+1)} \tag{11-20}$$

$$C_0 = \sum_{j=1}^{m} C_{0j} = \sum_{i=t_0}^{n} \sum_{j=1}^{m} C_{ij}(1+r)^{(t-i)} \tag{11-21}$$

式中：K 为防治措施在计算期内治理投资的静态值，含投资、投劳两部分；C 为防治措施在计算期内生产维护、管理费用静态值；K_0 为防治措施在计算期内治理投资的动态值；C_0 为防治措施在计算期内生产维护、管理费用动态值。

(三)产投比(R、R_0)

(1)静态：
$$R = B/(K + C) \tag{11-22}$$

(2)动态：
$$R_0 = B_0/(K_0 + C_0) \tag{11-23}$$

(四)投资回收年限(T、T_0)

(1)静态：
$$T \text{ 为} \sum_{i=t_0}^{T} B_{ij} \geqslant \sum_{i=t_0}^{T} C_{ij} + K \text{ 之中}(T + t_0 + 1) \tag{11-24}$$

或
$$T \text{ 为} \sum_{i=t_0}^{T} (B_{ij} - C_{ij}) \geqslant K \text{ 之中}(T - t_0 + 1) \tag{11-25}$$

(2)动态：

$$T_0 \text{ 为} \sum_{i=t_0}^{T_0} B_{ij}(1+r)^{(t-i)} \geqslant \sum_{i=t_0}^{T_0} C_{ij}(1+r)^{(t-i)} + K_0 \text{ 中之}(T_0 - t_0 + 1) \quad (11\text{-}26)$$

或 $$T_0 \text{ 为} \sum_{i=t_0}^{T_0} (B_{ij} - C_{ij})(1+r)^{(t-i)} \geqslant K_0 \text{ 中之}(T_0 - t_0 + 1) \quad (11\text{-}27)$$

(五)内部收益率(r_0)

$$r_0 \text{ 为} \sum_{i=t_0}^{N} (B_{ij} - C_{ij})(1+r_0)^{(T-t_0+1)} - K_0 = 0 \text{ 中的 } r_0 \quad (11\text{-}28)$$

r_0 可用不同的折算率 r 代入上式中试算求得。

(六)土地投入结构

农村各产业土地投入与各业土地总投入的比例。

$$SN_i = \frac{N_i}{\sum N_i} \times 100\% \quad (11\text{-}29)$$

式中:SN_i 为结构指标;$\sum N_i$ 为总体各农村产业的占有量之和;N_i 为总体第 i 农村产业的占有量。

(七)劳力投入结构

农村各产业劳力投入与各业劳力总投入的比例。

$$SN_i = \frac{N_i}{\sum N_i} \times 100\% \quad (11\text{-}30)$$

式中符号含义同前。

(八)资本投入结构

农村各产业资本投入与各业资本总投入的比例。

$$SN_i = \frac{N_i}{\sum N_i} \times 100\% \quad (11\text{-}31)$$

式中符号含义同前。

(九)产值结构

农村各业产值与各业总产值的比例。

$$SN_i = \frac{N_i}{\sum N_i} \times 100\% \quad (11\text{-}32)$$

式中符号含义同前。

三、社会效益

由于水土保持效益的发挥受自然、社会经济等多种不稳定因素的影响,故一般采用治理前、后五年的平均值(滑动平均数)作为计算依据。

(一)生产率

(1)劳动生产率:

$$\text{劳动生产率}(元/工日) = \frac{\text{流域总产值}(万元)}{\text{流域总投工}(万工日)} \quad (11\text{-}33)$$

流域总投工应折算为标准工日数。

(2)土地生产率：

$$土地生产率(元/hm^2) = \frac{流域农业总产值(万元)}{流域农业生产面积(hm^2)} \qquad (11\text{-}34)$$

(3)资金生产率：

$$资本生产率(元/元) = \frac{流域总产值(万元)}{流域资金投入总额(万元)} \qquad (11\text{-}35)$$

(二)技术进步效应

(1)总生产率增长率(X_f)：

$$X_f = \left(\sqrt[n]{\frac{x_{fn}}{x_{fo}}} - 1 \right) \times 100\% \qquad (11\text{-}36)$$

式中：x_{fn}为治理后流域总生产率(末期)；x_{fo}为治理前流域总生产率(基期)；n为治理前后间隔年数。

又：

$$总生产率 = \frac{农业总产出指数}{农业总投入指数} \times 100\% \qquad (11\text{-}37)$$

(2)总投入增长率(x_0)：

$$x_0 = \left(\sqrt[n]{\frac{x_{0n}}{x_{00}}} - 1 \right) \times 100\% \qquad (11\text{-}38)$$

式中：x_{00}为治理前流域总投入指数；x_{0n}为治理后流域总投入指数。

又：

$$总投入指数 = IA \cdot WA + IZ \cdot WZ + IF \cdot WF \qquad (11\text{-}39)$$

式中：IA、IZ、IF分别为土地、劳力、资金投入指数；WA、WZ、WF分别为土地、劳力、资金投入权数。

(3)产出增长率(x_t)：

$$x_t = \left(\sqrt[n]{\frac{x_{tn}}{x_{t0}}} - 1 \right) \times 100\% \qquad (11\text{-}40)$$

式中：x_{t0}为流域治理前(基期)总产出指数；x_{tn}为流域治理后(末期)总产出指数。

(4)贡献份额：

$$技术效应(\%) = \frac{R_z(\%)}{R_p(\%)} \times 100\% \qquad (11\text{-}41)$$

$$投入效应(\%) = \frac{R_p(\%)}{R_0(\%)} \times 100\% \qquad (11\text{-}42)$$

式中：R_z为流域总产出增长率($\%$)；R_0为流域总生产率增长率($\%$)；R_p为流域总投入增长率($\%$)。

(三)结构调整效应(SEV、RSE)

(1)结构效应：

$$SEV = \left(\frac{\sum F_0 Q_1}{\sum Q_1} - \frac{\sum F_0 Q_0}{\sum Q_0} \right) \times \sum Q_1 \qquad (11\text{-}43)$$

(2)相对结构效应:

$$RSE = \frac{SEV}{\left(\sum F_1 Q_1 - \sum F_0 Q_0\right)} \times 100\% \tag{11-44}$$

式中:SEV 为生产技术水平不变,由于结构调整而获得的效益;RSE 为 SEV 占总产值总增量的比率;F_0、F_1 分别为结构改变前、后各农村产业土地、劳力、资金每单位生产水平;Q_0、Q_1 分别为结构改变前、后各农村产业土地、劳力、资金投入数量。

(四)土地等级提高效果(D)

$$D = \frac{\sum f_i d_i}{\sum f_i} \tag{11-45}$$

式中:f_i 为第 i 等土地面积;d_i 为土地等级。

(五)劳力资源利用率

$$劳力资源利用率(\%) = \frac{治理前(后)各农村产业劳力使用数}{治理前(后)流域总劳力数} \times 100\% \tag{11-46}$$

(六)生活质量提高效果

(1)恩格尔系数(E):

$$E = \frac{食物消费支出}{总消费支出} \times 100\% \tag{11-47}$$

联合国规定:$E > 59\%$ 为绝对贫困;$E = 50\% \sim 59\%$ 为可以度日;$E = 40\% \sim 50\%$ 为小康水平;$E = 20\% \sim 40\%$ 为富裕水平;$E < 20\%$ 为最富裕。

(2)生活设施增长率:

$$生活设施增长率(\%) = \frac{治理前后生活设施总值增量(万元)}{治理前生活设施总值(万元)} \times 100\% \tag{11-48}$$

(七)产品商品率(农产品商品率、林产品商品率、畜产品商品率)

$$产品商品率 = \frac{产品商品数量}{产品总产量} \times 100\% \tag{11-49}$$

(八)交通条件改善效果:干线、支线道路密度及效益

$$道路密度(km/km^2) = \frac{流域内干线(支线)道路长度(km)}{流域内总面积(km^2)} \times 100\% \tag{11-50}$$

效益:

$$G = \frac{G'_0 - G'_1}{G'_0} \times G'_1 \times V \tag{11-51}$$

式中:G'_0 为治理前流域运输投工;G'_1 为治理后流域运输投工;V 为投工单价,元/工。

(九)户通电率

$$户通电率(\%) = \frac{治理前(后)流域通电户数}{治理前(后)流域总户数} \times 100\% \tag{11-52}$$

(十)减灾效果

(1)减灾效益:

$$\begin{aligned}减灾效益(万元) = \sum(&治理前某强度灾害损失(万元) \\ &- 治理后同强度灾害损失(万元))\end{aligned} \tag{11-53}$$

(2)环境抗逆力:

$$环境抗逆力(\%) = \frac{灾年流域农业总产值(万元)}{正常年流域农业总产值(万元)} \times 100\% \qquad (11\text{-}54)$$

如治理期内发生 2 个以上灾年或未发生明显灾年,则以最低产值代替。正常年则指治理期内未受灾年的平均产值。

(十一)环境容量(V)

$$V = \frac{V_i}{V_j} \qquad (11\text{-}55)$$

式中:V_i 为防治工程(或流域内)某限制性资源总量;V_j 为防治工程(或流域内)某消费者的单位消费水平。

对于 V_i 的选择,应据瓶颈原理在众多的资源种类中,仅选择资源不足,该工程(或流域内)供需不平衡的某种资源进行治理前后对比分析,计算如在半干旱地区的粮食、"三料"、人畜饮水等。V_j 的选择:消费者为人、畜。

四、生态效益

(一)林草覆盖率

$$林草覆盖率(\%) = \frac{林草面积}{流域总面积} \times 100\% \qquad (11\text{-}56)$$

(二)基本农田

基本农田包括:梯田、坝地、水地等。

$$基本农田化(\%) = \frac{基本农田面积}{水土流失面积} \times 100\% \qquad (11\text{-}57)$$

(三)资源潜势利用率

资源潜势利用率包括光热资源潜势利用率、水资源潜势利用率、土地资源潜势利用率。

$$光热资源潜势利用率(\%) = \frac{现有产量(kg/km^2)}{光热潜势产量(kg/km^2)} \times 100\% \qquad (11\text{-}58)$$

$$水资源潜势利用率(\%) = \frac{现有产量(kg/km^2)}{水潜势产量(kg/km^2)} \times 100\% \qquad (11\text{-}59)$$

$$土地资源潜势利用率(\%) = \frac{土地利用面积(km^2)}{最大可利用面积(km^2)} \times 100\% \qquad (11\text{-}60)$$

(四)生态环境供需平衡

根据实际情况,可计算粮食、"三料"、人畜饮水等限制性资源供需平衡程度。

$$Z = \frac{Z_1 - Z_2}{Z_2} \times 100\% \qquad (11\text{-}61)$$

式中:Z 为某限制性资源供需余缺程度;Z_1 为防治工程(或流域内)某限制性资源供需量;Z_2 为防治工程(或流域内)某限制性资源需求量。

(五)能量投入产出比(R_C)

$$R_C = \frac{流域内总产能}{流域内总投能} \times 100\% \qquad (11\text{-}62)$$

第三节 应用实例

关川河流域一期工程范围位于甘肃中部的定西市安定区境内,属黄土丘陵沟壑区,南北长 102.5km,东西宽 73km,总面积 1 980.5km²,占安定区总面积的 54.4%。境内地形复杂,沟壑纵横。耕地中丘陵坡地占 75%,河谷阶地占 25%。流域内气候干旱,土质疏松、植被稀疏,水土流失严重,年土壤侵蚀模数为 5 115t/km²。生态环境恶劣,自然灾害频繁。农业生产水平低,群众生活非常困难。

一、基本概况

(一)气候

流域深居内陆,是典型的大陆性季风气候。气候条件受海拔高度和地形的影响,在时空分布上有较大差异。年变率大,降水量少,南北差异大,年均降水量 425mm,最高年份(1967年)为 721.8mm 是最低年份(1982 年)248.7mm 的 2.9 倍。南部多达 500mm,北部仅350mm,年内降水时空分布极不均匀,7、8、9 三个月的降水占全年降水总量的 56%,秋雨多于春雨。气温变化明显,蒸发量大,年太阳辐射总量为 592kJ/(cm²·a),年日照时数为2 501h,日照率达 56%;年内分配上以 6 月最多,达 248h,日照率达 68%。光热、水等条件不协调,降水潜势利用率 17%,光热潜势利用率仅 12%,年均蒸发量为 1 550mm,是多年平均降水量的 3.5 倍。年均气温 6.3℃,≥10℃活动积温 2 239.1℃。无霜期 141 天。春季升温较快,夏季变化不大,秋季降温迅速,冬季气温波动较明显。

(二)地貌

流域属黄土高原地貌类型,境内沟壑纵横,梁峁起伏。其现代地貌所反映的基本结构和形态,是长期受内营力地壳运动和外营力气候,生物及地表土壤等因素综合作用的结果。特别是以第三纪末和第四纪早期古地貌的承袭比较普遍,第三纪红色盆地的外貌也仍有所反映,但所有沟谷梁峁等基本地貌形态大都与下伏第三纪古地形息息相关。受贺兰山褶皱带和祁连山加里东褶皱带的复合影响,境内梁峁起伏,沟壑纵横。最高海拔位于高峰牌坊山头2 580m,最低为白碌红岘儿 1 700m,相对高差 880m。流域地貌特征是西南为山地,山地下部为小型内官盆地,北部为丘陵,在丘陵之间有关川河及其支流切割形成沟谷阶地川台。境内地形支离破碎,有 1km 以上的支毛沟 1.24 万条,平均沟壑密度为 2.36km/km²。自然坡度 25°以上的面积共 468.9km²,占总面积的 23.7%;25°以下的面积为 1 511.6km²,占总面积的 76.3%。流域内自然坡度<5°、5°~25°、>25°的面积,分别占流域总面积的 11.1%、65.2%、23.7%。

(三)土壤

流域内土壤由黄土母质、冲洪积母质、残积母质和坡积母质发育形成,主要有黑垆土、黄绵土、灰钙土及潮土四大类,土层深厚而疏松,湿陷性较大,肥力低。农地平均有机质含量仅1.075%,含氮 0.08%,含磷 0.063%,速效磷 5.2mg/kg,速效钾 125.7mg/kg,总的趋势是氮少、钾富、磷极缺,有机质含量低。

植被类型以旱生及中生草本资源为主,共 190 余种,其中以菊科草本植物居多,为半干旱草原植被至荒漠草原植被的过渡带,覆盖度由南向北递减,平均为 10%~20%。

(四)河流

关川河流域总面积 3 511km²,项目区覆盖面积 1 980.5km²,占总面积的 56.4%,共有东河、西河及称钩河三大主要支流。东河起源于华家岭西麓,河长 76.7km,于定西市区汇入干流,流域面积 159.80km²。西河发源于内官南山的胡麻岭北麓,河长 67.5km,于定西市区汇入干流,流域面积 636.60km²,且水质较好,是灌溉的主要水源。称钩河始于榆中县边境,纵贯称钩全乡,河长 34.2km,在嶕口汇入干流,流域面积 235.86km²。关川河干流由东河、西河、称钩河汇集而成,在会宁大羊营汇入祖厉河,安定区境内长 104km,流域面积 948.25km²。

(五)水文

关川河流域多年平均径流量为 3 437.3 万 m³,径流深 17.4mm,年均输沙量为 1 013 万 t,多年平均输沙模数为 5 115t/(km²·a),关川河项目区径流与泥沙现状见表 11-1。

表 11-1 关川河流域项目区水文特征

河流	集水面积 (km²)	年径流量 (万 m³)	径流模数 (m³/(km²·a))	年输沙量 (万 t)	输沙模数 (t/(km²·a))	径流深 (mm)
东河	159.80	358.3	22 422	61.98	3 879	22.0
西河	636.60	1 466.0	23 029	246.80	3 877	23.0
称钩河	235.86	390.0	16 535	109.00	4 621	16.5
干流	948.25	1 223.0	12 822	595.30	6 298	12.5
合计	1 980.51	3 437.3	17 358	1 013.08	5 115	17.4

境内水土流失以面蚀、沟蚀及重力侵蚀为主,淋溶侵蚀也十分活跃,在局部有冻融侵蚀存在。面蚀及淋溶主要分布在流域的中北部,沟蚀遍布全境,重力侵蚀在中部和南部最为常见,冻融出现于南中部的沟道上游及有泉水出溢的地段。冬雪的消冻或遇连续的降水,还可使流域内沟道黄土较薄的部位与红层之间产生自然隔水层,使上层黄土在重力作用下发生泥流,造成部分沟头红土裸露,形成严重的水土流失。在侵蚀强度分布程度上由南向北、由西向东递增,最高可达 7 000t/(km²·a),属强侵蚀区。

水土流失的主要原因是:整个黄土高原构造上升运动比较活跃,引起沟道下切的地质;梁峁沟壑、地势起伏的地形;雨量集中、多暴雨,相对强度较大的降雨;林木稀少,地表覆盖率低的下垫面;黄土结构疏松,具有湿陷性的土壤条件等是构成水土流失的自然条件。而人为掠夺式经营所引起的毁草滥垦、超载放牧、广种薄收是构成水土流失的主要社会因素。因此,由于历史原因,现代侵蚀加剧,在自然因素和社会经济因素的综合作用下,造成严重的水土流失,导致桥梁被冲毁,耕地被塌陷,农坡地跑肥、跑土、跑水的现象经常发生,给人民群众的生产及生活带来严重威胁。例如:1984 年 7~8 月间,花岔小流域 7.76km² 的范围内由于暴洪导致损失阶台地 2.17hm²。官兴岔小流域 1986 年一次性降水 68mm,导致宽 90m、长 135m 的整块土体滑塌,土方量达 46 176m³。据甘农大在鹿马岔的测算,每平方公里山坡地损失氮:1 800kg、磷:2 250kg、钾:30 000kg,由此可推算项目区内年损失氮 356.4 万 kg、磷 445.5 万 kg、钾 5 940 万 kg。据安家沟流域观测,坡地年产径流 19 529m³/km²、泥沙 2 292 t/km²,荒坡地年产沙 4 121t/km²、径流 3 705m³/km²。1963 年 6 月 4 日,称钩乡因水土流失冲毁桥梁 5 座,水库 3 座,渠道 5 处。

(六)社会经济

一期工程范围辖安定区白碌、御风、景泉、称钩、鲁家沟、巉口、城关、内官、符川、黑山、高峰、东岳、西寨、香泉、团结 15 个乡(镇),截至 1986 年底,共 195 个行政村,1 316 个合作社,38 741 户 20.49 万人,9.11 万个劳动力,平均人口密度为 104 人/km²。农耕地占总土地面积的 41.9%,林业用地占 11%,牧业用地(仅指人工种草)占 7.5%,荒地占 24.7%,非生产用地 14.9%,在农、林、牧业总面积中,农业用地占 69.3%,林业用地占 18.3%,牧业用地占 12.4%,三业用地比例为 11∶3∶2。农业生产以粮为主,生产方式落后,产量低而不稳。1982~1986 年 5 年平均粮食总产为 5 634.75 万 kg,单位面积产量 855kg/hm²,人均产粮 275kg。1986 年农村经济总产值为 7 510 万元,其中农业产值占 61%;林、牧、副业各占 4%、17% 和 18%,经济纯收入 4 570 万元,人均 223 元(1980 年不变价)。

在社会经济发展上,主要存在以下几个问题:

(1)水资源贫乏,水热资源时空分配与植物生育要求不匹配。流域内多年平均降水仅 425mm,且集中在 7、8、9 三个月,多以暴雨降落,对地面破坏性大。地下水埋藏深,水质差,几乎无可灌溉的地下水资源。作物需水高峰,常常发生少雨缺水现象,使作物生长极易受到干旱的威胁。

(2)人口密度大、素质差。到 1986 年底,流域内人口密度达 104 人/km²,远高于联合国同类地区 20~30 人/km² 的密度。巨大的人口压力,使人们的教育、卫生、素质、健康以及经济等都未得到良好地改善,人口素质提高缓慢。流域内每万个劳动力有高中生 234 人,初中生 395 人,小学 1 088 人,文盲半文盲 8 283 人。

(3)粮食、"三料"矛盾日渐激化。由于超负荷的人口压力和违背自然规律的社会经济活动,农业生产水平低,人们对自然的依赖性有增无减,旱雹灾害频繁,受灾面积大,成灾率高,粮食、"三料"矛盾得不到解决,长期形成了靠天吃饭的被动局面。治理前流域内年均吃国家救济粮折 233 万元、花救济金 86.98 万元。全流域化肥纯量(N、P、K 合计)提供量占需求量的 45%,缺 68.75kg/hm²;燃料提供量占需求量的 49%,每人缺 435.3kg;饲草提供量占需求量的 65%,缺 86.1kg/羊单位。

(4)人畜饮水矛盾突出。在流域中北部地区,由于没有地下水源或水质太差,人畜用水主要靠水窖、涝池蓄集天然降水解决。流域内 1986 年有水窖 19 300 眼,户均仅占 0.5 眼,缺水户占流域内总户数的 71%。伏秋旱天常影响水窖的蓄水量,使流域内的 934 个生产合作社、2.75 万户、14.55 万人、3.89 万多头大家畜、7.23 万只羊、6.12 万头猪常常发生水荒。为此,国家每年要花费大量资金送水救援。如:1980~1986 年七年中,为解决白碌乡的人畜饮水,国家耗资 41.67 万元,平均每年近 6 万元之多。

(七)重点治理前现状

长期以来,由于自然、社会、经济等各方面因素的影响,致使流域内植被稀疏,水土流失严重,自然灾害频繁,生态环境严重恶化,土地生产力被极大限制·农业生产水平低而不稳。为改变这里的贫穷面貌,流域内广大群众经过多年的努力,在保持水土方面付出了艰辛的劳动,取得了较好的成效。至 1986 年底,已建成梯坝地、水地、旱条田 28 707hm²,造林 21 853hm²,种草 14 867hm²,共治理水土流失面积 654km²,治理程度达到 33%。重点治理前土地利用及结构分析见表 11-2。

表 11-2 重点治理前土地利用现状及结构分析 （单位:km²）

位置	农地		林地		草地		荒地		非生产用地		合计
	小计	占%	小计	占%	小计	占%	小计	占%	小计	占%	
北部	189	30.4	88	14.2	52	8.4	222	35.7	70	11.3	621
中部	433	47.2	79	8.6	63	6.9	171	18.6	172	18.7	918
西部	208	47.2	52	11.8	33	7.5	95	21.5	53	12.0	441
合计	830	41.9	219	11.1	148	7.5	488	24.6	295	14.9	1 980

表中反映出土地利用率低,仅占 60.5%,且在农地中有 540km² 的山坡地没有得到改造,仍为"跑土、跑肥、跑水"的三跑田,占农地面积的 65%。有 24.6% 的荒地没有得到利用,农、林、牧三业用地面积占比例分别为 7:2:1。农业生产以粮为主,生产方式落后,耕作粗放,产量低而不稳,1982～1986 年 5 年平均粮食产量 855kg/hm²,人均产量 275kg。

(八)重点治理期完成情况

关川河流域水土保持综合治理工程列项以后,严格按照项目的总体规划,精心施工,科学管理,到 1992 年底,各项水保工程措施已经全部完成或超额完成规划数量。各年度完成情况见表 11-3。

表 11-3 关川河流域水土保持治理措施逐年完成数量统计

项目	单位	1987 年	1988 年	1989 年	1990 年	1991 年	1992 年	合计
梯田	hm²	2 486.67	2 266.67	3 337.93	2 336.33	2 206.87	2 409.20	15 043.67
坝地	hm²	400	266.67	32.33	168.2	546.47	269.57	1 683.23
造林	hm²	2 133.33	4 933.33	6 081.53	4 011.27	2 688.93	3 470.40	23 318.8
用材林	hm²	384	888	2 586.48	1 049.35	288.79	350.51	5 547.13
经济林	hm²	580.05	1 341.37	551.59	48.13	331.55	191.22	3 043.91
防护林	hm²	1 169.28	2 703.96	2 943.46	2 913.79	2 068.59	2 928.67	14 727.75
种草	hm²	3 400	2 933.33	4 611	3 606.27	4 479.27	5 069.5	24 099.3
耕地草	hm²	1 590.18	1 371.92	1 965.21	1 177.09	1 379.62	0	7 484.02
荒山草	hm²	1 809.82	1 561.41	2 645.79	2 429.18	3 099.65	5 069.47	16 615.32
草场改良	hm²	0	2 400	2 660.93	4 928.8	6 694.33	4 775	21 459.07
谷坊	道	1 500	13 000	29 988	30 966	39 897	30 064	145 425
沟头防护	道	500	1 300	2 497	2 805	3 094	2 513	12 709
涝池	个	150	300	298	296	196	174	1 414
水窖	眼	500	1 500	2 003	2 011	1 630	1 268	8 912

注:(1)"造林"面积为用材林、经济林、防护林三项之和。

(2)"种草"面积为耕地草、荒山草两项之和。

二、蓄水保土效益监测与分析

蓄水保土效益是水土保持的核心,是衡量水土保持工作质量及效益优劣的主要标准之一。本监测采用综合措施与单项措施相结合,典型小流域与全流域控制相结合,定点观测与特征时段调查相结合等方法,确定各项治理措施蓄水保土效益标准,分析计算蓄水保土效益。

(一)降水量的年际变化

根据定西气象站、巉口水文站1981～1986年观测资料,关川河流域治理前六年平均降水量为409mm,汛期(6～9月)为296mm,月际变化见表11-4。治理后除定西、巉口外,还设安家沟、花岔及官兴岔等观测点观测。从观测结果分析,治理后六年平均降水量为418mm,汛期为300mm,月际变化见表11-4。

表11-4 关川河治理前、后平均降雨量月际变化 (单位:mm)

年份	1月	2月	3月	4月	5月	6月	7月	8月	9月	10月	11月	12月	合计
1981～1986	3.8	2	13.6	24.7	45.1	56.2	74.6	110	55.2	18.7	3	2	409
1987～1992	3.9	3.2	11.2	23.9	50	66.6	87.5	96	49.7	20.6	2.1	2.9	418

(二)土地利用结构变化

由于关川河开展重点治理,使流域内梯田及林草面积增大,而相应的坡耕地及荒山、荒坡面积缩小,农、林、牧用地面积为1 718km²,占总面积的86.7%,治理前后对比见表11-5。

表11-5 关川河重点治理前、后土地利用结构对比

土地结构		农地	林地	草地	荒地	其他	小计
1986年底达到	面积(km²)	830	219	148	488	295	1 980
	占(%)	41.9	11.1	7.5	24.6	14.9	100
1992年底达到	面积(km²)	662	452	604	41.7	2 203	1 980
	占(%)	33.4	22.8	30.5	2.1	11.2	
土地增减(%)		−8.5	23	−22.5	−3.7		

注:1992年草地中有草场改良214km²。

(三)蓄水保土效益

1. 水文法

在蓄水保土效益分析计算中,影响计算精度的主要为降水,且年变率大。为比较全面反映各降水因素(1日最大、30日最大、汛期、全年)对产沙的影响,根据巉口水文站1960～1973年共14年的资料进行降水产沙分析,由于此阶段基本没有治理,能比较全面反映自然流失状况。回归计算如下。

(1)降水与径流回归方程:

$$y = -266.62 + 17.5x \qquad (F = 13.06, r = 0.72) \qquad (11-63)$$

式中:y 为流域总径流量,m³;x 为流域汛期降水量,mm。

(2)降水与产沙回归方程:

$$S = 832.7R^{1.357} \qquad (F = 16.26, r = 0.76) \qquad (11-64)$$

式中:S 为流域总产沙量,万t;R 为降水产沙指标。

$$R = n_1 N_1 + n_2 N_2 + n_3 N_3 + n_4 N_4 \qquad (11-65)$$

$$n_1 = S_1/S_4 \qquad n_2 = (S_2 - S_1)/S_4 \atop n_3 = (S_3 - S_2)/S_4 \qquad n_4 = (S_4 - S_3)/S_4 \Bigg\} \tag{11-66}$$

$$N_1 = x_{1i}/\bar{x}_1 \qquad N_2 = x_{2i}/\bar{x}_2 \atop N_3 = x_{3i}/\bar{x}_3 \qquad N_4 = x_{4i}/\bar{x}_4 \Bigg\} \tag{11-67}$$

式中：n_1、n_2、n_3、n_4 分别为最大 1 日、最大 30 日、汛期、全年降雨产沙量占全年降水产沙量的比例；S_1、S_2、S_3、S_4 分别为最大 1 日、最大 30 日、汛期、全年降雨产沙量；x_{1i}、x_{2i}、x_{3i}、x_{4i} 分别为第 i 年最大 1 日、最大 30 日、汛期、全年降水量；$\bar{x}_1$、$\bar{x}_2$、$\bar{x}_3$、$\bar{x}_4$ 分别为多年平均最大 1 日、最大 30 日、汛期、全年降水量；N_1、N_2、N_3、N_4 分别为相应降水的模比系数。

由以上两回归方程计算项目区自然径流、输沙与实测值对比见表 11-6。

表 11-6　关川河项目区径流、输沙计算与实测值对比

项目		基数	1987 年	1988 年	1989 年	1990 年	1991 年	1992 年	平均
径流(万 m³)	自然	3 453	3 480	3 210	3 738	4 179	2 769	4 561	3 656
	实测	3 438	1 501	2 870	2 274	2 336	2 217	2 588	2 298
泥沙(万 t)	自然	1 027	960	1 190	929	1 250	923	1 116	1 061
	实测	1 013	259	736	516	608	690	893	617

2. 水保法

为了评价植物与工程措施的拦泥蓄水效益，在关川河流域的安家沟、高泉沟、花岔、官兴岔等重点小流域内，通过对单项措施的调查，按丰年、偏丰、平年及偏枯、枯年五个参数与汛期降水分析计算得该流域各项拦蓄指标，对 1970～1992 年共 23 年的降水资料进行频率计算得到：

汛期降水量 $p_汛 > 350\text{mm}$ 的降水为丰水年；$p_汛 = 349\sim300\text{mm}$ 为偏丰年；$p_汛 = 299\sim275\text{mm}$ 为平年；$p_汛 = 274\sim200\text{mm}$ 为偏枯年；$p_汛 < 200\text{mm}$ 为枯年。其分析计算的参数见表 11-7。

表 11-7 中各项水保措施的拦蓄指标，主要以关川河项目区的实地调查测量以及定西水保科研所多年的试验资料取得，并给以不同的折减，作为平水年的参数，其余则按上述径流、输沙的相应值分别确定。

关川河项目区各年完成治理措施数量见表 11-8。各水保措施的蓄水、减沙计算见表 11-9 和表 11-10。从分析结果可知：水保措施坡面年减沙量 172.26 万 t，年保水量 1 382.63 万 m³。

沟道治理每年使泥沙的减少调查如下：

由于修了沟头防护工程，制止了沟头延伸，其保土量为 14.38 万 t；修了谷坊，巩固并抬高了沟床，制止了沟底下切的保土量每年达到 134.48 万 t；河床的抬高，稳定了沟坡，加上沟坡本身的治理，控制了沟岸扩张，每年的保土量为 10.2 万 t；水不下沟后，为沟蚀活动减少了冲刷动力，从而减轻沟蚀的保土量 5.35 万 t；由于在沟道内修了骨干坝 15 座，每年减少泥沙 28.8 万 t，由分析可知泥沙运行中沟道减蚀 193.21 万 t。

由于新修公路及砖瓦窑取土不当，造成每年有 13 万 t 的泥沙流失。

表 11-7　关川河项目区拦蓄参数分类

序号	措施名称	保土参数(t/km²)					保水参数(m³/km²)				
		丰年	偏年	平年	偏枯	枯年	丰年	偏年	平年	偏枯	枯年
1	梯 田	1 022	66.2	45.5	30.5	18.4	587	405	305	219	149
2	坝 地	333	215.4	153	101	60	1 761	1 216	917	658	446
3	造 林	36.9	23.9	17	11.3	6.6	333	230	173	124	84
4	种 草	23.1	15	10.7	7.1	4.2	117	81	61	44	30
5	草场改良	29.7	19.2	13.7	9	5.4	266	184	139	99	67.5
6	谷 坊	409	347.7	303	137	90	1 344	851	566	509	410
7	沟头防护	128	118.5	111	107	102	0	0	0	0	0
8	涝 池	708	639	572	447	383	4 935	4 376	3 816	3 507	2 973
9	水 窖	54.9	43.4	31.8	28.2	15.5	600	570	449	315	180

注:(1)梯田的保土参数系坡耕地侵蚀量 22.92t/km² 与梯田侵蚀量 1.08t/km² 折减后乘以 2.5 倍;保水参数为梯田减少径流 74.57m³/km²×0.7×2.5 求得。坝地按梯田的 3 倍计算。

(2)造林的保土参数系荒坡侵蚀量 41.1t/km² 与坡草地侵蚀量 5.22t/km² 的差值按 0.6 折减;保水参数为造林保水量 346.35m³/km² 按 0.5 折减。

(3)种草的保土参数系坡耕地侵蚀量 22.92t/km² 与坡草地侵蚀量 5.22t/km² 的差值按 0.6 折减;保水参数为坡草地保水量 101.18m³/km² 按 0.6 折减。

表 11-8　关川河项目区重点治理期分年各项措施数量

治理措施	基数	1987 年	1988 年	1989 年	1990 年	1991 年	1992 年
梯 田(km²)	283.54	308.41	331.08	364.46	387.82	408.89	433.98
坝 地(km²)	3.33	7.33	10	10.32	12	17.46	20.16
造 林(km²)	218.5	239.83	289.16	350	390.11	417	451.69
乔木林(km²)	90	98	116	140	156	170	185
果 园(km²)	8	10	11	14	16	17	19
灌木林(km²)	120.5	131.83	162.16	196	218.11	230	247.69
种 草(km²)	148.67	182.67	212	258.11	294.17	338.97	389.66
草场改良(km²)			24	50.6	99.6	166.6	214.6
谷 坊(道)	354	1 854	14 854	44 852	75 848	115 745	145 409
沟头防护(座)		500	1 800	4 297	7 102	10 196	12 709
水 窖(万眼)	1.93	1.98	2.13	2.33	2.53	2.69	2.82
涝 池(个)	21	171	471	769	1 065	1 261	1 435

注:(1)梯田中包含 71.5km² 水地。

(2)表中数据为年终累计达到数。

由以上结果计算得治理后年均减沙量 352.47 万 t。

表 11-9　关川河项目区蓄水效益分年计算　　　　　　（单位:万 m³）

措施名称		基数	1987年	1988年	1989年	1990年	1991年	1992年	1987~1992年平均	与治理前差
植物措施	造林	378.55	415.51	359.57	606.38	1 299.07	722.45	782.56	697.59	319.04
	种草	90.32	11 097	92.54	156.8	343.3	205.92	236.72	191.04	100.72
	草场改良			23.87	70.13	265.33	230.91	297.43	147.95	147.95
工程措施	梯田	865.93	941.88	726.06	1 113.06	2 276.31	1 248.75	1 325.37	1 271.91	405.98
	坝地	30.52	67.18	65.81	94.58	211.37	160.02	184.77	130.62	100.10
	谷坊	1.33	6.99	50.36	169.09	430.51	436.36	548.19	273.58	272.25
	水窖	57.82	59.32	44.73	69.81	96.14	80.59	84.49	72.51	14.69
	涝池	0.53	4.35	11.01	19.56	31.07	32.08	36.51	22.43	21.9

表 11-10　关川河项目区保土效益分年计算　　　　　　（单位:万 t）

措施名称		基数	1987年	1988年	1989年	1990年	1991年	1992年	1987~1992年平均	与治理前差
植物措施	造林	37.04	40.65	32.53	59.33	143.95	70.68	76.56	70.62	33.58
	种草	15.83	19.45	14.95	27.49	67.95	36.1	41.5	34.57	18.74
	草场改良			2.16	6.91	29.58	22.74	29.29	15.11	15.11
工程措施	梯田	133.13	144.79	100.8	171.11	396.16	191.97	203.75	201.43	68.3
	坝地	5.09	11.2	10.09	15.79	39.96	26.71	30.84	22.43	17.34
	谷坊	0.72	3.75	13.56	90.6	175.82	233.8	293.73	135.21	134.48
	水窖	4.09	4.2	4.0	4.94	9.26	5.7	5.96	5.68	1.59
	沟头防护		0.37	1.28	3.18	64.47	7.55	9.4	14.38	14.38
	涝池	0.08	0.65	1.4	2.93	5.03	4.8	5.47	3.38	3.3

3. 水保法与水文法两种计算结果比较

$$j = (383 - 352.47)/383 = 0.079$$

两种计算结果较接近。

4. 项目区保水、保土效率、洪峰削减率和径流系数

其计算结果见表 11-11。

5. 重点治理带来的巨大变化

通过六年的综合治理,初步改变了山区的贫困落后面貌,为全流域带来巨大变化:

一是提高了土地利用率,减轻了水土流失的危害。通过整治,合理开发了土地资源,对 25°以上的荒山荒坡地修水平阶、鱼鳞坑及造林种草;对 25°以下的坡耕地修水平梯田;沟谷地修谷坊、坝地、种植农作物及牧草,使全流域的土地利用率由 1986 年的 60.4% 提高到 1992 年的 86.8%,土壤侵蚀模数由 5 115t/km² 降低到 3 115t/km²,平均每平方公里减沙 2 000t;径流模数由 17 358m³/(km²·a)降低到 11 603m³/(km²·a)。

二是改善了农业生产条件,实现粮食的稳步增产。通过对 15 个乡的连续测产表明,梯

坝地比坡耕地平均增产 900kg/hm²。

表 11-11 关川河项目区蓄水、保土效益、洪峰削减率及径流系数 （%）

年份	措施蓄水效率 y_1	措施保土效率 y_2	洪峰削减率 y_3	年径流系数 φ_1	汛期径流系数 φ_2	非汛期径流系数 φ_3
基数	28.7	16.3		4.3	4.6	3.4
1987	66.6	73	34	2.09	6.62	1.95
1988	30.7	38.2	17.8	3.46	5.27	1.76
1989	52.8	44.4	98.5	3	4.16	1.18
1990	56.7	51.4	8.1	2.49	3.09	1.75
1991	37.9	25.2	63.8	3.3	4.52	1.97
1992	56	20	27.1	3.46	4.42	0.63
平均	50	41.8	40.1	2.97	4.68	1.54

三是林草的覆盖率增加,生态环境初步改善。全流域林草覆盖率由 1986 年的 18.5%增加到 1992 年的 42.5%。

四是植被破坏现象得到制止。由于大量造林种草以及作物秸秆的增加,为解决全流域燃料、饲料及肥料困难创造了良好条件,使全流域杜绝了破坏植被的现象。

五是人畜饮水困难得到解决。水窖的增加,不仅使缺水的山区群众解决了人畜饮用水,还起到保土保水的作用。

六是沟道修筑谷坊及沟头防护工程,使流域内沟底下切及沟头前进得到明显遏制。

七是在坡面及部分径流集中区修建涝池,使集流得到拦截,防止汇流对坡面的冲刷,起到拦泥拦水作用,又可补充水源的不足。

三、经济效益监测与评价

(一)治理投资

1.投资计算原则

(1)治理投资指国家、集体和群众在水土保持治理工程中投入的现金、物资和劳力等。

(2)关川河流域水土保持综合治理工程的国家投资由世界银行贷款和国内各级政府匹配投资两部分构成,相对于群众为无偿拨款,以补贴的形式用于水土保持措施建设。

(3)单项治理措施每年投资总数为国家投资和群众投劳投物的折价合计。

(4)劳动力工日值按当地劳务市场平均价确定,其他投物也按当地市场价确定。一律采用 1995 年不变价。

2.各项水保措施治理投资情况

1)梯坝地

项目区治理期内(1987~1992 年)共修建梯坝地 16 727hm²。修 1hm² 梯坝地需投工 900 个,折价 5 850 元,治理投资合计 9 785.3 万元,其中国家投资 3 075.1 万元,群众投工折算价 6 710.2 万元。

2)造林

(1)用材林。治理期内共营造用材林 5 547.1hm²,1hm² 用材林投工 127.5 个,投种苗

1 950株(其中300株用于第二年补植),共折价2 193.75元,投资合计1 216.9万元,其中国家投资218万元,群众投入998.9万元。

(2)经济林。治理期内共营造以梨类为主的经济林3 043.9hm²。造1hm²经济林投工150个,投种苗720株(其中120株用于第二年补植),共折价2 055元/hm²。投资合计625.5万元,其中国家投资149.5万元,群众投入476万元。

(3)防护林。治理期内营造以柠条为主的防护林14 727.7hm²。造1hm²防护林投工127.5个,投入籽种99kg,共折价1 076.25元/hm²。投资合计1 585.1万元,其中国家投资548.9万元,群众投入1 036.2万元。

用材林、经济林、防护林三项合计:流域内1987~1992年治理期造林措施共完成23 318.7hm²,投资3 427.5万元,其中国家投资916.4万元,群众投入2 511.1万元。

3)种草

(1)耕地种草。治理期内流域项目区共完成耕地种草7 484hm²。1hm²耕地种草投工22个,投籽种225kg,折价299元/hm²。投资合计223.8万元,其中国家投资55.7万元,群众投入168.1万元。

(2)荒山种草。治理期流域项目区共完成荒山种草16 615.3hm²。1hm²荒山种草投工127.5个,投籽种10kg,共折价932.75元/hm²。投资合计1 549.8万元,其中国家投资463.4万元,群众投入1 086.4万元。

耕地种草、荒山种草两项合计:流域内1987~1992年治理期共完成种草24 099.3hm²,投资1 732.6万元,其中国家投资519.1万元,群众投入1 213.5万元。

4)草场改良

治理期共完成草场改良21 459hm²。1hm²草场改良投工32个,投籽种112.5kg,共折价286元/hm²。投资合计613.7万元,其中国家投资202.8万元,群众投资411万元。

5)谷坊

治理期共修建谷坊145 425道。平均建1道谷坊投工50个,折价325元。投资合计4 726万元,其中国家投资1 108.8万元,群众投资3 617.2万元。

6)沟头防护

治理期共修建沟头防护工程12 709道。建1道沟头防护投工75个,折价487.5元。治理投资619.5万元,其中国家投资327.7万元,群众投入291.8万元。

7)涝池

治理期共修建涝池1 414个。建一个涝池投工200个,折价1 300元。投资合计183.8万元,其中国家投资44.1万元,群众投入139.8万元。

8)水窖

治理期共修建水窖8 912眼。建一个水窖投工60个,折价390元。投资合计347.6万元,其中国家投资61万元,群众投资286.6万元。

流域项目区治理期内各项治理措施投资合计21 436万元,其中国家投资6 255万元,群众投资15 181万元。

(二)年运行费

1.年运行费计算原则

(1)年运行费指各项水保治理措施在生产、管理维护过程中所需的费用,包括投入的人工、籽种、化肥、农药等的折款。

(2)计算时采用对比增量法,措施实施后年运行费与无措施对照区年运行费的差值与各年相关治理措施累计数量的乘积,求出各年各项治理措施的增量年运行费。具体办法是:梯坝地、耕地种草、经济林与农坡地相比;荒坡草地、草场改良、用材林、防护林与荒坡沟相比。荒坡荒沟的年运行费按零计。

(3)年运行费分实际年运行费和预测年运行费。1987~1995年时段内的年运行费为实际年运行费;1996~2021年时段内的年运行费为预测年运行费。治理面积、投工投物等指标都以1995年的水平向后推算。

(4)利用效益监测资料投入部分计算年运行费时,由于投入的农家肥所含的氮、磷、钾并不全是速效成分且价格难以确定,故舍去不计。

2.各项水保措施年运行费计算

1)梯坝地

根据效益监测资料,1hm² 梯坝地各年度生产投工投物折款,减去对照坡耕地 1hm² 投工投物折款,其差值与各年度累计梯田生产面积相乘算得。1987~1995年治理期内的实际增量运行费为991万元;1996~2021年预测增量运行费为 8 457 万元。两项合计为 9 448万元。

2)造林

(1)用材林。用材林同荒坡荒沟相对照,其增量运行费为调查原值。1hm² 用材林每年投管护用工 15 个,投农药等材料费 34.7 元,1hm² 年运行费为 132.2 元。根据各年完成面积算得:1987~1995年治理期的实际年运行费 499 万元,1996~2021年预测年运行费为3 041万元,合计 3 540 万元。

(2)经济林。经济林同坡耕地相对比,将经济林种植农作物的投入部分同坡耕地投入相抵消,只计算林果生产的投入部分。1hm² 每年投维护用工 450 个,投化肥、农药等物资折款420 元,增量年运行费为 3 345 元/hm²。根据各年度完成面积算得:1987~1995年治理期实际增量年运行费为 7 533 万元,1996~2021年预测年增量运行费 27 711 万元,合计为35 066 万元。

(3)防护林。防护林也同荒坡荒沟相对照,其增量运行费为监测原值。1hm² 每年投管护工 7 个,投材料费 20 元,年运行费为 65.5 元/hm²。根据各年完成面积算得 1987~1995年治理期实际年运行费为 607 万元,1996~2021年预测年运行费为 2 522 万元,合计为3 129万元。

(4)综合造林。把用材林、经济林、防护林的年运行费相加,即得综合造林的年运行费。1987~1995年流域项目区综合造林实际年运行费为 8 639 万元,1996~2021年预测年运行费 33 091 万元,合计 41 730 万元。

3)种草

(1)耕地种草。1hm² 耕地种草每年投生产用工 63 个,投各种材料费 22 元,年运行费合计 431.5 元/hm²,比对照农坡地的年运行费 1 331.3 元减少投工 900 元/hm²。即 1hm² 耕地种草的增量年运行费为 -900 元。根据治理期各年完成耕地种草面积算得,1987~1995年流域项目区实际增量年运行费 -4 769 万元,1996~2021年预测增量年运行费 -18 369万元,合计为 -23 138 万元。

(2)荒山种草。荒山种草同自然荒坡相对照,故其增量运行费即调查原值。$1hm^2$ 荒山种草每年管护用工为 30 个,投材料费 7 元,年运行费为 202 元/hm^2。根据各年完成面积算得,1987～1995 年实际年运行费为 1 972 万元,1996～2021 年预测年运行费为 15 653 万元,合计为 17 625 万元。

(3)综合种草。把耕地种草和荒山种草的年运行费相加,即得综合种草的年运行费,治理期 1987～1995 年流域项目区综合种草实际年运行费为 -2 797 万元,1996～2021 年预测年运行费为 -2 716 万元,合计为 -5 513 万元。

4)草场改良

草场改良同自然荒坡相对照,其增量年运行费即调查原值。$1hm^2$ 草场改良每年管护用工为 15 个,折款 97.5 元/hm^2。根据各年完成面积算得,1987～1995 年项目区实际年运行费为 1 168 万元,1996～2021 年预测年运行费为 5 434 万元,合计为 6 602 万元。

5)谷坊、沟头防护、涝池、水窖

根据典型调查结果,谷坊、沟头防护、涝池、水窖的单位数量年运行费分别是:谷坊 6.5 元/道,沟头防护 6.5 元/道,涝池 6.5 元/个,水窖 6.5 元/眼。根据各年完成数量算得其治理期 1987～1995 年实际年运行费分别是谷坊 541 万元,沟头防护 49 万元,涝池 6 万元,水窖 36 万元;1996～2021 年预测年运行费分别是:谷坊 2 457 万元,沟头防护 216 万元,涝池 23 万元,水窖 151 万元。合计年运行费分别是:谷坊 2 998 万元,沟头防护 265 万元,涝池 29.4 万元,水窖 187 万元。

以上的各项措施年运行费计算中,计算期限为 35 年,而有些项目的寿命期小于经济计算期,如用材林经济寿命期为 30 年,经济林寿命期为 15 年,种草寿命期为 15 年,需在计算期内更新,预测投资定额计算与实际投资计算定额相同,投资额包含于预测年运行费中。

(三)经济效益计算

1.经济效益计算说明

(1)经济效益指布设水保措施后所增产的农、林、草等主副产品的产值,即有直接经济收入的一级效益,由此而衍生的养殖业、加工业等到二级和三级效益不作考虑。

(2)计算方法采用"对比增量法",即有水保措施与无水保措施相比,各年增加或减少的经济收益,具体比较方法同年运行费计算。

(3)只对有直接经济效益的各项水保措施如梯坝地、造林、种草等进行经济计算,而对谷坊、沟头防护、涝池、水窖等措施只在综合效益评价中计算其投资和维护费用,效益视为社会效益,不进行经济计算。

(4)经济计算期取 35 年(1987～2021 年),前 9 年为流域治理的实际效益,1996 年后为预测效益。

(5)计算所采用的价格为 1995 年不变价,各项措施投入产出的实物折价均为市场调查价格的平均价。

2.各项水保措施经济效益计算

1)梯坝地

根据效益监测结果,用每公顷梯坝地治理期各年度的产出效益减去相同年度对照农坡地的产出效益的差值,即效益对比增量乘以各年度的累计梯田面积即得该年度的效益值。例 1987 年 $1hm^2$ 梯坝地产出效益 2 950.8 元,对照坡耕地产出效益 2 035 元,单位面积效益增量 915.8 元/hm²,与 1987 年梯坝地面积 2 886.67hm² 相乘得 1987 年增量效益值 264.4 万元。用以上方法求得 1987~1995 年治理期内流域项目区梯坝地实际增量效益 11 766 万元,1996~2021 年预测效益 118 389 万元,合计为 130 155 万元。

2)造林

(1)用材林。根据林业调查结果,用材林以杨树为例,栽植后第 10 年间伐椽材,1hm² 产材量为 30m³,第 30 年一次性砍伐更新,产材量 91m³,每立方米木材价格为 450 元。产出枝叶薪柴对照荒坡产出草的效益相抵消。其增量产出效益为:全部是预测效益 1996~2021 年共 28 767 万元。

(2)经济林。根据调查结果,以梨类为例,栽植后第 6 年开始挂果,第 6~7 年产果量 1 500kg/hm²,第 8~9 年产果 4 500kg/hm²,第 10 年进入盛果期,产量为 7 500kg/hm²。行间空地粮食作物产出物品与对照农坡地产出相抵消,果品按 1.6 元/kg 计,据治理期完成面积算得:1987~1995 年经济林产出实际增量效益为 1 472 万元,1996~2021 年预测效益 59 163 万元,合计为 60 635 万元。

(3)防护林。以柠条为例,种植后第 3 年平茬一次,以后每隔 3 年平茬一次,每次平茬产薪柴 12 000kg/km²,1kg 价格为 0.3 元,据各年度完成面积算得,1987~1995 年治理期内产出实际效益 2 454 万元,1996~2021 年预测效益 34 033 万元,合计为 36 487 万元。

(4)造林综合。造林的综合经济效益是用材林、经济林、防护林的总和。1987~1995 年治理期全流域项目区造林增加实际产出效益 3 925 万元,1996~2021 年预测经济效益为 121 956 万元,总计为 125 881 万元。

3)种草

(1)耕地种草。根据调查,1hm² 耕地种草第 1 年产干草 2 500kg,第 2 年产干草 5 770kg,第 3 年产干草 7 300kg,第 3 年以后每年产 8 720kg。干草价格为 0.6 元/kg。根据各年度完成耕地种草面积及生长年限算出产出效益,再减去相同面积对照农坡地的产出效益,即得各年度耕地种草的增量效益。按以上方法算得 1987~1995 年治理期内耕地种草的实际增量效益 7 866 万元,1996~2021 年预测效益 41 646 万元,合计为 49 512 万元。

(2)荒山种草。1hm² 荒山种草第 1 年产干草 830kg,第 2 年产干草 1 920kg,第 3 年产干草 2 435kg,第 3 年以后产干草 2 590kg。对照荒坡产草量为每年 838.5kg/hm²。草价为 0.6 元/kg。根据各年度完成荒山种草面积及草的生长年限算得 1987~1995 年治理期内流域项目区荒山种草产出的实际增量效益 7 686 万元,1996~2021 年预测效益 40 527 万元,合计为 48 213 万元。

(3)种草综合。种草措施的综合经济效益是耕地种草和荒山种草的总和。1987~1995 年种草综合的实际增量效益 15 551 万元,1996~2021 年预测效益 82 167 万元,合计为 97 718 万元。

4)草场改良

据调查,草场改良第 1 年产出干草 1 050kg/hm²,第 2 年产干草 1 140kg/hm²,第 2 年以后每年产干草 1 200kg/hm²,对照荒坡产草量为每年 838.5kg/hm²。干草价格同种草计算,根据各年度完成改良措施面积及改良后生长年限算得 1987~1996 年流域项目区草场改良措施的实际增量效益为 2 333 万元,1996~2021 年预测效益 12 090 万元,合计为 14 423 万元。

5)各项水保措施综合经济效益

各项水保措施的综合经济效益为全流域各单项水保措施的叠加合计,1987～1995年流域项目区各项水保措施的实际增量效益为33 565万元,1996～2021年预测效益334 643万元,合计为368 208万元。

(四)经济效果分析

只对全流域各项措施综合经济效果列出分析过程,对于各单项措施的经济效果,只在表中列出分析结果,分析过程从略。

1.静态分析

1987～2021年关川河流域项目区综合水保措施治理投资 $K = 21\ 436$ 万元,年增量运行费 $C = 55\ 737$ 万元,综合经济效益 $B = 368\ 208$ 万元。

(1)经济效益费用比:　$R = B/(K + C) = 368\ 208/(21\ 436 + 55\ 737) = 4.771$

(2)净效益:　$P = B - (K + C) = 368\ 208 - (21\ 436 + 55\ 737) = 291\ 035$(万元)

(3)年均净效益:　$\overline{P} = P/N = 291\ 035/35 = 8\ 315.29$(万元)

其中 N 为计算年限。

(4)投资回收年限(T_s)。其计算结果为:

$$T_s = 9(年)$$

2.动态分析

取利率 $r = 12\%$,基准年取1995年,以年末为折算点。

(1)经济效益费用比(R_0): $R_0 = B_0/(K_0 + C_0) = 143\ 881/(44\ 452 + 25\ 348) = 2.061$

(2)净效益(P_0): $P_0 = B_0 - (K_0 + C_0) = 143\ 881 - (44\ 452 + 25\ 348) = 74\ 082$(万元)

四、社会生态效益分析与评价

关川河在短短的6年内,新增梯田15 047hm²,坝地1 683hm²,造林23 319hm²,种草24 099hm²,育苗240hm²,草场改良21 460hm²,谷坊145 055座,沟头防护12 709道,涝池1 414个,水窖8 900眼,农村道路226.1km,10kV农电线路450.66km。累计治理水土流失面积1 510.09km²,治理程度达76.24%,蓄水效率达50%,保土效率达41.8%,林地覆盖度达23%,草地覆盖率达19.7%,为当地农业生产创造了良好的基础条件,生态环境也得到了良好的发展。

(一)农业生产条件的变化使生产率显著增长

经过治理,关川河流域土地生产率由1986年的521.42元/hm²提高到1992年的1 187.55元/hm²,增长127.8%,增长率达14.7%;劳动生产率由1 133.57元/人提高到2 054.06元/人,增长81.2%,增长率10.4%;资金生产率由2.93元/元增长到3.29元/元,增长率1.95%(见表11-12)。

(二)农民生活条件显著改善,生活水平迅速提高

据监测结果表明:关川河流域粮食总产量由1986年的5.96万t提高到1992年的9.03万t,增长52%,产量由1986年876kg/hm²提高到1992年的1 650kg/hm²,增长88.3%,人均产粮由291kg提高到403kg;1992年户均粮食低于3 000kg的户占总调查户的72.5%,3 000～4 000kg的户占总调查户的5%,5 000～6 000kg以上户占总调查户的2%,收入在1万元以上的户有119户,占总调查户的39.8%,有一半左右的家庭都从事了第二、三产业;

农民人均食物支出占支出的比例(恩格尔系数)由 1986 年的 61.21%,下降到 1992 年的 48.6%;按国家统计局标准(1980 年价)人均收入 200 元以下(贫困户)、200～1 000 元(温饱户)及 1 000 元以上(小康户)三个等级衡量,流域内贫困户、温饱户、小康户占总户数比例为 1986 年的 18:80:2 变为 1992 年的 3:92:5(见表 11-13),生活设施增长率达到 64.14%。典型农户监测表明,梯田比坡耕地平均增产粮食 709.5kg/hm²。六年来,全流域新修梯坝地 16 730hm²,可增产粮食 1 187 万 kg。广大农民群众不仅吃粮有余,而且有更多的钱花在物质文明及精神文明建设上。

表 11-12　关川河流域生产率变化

年度	土地生产率		劳动生产率		资金生产率	
	绝对值(元/hm²)	指数(%)	绝对值(元/人)	指数(%)	绝对值(元/元)	指数(%)
1986	521.42	100	1 133.57	100	2.93	100
1987	695.98	133.48	1 374.27	121.22	3.06	104.44
1988	774.97	148.63	1 490.1	131.45	2.95	100.68
1989	808.82	155.12	1 495.69	131.95	3.05	104.10
1990	916.35	175.74	1 652.91	145.81	2.92	99.58
1991	991.05	190.07	1 768.29	155.99	3.3	112.63
1992	1 187.55	227.75	2 054.06	181.20	3.29	112.44

表 11-13　关川河流域各年生活水平指数汇总

项目	1986 年	1987 年	1988 年	1989 年	1990 年	1991 年	1992 年
恩格尔系数(%)	62.21	59.67	56.71	51.94	53.44	51.32	48.57
贫困户(户)	18	15	9	8	6	4	3
温饱户(户)	80	81	89	90	89	91	92
小康户(户)	2	4	2	2	5	5	5
人均产粮(kg)	291	336	339	315	389	386	403
人均纯收入(元)	223	254	297	340	324	446	506
净收入(万元)	6 798	9 282	10 154	10 762	11 928	13 675	16 380

(三)大力推广科技成果,科技进步效应明显增加

关川河流域一期治理从提高土地利用率和水土资源利用率入手,推广应用科技新成果,实施定西市水保所、省水保所等科研单位近年来推出的水土保持植物措施对位配置、梯田优化测设仪器,水保优良植物种等先进技术和科研成果,提高了植物措施的成活率、保存率和施工效益,为水土保持经济效益的提高提供了良好的条件,使流域内治理效率得到了大幅度增长,流域内社会经济条件发生了巨大变化。

根据 1986～1992 年的产出、投入数据(见表 11-14)建立了多元功效函数模型(计算方法详见本书第十章第一节）：$Y = A^{\alpha}L^{\beta}K^{\gamma}$。

计算得土地、劳力、资金的弹性系数分别是：

$\alpha = 0.425\ 997$

$\beta = 1.047\ 862$

$\gamma = 0.564\ 746$

各类投入对产值的权重分别是：

$\alpha^{\ast} = \alpha/(\alpha + \beta + \gamma) = 0.209$

$\beta^{\ast} = \beta/(\alpha + \beta + \gamma) = 0.814$

$\gamma^{\ast} = \gamma/(\alpha + \beta + \gamma) = 0.277$

表 11-14 关川河流域产值、投入序列 （单位：万元）

年度	产值		投入		
	总产值	净产值	农地面积	劳动力	资金
1986	10 326.86	6 798.47	1 197	9.11	3 528.37
1987	13 783.9	9 282.40	1 226	10.3	4 501.50
1988	15 348.3	10 153.77	1 299	10.30	5 194.53
1989	16 018.8	10 761.55	1 405	10.70	5 257.25
1990	18 149.0	11 928.4	1 504	10.98	6 220.60
1991	19 628	13 675.2	1 565	11.10	5 952.8
1992	23 519	16 380.2	1 691	11.45	7 138.8

从表 11-15 看，1992 年农业总产出是 1986 年的 2.28 倍，平均年递增率为 9.44%；1992 年的农业总生产率是 1986 的 1.52 倍，平均年递增率为 4.86%。

表 11-15 关川河流域投入产出指数序列

年度	总产出指数	农业投入指数				总生产率指数
		土地	劳力	资金	总投入	
1986	100	100	100	100	100	100
1987	133.48	102.42	110.10	127.58	113.34	117.77
1988	148.63	108.52	113.06	147.22	121.57	122.26
1989	155.12	117.37	117.56	149.00	126.23	122.89
1990	175.75	125.64	120.53	176.30	137.05	128.24
1991	190.07	130.74	121.84	168.71	136.68	139.06
1992	227.75	141.27	125.69	202.33	150.18	151.65

关川河流域治理后，总投入贡献份额达 48.52%，技术进步效应占 51.48%，这说明，农业扩大再生产的类型处于交错型，即农业总产出的增长主要依赖于农业总投入和科学技术的同步增长。由于流域内生产技术的合理应用，使之科技进步效应在总增量中的比例占了一半，高于全市 35% 的平均水平。

(四)调整投入结构,资源配置趋于优化

通过对农、林、牧、副各业间的劳力、土地、资金投入结构的调整,从而土地利用结构、劳力利用结构、资金利用结构向良性发展,实现了自然、经济资源的合理分配及利用。结构效应的大小,显示了投入结构调整的合理与否。所谓结构效应(SEV)是指在生物生产效率不变的情况下,通过调整农业生产结构而实现农业产出量的绝对增加。相对结构效应(RSE)则是结构效应占总产值总增量的百分数。计算方法详见本书第十章第二节。

1. 劳动力投入结构调整效应

治理前劳力投入农、林、牧、副各业比例为71:2:4:24,治理后变为60:3:4:33,见表11-16。计算结果表明,治理期劳力数投入结构变化值达到21.1%,年平均值3.52%,农、林、牧、副各业结构变化百分数依次为-11、1、0.3、10;变化速度依次为-16%、39%、8%、40%;正增长速度中以副业最大,林业次之;负增长中以农业最大。这说明,劳力结构经过大调整,使农业劳力向副业和林业转移。

表11-16 关川河流域劳力投入结构变化

年度投入	农业	林业	牧业	副业	合计
1986年(基期)投工(万工日)	1 932	48	102	651	2 733
占总投工(%)	71	2	4	24	100
治理期(年均)投工(万工日)	1 942	80	131	1 077	3 288
占总投工(%)	60	3	4	33	100

由式(11-42)、式(11-43)得出,通过对流域内各业劳动力的调整,使治理期(1987~1992年)流域总产值年平均增加1 292.1万元,占总产值增量的24.1%。

2. 土地投入结构调整效应

土地是农业生产中最重要的生产资料,它的投入结构、合理程度,直接影响着农业生产的发展和农业生产规模与水平。关川河流域重点治理前农、林、草、荒、非生产用地比例结构为42:11:7:25:15,重点治理后变为33:23:30:2:12(见表11-17)。

表11-17 关川河流域土地投入结构

时段	农业	林业	草地	荒地	非用地	合计
基期面积(hm²)	82 980	21 853	14 867	48 833	29 520	198 051
占总面积(%)	41.9	11.02	7.51	24.66	14.91	100
治理期面积(hm²)	64 640	45 173	60 420	4 173	23 647	198 051
占总面积(%)	32.64	22.81	30.51	2.10	11.94	100

通过计算,土地调整后结构变化值达70%,年平均结构变化值达12%,农、林、牧、荒、非生产用地结构变化百分点依次为-9、12、23、-23、-3;变化速度依次为-22%、107%、306%、-91%、-20%。正增长速度中以草地最大,林地次之;负增长中以荒地为主,农地次之。说明土地利用结构的调整,主要是以减少荒地来增加林草地,其次是将农地中>25°的地退耕还林还草,从而大幅度提高了土地的利用率和土地的生产率。

由式(11-42)、式(11-43)得出,关川河流域治理期对土地利用结构的合理调整,使流域内总产值年平均增加 464.4 万元,占总产值总增量的 12.6%。

3. 资金投入结构调整效应

关川河流域治理前投资 1.78 万元/km^2,治理期每年平均投资 2.88 万元/km^2,增长62%,农、林、牧、副各业资金投入结构比例由治理前的 64:0.9:14:22,变为治理期的 39:1:8:52(见表 11-18),资金投入结构变化值达 62%,年平均结构变化值为 10%,各业资金结构变化百分点依次为 -26、0.5、6、31,变化速度依次为 -40%、56%、-41%、140%。在资金投入的正增长中,以工副业为最快,林业次之;负增长中,牧业和农业速度相同。

表 11-18 关川河流域资金投入结构

时段	农业	林业	牧业	副业	合计
基期投入(万元)	2 247.96	31.68	478.08	770.64	3 528.37
占总投入(%)	63.71	0.9	13.5	21.84	100
治理期年均投入(万元)	2 180.65	79.32	457.71	2 993.22	5 710.90
占总投入(%)	38.18	1.39	8.02	52.41	100

由式(11-42)、式(11-43)得出,流域内在治理期通过对资金的合理运用,使流域内总产值年平均增加 1 003.00 万元,占总产值总增量的 29%。

4. 总产值结构变化

关川河流域在治理期由于运用了大量的先进技术,对各业投入结构也进行了合理的调整,促进了流域内土地利用率和生产率的提高,出现了流域内各业协调发展,各产业产值稳步增长的局面。流域内 1986 年总产值为 5.21 万元/km^2,1992 年达到 11.88 万元/km^2,增长 128%,农、林、牧、副产值结构由 1986 年的 41:9:14:36 变为 1992 年的 38:8:17:38(见表 11-19)。结构变化值达 9.5%,年均结构变化值 1.6%,农、林、牧、副各产值结构百分点依次为 -3、-2、3、2;变化速度依次为 -7%、-18%、19%、6%,各产值正增长速度中,以牧业最大,工副业次之;负增长中,以林业最大,农业次之。

表 11-19 关川河流域各产业值变化

时段	农业	林业	牧业	副业	合计
基期产值(万元)	4 191.27	979.2	1 478.4	3 678	10 326.84
占总产值(%)	40.58	9.48	14.32	35.62	100
治理期年均产值(万元)	6 666.06	1 372.43	3 029.64	6 673.04	17 741.17
占总产值(%)	37.57	7.74	17.08	37.61	100

注:均为 1990 年不变价。

5. 综合结构效应

治理期通过对土地、劳力、资金投入结构的调整,促进了经济结构良性发展。治理期土地、劳力、资金综合结构效应值年均达到 2 714 万元,占年均总产值总增量的 47.5%。

(五)初级农产品增加,环境容量增大

流域内通过大面积修建水平梯田、植树造林,粮食产量及作物秸秆大量增加,使流域内的燃料、饲料已基本解决。据监测,监测户户均秸秆由治理前的 2 102.34kg 提高到 1992 年的 3 045kg,增长 45%;煤炭由治理前的户均 725.8kg 提高到 1992 年的 1 008.2kg,户均总燃料用量折合秸秆由治理前的 3 314.43kg 提高到 1992 年的 4 728.6kg;监测户 1987～1992 年共出售大家畜 89 头,出售猪 2 323 头、羊 1 627 只、鸡 1 754 只、兔 491 只,大家畜存栏数由 1986 年的 408 头增加到 1992 年的 482 头,猪羊存栏数由 1 413 头(只)增加到 1 649 头(只)。

流域内秸秆提供量由 1986 年的 8.94 万 t 提高到 1992 年的 12.85 万 t,增长 43.8%,流域内燃料环境容量由治理前的 53 人/km^2 提高到 1992 年的 135 人/km^2;饲草容量由 211 羊单位/km^2 提高到 348 羊单位/km^2,粮食环境容量由 100 人/km^2 提高到 1992 年的 152 人/km^2,人畜饮水容量由 1986 年的 68 人/km^2,提高到 1992 年的 137 人 /km^2(见表 11-20)。

表 11-20 关川河流域环境容量分析

环境容量	1986 年	1987 年	1988 年	1989 年	1990 年	1991 年	1992 年
粮食(人/km^2)	100	117	120	114	143	144	152
燃料(人/km^2)	53	59	78	98	114	122	135
饲料(羊单位/km^2)	211	237	267	212	267	318	348
饮水(人/km^2)	68	70	85	100	116	128	137

(六)人畜饮水困难基本得到解决

流域内治理前有水窖 19 300 眼,到 1992 年,新增 8 912 眼,蓄水量 26.65 万 m^3,累计达到 27 579 眼,总蓄水量达 82.5 万 m^3,依靠水窖吃水的地区,户均 2.5 眼,户均每年可拦蓄水量 74.9m^3,达到了正常年景"吃一余一"的标准,总蓄水量是年均人畜用水量 61.94 万 m^3 的 1.33 倍,流域内的人畜用水已基本得到解决。

(七)改善交通能源条件,方便群众生活,促进经济发展

1992 年底流域内改造新修县乡公路 226.1km,使 15 个乡的 100 多个村已通了汽车,道路密度由治理前的 0.1km/ km^2 增加到 1992 年的 0.2km/ km^2,田间支线长度由 182.7km 增加到 328.95km,增长 80%,新架设 10kV 农电线路 450.06km,通电农户由 1986 年的 30% 提高到 1992 年的 93%。

由于流域内道路、电业和农业生产的稳定和大力发展,为工副业的发展创造了条件。到 1992 年底,新建农副加工厂点 607 个,年均收入 6 432.17 万元,有力地促进了山区经济的发展。1986 年流域内农户拥有黑白电视机 3 857 台,彩电 149 台,到 1992 年已发展黑白电视 12 780 台,彩电达到 983 台,分别增长 231.3% 和 559.7%。平均 3 户拥有 1 台电视机。自行车 1992 年已拥有 45 342 辆,平均 4 人拥有 1 辆自行车,生活设施增长率达 72.5%,95% 的儿童都成了在校学生。由于经济收入的提高,文化、卫生医疗条件得到了明显的改善(见表 11-21)。

(八)提高资源利用率和能量产投比,保持生态环境良性发展

关川河流域治理以小流域为单元,推广应用先进治理技术,有效地提高了农业资源利用率,使粮食光热潜势利用率由 1986 年(下同)的 11.51% 提高到 1992 年(下同)的 21.74%;降水潜势利用率由 16.96% 提高到 32.03%;土地利用率由 60% 提高到 86.7%;劳动力资源利用率由 68% 提高到 76%;林草覆盖率由 18.5% 提高到 42.5%;能量产投比由 1.46% 提高到 1.59%；粮食由人均缺粮 9.2kg 提高到人均有余粮 103.4kg；燃料由人均缺 435.3kg 提高到年人均余 98kg；饲料由每个羊单位缺 86kg 提高到余 29kg/羊单位；肥料纯量由每公顷缺 169kg 下降到每公顷缺 84kg；人畜用水由缺 2 283kg/人，提高到余 1 271kg/人，使生态环境供需基本实现了平衡(见表 11-22)。

表 11-21　关川河流域治理前后文化和生活结构变化

分类名称		单位	1986 年	1992 年	增长率(%)
劳力文化结构	高中	万人	0.48	0.85	77
	初中	万人	0.81	2.06	154
	小学	万人	2.23	4.15	86
生活耐用品变化	黑白电视	台	3 857	12 780	231
	彩色电视	台	149	983	560
	收录机	台	9 112	10 984	21
	电冰箱	台	3	59	1 866
	洗衣机	台	129	1 291	901
	摩托车	辆	43	401	832
	自行车	辆	21 045	45 342	115
农户通电率		%	30	93	210

表 11-22　关川河流域资源利用率和生态平衡程度

名称		单位	1986 年	1987 年	1988 年	1989 年	1990 年	1991 年	1992 年
资源潜势利用率	光热	%	11.51	14.29	15.21	14.93	19.26	20.67	21.74
	降水	%	16.96	21.05	22.40	22	28.37	30.46	32.03
	土地	%	60	62	66	71	76	79	86
生态平衡程度(余亏)	粮食	kg/人	-9.2	35.6	39.5	14	89.3	85.8	103.4
	燃料	kg/人	-435	-343	-217	-105	-18	28	98
	饲料	kg/羊	-86	-67	-42	113	-59	4	29
	肥料(纯量)	kg/hm²	-169	-151	-142	-114	-107	-92	-84
	人畜用水	kg/人	-2 283	-2 012	-1 254	-1 042	255	881	1 271
林草覆盖率		%	18.5	21.3	25.3	30.7	34.6	38.2	42.5

(九)"三跑田"变"三保田",土地质量等级进一步提高

由于平整土地,荒山造林种草,沟道打坝淤地,改变了昔日荒山秃岭的凄凉景观,土地等级有了明显的变化(见表 11-23)。全流域土地质量等级平均提高 0.2 个等级,其中：Ⅰ 级地由 71.47km² 变为 78.47km²,增长了 0.4 个百分点,Ⅱ 级地由 283.5km² 变为 404.33km²,增长最多,有 6.1 个百分点。从Ⅲ、Ⅳ、Ⅴ、Ⅵ级地中修梯田 108.63km² 后提高到Ⅱ级地；从Ⅷ级地中淤坝地 12.2km² 提高到Ⅱ级地,从Ⅶ级地中修整地 7km² 提高到Ⅰ级地。

通过对关川河流域典型农户的调查得出结果：通过流域综合治理发生了翻天覆地的变化。这说明,在严重干旱区,只有大力进行水土保持工作,增强环境的抗逆力和土地的生产力,才能从根本上改变贫困,走上致富道路。虽然关川河流域在这几年的治理中运用了很多

先进技术,使流域的面貌发生了显著变化,为今后的治理提供了宝贵经验,但是我们在调查中还发现存在着一些问题,主要是:

(1)饲草剩余,应大力发展畜牧业。据监测:该流域有些地方的饲草多作燃料用,这就阻碍了畜牧业的发展。要改变这一状况,发挥秸秆多、套种绿肥多的饲草优势,广开动物饲料,建立饲料加工业,发展畜牧业,以便增加农民的经济收入,有助于扩大再生产的资金来源。

(2)土地投入少,肥料供给不足。土壤施肥量不足,据监测,虽然通过治理及各方面的投入,但肥料纯量每公顷平均还缺83.55kg;这也是有些地方粮食单产上不去的主要原因之一,显然这些原因有经济上的也有科学种田上的。因此,要增加产量,维持土壤的生态系统养分平衡,必须增加肥料的投入,特别是土粪的投入。

表 11-23 关川河流域土地等级变化 （单位:km²）

土地等级	1986 年	1987 年	1988 年	1989 年	1990 年	1991 年	1992 年
Ⅰ	71.47	71.47	72.07	72.67	67.47	78.47	78.47
Ⅱ	283.5	315.4	339.67	368.67	355.33	379	404.33
Ⅲ	81.6	89.23	91.7	89.9	85.92	75.69	75.69
Ⅳ	536.3	523.24	509.21	490.81	500.73	495.69	482.07
Ⅴ	643.55	528.88	621.34	611.07	617.77	616.07	608.06
Ⅵ	153.89	146.09	143.62	145.42	147.82	146.8	145.82
Ⅶ	53.47	53.47	52.87	52.27	57.47	46.47	46.47
Ⅷ	156.73	152.73	150.03	149.7	148	142.3	139.6

参 考 文 献

[1] 中华人民共和国水利部.水土保持综合治理技术规范(GB/T16453.1～16453.6—1996)

[2] 中华人民共和国水利部.水土保持综合治理 验收规范(GB/T15773—1995)

[3] 中华人民共和国水利部.水土保持综合治理 效益计算方法(GB/T15774—1995)

[4] 杨文治,余存祖,等.黄土高原区域治理与评价.北京:科学出版社,1992

[5] 王广森,吴永祥,冯海发,等.结构变革与农村发展.北京:中国财政经济出版社,1991

[6] 张富.水土保持综合治理的技术效应.中国水土保持,1991(11)

[7] 胡恒觉,等.陇中半干旱区农田生产潜力开发对策的研究.干旱地区农业研究,1989(1)

[8] 张富,边作仁.水土保持综合治理的结构效应.中国水土保持,1992(12)

[9] 刘万铨.水土保持减沙效益分析计算方法的研究.人民黄河,1989(3)

[10] 张富,景亚安,赵克荣.半干旱地区水土保持综合防治工程效益评价指标体系研究.见:希望之路.兰州:兰州大学出版社,2001

[11] 高怀国.关川河流域水土保持综合治理工程蓄水保土效益监测与分析.见:希望之路.兰州:兰州大学出版社,2001

[12] 井卫平.关川河流域水土保持综合治理工程社会生态效益监测与分析.见:希望之路.兰州:兰州大学出版社,2001

[13] 宁建国.关川河流域水土保持综合治理工程经济效益监测与分析.见:希望之路.兰州:兰州大学出版社,2001

第四编　水土保持防治措施系统化对位配置

第十二章　小流域水土保持防治措施对位配置规划

控制水土流失,促进区域经济社会的发展,必须要有包括发展所要求的自然环境、社会经济因素以及物质资源。不同的发展措施与途径所形成的资源需求空间是不一致的。根据扩展的生态位理论,水土保持对位配置的概念也推广到社会—经济—自然复合生态系统,这就要求对位配置必须按照生态位的能级分布层次,将多维生态位按照限制因子定律,逐层逐维分析建设主体的资源利用谱,用实际资源利用函数描述建设主体(生物种或非生物)生态位的变化。通过建立反映建设主体(生物种或非生物)的适合性或适宜度与环境资源利用程度关系的适合性(适宜度)分析,就可以实现建设主体(生物种或非生物)的适宜生态位与环境资源(生态)位的对位配置。如农业生产不仅要求合适的气候条件、地理条件与土壤条件,还要求劳动力及其他物质的输入等。这些条件构成农业生产的资源需求空间。而工业布局、城镇发展,更多关心的是交通、原材料、市场以及地理条件等因素。这些因素构成其资源需求空间。

水土保持治理措施对位配置规划反映了发展主体对环境资源依赖关系和环境资源位对适宜发展主体的规定性,通过生态元产生最大的生态效能,使小流域生态系统达到"万物有位层位有序,人与自然和谐相处,治理措施对位配置,各居其位各尽其效"的目标。

小流域水土保持防治措施对位配置规划,涉及小流域发展规划对位配置、小流域社会经济需求发展预测、小流域径流调控开发利用体系优化配置、小流域土地利用优化配置方案、小流域综合管理服务机构、因地制宜制定实施程序七个方面,其中小流域径流调控开发利用体系优化配置将在第十三章中论述。

第一节　小流域发展规划对位配置

建设社会主义新农村是我国现代化进程中的重大历史任务,其目标概括为 20 个字:"生产发展、生活富裕、乡风文明、村容整洁、管理民主",全面体现了新形势下农村经济、政治、文化和社会发展的要求。实现这个目标,重点和难点在农村。必须用新农村建设来统领"十一五"时期的农村工作,按照落实科学发展观和构建社会主义和谐社会的要求,坚持城乡统筹发展,进一步调整国民收入分配格局,走工业反哺农业、城市支持农村的道路,把农村基础设施建设纳入公共财政范围,逐步改变城乡二元结构,努力消除城乡协调发展的体制性障碍,促进资源在城乡之间合理配置,建立城乡社会事业和基础设施共同发展的运行机制,让广大农民能够像市民一样拥有洁净方便的自来水、清洁的燃料、整洁的厨房、舒适方便的卫生条件和平坦的道路。

水土保持工作作为新农村建设的有机组成部分,在自然资源基础配置、改善农业基本生产条件、促进人与自然和谐发展等方面,发挥着不可替代的基础作用。以小流域为单元,实行综合治理、集中治理和连续治理,是从长期实践中摸索总结出来的一条基本经验,克服了缺乏统一规划、治理分散、标准低和效益差等弊端,加快了治理速度,使水土保持效益显著。

治理经验证明,在小流域规划和治理过程中应自始至终贯彻下列 8 条指导思想:①遵循一个明确的治理方略;②有一个科学的规划;③以基本农田建设为突破口;④为农民建立起一个致富产业;⑤以小流域为单元,综合、集中、连续治理;⑥优化设计,科学配置水土保持措施;⑦改革治理投资机制和经营管理机制;⑧建立水土保持管理信息系统。

一、制定科学的规划

小流域综合治理(对位配置)规划的核心是从多目标考虑,根据流域内社会经济发展需求、土地利用的适宜性,合理确定农、林(果)、牧业的用地比例。

由于黄土高原长期以来土地得不到合理利用,农耕地占农、林、牧业用地的比例高达 60%～80%,林、牧业脆弱,农业缺少林、牧业的支持和保护,土地和土壤严重退化,作物单产低,水土流失严重。试验区和试点、重点治理小流域的治理经验证明,开展小流域的综合治理与开发,要有一个全面的规划。表 12-1 列举了黄土高原三大地貌类型区中一些试验区(科技攻关专题)、试点和重点治理小流域的情况。经过 10 年左右的治理之后,农、林、牧用地结构已进行了明显的调整。在长城沿线风沙地与缓坡丘陵区,农业用地约占总土地面积的 10%,林(含果)牧业用地占 75%;在黄土丘陵沟壑区,农业用地已由原先的 52.3%～73.5%下降到 25%～52.6%,林(果)业用地已由原来的 3.9%～34%升至 23%～43%,牧业用地调整到 12.3%～43.0%;在黄土高塬沟壑区,农业用地约占 38%,林、果业占地 45%左右,其中果树面积占 14%～24%,牧业用地变化不大。各类型区农业和林、牧业用地的结构已逐渐趋于合理。

根据试验区、试点和重点流域的治理经验以及动态仿真的分析结果,建议近期在黄土高原三大地貌类型区开展小流域综合治理规划时,农、林、牧业用地结构调整可参照表 12-2 所示的比例进行。

二、以建设基本农田为突破口

实践证明:水地、条田(埝地)、水平梯田、隔坡梯田、坝地、川台地等基本农田的蓄水拦泥效益显著,抗御自然灾害的应变能力强,可大幅度提高单位面积产量(见表 12-3)。因此,大抓基本农田建设,实现人均 $0.13～0.20hm^2$ 基本农田,解决农民的吃饭问题,是顺利调整农、林、牧业用地结构,退耕还林、还牧,发展经济作物的关键。为此,各试验区、试点和重点小流域都把兴建基本农田作为突破口来抓。山西省三川河流域在治理过程中就鲜明地提出"咬住基本农田不放"的指导方针。正因为如此,各治理小流域的人均口粮都突破了 400kg。

表 12-1　不同类型区综合治理典型小流域农、林、牧业用地架构的变化情况

地貌类型区	小流域	面积（hm²）	统计年份	农、牧、林业用地比例		
				农地	林(果)地	牧地
长城沿线风沙地与缓坡丘陵区	五分地沟（准旗试验区）	11 550	1985	1.0	1.80	4.30
			1994	1.0	3.20	3.60
	芹河流域（重点治理流域）	307 800	1982	1.0	3.60	0.80
			1990	1.0	7.10	1.30
黄土丘陵沟壑区	王家沟（离石试验区）	13 650	1985	1.0	0.58	0.04
			1994	1.0	1.12	0.47
	纸坊沟（安塞试验区）	12 405	1985	1.0	0.46	0.93
			1994	1.0	1.56	1.93
	高泉沟（定西试验区）	16 905	1985	1.0	0.23	0.15
			1994	1.0	0.45	0.33
	老舍古（清涧县重点治理流域）	135 180	1982	1.0	0.31	0.10
			1989	1.0	1.69	0.43
	张家山（通渭县重点治理流域）	37 500	1982	1.0	0.07	0.07
			1990	1.0	0.92	0.60
黄土高塬沟壑区	王东沟（长武试验区）	9 450	1985	1.0	0.58	0.08
			1994	1.0	1.45	0.13
	泥河沟（淳化试验区）	13 800	1985	1.0	0.95	0.11
			1994	1.0	1.31	0.25
	茜家沟（泾川，试点小流域）	91 200	1982	1.0	0.28	0.04
			1987	1.0	0.86	0.07

表 12-2　不同类型区农、林、牧业用地结构建议值

类型区	农、林、牧业用地比例		
	农地	林(果)地	牧地
长城沿线风沙滩地缓坡丘陵区			
东部低密度人口农、林、牧生态农业区	1.0	5.00	3.40
西部低密度人口农、牧生态农业区	1.0	1.0	4.00
黄土丘陵沟壑区			
东部中密度人口农、牧结合生态农业区	1.0	1.35	0.45
中部低密度人口农、牧结合生态农业区	1.0	1.60	2.00
西部中密度人口农、牧结合生态农业区	1.0	0.90	0.70
黄土高塬沟壑区			
东部高密度人口农、果、牧生态农业区	1.0	1.25	0.70
中部中密度人口农、果综合生态区	1.0	1.40	0.25
西部高密度人口农、果、牧综合生态农业区	1.0	1.00	0.35

表 12-3　基本农田产量调查　　　　　　　　　　（单位：kg/hm²）

基本农田类型	甘肃陇西县			陕西米脂县	山西昔阳县
	枯水年	平水年	丰水年	枯水年	枯水年
水地	2 837.75	3 307.50	3 637.50	3 075.00	3 802.50
梯田	1 081.50	1 467.75	1 785.00	1 335.00	2 235.00
坝地				2 977.50	3 292.50
坡地	780.00	1 037.25	1 231.50	660.00	1 072.50

三、改革治理的投资机制和经营管理机制

随着市场经济的发展,各类投入主体投资行为的利益目标更加明确。因此,建立和完善水土保持产业投入机制的根本出路在于深化水土保持经济体制改革,调动各类投入主体的积极性。从他们的利益出发,建立和强化其自我抑制和自我激励机制,同时利用法规使其投资行为合理化、规范化,明确投资者的责、权、利。

(一)转变水土保持"公益性"的传统观念,强化水土保持"产业化"属性

水土保持是国民经济中经济部门的有机组成部分,同国民经济的其他部门一样,在建立社会主义市场经济过程中,只有遵循价值规律才能获得稳步发展。在社会主义市场经济条件下,水土保持措施的经济效益是千家万户投身于水土保持生态环境建设的生命力所在。因此,水土保持工作要树立水土保持产业的综合效益观念,在鼓励农民投资具有显著经济效益的治理措施、水保措施在产生经济效益的同时,让其发挥诸如减少输入黄河的泥沙、确保黄河下游汛期安全、改善黄土高原的生态环境等巨大的社会、生态效益。所以在进行水土保持措施规划时,要充分考虑投资决策者的直接经济效益,促进水土保持措施的推广应用,制定利于水土保持产业发展的投资政策,吸引广大农户、社会各界对水土保持的投资。在投资(治理)者取得经济效益的同时,国家、社会获得相应的社会、生态效益。

理顺水土保持投资的经济关系,赋予投资主体投资决策权。投资主体是指具备投资决策权、享受投资效益、承担投资风险的个人或组织。因此,作为一个真正的投资主体,就必须有自主的投资权力。深化水土保持经济体制改革,把水土保持治理推向市场,必须使水土保持投入主体与投资决策相统一,做到谁投资、谁决策、谁受益。

近年来,黄土高原正掀起拍卖"四荒地"使用权的浪潮,实行"谁购买、谁治理、谁受益,产权 50 年不变"的政策。极大地调动了农民群众和企事业单位投资治理"四荒"的积极性,改变了水土保持治理投资单一的被动局面。

(二)用法规和经济手段约束投资行为,使其尽快合理化、规范化

加快水土流失治理速度、提高资金使用效果的关键在于明确产权关系,按责、权、利一致的原则,将投入主体同工程建成后的财产、权力、责任和利益紧密地结合起来。当前,产权关系不明是水土保持产业投入乏力的一个重要原因。这主要表现为:

一是财产所有权不明,财产主体缺位。水土保持工程中大量的淤地坝、梯田、造林是通过国家、集体和群众等多方投入(投资和投劳)修建而成的,这些工程的财产归属没有明确的立法依据,特别是原来由集体和群众投资、投劳修建的水库和淤地坝,营造的水土保持林,栽植的果树,可以说是集体所有,也可以说是群众个人所有。这就导致大批水土保持工程被毁

坏了无人管,坝冲垮了没人补,林子被盗伐了没人问,大大挫伤了群众治理水土流失的积极性。

二是产权结构单一。一些水土保持企业自筹资金或群众个人投资、投劳所形成的资产仍属国家所有,形成单一的产权结构,挫伤了水土保持企业和群众投资、投劳的积极性。

明确水土保持产业产权关系的出路在于实行水土保持企业股份制。将原有水土保持工程设施的存量和增量分解为国家所有、企业所有和个人所有;对多方投资新建的水土保持工程同样按股份合作形式经营。在此基础上,按合同规定,明确责、权、利关系,实行完整意义上的承包经营。这样,才能使投入主体关心企业的效益,既硬化投资约束,又刺激投资欲望,保证水土保持产业长期的稳步发展。

(三)多渠道聚集水土保持资金

随着经济体制改革的深入开展,水土保持产业的投入机制也逐步转轨,一改过去那种单一投入的被动局面,出现了国际金融机构、中央和地方的企事业单位及受益对象(如农民)的多元化投入格局。水土保持产业投入的调控方式已开始由单一的行政性调控,逐步向行政和经济杠杆调控相结合的方式过渡。

目前,水土保持资金投入有下列几种方式:国家财政拨款与受益者投劳相结合;以工代赈与群众投劳相结合;联合国粮农组织赠款;世界银行贷款和国家统贷,谁用谁还;股份合作制集资为主,国家给予少量补贴;贷款滚动发展,即由村委会贷款治理开发土地资源,而后拍卖给村民使用,回收资金再行发展;拍卖土地使用权,谁购买,谁治理,谁受益。

对一些小型水土保持工程而言,股份合作制是行之有效的集资途径。这类工程的投资一般相对较少,工程周期短,见效快,有的当年即可见效。陕西横山县雷龙湾乡雷房子村地处无定河边,有宽广的河滩地资源,该村有农户 95 户,共 503 人,1988 年采取集资入股方式(共 439 股)治河造田,用引水拉沙的方法修筑河堤 3 800m,投工 25 400 个,移动土石方 16.7 万 m³,建多用桥 2 座,引洪闸 1 座,开垦出水稻田 66.67hm²。工程总投资 28 万元,其中群众自筹 25 万元,国家补贴 3 万元。工程当年建成,当年种植水稻,产稻谷 50 万 kg,产值 50 多万元,人均收入近 1 000 元,一年就收回了全部投资。

(四)完善水土保持产业劳动积累机制

资金短缺和农村劳动力充裕是我国的基本国情。水土保持产业是劳动密集型产业,在资金相对短缺的情况下,充分发挥劳动力充裕的优势,以劳动投入替代部分资金投入是发展水土保持产业的一种有效方法。在我国水土保持发展史上,劳动积累曾发挥了巨大作用。20 世纪 80 年代以前兴建的许多水土保持工程都凝结着农民大量的劳动投入。80 年代以后,商品经济观念在农民头脑中已逐步树立,农民的劳动投入越来越以利益为准则,昔日指令性的劳动积累机制已失去了效力。为此,在市场经济条件下,有效的劳动积累机制除了要有一定的法规和制度来约束而外,关键是要把农民的劳动积累同农民的自身利益结合起来,坚持谁受益谁投劳、公平合理和量力而行的原则。要按照受益程度分别合理地确定一个农民应该承担的劳动积累数额,对于超过规定数额的农民要进行奖励。农民投劳必须作价折算,不搞一平二调。对经营性的水土保持工程项目,投劳部分要折算记入投劳者名下,享有自己投劳的利益分享权。要根据劳动积累的不同对象,确定不同的负担原则,改变过去那种劳动积累完全按劳动力分摊的做法。对于水土保持应有明确规定,谁打坝、谁修梯田、谁造林,谁就有永久使用权。使用农民的劳动积累必须量力而行,要按照国家的有关规定,做到取之有度,用之得当。

第二节 小流域社会经济需求发展预测

黄土高原水土保持综合治理关键措施的对位配置应遵照自然规律、经济规律和社会发展规律,以控制水土流失、改善生态环境、服务经济发展和减少入黄泥沙为目标,注重坡面植物措施和沟道工程建设相结合,并构建稳定合理的基本农田规模。在措施组合上,既立足于当地群众生产生活的基本需要,又考虑环境改善和社会经济的可持续发展,促进生态环境实现良性循环,加快农村产业结构调整,提出不同类型区关键措施优化组合的形式及其数量关系,为黄河流域水土保持生态环境建设提供技术支撑和宏观决策依据。

一、基本思路

根据不同类型区自然条件、社会经济状况和当地经济发展的方向,针对各区人口、社会、经济和环境协调发展的要求在分析论证人口对于粮食(包括口粮、种子及精饲料等)、油料、蔬菜等基本生活需求,以及随着人们生活水平提高而对于深加工所需粮食增长幅度的基础上,测算其相应的耕地面积及其与退耕还林(草)的关系,并分析当前农业生产发展与生态环境改善的关系,同时,结合流域规划和治理现状的水平,确定不同类型区水土保持综合治理关键措施的对位配置。

二、准备工作

(一)自然环境概况调查

摸清相应区域的地形、地貌特点,土壤理化性状和气候,水资源条件及生态环境特征,分析适应于发展农、牧、林业(包括经济林)及草地的基本规模。

(二)水土流失现状调查

搞清相应区域的水土流失类型、强度及地理分布,明确控制不同类型水土流失的主要途径、部位及关键措施。

(三)社会经济状况调查

根据相应区域的人口密度,结合国家和地方行政区的人口控制规划,预测区域内人口密度的变化趋势。目前用于人口预测的方法很多,一般所采用的主要方法为自然增长法,其公式为:

$$P_t = P_0(1 + k)^n \pm \Delta P \tag{12-1}$$

式中:P_t 为预测期末总人口;P_0 为预测现状年总人口;k 为人口自然增长率;n 为预测年限;ΔP 为预测期内人口变化量。

三、社会经济需求发展预测

(一)粮食及粮田预测

根据流域规划,通过对区域现状人均用粮(包括口粮、种子、精饲料及其他粮油消耗)的调查分析,并按照以丰补歉的原则,确定区域人均粮食的年需求量,由此推算出预测期末区域的粮食需求总量。同时,根据区域粮食生产的实际情况,并考虑到通过区域的综合治理,土壤肥力提高,生态环境和生产条件改善,粮食单产将随之提高等因素,确定预测期末梯田的平均单产。结合区域灌溉的实际情况和发展潜力,确定新增水地和原有梯田改水地的面积,扣除自留蔬菜等生产用地,除剩余水地作为基本粮田外,确定还需耕作粮食的梯田数量。

(二)油料及其用地预测

根据流域规划,结合对区域农村人口实际消耗食用油的调查分析,并考虑群众生活随着经济发展不断提高的实际,确定区域人均年需求的油料数量,进而推算出预测期末区域食用油料的总需求量。同时,根据区域现状油料生产情况,结合预测期末梯田油料作物平均单产的提高潜力,确定油料的平均单产,考虑到近阶段油料地主要在梯田上发展,推算出区域油料用梯田数量。当然,还要根据预测区域的自然环境条件,确定出适宜种植的油料作物。对于不适宜种植油料作物的区域,则主要考虑油料内调。

(三)蔬菜及其用地预测

蔬菜是人们日常食用的食品。随着当地经济发展和生活水平的提高,群众对副食品的需求量也会不断增加。根据流域规划,结合实地调查和当地经济发展规划,确定预测期末农村每户自留菜地数量。同时,根据人口预测结果,并考虑蔬菜种植尽可能安排在水地上的实际情况,确定区域需安排用于蔬菜生产的水地数量。

四、发展预测的实际意义

(一)基本农田规模的确定

根据土地利用结构和当地经济发展规划目标,根据流域内各项用地的预测结果及生态环境建设的要求,确定预测期末区域内满足生活需求的基本农田规模。

(二)植被措施配置的确定

根据林草主要布设在荒地和小于25°坡地、田坎、滩涂和田间道路林带的原则,结合当地经济发展规划和包括果园在内的经济林的适生条件(如年降水总量及其时间分配),以及区域的地面组成物质、气候、水资源条件和牧业发展规划,确定区域的经济林、水保林和人工种草的发展规模。

黄土高原水土流失引起的最大生态环境问题是黄河泥沙问题。由于黄河泥沙多,造成水库及河道严重淤积,并引发许多水沙灾害。因此,黄土高原水土保持措施配置的主要原则之一就是要更为有效地减少入黄泥沙。为此,在进行水土保持措施配置研究中,除注重农业生态及农业经济、社会发展问题外,还应更加注重如何有效地减少入黄泥沙,以此配置治理措施的规模。

在不同措施建设规模的基础上,结合区域治理现状和近阶段经济发展目标和减少入黄泥沙目标,调整并最后确定关键措施的类别及其彼此间的比例和规模。

第三节　小流域土地利用优化配置方案

本节将从土地生态系统,以生态学角度说明小流域土地利用优化配置的方案。

一、基本概念

(一)土地生态系统的概念

土地生态系统是指在土地的空间,有生命体与无生命体之间,通过不断的能量流动与物质循环,构成一个相互依存、相互制约的网络系统。土地生态系统由于环境条件差异很大,生物群落种类繁多,两者互相结合,形成了多种多样的各级生态系统,一般可分为自然生态系统和人为(含自然)生态系统两大类。

农业生态系统是受人为调控的土地生态系统,人类按照需要在土地上利用自然资源和社会资源,从事农牧业生产活动。通过合理的能量转化和物质循环,进行物质生产。一方面达到一定的经济目的,满足人类日益增长的物质需要;另一方面要顺应自然,因地制宜地促进自然生态系统的良性循环。在这个系统中,物质循环和能量转化错综复杂,人类活动不断干预着系统的结构和功能。譬如,随着生产资料的投放、产品的产出、经济政策及科学技术的运用等,使它的组成因素比自然生态系统复杂得多。

(二)土地生态系统的特点

土地生态系统,具备生态系统所共有的4个基本特征:①一个完整的生态系统主要由初级生产者、消费者、分解者和非生物物质4部分组成;②生态系统是一个有生命的、开放式的功能系统;③一个生态系统占据一定空间并随时间发生演变;④生态系统内部保持有一定的平衡关系。除此之外,土地生态系统还具有自身的特点。

1.土地生态系统是一个由多层次子系统组成的大系统

土地生态系统与其他生态系统一样,系统中的生物、非生物之间相互联系、相互制约。土地生态系统是一个大系统,由多层子系统(或亚系统)组成(见图 12-1),某一级的生态系统是上级生态系统的组成部分。例如:改造成为更加符合人类生产生活需要的良性生态系统;也可以由于开发利用,不自觉地违背自然规律,超过子系统自身调节的能力,使生态结构恶化或功能减退,造成生态平衡的失调或完全破坏。

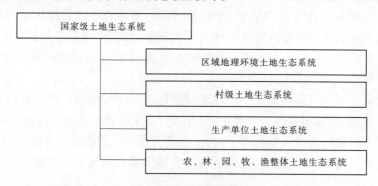

图 12-1　土地生态系统

2.土地生态系统是自然过程最活跃的场所

土地生态系统的空间范围:在水平方向上可以由几平方米到几千平方米甚至更大;在垂直方向上,可从土壤的母质层到植被的冠层以上。它是岩石团、气团、水团、生物团相互接触的界面,是物理过程、化学过程、生物过程物质和能量交换转化最活跃的场所。自然界的四大基本循环:大气循环、物质循环、水分循环、生物循环都在此处有不同程度的表现,各种循环的每个环节都表现为物质的迁移和能量的转换,构成该系统与外界的联系及自身的发展,维持系统的动态平衡。

3.土地生态系统中以人工生态系统为主

土地生态系统包括着自然生态系统的组成部分,但由于长期的人类活动的影响,纯粹的自然土地生态系统只有在荒芜人烟的地方尚存。特别是当今人口多、资源与环境问题日益突出,人类活动对土地的影响日益深刻,已成为土地生态系统中起主导作用的因素。土地生态系统是人类对自然生态系统长期改造和调节控制的产物,因此它与自然生态系统有明显的区别,具有如下特点。

(1)受人类调控。土地生态系统是在利用自然生态系统调控机理的基础上,人类积极主动地调节控制其生物种类、数量和各种环境因子,从而达到调控其结构和功能的目的。

(2)物种单一。土地生态系统中的主要物种经过人工有目的地选育,物种大大减少,食物链简化,抗逆性较差,系统的自我稳定性明显降低,容易遭受不良因素的破坏,需要人为地管理调节。

(3)系统的净生产力较高。在人类的调控下,土地生态系统的生物种群以短生育期作物和短龄禽畜为主,其净生产力常高于自然生态系统。

(4)系统开放程度较大,自我维持能力差。土地生态系统在大量输出农副产品时,必须大量补充输入能量和物质,增强与系统外的交流。一旦补充不足,系统功能立即受到影响。而自然生态系统仅靠太阳辐射能和系统内物质循环,自我维持能力较强。

4.土地生态系统由多种生物要素和多种环境条件组成

(1)多种生物共生相克相养。土地生态系统中多种生物共生,功能互补,能维持生态平衡。如合理轮作与套种间作,果园养蜂等。系统中多种生物相克,可以抑制病虫害,如针叶树和阔叶树混交,可控制松毛虫的滋生。土地生态系统多种生物相养,可发展多种经营,搞立体农业。

(2)绿色植物是土地生态系统中最基本的组分。土地生态系统由多种生物要素组成,其中最主要的是作为生产者的绿色植物。系统通过绿色植物吸收太阳能进行光合作用,把从周围环境中摄取的无机物质合成碳水化合物,也就是把太阳能转化为化学能贮存起来,如生产的粮食、油料、蔬菜、其他农副产品等。

(三)土地生态系统的能量流动和物质循环

能量转化和物质循环是生态系统的基本功能。能量和物质在生态系统中不断地被吸收、固定、转化和循环的运动状态叫做流(即能量流和物质流)。

1.能量转化与流动

太阳辐射能是生物圈中生物和人类生存的基本能源,但不能为动物和人类直接利用,必须通过绿色植物的光合作用,把太阳的辐射能转化为植物产品(有机物质)中的化学潜能,再通过食物链逐级转化、利用。人类只能直接利用植物产品中的一部分,还有 50% 以上的秸秆等不能直接利用。通过家畜家禽饲养,将其中的一部分转化为肉、蛋、乳等畜产品,供人类需要。畜禽对秸秆糠麸和对精饲料中的能量也只能利用一部分,其余除呼吸消耗外,随粪尿等排出体外,通过施肥归还给土壤,由微生物分解成简单的无机元素,再度为植物利用。

从上述能量的不断消耗和转化流动过程中,可以分析土地生态系统能量流动的主要特点:①以草牧食物链为主,人类必须重视有机肥料的施用,以加强腐生食物链;②食物链越长,能量散失越多,就整体来说,人类对其能量利用率越低。为了更有效地利用光合产物所贮存的能量,要尽可能地缩短食物链,提高能量利用率。

为了促进和提高土地生态系统中能量转化效率及合理流动,应采取有效的措施。如加强人工调控,协调第一、第二性生产的关系。建立合理的能量流动体系等。

2.物质循环

土地生态系统中的生物群体,将环境因素的物质元素或无机化合物吸收、转化、排泄,又从生物体进入环境。物质在有机体和生态系统中既是生命活动的物质基础,又是能量的载体。能量和物质同时沿着食物链流动、传递,但能量流动是单方向的,物质流动是可以循环的。各种有机物质最终经过还原者分解成可被生产者吸收的形式退还给环境,加入再循环。

土地生态系统的物质循环服从物质生物地球化学循环规律,如果系统内某种养分的输入总量和输出总量相等或接近,系统养分就处于平衡状态。系统中养分的平衡程度影响系统的稳定,产品输出得越多,被带走的物质越多。因此,为了维持土地生态系统的养分相对平衡,必须向系统内归还各种有机物质和施入大量化学肥料。

为了使土地生态系统有一个良好的物质循环体系,必须根据各地区的情况,采取多种调节养分循环的途径。如:实行农林牧相结合,实行合理的作物布局和轮作制;实行农产品的就地加工,提高物质的归还率,科学地补给等有效措施。

(四)黄土高原地区的能量和物质流失

强烈的水土流失是影响本区土地生态系统功能的重要因素。人口急剧增长,既要求土地提供日益增多的农副产品,又不能给予相应的投入,导致"四料"奇缺。引起进一步滥砍、乱伐、过牧等掠夺式经营,形成了"越垦越穷,越穷越垦"的恶性循环生态环境。水土流失使土壤养分和水分大量流失(见图12-2)。据有关资料统计,本区每年因水土流失而引起的氮流失 64 万 t 以上,有机质 800 万 t 以上,降水能损失 1.87×10^6 J 以上,造成每年减产总计约 25.45 亿 kg。很明显,土地生态系统需要社会经济系统补充更多的物质和能量,才能维持内部的稳定性并提高生产力。否则,本区原已经很脆弱的土地生态系统将遭到进一步破坏,生态环境继续恶化,势必演变到无法治理的地步,殃及子孙后代。因此,维护黄土高原的土地生态平衡,已刻不容缓。

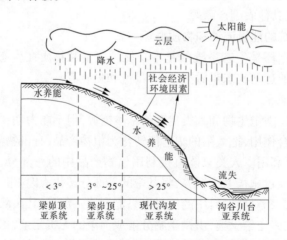

图12-2 黄土梁峁丘陵沟壑系统物质和能量流失示意图

二、土地生态系统的结构

土地生态系统结构与土地类型和土地利用相关,因为土地类型本身是一个自然综合体。这个综合体就是一个生态系统。一个土地利用类型也是一个层次的生态系统。

(一)土地生态系统的分类

黄土高原地区土地生态系统结构复杂,种类繁多,差异大,分类依据不同,结果亦不同。

(1)依环境条件可分为:黄土丘陵沟壑土地生态系统类型;黄土高塬沟壑土地生态系统类型;黄土风沙丘陵土地生态系统类型等。

(2)依土地利用方式(植被类型)可分为:农田生态系统类型;林地生态系统类型;草地生态系统类型;荒漠生态系统类型;水域生态系统类型;工矿区土地生态系统类型等。

(二)土地生态系统的组成

土地生态系统由农业生物系统和农业环境系统两大部分组成,但又受社会经济大环境的影响和调节。

1.农业生物组成

农业生物可按农、林、牧、副、渔、虫、菌等分类。

(1)农作物。包括粮食、经济、饲料、园艺(含果树、蔬菜及花卉)及养地作物。

(2)林业植物。包括组成防护林、用材林、薪炭林和经济林的各种乔、灌等树木。

(3)牧业生物。包括家畜、家禽。

(4)渔业生物。本区仅包括淡水鱼类(如草鱼、蟹、鲤鱼及鳖等)。

(5)虫菌类生物。包括小动物(如蚯蚓、蝎子等)、昆虫类(如蜜蜂)及农用微生物(食用菌)、甲烷菌等。

2.环境组分

(1)自然环境组成。这是从自然生态系统承续下来的。包括:①气候因素——光、热、气、水及其灾害等;②土地因素——地形、地貌、土壤、土地利用等;③生物因素——一切非人工植被、病、虫、草等有害生物。这些因素已受到人类不同程度的调控和影响。

(2)人工环境组成。包括人类对土地生态系统的环境、生物、结构的管理调控技术与设施。如优化结构、良种选育、施肥、灌水、病虫害防治等,以及各种生产、加工、贮存设备和生活设施等。

土地生态系统与自然大环境和社会大环境(包括工交通信、财贸金融、政策法令、科技文教等)有着物质、能量、信息的交换,与社会大环境还有产品与资金的产出与投入关系。

3.社会经济环境要素

社会经济环境要素包括土地面积、化肥等。

(三)土地生态系统的结构

土地生态系统结构,是指其构成要素以及这些要素在空间上、时间上的配置,物质在各要素间的转移、循环途径,含以下几个方面内容。

1.空间结构形式

空间结构形式包括平面结构和垂直结构。

(1)平面结构是指农作物、人工林、果园、牧场、水面等在水平方向上的布局,它们是土地生态系统平面结构的第一个层次(并不是所有的生态区域都由这五项组成)。建立合理的平面结构,就是针对当地资源和生物种群的特点,确立第一个层次中各项之间的面积比例及空间布局。

(2)垂直(立体)结构。在一个土地生态系统内,环境因海拔高度、土层和水层深度变化,形成农业生物种群或数量的垂直渐变结构。它不但包括地上部分,也包括地下部分。这种结构合理地把不同的种群组合成"复合群体",从而最大限度地利用光、热、水等自然资源,以提高系统功能。

2.土地生态系统的时间结构

由于自然资源大多数是随时间(年、月、日)而变化的,生物组分也形成相应的节律,表现出不同的物候期。在安排农业生物品种的种养季节时,应使生物的这种需要符合自然规律。在对系统进行物质和能量投入时,须注重时间节律,防止投入时机不当或过分集中等。

3.土地生态系统的营养结构

营养结构是指土地生态系统中的农业生物按营养关系联结成的多种(食物)链状和(食物)网状结构。建立合理的食物链,以减少营养物质的耗损,提高能量、物质的转化效率,从而提高系统的生态及经济效益。

土地生态系统生产力的高低,取决于多层次的营养结构为基础的物质转化与循环。建立合理的土地生态系统结构,就是要建立组分复杂、层次多,能够充分利用环境资源的土地生态系统物质转化、循环结构,即营养结构体系。

三、土地生态系统平衡与结构优化配置

(一)土地生态系统平衡的含义

生态系统内能量和物质不停止地在生产者、消费者和分解者之间循环和转化。在自然条件下,生态系统总是朝着种类多样化、结构复杂化和功能完善化的方向发展。生态系统内的生产、消费和分解者之间,生命与环境之间,以及生态系统与外部环境之间,通过物质、能量输入和输出关系,达到结构和功能上的最佳稳定状态,这种稳定状态称做生态平衡。生态平衡是处于不断运动变化中,在一定条件下,保持着相对的、暂时的平衡状态,是物质和能量转化过程中的动态平衡。随着条件的改变,就会发生变化,特别是人类活动加剧了这种变化。变化可朝着两个方向发展:一是结构稳定功能提高,实现良性循环;二是削弱自身调节功能,生态失调,系统功能衰退,导致恶性循环。

土地生态系统的良性循环:一是指土地系统的植物光合利用率和植物的能量转化率持续稳定提高;二是系统输出的能量(产品)与投入物质能量间的比率最佳。其具体衡量指标是:单位投能量的产出能量和产出生物量,同时生态环境持续稳定地改善。

从生态学角度看,生态平衡规律是人类进行农业生产活动必须遵循的客观规律。合理开发利用土地资源,就是要根据不同地区的生态环境条件,坚持因地制宜。各种生态系统,如农田、林地、草地等,都是建立在土地这一基础上的。所以,土地资源利用、保护的好坏,直接影响着土地生态系统平衡。

(二)影响区域土地生态系统平衡的因素

影响土地生态系统平衡的因素很多,任何一个自然或人为因素受到破坏,生态系统中的其他因素也会发生一系列变化,出现结构缺损、功能受阻或功能减弱,称为生态系统的失调。

引起土地生态系统失调的因素可分自然因素和人为因素两大类。往往是两类因素共同作用的结果,并且是人为因素导致自然因素作用的强化。

1.地理环境变化的影响

火山喷发、地震、山洪、泥石流和雷电、旱灾、火灾等都可使土地生态系统在短时间内遭到破坏,甚至毁灭。如雷击电火常引起森林和草原大面积火灾,使森林或草原土地生态系统

遭到严重破坏。但是,这些环境剧烈变化频率不高,而且在地理分布上有一定的局限性,所以,对生态系统的危害有一定的限度。

2. 土地不合理利用的影响

土地资源的不合理开发利用引起生态系统失调。人类是生态系统中最活跃、最积极的因素,近几百年来,人类的生产活动愈来愈强烈地干扰着自然生态系统的平衡。黄土高原开发历史悠久,人类或由于认识不足,或从眼前的利益出发,大面积的毁坏森林、草原和其他植被引起水土流失、土地沙漠化等教训很多。陕西榆林市现在已是第三次南迁后的位置。历史上的榆林地区曾是郁郁葱葱的草场,因为乱垦滥牧,破坏了植被,结果沙地生态系统替代了草原生态系统,沙掩埋了城堡,榆林城只得三度向南搬迁,要恢复原来的草原生态系统已不可能。据访问调查,延河支流杏子河流域 20 世纪 30～40 年代还保存着郁郁葱葱的天然植被,随着人口迁入和自然增长,不断开垦耕地,直到 80 年代初,陡坡地开垦仍未杜绝。现在只在极个别地方保留着侧柏片林和胸径达 50cm 以上的杨树,中低产农田已占总土地面积的 40%,强度、极强度土壤侵蚀占总面积的 70%,治理难度很大。不合理的土地利用造成的生态环境恶化,已引起了政府的重视,近年来投入了大量资金与科技力量,正进行着有成效的以合理利用土地为核心的综合治理。

3. 生物种类减少的影响

人类为了生存,总在竭力使一个地区的生物群落按自己的需要演化。谋求高生产力的结果,发展了各种人工生态系统(采用单种栽培方式),限制了顶极群落的形成。处于演替初级阶段的生态系统和单一种植的农田及人工林,生物种类简单,生态系统的稳定性差。例如,在宁夏银南、宁南地区,近年来,危害杨树的光肩星、黄斑星天牛十分猖獗,杨树纯林和"四旁"杨树受天牛危害十分严重。但在天然次生林区(子午岭、乔山等)的一些针阔混交林中,所见到的杨树昂首挺拔,翠绿苍劲。其原因是杨树纯林肉食性昆虫很少,天牛种群几乎没有天敌控制,得以迅速蔓延;而在针阔混交林中,小生境类型多,给多种肉食性昆虫提供了栖息的环境和丰富的食物,天牛的天敌增多,控制或降低了天牛的虫口密度。同样道理,使现在农作物的病虫害增多。相应的对策是发展生物多样性,农田进行合理轮作倒茬、间作套种等。

4. 污染物质对生态系统的影响

人类生产和生活过程中产生的工业"三废"、生活污水、垃圾肥等有害物质,种类多、数量大,对土地生态系统产生污染。

进入土地生态系统的污染物,如果浓度达到杀死某种生物的剂量,就会直接危害和破坏生态系统中的某种成分,从而破坏生态系统的结构。如果污染物浓度较低,它将沿着食物链转移,逐级浓缩,这种污染物的生物富集,缓慢地破坏生态系统的结构。还有些污染物不容易分解,在土壤里残留时间较长,缓慢而持续地进入生态系统的物质循环之中,长期危害生态系统的功能。因此,今后应重视有机肥的使用,提倡生物防治病虫害。

(三)土地生态系统建设

土地生态系统脆弱,直接影响人们的生存与发展。而生态系统脆弱很大程度上是由土地的不合理利用造成的。因此可以说,土地生态建设就是土地合理利用问题。土地资源是否被合理利用,主要看它是否符合生态平衡规律,是否利于保护和促进新的生态平衡。黄土高原地域广,自然社会经济条件差异大,必须根据实际情况分别确定发展方向、采取措施。

1. 黄土风沙丘陵类型区

本区目标是建立牧林防风固沙及绿洲农业型土地生态系统,需要优化土地利用结构,充分利用土地资源,以发展畜牧业为主,逐步建成以畜产品为主的商品生产基地。大力种草造林(灌木为主),封沙育草,治理风沙危害,高效地利用川地、滩地等基本农田,提高粮食单产,稳定粮田,保护草地。

2. 黄土丘陵沟壑类型区

按本区特点,土地生态系统建设的方向,是保证粮食生产的农林牧综合发展。首先要优化土地利用结构,搞好基本农田建设,粮食生产由广种薄收变成依靠梯田、坝地等基本农田,退耕不宜耕种的低产田还林还草,增加植被覆盖度,控制水土流失,改善生态环境,提高系统功能。

3. 黄土高塬沟壑类型区

建立以种植业为主的综合发展型土地生态系统。本区土地平整、土层深厚、有发展旱作农业的优势。第一,要用好塬地、川台坪地等基本农田,增加科技和资金投入,发展高产高效优质农业;第二,对塬边、沟头、陡坡采取相应的保土措施,增加林草覆盖度;第三,营造护田林网,推广林、粮间作,农、桐间作。避风向阳的坡地种植果品经济林,充分发挥生态与经济效益。

第四节　小流域综合管理服务机构

小流域综合管理服务机构即管理对位是影响黄土高原地区水土保持生态环境建设工程效益能否发挥的重要环节。小流域综合管理服务机构是一个多层次、多方位,跨地区的综合性系统工程。为了更加有效地实施生态环境建设,必须采取相应的管理保障措施。国家、省、市、县(区)、乡镇水土保持部门应成为区域内集水保规划、预防监督、治理管护、设施利用、技术服务等职能于一体的权威管理机构,各治理流域确定相应职能人员,管理到位,服务到家,确保水保设施的安全运行和基础效能的正常发挥,使小流域水土保持治理开发工作有机结合,成为一个治、管、用结合的高效系统。

一、政策性管理措施

(一)纳入国家重点建设计划

由于水土流失造成生态环境的恶化,使得当地社会、环境、经济发展相对滞后,经济基础薄弱,农民群众自筹建设的资金投入能力低。生态环境的建设是直接关系到黄土高原地区的经济发展、社会稳定的基础性建设项目,而生态环境的建设周期长,经济效益滞后,社会公益性又强。为此,根据国务院颁布的《水利产业政策》和《水利产业政策实施细则》,建议把黄土高原地区水土流失防治、生态环境的建设列入国家重点项目建设计划,加大投资力度,特别是对于多沙粗沙区的治理和淤地坝的建设,要作为中央重点项目,专项予以支持。

(二)加强领导,认真贯彻有关法律法规

认真贯彻落实《中华人民共和国水土保持法》及其实施条例等有关法律法规,建立健全水土保持法制体系和以水土保持监督机构为主的执法体系,依法协调全社会的经济开发与生态环境保护、眼前经济利益与长远环境利益、局部利益与整体利益等各种经济利益关系,

合理开发利用水土资源,最大限度地减少人为水土流失,巩固和发展水土保持治理成果,提高综合治理效益,促进水土保持生态环境建设的有序发展。

(三)对坡耕地退耕还林还草、植被建设实行以粮代赈

采取优惠政策,促进坡耕地治理和退耕还林还草的持续发展。坡耕地治理只有与区域经济开发紧密结合,才会有强大的生命力;坡耕地治理与群众利益相结合,才能激发群众加快坡耕地治理的积极性。必须坚持"谁治理、谁管护、谁受益"的原则,制定符合当地实际的优惠政策,积极推行户包、联包、专业队承包、土地使用权拍卖等多种形式的责任制,鼓励群众投资投劳,积极参与治理;大力支持非农业组织以各种形式参与坡耕地治理。国家建设主管部门要在建设资金的使用和减免税收方面,给予适当的优惠。坡耕地退耕还林还草,实行以粮代赈的优惠政策,促进了坡耕地治理和退耕还林还草工作的稳固持续发展。

二、建立县级水土保持管理体系

20 世纪 80 年代以来,黄河流域开展以小流域为单元的水土保持综合治理,把治理水土流失推向了一个新的阶段。经过多年的努力,以小流域为单元开展水土保持综合治理已形成了一套完整的方针、方法、技术和组织管理形式,在小流域治理的理论体系和技术措施配套上积累了丰富的经验。

水土保持是恢复和改善生态环境和扩大地球生命支持系统的重要组成部分,是农业可持续发展的重要内容。将小流域综合治理的经验推广到面上,把若干个小流域连接起来,形成规模治理、规模开发,发挥规模效益,已成为水土保持的重要任务。水利部自 1991 年起选定黄土高原沟壑区的泾川县和长武县作为全国水土保持综合治理与开发的试点县,探索以县为单位开展水土流失规模防治与开发的经验。

建立健全县级水土保持管理机构和水土保持综合治理开发信息管理系统,并使之高效有序地运行,对水土流失的治理,特别是对以县为单位全面开发水土资源,促进区域经济的健康发展将产生直接的影响。

县级水土保持管理体系一般包括三个组成部分:①水土保持管理系统;②水土保持管理机构;③水土保持综合治理开发信息管理系统。

(一)县级水土保持管理系统

县级水土保持管理体系实质上是一个人工的生态、经济调控系统,它由调控系统、受控系统和环境系统三个子系统组成。

1. 调控系统

调控系统是水土保持管理体系的主体,它是对县域内影响水土保持的各种人类活动最具支配与控制作用的指挥系统。这个指挥系统实质上就是全县在组织与实施水土保持管理过程中,由所辖区域内各级机构的决策者和执行者共同构成的水土保持管理体系。县级水土保持管理系统的结构框图如图 12-3 所示。

从图 12-3 中可以看出,这种县级水土保持管理体系使全县上下形成了"以县政府为领导中枢、县水保委员会和县水保预防监督领导小组为组织纽带、县(乡)水保局(站)和水保预防监督站(所)为主体骨架、村组水保小组(员)和监督小组(员)为实施基点"的水土保持组织领导和管理体系。县水土保持管理工作的决策从县人民政府所属的县水土保持委员会与县水土保持预防监督领导小组发出,通过一个比较完整、健全的体系和信息传递手段,层层下

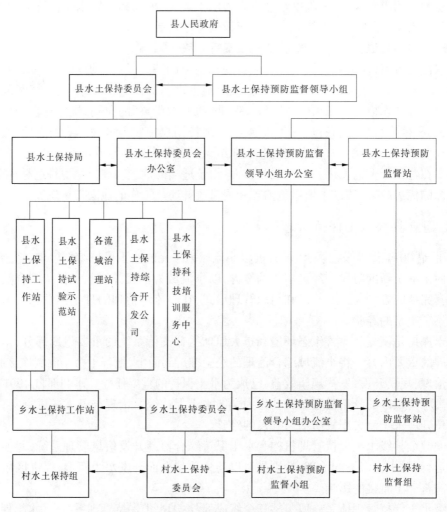

图 12-3 县级水土保持管理体系结构框图

达,使执行环节产生操作行为。这种体系的启动和运行使全县水土保持工作的整套管理措施作用于它的管理对象——受控系统。

县水土保持委员会和水土保持预防监督领导小组是县级水土保持管理的中枢机构,其职能是对全县水土保持治理开发和预防监督工作进行全面的统筹部署,实施整体化的协调与管理,运用国家和本县制定的各种有关水土保持法律、法规、政策和制度对受控系统进行指导、约束、限制和干预。县水土保持委员会办公室和县水土保持预防监督领导小组办公室均为其直属的日常办事机构,分别与乡、村水土保持委员会、水土保持预防监督领导小组形成一个上下垂直的调控体系。县水土保持局和县水土保持预防监督站作为县人民政府的行政和业务职能部门,在县水土保持委员会和县水土保持预防监督领导小组的具体指导下,负责全县水土保持各项技术和行政管理及预防监督执法等工作。县水土保持局下设水土保持工作站和水土保持试验示范站,与乡(镇)水土保持工作站及村、组水土保持员形成上下垂直、密切联系的业务工作关系;而县水土保持预防监督站又与乡、村水土保持预防监督站(组)及村、组水土保持监察员形成上下垂直的水土保持预防监督体系。县、乡、村、组四级均配有专职或兼职的水土保持监察员,行使水保预防监督职能。这种县、乡、村分层设置的水土保持组织管理调控体系从组织上保证了县域水土保持工作健康、有序的开展。

2.受控系统

受控系统是指管理的对象,其客体对象是生态环境,主体对象是人类活动。因此,县级水土保持管理体系的受控系统实质上是以县为单位、以行政区域界线为空间边界的涉及面相当广泛的庞大而复杂的一个自然(生态)—经济—社会复合系统。

3.环境系统

系统控制论认为,任何一个系统都有其存在的环境与条件。系统的环境是一个不同于地理环境、生态环境等自然环境的概念,它是相对于某一个具体的研究对象,即某一控制系统而言的外部环境或外部条件。所以系统的环境通常被称为系统的条件。环境既是整个系统输入的来源,又是该系统输出的场所。县级水土保持管理体系(系统)的环境既包括了相对于本县行政区划的地域单元以及空间范围而言的自然环境,又包括了该系统运行的社会经济环境。在运行过程中,自然环境既是系统自然要素输入(如光、温、降水等)的来源,又是自然要素输出(如径流、泥沙、养分等的流失)的场所。社会经济环境则既是系统社会经济要素输入(如资金、物质、技术与人工投入等)的来源,又是社会经济要素输出(如提供粮食、果品、畜产品和其他农副产品等)的场所。

(二)县级水土保持管理机构的设置框架

1.机构设置的依据和工作职能

县级水土保持机构的设置应以县级水土保持工作的义务和职能为出发点,机构的设置必须确保其承担任务的完成和职能作用的充分发挥,使其能够正常运转而不因机构设置的不当而贻误工作。

县级水土保持管理机构的职责应包括以下几个方面:①确保水、土等自然资源的合理开发与科学利用;②预防、监督和治理全县的水土流失;③编制全县水土保持区划和中、长期水土保持规划,以保证全县的农业可持续发展;④监督和参与在本县境内修建铁路、公路、水利工程、开办矿山企业、电力企业和其他大、中型工业企业等建设项目的水土保持方案的编制、审查和检查验收;⑤在县政府的统一领导下,根据《中华人民共和国水土保持法》,独立行使执法权、监督权和水土流失治理权,保护国土资源;⑥在服从上级政府有关规定的基础上,独立支配各项水土保持专款和专项投资、造成新的水土流失者的罚款、地方配套资金、群众义务投劳投资等款项;⑦参与和监督"四荒"地使用权的拍卖并监督购买者根据合同的规定进行治理,以加快县境内水土流失的治理速度。

2.水土保持机构的设置框架

本着精兵减政,提高办事效率的原则,结合工作的实际需要,县级水土保持管理机构的设置框架如图12-4所示。

各行政职能科(室、站)和专业技术部门人员的配备要精干。工程技术专业人员不得少于总人数的70%。

由于水土保持综合治理开发是一项涉及全县各行各业的系统工程,单靠水土保持部门是不行的,必须组织社会各方的力量,同心协力,打总体战。甘肃省泾川县的试点经验是:坚持党政齐抓,全民动员,上下配合,社会参与,协同作战,形成了"政府导演,水保搭台,各业联合唱戏"的工作格局,全民同念"水保经"。

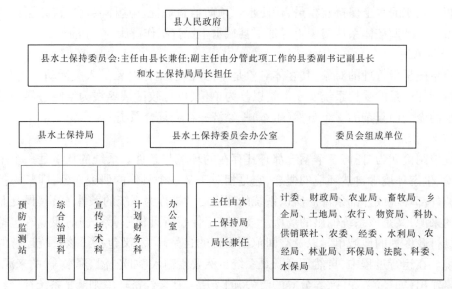

图 12-4 县级水土保持机构的设置框架

(三) 县级水土保持综合治理与开发信息管理系统

应用地理信息系统,以县域地形图、航片(或卫片)、土地详查成果、水土保持区划、水土保持综合治理规划和治理现状为基础,建立水土保持综合治理信息管理系统,如图 12-5 所示。

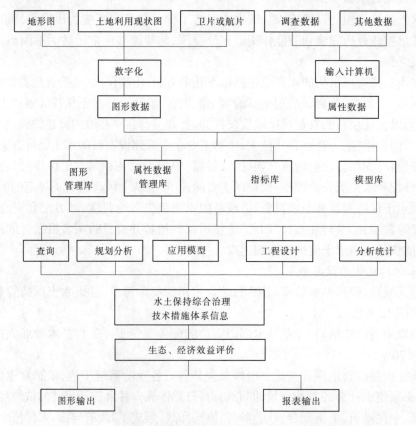

图 12-5 县级水土保持综合治理与开发信息管理系统

这类系统一般由三部分构成,即:地理信息系统(GIS);水土保持综合治理与开发专家系统;不同地类水土保持(措施选择)决策系统。

地理信息系统包括图形库、数字高程模型库、坡度图、坡向图、沟系图、沟道密度图、治理前后土地利用状况图等。根据有关图件提供的信息可以进行查询、规划分析和治理状况统计分析等。

水土保持综合治理与开发专家系统包含两方面的内容。第一,针对不同地块单元的自然资源属性(如降水、土壤水分、光、温、风速、湿度、地温等)和土壤属性(如土壤结构、颗粒组成、容重、土壤入渗速率、农业化学特性等),由一定数量的水土保持知名专家对本地块的适宜性作出评定,为科学地利用土地资源提供依据;第二,根据专家的论述,对水平梯田(条田)、隔坡梯田、地埂利用、淤地坝设计、植被建造、果园建设等进行优化设计和管理。

不同地貌单元土地利用的水土保持决策系统从控制土壤允许流失量的角度出发,对不同地貌单元(如沟坡、沟沿线以上的梁峁坡等)进行土地利用时应选择何种水土保持措施提出决策意见。

第五节　因地制宜制定实施程序

因地制宜制定实施程序即时序对位,就是根据宏观对位要求,为满足区域内社会发展需求,解决区域内存在的主要困难和矛盾,确定的某时段内拟实施对位配置的措施与数量,配套技术的方案,实施方法与步骤。

在小流域综合治理中,存在着合理优化安排有关治理措施和工作项目的问题。对于由不同的项目组成的任务,根据经验或直观判断就能使各项工作得到较合理的安排。但是,对于小流域水土保持综合治理项目,所需完成的工作种类繁多,完成过程错综复杂,且参加单位涉及许多,关系十分复杂。要有效地完成这样的复杂项目,不但要解决一系列科学技术性问题,而且还必须对它所包括的项目和需要的人员、设备进行合理组织,做好统筹安排和计划。

过去,在制定小流域综合治理计划时多采用经验和表格等方法。这种方法虽有直观、易懂等优点,但是还存在许多不足之处:不能明显地看出各工作项目之间相互依存与制约的关系,不易了解某项工作推迟或提前对整个计划的影响以及各项工作可以进行调整的潜力,因而不便于对整个计划进行调控。胡志勇等人应用网络计划技术(PERT 网络)方法,较好地解决了上述问题,并可得到工作进程的优化方案。

一、基本原理和方法概要

网络计划技术的基本原理是用网络图来表示生产和工程的进展,计算各项活动(也称做生产或工序)的有关时间参数,使管理者对全局有一个比较完整、清晰地了解,并通过网络分析、制定出日程计划,以求得安排工期、劳力、土地等资源和投资的优化方案。

(一)建立数学模型

网络分析主要是编制网络图或"工序明细表",在绘制一个项目的 PERT 网络图时,首先要把整个项目分解成若干道工序,并确定每道工序的长度(时间),然后根据项目进程确定各道工序之间的顺序关系。

网络 $N=(E,W,S,t)$ 代表一个项目的顺序关系。N 代表一个项目的顺序关系,源 S

表示项目的总开工事项,汇 t 表示项目的总完工事项,$W(E)$表示工序 E 的长度(或时间)。

(二)时间参数的计算

网络计划的时间参数有:①各工序的最早可能开始和最早可能结束时间;②各工序最迟必须开始和最迟必须结束的时间;③时差或自由时差(机动时间);④线路时间。通过对时间参数的计算,可以确定项目的工期及进度,确定哪些是控制工期的关键工序和关键路线,确定非关键工作允许延迟或提早的自由时间。

1.最早时间 c 的计算

最早时间表示工序 k 最早可在第 l 工序开工 $t_E(k)$ 天后(即在第 $t_E(k)+1$ 天)执行。其数学表达式为:

$$\begin{cases} t_E(i) = 0 \\ t_E(k) = \max[t_E(i) + W_{i,k} \mid i < k, (i,k) \in E] \end{cases} \quad (12\text{-}2)$$

式中:$t_E(i)$ 为顶点 l 到顶点 i 的最长路之权;$W_{i,k}$ 为工序(i,k)的长度。

2.最迟时间的计算

最迟时间表示在不误总工期的前提下,作为开工工序 k 最迟应在整个项目开工 $t_L(k)$ 天后$(t_L(k)+i)$执行。其数学表达式为:

$$\begin{cases} t_E(n) = T_E \\ t_L(k) = \min[t_L(i) + W_{k,i} \mid i < k, (i,k) \in E] \end{cases} \quad (12\text{-}3)$$

式中:T_E 为总工期;n 为项目的最后一道工序;$W_{k,i}$ 为工序(k,i)的时间;$t_L(i)$ 为总工期与顶点 i 到顶点 n 的时间。

3.工序总时差和自由时差的计算

工序(i,j)的总时差用 $R(i,j)$ 来表示,它表示在不误总工期的前提下,工序(i,j)的开工日期有多少机动时间。其数学表达式为:

$$R(i,j) = t_E(j) - t_E(i) - W_{i,j} \quad (12\text{-}4)$$

工序的自由时差用 $r(i,j)$ 表示,它表示在不误下道工序最早开工日期的前提下,工序(i,j)的开工日期有多少机动时间,其数学表达式为:

$$r(i,j) = t_E(j) - t_E(i) + W_{i,j} \quad (12\text{-}5)$$

4.关键线路的确定

若 $R(i,j)=0$,则工序(i,j)为关键工序;若 $T_i(k)=T_E(k)$,则事项 k 为关键事项。把关键工序和关键事项组成的线路称为关键路线。关键路线确定了整个项目的总工期和各个关键工序的开工、完工时间。

二、小流域水土保持综合治理工序

把小流域综合治理作为一个总项目,可将其分解为勘察选点、规划、治理、总结和验收等33道工序。可根据《小流域水土保持技术规范》(SD238—87)与小流域综合治理实践经验,计算确定完成各道工序所需时间和各道工序之间的顺序关系,建立数学模型,随后制定小流域水土保持综合治理工序明细表(见表12-4),并绘制小流域水土保持综合治理的 PERT 网络图(如图12-6所示)。

表 12-4　小流域水土保持综合治理工序明细表

序号	工序	工序代号	相关事项	工序时间(d)
1	选点(小流域点)	a	①→②	5
2	制定水土保持规划提纲	b	②→③	5
3	收集、准备资料、材料和仪器(规划用)	c	②→④	3
4	调查、测绘	d	④→⑤	15
5	分析、计算	e	④→⑥	20
6	编写规划报告	f_1	③→⑦	60
7	编写规划报告	f_2	⑥→⑦	20
8	成立治理机构、培训人员	H	⑧→⑨	20
9	上报审批、立项	C_1	⑦→⑧	10
10	制定年度治理实施计划	I_1	⑧→⑩	15
11	准备治理的材料、仪器等	G_1	⑨→⑪	15
12	计划的审查、批准、拨款	G_2	⑩→⑫	5
13	各项措施的具体设计	J_1	⑩→⑬	30
14	科研试验研究设计	J_2	⑩→⑭	20
15	造林措施的布设与施工	K_1	⑬→⑮	30
16	种草措施的布设与施工	K_2	⑬→⑯	30
17	梯田的布设与施工	K_3	⑬→⑰	100
18	工程措施的布设与施工	K_4	⑬→⑱	200
19	科研试验布设、测试	K_5	⑭→⑲	300
20	科研年度总结	L_1	⑲→⑳	30
21	年度治理决算和总结	L_2	⑳→㉑	30
22	制定下一年度的治理计划	I_2	㉑→㉒	15
23	准备下一年度的治理材料、人员培训等	C_3	㉒→㉓	20
24	第二年度治理(同上 12 项~22 项)	M_1	㉓→㉔	360
25	第三年度治理(同上 12 项~22 项)	M_2	㉔→㉕	360
26	第四年度治理(同上 12 项~22 项)	M_3	㉕→㉖	360
27	第五年度治理(同上 12 项~18 项)	M_4	㉖→㉗	250
28	科研成果总结	L_3	㉗→㉘	20
29	治理成果总结	L_4	㉗→㉙	30
30	提交验收(鉴定)成果报告	O	㉙→㉚	10
31	自查、初验	P	㉚→㉛	20
32	抽查、复验、鉴定	Q	㉛→㉜	15
33	安排后续工作,提交当地政府管理	R	㉛→㉝	2

注:引自胡志勇等人资料。

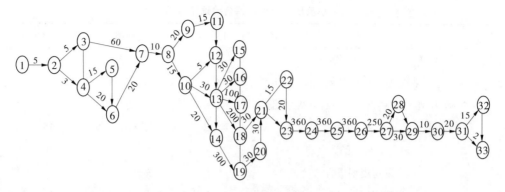

图 12-6　小流域综合治理工序网络图(引自胡志勇等人的资料)

根据网络计算技术和表 12-4 及图 12-6 所提供的有关信息数据,先计算每道工序的最早开工时间和时差,得出各道工序的最早开工时间和最迟开工时间以及各工序的自由时差(机动时间)(如表 12-5 所示);然后比较各工序的时差。从表 12-5 可以看出,序号为 1、2、3、8、10、13、19、21、23、24、25、26、27、29、30、31 和 32 的工序的时差为 0,这些工序均没有机动时间可供调整,必须在规定时间内开工或完工,否则将影响下道工序以及总工期的完成。根据 PERT 网络计划技术确定上述诸道工序组成的线路为关键路线,其对应的各道工序为关键工序。

三、结果分析

通过以上计算,分别得出了小流域水土保持综合治理各道工序的最早开工时间、最迟开工时间、各工序时差、关键工序、关键路线及总工期。关键工序共有 17 道,它们的时间是固定的,一般不可以调整。若要调整,则会改变总工期和其他工序的时间参数。要在不改变总工期的前提下进行调整,就必须重新建立数学模型,绘制网络图,重新计算各工序的时间参数,并确定其顺序关系和关键路线。表 12-5 所列的其他 16 道工序为非关键工序,它们的时差均不为 0,在各工序的时差范围内,可以适当地提前开工或推迟完工,而不会对总工期和其他工序产生影响。譬如序号为 11 的工序是准备治理的材料和仪器等,最早在第 115 天开工(项目开始后的天数),最迟在第 125 天开工,时差为 10 天,该道工序在总项目开工后第 115 天到第 125 天之间的任何时间内开工,都不会影响到总工期和其他工序,也就是说该道工序有 10 天的机动时间。

从表 12-5 可以看出,工序⑬→⑮、⑬→⑯、⑬→⑰和⑰→⑱的时差比较大,机动时间多,这主要是因为这些工序为造林、种草、修梯田和工程措施的布设和施工,它们的时间季节性比较强,不确定因素较多。如面积、树种、立地条件、土壤条件等,可以留出机动时间,因地制宜,适时开工。对总项目不产生影响的工序可留出较多的机动时间,这样做有利于保质保量地完成这些工序和小流域的综合治理。对于造林、种草、修梯田、工程措施的布设和施工等工序,因其涉及面较广,每道工序又可视为独立的项目,又能分列出若干道工序,再进行 PERT 网络计算。

工序③→⑦和⑥→⑦的内容都是编写规划报告,但工序③→⑦在工序调查、测绘之前就可以开始编写有关基本情况、社会经济状况以及气象条件等内容,而工序⑥→⑦必须在分析计算之后才能写出诸如水土流失调查、土地利用规划和经济效益预测等内容。

表 12-5　各工序时间参数

序号	工序相关事宜	最早开工时间(d)	最迟开工时间(d)	时差(d)	是否关键工序
1	①→②	0	0	0	是
2	③→④	5	5	0	是
3	③→⑦	10	10	0	是
4	②→④	5	7	2	
5	④→⑤	10	30	20	
6	④→⑥	10	25	15	
7	⑥→⑦	30	50	20	
8	⑦→⑧	70	70	0	是
9	⑧→⑨	80	90	10	
10	⑧→⑩	80	80	0	是
11	⑨→⑪	100	110	10	
12	⑩→⑫	95	120	25	
13	⑩→⑬	95	95	0	是
14	⑩→⑭	95	105	10	
15	⑬→⑮	125	395	270	
16	⑬→⑯	125	395	270	
17	⑬→⑰	125	325	200	
18	⑬→⑱	125	225	100	
19	⑭→⑱	125	125	0	是
20	⑱→㉑	352	425	100	
21	⑲→⑳	425	425	0	是
22	㉑→㉒	455	460	5	
23	㉑→㉓	455	455	0	是
24	㉓→㉔	475	475	0	是
25	㉔→㉕	835	835	0	是
26	㉕→㉖	1 195	1 195	0	是
27	㉖→㉗	1 555	1 555	0	是
28	㉗→㉘	1 815	1 815	10	
29	㉗→㉙	1 805	1 805	0	是
30	㉙→㉚	1 835	1 835	0	是
31	㉚→㉛	1 845	1 845	0	是
32	㉛→㉜	1 865	1 865	0	是
33	㉛→㉝	1 865	1 878	13	
	总工期		1 880		

四、小流域水土保持综合治理的定序格式

小流域综合治理一般可分为三个部分:规划、治理和验收。从表12-5可以看出,序号7以前的工序为规划部分,序号9~30为治理部分,序号31以后为验收部分。规划部分(包括选点)共需70天,其中的关键工序为选点、制定规划提纲和编写规划报告,包含的工序为③→⑦,机动时间为收集资料、准备有关资料和仪器、调查测绘、分析计算及编写报告等。治理部分有22道工序,共需1 765天时间,其中关键工序有11道;验收部分有3道工序,共需35天时间,关键工序有2道。

小流域水土保持综合治理总项目全部完成的总工期为1 885天(即5年零50天)。根据表12-5计算的各工序最早开工时间和最迟开工时间以及时差、关键工序等数据,假设有一个小流域综合治理总项目从1992年10月1日开始,已制定出小流域水土保持综合治理定序模式、各道工序的具体开工时间(包括开工时间范围)、机动时间和完成工期以及总工期,全部工程计划于1997年10月20日结束,其结果如表12-6所示。在定序模式中,考虑到地域、气象、作物生长发育物候期等因素的不同,小流域综合治理总项目的开工时间可以根据具体情况选定,有些工序可以在时差允许范围内调整开工时间(日期)。

表12-6 小流域水土保持综合治理定序模式示例

序号	工序相关事宜	最早开工时间 (年·月·日)	最迟开工时间 (年·月·日)	时差 (d)	工序工期 (d)
1	①→②	1992.10.1	1992.10.1	0	5
2	②→③	1992.10.6	1992.10.10	4	60
3	③→⑦	1992.10.16	1992.10.16	0	60
4	②→④	1992.10.6	1992.10.8	2	3
5	④→⑤	1992.10.16	1992.11.5	20	15
6	④→⑥	1992.10.16	1992.10.31	15	20
7	⑥→⑦	1992.11.31	1992.11.19	20	20
8	⑦→⑧	1992.12.9	1992.12.9	0	10
9	⑧→⑨	1992.12.19	1992.12.29	10	20
10	⑧→⑩	1992.12.19	1992.12.19	0	15
11	⑨→⑪	1993.1.7	1993.1.17	10	15
12	⑩→⑫	1993.1.2	1993.1.27	25	5
13	⑩→⑬	1993.1.2	1993.1.2	0	30
14	⑩→⑭	1993.1.2	1993.1.12	10	20
15	⑬→⑮	1993.1.31	1993.10.31	270	30
16	⑬→⑯	1993.1.31	1993.10.31	270	30
17	⑬→⑰	1993.1.31	1993.8.22	200	100
18	⑬→⑱	1993.1.31	1993.6.13	100	200
19	⑭→⑱	1993.1.31	1993.1.31	0	300
20	⑱→㉑	1993.8.11	1993.11.10	100	30
21	⑲→⑳	1993.11.10	1993.11.10	0	30

序号	工序相关事宜	最早开工时间 （年·月·日）	最迟开工时间 （年·月·日）	时差 (d)	工序工期 (d)
22	㉑→㉒	1993.12.10	1993.12.15	5	15
23	㉑→㉓	1993.12.10	1993.12.10	0	20
24	㉓→㉔	1993.12.30	1993.12.30	0	1 年
25	㉔→㉕	1994.12.30	1994.12.30	0	1 年
26	㉕→㉖	1995.12.30	1995.12.30	0	1 年
27	㉖→㉗	1996.12.30	1996.12.30	0	250
28	㉗→㉘	1997.8.6	1997.8.6	0	20
29	㉗→㉙	1997.8.6	1997.8.6	0	30
30	㉙→㉚	1997.9.5	1997.9.5	0	10
31	㉚→㉛	1997.9.15	1997.9.15	0	20
32	㉛→㉜	1997.10.5	1997.10.5	0	15
33	㉛→㉝	1997.10.5	1997.10.18	13	2
总项目结束时间		1997.10.20			

第六节 参与式小流域治理和管理

新中国成立以来,中国政府非常重视流域治理和管理工作,特别是 20 世纪 80 年代以后,在总结历史经验的基础上,大力推行了以小流域为单元的参与式流域治理和管理。据统计,在全国 30 个省、市、自治区先后开展治理和管理的小流域已达 1 万多条,流域面积近 60 万 km²,取得了显著的成效,并积累了一套比较完整的经验。当今国际山区流域管理的发展则是采用以小流域为经济和治理单元,以山区脱贫致富和持续发展为目标,以农民为中心(重视农民在流域管理中的规划、设计、决策、监测、评估作用,重视农民的传统知识和技术)的参与式流域综合管理(治理),强调流域管理中的:①应用学科的综合性,强调多学科的参与和协作;②发展的可持续性;③农民的积极参与性(包括农民参与规划、决策、推广、评估、实施、监测);④农民固有的传统技术和知识;⑤发展目标的多样性;⑥科研部门、推广部门、行政管理部门的干部与农民结成合作伙伴关系。

一、农户参与制的内涵和实施背景

(一)农户参与制的内涵

在水土保持生态环境建设的过程中,从前期的规划设计、实施中的组织和工程建设到竣工后的经营管理,都自始至终让流域涉及村组的农户参与,真正实现"尊重群众意愿,听取群众建议,服务群众利益"。

(二)农户参与制的实施背景

中共十六届三中全会后,农业税和"两工"的逐步取消,是利国利民的大好事,是党为减轻农民负担而办的大实事,对提升我国综合国力和带领农民奔小康具有重要的意义。但我国还正处于全面发展的过渡时期,特别是靠财政吃饭的农业地区,却面临着农民自愿投身公益事业建设的积极性降低、财政投入的资金严重不足等严峻形势。

二、山区流域参与式评估与规划的方法

据刘孝盈研究,山区流域参与式评估和规划方法是把农民及其所在社区作为主体,作为决策中心,目的是促使农民持续地开发利用流域内的自然资源。主要方面包括:①促进所有感兴趣的机构和人以合作伙伴关系参与进来;②参与者(农民是主体)共同对流域社区内的自然资源进行调查、分析、评估和鉴定存在问题及生产潜力;③农民在政府官员和技术人员的协助下制定出全村的或全流域的整体规划和设计,进而有农民为主体参与的监测和评估。

该方法主要包括社区发动,农村资源快速评估,社会评估,社区需求评估,社区设计,社区发展规划,监测,评估规划,社区对规划的认可和实施承诺。

社区发动是对社区项目受益人进行宣传、教育、培训,使他们了解项目目的,项目人员,项目执行步骤、手段、方法等,促使他们主动参与和支持项目的工作开展。农村资源快速评估是一种社区发展的工具,目的是为了了解社区的自然资源、历史及社区的动态、基础设施、作物类型和土地利用规划等,是一种决策分析和资源利用及管理工具。通过利用一系列工具、步行图(农村横断面图)、水土流失图、水系图、基础设施图、土地利用现状图、作物生长管理农时图、资源分布图、主要作物和主要树种评价图、资源利用趋势图等集体参与讨论,为资源合理的利用决策奠定基础。

社会评估是对促进社区群众了解与社区其他组织机构的关系、社区问题和鉴定出解决问题的机会和工具。

社区需求评估是一种由社区将不同层次的决策者组织起来,找出问题,提出目标和解决问题方案的工具。

社区设计是一种使社区统一规划远景,统一认识,实现统一行动的工具。

社区规划是社区内不同层次决策者提出解决包括时间、地点、责任人等的具体计划方案。

参与性监测评估是观测、分析项目活动按照已有的计划实施并调整和重新安排资源利用的计划。

山区流域参与性评估和规划是以农民为主体,在政府官员和技术人员的协助下,根据每个农民家庭鉴别的问题,潜在发展机遇,制定出单个家庭的规划,然后转变为小组的规划,再变为全村的或全流域的整体发展规划。这种规划同县级规划、国家规划相互衔接,发挥各方优势和积极性,减少投资失误和浪费。

在政府官员和技术人员的协助下,农民通过利用农村快速评估分析工具,如集体绘制和讨论村内的行政图、社区图、水土流失图、水系图、土地利用现状图、作物生长管理农村图、资源分布图、主要作物评价图、主要树种评价图、资源利用趋势图等,达到共同认识,分析社区公共资源利用现状、存在的问题、潜在发展机遇和可能的解决办法的目的,进而是制定详细社区发展规划和监测评估计划。

三、参与式评估和规划的外部环境

刘孝盈认为,以农民为主体的流域管理方法和技术传播推广示范的结合,是流域管理较

好的一种方式。过去,流域管理类同于单纯的保持水土与造林,现今,已与山区流域的脱贫致富、持续发展紧密联系在一起。因此,流域管理是一个系统的复杂体系,各种相互关联的因素及相互作用都是以山区人口的脱贫致富为目标的。随着对自然资源管理的重点转移到脱贫致富和粮食保障方面,人已成为流域管理的主体,特别是贫困山区的贫困农民,农民参与流域管理已成为其成功与否的关键。为了理解和运用以农民为主体的流域管理方法,需要在思想上有一个根本性的转变,包括在教育、政策、规划、实施等方面都需要进行必要的调整。

(一)加强农村组织建设,使其发挥更大作用

让农民具有自然资源的管理能力和决策能力,必须对农民骨干进行培训和教育,通过农民技术骨干让农民组织起来,并培养他们在组织、财务管理、解决问题方面的能力,使其成为流域管理的主体,如山区流域农村涌现出的各种农民专业技术协会,果树、养牛、养兔等协会的自发性群众组织。

(二)改进和提高以农民为主体的技术服务和决策意识

随着农民认识自然和改造自然的能力不断提高,农民表现出的对行政管理、财物管理、新技术等方面知识的需求在不断增长,经常表现出对先进技术如优良种子、动物饲养、经济作物种植和市场信息的渴求,而这需要对农民加以不断的培训。

技术人员要改变过去对农民采取的灌输式的技术培训方式,改变认为农民愚昧、落后、无文化的旧观念,改变技术推广一哄而起的强制性推广办法,而是要通过培训、咨询、示范、组织参观和交流,让农民自己通过亲身参与、对比、试验,从而达到掌握和使用技术的目的,逐步走向资源管理的持续发展。

政府官员也要改变思想意识,对农民反映的问题和提出的建议设想要给予足够的重视和解决,协助农民完成各项决策,而不能是处于主导地位,发号施令。

(三)加强对以农民为主体的服务和支持

政府的和非政府组织的推广服务、技术服务和支持贷款、补助等,对农民的生产发展起着重要的作用,但这种服务和支持要符合农民的需求。另外,农民在各方面能力的提高有赖于政府和中介机构的努力去完成。

(四)加强以农民为主体的财务管理

过去,流域管理的资金普遍都掌握在主管部门,而这常常导致部分资金流失在行政管理中,而由农民为主体的财务管理已在部分亚洲国家中被证明是行之有效的。例如,在菲律宾和尼泊尔、泰国,通过农民组织对资金的管理取得了成效,由农民组织(村级水平)管理的资金以小规模贷给农民作为滚动发展资金,规定发展经营项目、偿还期限和利息,全体农民参与资金管理,形成一套自我约束和发展的运行机制。

四、实行参与式小流域治理和管理的主要措施

段巧甫把我国实行参与式小流域治理和管理的主要措施总结为以下几个方面。

(一)全流域统筹,制定治理和管理规划

参与式方法在中国流域治理和管理中的应用,主要体现在国家、地方、个人一起参与,以地方自力更生为主、户包治理和管理为主,国家扶持为辅。

对开展参与式治理和管理的小流域,先要制定规划,成立由地方有关领导、水土保持科

技人员及当地农民代表组成的规划班子。进行现场查勘,或利用卫星、航测、遥感图片及实地调查等外业工作和内业分析相结合的方法,制定出把各项综合治理和管理措施落实到流域地块的初步规划。

初步规划经过广泛征求农民群众意见后,进一步明确指导思想和主攻方面,把一个因害设防、趋利避害、综合治理和管理、合理开发利用的规划基本上确定下来。接着再编写参与式小流域治理和管理的规划报告,包括可行性论证,绘制水土流失现状图、土地利用现状图、综合治理和管理规划图及有关表格。之后,水土保持部门组织有关方面的专家进一步论证和修改,然后报上级主管部门审批。获得批准后,方可列入计划,组织实施。

一个参与式治理和管理小流域的规划,必须既符合当地自然条件,又符合当地农民心愿。做到实事求是,因地制宜,措施有效,效益明显,能最有力地激发农民的参与意识。

(二)治理、管理和开发措施合理配置

中国实行参与式小流域治理和管理的特点主要是:强调全流域统筹,上下游、左右岸兼顾,全面规划,综合治理和管理,合理开发利用,工程措施、植物措施、蓄水保土耕作措施三大体系优化组合,科学配置,因害设防,层层拦蓄,实现经济、生态、社会三大效益同步发展,提高综合效益。

1.工程措施

工程措施包括坡面工程措施、沟道工程措施。

坡面工程措施主要包括在缓坡地修建水平梯田、条田、坡面水系工程和在陡坡地挖鱼鳞坑、水平沟等造林整地工程。梯田、条田和坡面水系工程可保水保土保肥,能增加基本农田,增强抗灾能力,提高作物产量。造林整地工程可以有效地拦截地表径流,保证树木生长。

沟道工程措施主要有淤地坝、拦沙坝、沟头防护工程、谷坊、小型蓄水工程等,用以拦截泥沙,防止沟道下切,稳定沟床,同时变荒沟为农田,发展灌溉、养殖、种植业,解决人畜饮水问题,振兴山区经济。

2.植物措施

植物措施包括营造水土保持生态林、防风固沙林、农田防护林网,种草和改良退化、沙化草地。中国幅员辽阔,各地气候、土壤条件不同,因此要坚持适地、适树、适草的原则,实行草、灌、乔相结合,达到多层次、高密度,增加植被覆盖率。在有条件地区,采取飞机播种造林种草,结合封禁治理,加快治理速度,加大管理保护力度。

3.在实行参与式小流域治理和管理中,大力提高农民的水土保持技术水平

结合流域治理和管理的需要,由科技干部组织多种形式的技术培训活动;在施工中进行现场示范和技术指导,不断提高农民的科学技术素质,提高农民参与流域治理和管理的水平,保证工程质量,进而提高整体效益。

4.实行参与式小流域治理和管理,要与农民脱贫致富相结合

(1)在治理措施上,要在缓坡地大量兴建以水平梯田为主的高产稳产基本农田;在荒沟筑坝淤地、利用水源发展水地,大幅度提高粮食产量和经济作物产量。一般在北方干旱、半干旱地区,平均每人建 $0.133hm^2$ 基本农田;在南方,平均每人建 $0.065hm^2$ 基本农田,就可解决温饱问题。使农民不再去垦荒破坏植被,防止再走"越穷越垦、越垦越穷"的老路。

(2)在选种水土保持植物时,要因地制宜地选择种植经济林果,改坡地果园为梯田果园。既保持水土、增加植被,又使农民尽快地增加收入。面对水土流失地区肥料、饲料、燃料俱缺

的现状,实行参与式小流域治理和管理,要注意解决农民生产的能源问题,如发展薪炭林,推广节柴灶、利用沼气和发展小水电,实行多能互补,解决燃料问题。并通过建设小水库、打旱井、建集流工程等措施,解决灌溉、饮水问题。

(3)在治理措施中还要安排长、中、短期效益并存的项目,以短养长,以长促短,使农民近期有利可得,远期有利可盼。以此吸引农民的积极投入,保证参与式小流域治理和管理活动的持久性。

5. 充分利用当地资源优势,发展主导产品、支柱产业和小流域经济

在北方地区利用地广人少的优势,发展种草养畜,增加农民收入;在水源较好的地方,发展种植业、养殖业;在再生资源数量逐步增加的条件下,发展加工业,走加工增值、转化增值的路子。实行种植业、养殖业、加工业和供销一条龙生产,实现农、工、贸一体化,推进水保产业化。把参与式小流域建成既是一个多功能的综合防护体系,又是一个高效益的商品生产基地。不断开拓流域自然资源的利用空间,不断培育流域新的经济增长点。例如,甘肃省通过开展小流域开发性治理,每年增加产值 3.6 亿元;1983 年列为国家重点流域治理的八片地区,经过 9 年治理,农业总产值增长 1.46 倍。辽宁省通过开展小流域治理,8 年增加木材蓄积量 223 万 m^3、薪柴 28 亿 kg、水果 4.66 亿 kg、牧草 13 亿 kg,可增加直接经济效益 11 亿元。小流域经济的发展,还扩大了人口环境容量,例如:全国重点流域治理的八片地区经过综合治理开发后,每平方公里可增加人口环境容量 20 人;长江上游四大片重点治理地区经过综合治理,每平方公里可增加人口环境容量 29 人,这是一个很了不起的社会效益问题。小流域经济的发展,还促进了治理成果的巩固,使参与式小流域治理和管理工作进入了一个良性运行的新轨道。

五、中国实行参与式小流域治理和管理的基本政策及方法

段巧甫对中国实行参与式小流域治理和管理的基本政策及方法作了如下总结。

(一)在治理投入上,坚持群众自力更生为主,国家扶持为辅的方针

中国在实行参与式小流域治理和管理方面,主要是采用经济和非经济的措施激发广大农民的积极性,依靠广大群众自觉进行治理和管理。投入的主体是农民,国家扶持的资金占总投入的 30% 左右,农民投入占 70% 左右。国家扶持的资金按项目管理,资金使用情况向农民公布,以便群众监督。对一些效益好、见效快的项目,实行有偿扶持,收回的资金建立流域治理和管理基金,继续用于流域治理和管理,滚动使用,建立稳定的资金渠道,不断加大投入。

(二)在治理形式上,实行户、专、群组结合的多种治理责任制

以户包治理管护为基础,凡是适宜独户或联户治理和管理的小流域,都承包到户;一些治理难度大的工程项目,而独户或联户难以承担治理的,由乡、村组织专业队进行治理;对一些偏远的大面积荒山荒坡,由乡、村组织群众利用劳动积累工进行统一治理,治理后承包给农户管理。

(三)各级政府制定一系列优惠政策,吸引广大农民参与小流域治理和管理

政策的中心点是解决责、权、利统一的问题,使农民治理有责,管理有权,开发有利,合理权益得到保护。

1.以户承包治理小流域的政策

即"谁承包,谁治理,谁管护,谁受益"。承包治理的土地所有权归集体,使用权归承包户,30～50年不变,可以继承、有偿转让。以户承包治理小流域的政策,适应小流域的自然条件,符合当前农民生产力的发展水平,把广大农民通过流域治理创造新的生态平衡和其切身的经济利益紧密结合起来,开拓了新的生产领域,推动了小流域经济的发展,具有很大的适应性、群众性、科学性,克服了过去治、管、用相脱节和责、权、利相分离的弊端,给流域治理和管理工作注入了新的生机和活力。

(1)扶持、奖励政策。分四方面:①实物扶持。对经济困难而积极治理的承包户,根据治理和管理项目的需要,给予种子、苗木和小型工具等实物资助。②借款扶持。对受益周期短、效益显著,并在短期内有偿还能力的承包户,用借款的形式扶持。③奖励扶持。对治理和管理小流域作出成绩、贡献大的承包户,给予物质奖励。④以贴息贷款扶持。对治理面积大或工程项目投入大的承包户,由国家贴息给承包户贷款。

(2)谁投资、谁受益政策。对承包户治理新增加的梯田、沟坝地、滩地,归承包户所有,允许继承,允许转让。

(3)拍卖"四荒"地的政策。凡属农村集体所有"四荒"地都可拍卖使用权,实行谁购买、谁治理、谁管护、谁受益,可有偿转让,允许继承,期限一般在50年以内。

(4)实行股份合作制合作治理开发的政策。将资金、资源、劳力、技术折价入股,把国家、集体、个人多种经济成分融为一体,使所有权和经营权分离,独立经营,自负盈亏,按股分红,共担风险。实行股份制,有利于打破行政区划和部门所有的界限,有利于迅速积聚资金,有利于加快治理速度。

2.重视流域治理成果的管护和巩固提高,使其发挥更好的效益

中央和地方的有关部门分别制定了小流域治理和管理的办法;村制定了乡规民约,建立了管护员制度;治理竣工的小流域,要按国家规定的验收标准进行验收;验收合格后,签订合同移交当地乡、村组织管理或由农民承包管理。

中国实行参与式小流域治理和管理,从调查、规划、治理、验收到管理,都有一系列比较完善的措施和办法,还有一套调动农民积极性的优惠政策,并把这些经验在《中华人民共和国水土保持法》中予以肯定,以法律的形式固定下来。目前,中国正在大力转化和推广在流域治理和管理方面的科技成果,追踪和借鉴国外流域管理的先进科学技术和适用经验,把依靠高新科技和技术创新作为今后流域管理的一个主流,进一步提高参与式小流域治理和管理的水平,将流域治理和管理工作推向一个新阶段。

参 考 文 献

[1] 王礼先.水土保持学.北京:中国林业出版社,1995
[2] 唐克丽,等.中国水土保持.北京:科学出版社,2004
[3] 蒋定生,等.黄土高原水土流失与治理模式.北京:中国水利水电出版社,1997
[4] 宋桂琴.黄土高原土地资源研究的理论与实践.北京:中国水利水电出版社,1996
[5] 郭廷辅,段巧甫.水土保持径流调控理论与实践.北京:中国水利水电出版社,2004
[6] 刘东生,丁梦麟.黄土高原·农业起源·水土保持.北京:地震出版社,2004
[7] 孟庆枚.黄土高原水土保持.郑州:黄河水利出版社,1996
[8] 吴钦孝,杨文治.黄土高原植被建设与持续发展.北京:科学出版社,1998

[9] 张富.黄土丘陵区小流域生态特征及植物对位配置研究.水土保持学报,1991(2)

[10] 郭廷辅,段巧甫. 径流调控理论是水土保持的精髓.中国水土保持,2001(11)

[11] 王德利.植物生态场导论.长春:吉林科学技术出版社,1994

[12] 高椿翔,高祯霞,朱成民.科技兴林　建造合理的生态位结构.防护林科技,2000(1)

[13] 高建翎,等.黄河流域黄土高原地区水土保持生态环境建设研究.郑州:黄河水利出版社,2003

[14] 马龙辉.浅析农户参与制在巴州区"长治"工程中的作用.见:中华人民共和国水利部,中国科学院,世界银行.中国水土保持探索与实践.北京:中国水利水电出版社,2005

[15] 段巧甫.中国实行参与式小流域治理和管理的主要措施、政策及方法.以人为本参与式流域综合管理.中国南南合作网.

[16] 刘孝盈.山区流域参与性评估与规划及实践.以人为本参与式流域综合管理.中国南南合作网.

第十三章 小流域径流调控体系与治理措施对位配置

第一节 小流域水土流失规律概述

一、小流域水沙来源

小流域水土流失的原因很多,错综复杂。有自然因素,也有人为因素。黄土丘陵沟壑区水土流失特别严重,主要是坡度陡、土质松、植被差、暴雨集中等自然因素,再加上人类活动不合理的开发利用土地、滥垦乱挖、广种薄收而造成的。

地貌形态与土壤侵蚀之间存在着密切的关系。按地貌形态可将黄土高原划分为不同的侵蚀类型区,以丘陵沟壑区和台塬沟壑区侵蚀最为严重,分别占黄土高原总产沙量的80%和12%。丘陵沟壑区的侵蚀模数大都在5 000t/(km²·a)以上,其中峁状丘陵沟壑区和平岗丘陵沟壑区的侵蚀模数超过或接近10 000t/(km²·a),梁状丘陵沟壑区和干旱黄土丘陵沟壑区的侵蚀模数接近7 000t/(km²·a)。台塬沟壑区的侵蚀模数除黄土阶地在2 000t/(km²·a)左右外,高塬沟壑区和残塬沟壑区的侵蚀模数分别超过5 000t/(km²·a)和10 000t/(km²·a)。

由于黄上高原的水土流失主要来自侵蚀强度≥5 000t/(km²·a)的多沙区(占总流失量的84.6%)。根据韭园沟流域研究资料:流域总面积70.7km²,梁峁坡坡度从顶部的5°左右,逐步变化到中下部的20°~30°,侵蚀模数为12 420t/(km²·a),占全流域产沙的38.7%;沟谷坡地形极为复杂,侵蚀模数23 120t/(km²·a),占全流域来沙量的45.8%;沟谷底是水力侵蚀与重力侵蚀的交汇区,侵蚀模数达36 440t/(km²·a),占全流域来沙量的15.5%。再根据纸坊沟流域的研究资料:流域总面积8.26km²,多年平均土壤侵蚀模数为8 373t/(km²·a),其中以坡度>25°的耕地和植被盖度<10%的荒草地侵蚀强度最大,侵蚀模数为18 000t/(km²·a),占总土地面积的14.41%;其次是坡度为15°~25°的耕地及植被盖度为10%~30%的林草地,侵蚀模数分别为15 000t/(km²·a)和12 000t/(km²·a),占总土地面积的27.99%;再次是植被盖度为30%~50%的林草地,侵蚀模数为8 000t/(km²·a),占总土地面积的20.35%;其余各类土地的土壤侵蚀模数在4 000t/(km²·a)以下,占总土地面积的38.24%。根据以上资料分析,大部分的泥沙来源于梁峁坡耕地,其余部分的泥沙来源于荒山荒坡和沟壑。因此,坡耕地是水土流失的主要方面。而沟谷地多为荒山荒坡,加之坡度陡,除水蚀外,尚有重力侵蚀,同时又有上部的径流冲刷,所以沟谷是泥沙的主要来源。因此,控制黄土高原水土流失必须从两方面着手:一是改变坡耕地,增加土壤植被;二是在沟谷内修筑库坝,蓄水拦泥,发展水、坝地,做到坡沟兼治,才能收到预期的效果。

二、水土流失数学模型

流域侵蚀与产沙是一个极其复杂的系统,很早就受到了国内外学者的重视,并开发出不同类型的产沙模型。但由于受到诸多自然因素的制约和人类活动的干扰,各个因素之间存在着错综复杂的相互作用。目前国内的流域产沙模型多为集总式模型,即把影响产沙过程的各种不同参数进行均一化处理,对流域水文泥沙过程的空间特性实行平均化模拟,其模拟结果不包含流域水文泥沙过程空间特性的具体信息。这类模型所采用的,实际上是一种经验方法,所以精确度较低,通用性不高。随着计算机技术的高速发展和地理信息系统(GIS)的引入,为数据的提取、储存、处理和计算提供了灵活、方便的工具,使分布式模型(大多为水文分布式模型)的发展及应用引起了越来越多研究者的兴趣。分布式模型所需数据量大,模型充分考虑到流域各个因子的空间差异性,将流域细化为多个连续的单元,不同单元中流域因子不同,而每个单元中的流域因子近似相同。因此,模型可以反映时空变化过程,可对流域内任一单元进行模拟和描述,从而把各个单元的模拟结果联系起来,扩展为整个流域的输出结果。同时还能兼容小区试验研究结果,能更恰当地模拟流域的自然时空过程,其运行结果可信度也较高,是流域水文泥沙模型的发展方向。随着我国经济社会的发展和生态环境建设力度的不断加强,也迫切需要发展产沙分布式模型,以便对流域不同的配置措施及其防治效果进行预测和评价。

下面介绍几种常用的小流域侵蚀产沙分布式数学模型,以便模拟流域在不同水保措施(不同土地利用类型)下径流和产沙的时空过程,从而加强模型在水保措施配置中的应用及检测流域管理措施对径流产沙过程产生的影响,为配置流域水土保持防治措施和检测流域管理提供技术支撑和依据。

(一)降雨径流子模型

1. 有效降雨计算

有效降雨是指实际降雨扣除降雨损失所剩下的部分。因此,有效降雨强度 I_e 由流域的实际降雨强度 I 以及蒸发蒸腾、植物截留、填洼、土壤入渗等降雨损失而决定。我国西北地区主要是超渗产流,一般情况下一次降雨历时不长,降雨损失以植物截留和土壤入渗为主,蒸发蒸腾和填洼损失量一般很小,可以近似忽略,故在有效降雨计算中,主要考虑植物截留和土壤入渗的降雨损失。

植物截留过程与土壤的渗透过程很相似,即当降雨被植物林冠截留后,产生初始截留强度,当植物林冠截留饱和后,仍具有一定的截留能力,称稳定截留强度。它们分别相当于土壤下渗过程中的初始下渗率和稳定下渗率,因此,可以采用 Horton 的渗透方程来描述植物截留的物理过程:

$$J_t = J_c + (J_0 - J_c)e^{-at} \tag{13-1}$$

式中:J_t 为降雨过程中任意时刻的植物截留强度,mm/h;J_c 为植物林冠稳定截留强度,mm/h;J_0 为植物初始截留强度;t 为降雨历时;a 为林冠特性系数。

研究表明:初始截留强度 J_0 与降雨强度 I 和郁闭度 A 直接相关,且 $J_0 = AI$;而稳定截留强度 J_c 与降雨强度 I 和林冠特性系数 a 有关,林冠特性系数 a 可由试验观测结果计算得到。

土壤入渗损失的计算,采用物理概念明晰的 Green-Ampt 入渗方程:

$$f = \frac{dF}{dt} = K[1 + (\theta_s - \theta_i)S_F/F] \tag{13-2}$$

$$F = K_t + S_F(\theta_s - \theta_i)\ln\left[1 + \frac{F}{S_F(\theta_s - \theta_i)}\right] \qquad (13\text{-}3)$$

式中:f 为土壤入渗率;F 为累积入渗量;K 为饱和导水率;t 为时间;S_F 为湿润面处土壤水吸力;θ_s 为饱和含水率;θ_i 为初始含水率。

2. 地表径流计算

在分布式模型中,小流域被划分为多个连续的网格单元,并把每一网格单元上的下垫面自然因子和人类活动影响因子(如土地利用、坡度、植被类型、土壤类型、植被覆盖度等)的信息,都以相应的代码存入数据文件;而在被划分的每个网格单元内,认为各因子在网格单元平面分布上是均衡的。

模型中每个网格单元的地表径流计算,采用水量连续平衡方程(Beasley 等)表示为:

$$\frac{\mathrm{d}W}{\mathrm{d}t} = W_i - W_o \qquad (13\text{-}4)$$

式中:W 为单元中所滞留的水量;t 为时间;W_i 为进入单元格的水量;W_o 为流出单元格的水量。

而在 Δt 时间内,单元格所滞留的水量(以体积计,下同)又可进一步表示为:

$$\frac{\mathrm{d}W}{\mathrm{d}t} = [A(i,t) - A(i,t-\Delta t)]\Delta x \qquad (13\text{-}5)$$

式中:$A(i,t)$ 和 $A(i,t-\Delta t)$ 分别代表 t 时刻以及 $t-\Delta t$ 时刻垂直于径流方向的过水断面面积;Δx 为网格空间步长。

进入单元格的水量 W_i 包括有效降雨量和从相邻单元汇入当前单元的水量之和,可表示为:

$$W_i = I_e(i,t)\Delta t\Delta x^2 + \sum Q(u,t-\Delta t)\Delta t \qquad (13\text{-}6)$$

式中:$I_e(i,t)$ 为当前时刻有效降雨强度;$Q(u,t-\Delta t)$ 为 Δt 时刻之前相邻单元汇入当前单元的流量;u 为汇入当前单元的那些相邻网格单元。

流出单元格的水量 W_o,即为进入下一相邻单元格的水量,可表示为:

$$W_o = Q(i,t)\Delta t \qquad (13\text{-}7)$$

式中:$Q(i,t)$ 为当前时刻流出单元格的流量。

在模型中,把流域从地形结构上概化成由坡面和沟道两部分组成,其中把流域中水流汇集、水沙输移的主要通道定义为沟道,其余部分则定义为坡面。所以,地表径流计算过程分为坡面径流计算和沟道径流计算两部分。

在坡面径流计算中,把垂直于径流方向的水流断面面积 A 概化成矩形断面,则径流深度 h 采用下式计算:

$$h = A/\Delta x \qquad (13\text{-}8)$$

式中:Δx 为网格单元边长,也即网格空间步长。

流速 v 采用明渠均匀流的谢才(A. Chezy)公式计算:

$$v = \frac{1}{n}h^{2/3}S_o^{1/2} \qquad (13\text{-}9)$$

式中:n 为曼宁糙率系数,根据流域下垫面因子和土地利用类型的不同而选取相应的值,具体参考 L.F. Huggins 等人的成果;S_o 为地表坡度比降。

在沟道的地表径流计算中,过水断面面积 A 不能概化成分布于整个网格单元边长的矩形断面,需根据沟道的水位—流量(即 $h—Q$)资料,运用谢才公式 $Q = \dfrac{A}{n}h^{2/3}S_o^{1/2}$ 来确定沟道上各级实测流量 Q 所对应的过水面积 A 的值,即 $A—Q$ 对应曲线,再与水量连续平衡方程式(13-4)~式(13-7)相结合,采用牛顿迭代法求解出 $A(i,t)$,并通过谢才公式求得 h 和 v。

(二)侵蚀产沙子模型

侵蚀产沙子模型,分为产沙和输沙两个过程,其中产沙主要有沟间侵蚀产沙和细沟侵蚀产沙。

1. 产沙

沟间侵蚀产沙能力采用 Foster 和 Meyer 提出的沟间侵蚀产沙能力公式计算:

$$D_L = \xi_L C_0 K_0 I_e^2 [2.96\sin\theta^{0.79} + 0.56] \tag{13-10}$$

式中:D_L 为沟间侵蚀产沙能力,$kg/(m^2 \cdot s)$;ξ_L 为沟间侵蚀产沙系数;C_0、K_0 分别为土壤侵蚀力因子和植被管理因子,具体取值采用土壤流失通用方程(USLE)中的相应值;I_e 为有效降雨强度,m/s;θ 为单元地表坡度,$(°)$。

细沟侵蚀产沙能力采用 Foster 和 Meyer 提出的以下公式进行计算:

$$D_r = \xi_r C_0 K_0 \tau^{1.5} \tag{13-11}$$

式中:D_r 为细沟侵蚀产沙能力,$kg/(m^2 \cdot s)$;ξ_r 为细沟侵蚀产沙系数;τ 为地表径流剪切力,N/m^2,$\tau = \gamma h \sin\theta$;$\gamma$ 为水的容重;h 为地表径流水深;其他符号含义同前。

2. 地表径流输沙

模型中输沙的计算公式是 Beasley 等(1982 年)基于改进后的 Yalin(1963 年)公式并结合 Foster 和 Meyer 的公式及大量实验数据推导出的,可表达为:

$$G_s^b = 161 S_0 q^{0.5} \quad (当\ q \leqslant 0.046 m^2/min\ 时) \tag{13-12}$$

$$G_s^b = 16\ 320 S_0 q^2 \quad (当\ q > 0.046 m^2/min\ 时) \tag{13-13}$$

式中:G_s^b 为以质量计的单宽输沙率,$kg/(min \cdot m)$;q 为地表径流单宽流量,m^2/min;S_0 为坡度比降。

小流域侵蚀产沙子模型的计算中,若单元内的沟间侵蚀产沙能力大于地表径流输沙能力,通常不发生细沟侵蚀,且单元内有泥沙淤积,此时实际输沙量等于地表径流输沙能力;反之,若沟间侵蚀产沙能力小于地表径流输沙能力,通常会发生细沟侵蚀。此时又分为两种情况:若地表径流输沙能力大于沟间侵蚀产沙能力与细沟侵蚀产沙能力之和,则实际输沙量等于沟间侵蚀产沙能力与细沟侵蚀产沙能力之和,单元内无泥沙淤积;若地表径流输沙能力小于沟间侵蚀产沙能力与细沟侵蚀产沙能力之和,则实际输沙量等于地表径流输沙能力,单元内有泥沙淤积。

第二节　小流域径流调控体系和径流开发利用体系

一、小流域径流调控体系

径流调控体系是按照水土保持学、水利学、水文学和系统工程学等原理,利用雨水的可储性、可移动性、可抑蒸性和时空上的可再分配性,把各项径流调控工程和径流利用技术进行优化组装,以降雨径流为主要水资源,以截流与分流结合、聚流与贮用结合,集水、贮水、供水、节水有机结合,化害为利,综合利用为主要功能的系统工程,是我国山丘地区,特别是干旱、半干旱地区拦蓄径流、涵养水源、调节用水、保持水土、变害为利,改善和保护水土资源,促进农、林、牧业生产和区域经济持续发展的重要生态工程。建设一个多层次、全方位、多功能、高效益的径流调控体系,并对其进行充分、高效、集约、永续利用,是缓解水资源紧缺的有效途径,为小流域循环经济的可持续发展,拓宽了更为广阔的前景。

径流调控体系运用渗、拦、分、贮、用等一系列聚散工程设施,改变径流在坡面的运行过程,调节径流量及其流速,减轻水土流失,通过对径流进行人工调节,使宝贵的降水资源得到充分、合理、有效的开发利用。在水资源十分短缺的地区,径流调控体系是解决水资源贫乏的重要途径,又是改善环境,保护、利用水资源的基础工程。

径流调控体系的建设和发展应该通过不断的实践探索,从上游到下游,从坡面到沟道,分层设防,总结提出适宜于当地区域发展的水土保持径流调控利用体系。即通过降水的聚集、贮存、分散、利用等工程的优化配置,按照径流的形成来源、汇集数量和运行规律,以道路为骨架,生产用地为主体,由上到下,精心优化、对位配置,层层聚集,节节贮存,处处引用,组成衔接紧密、相互协调、经济实用、景观优美的有机整体。把除害与兴利紧密结合起来,最大限度地提高降水资源的高效运用。这种体系按其组成可分为截分流、聚集、贮存和利用四个子系统(见图 13-1)。

截分流、聚集系统主要指依靠集雨面来收集降雨径流的工程体系。集雨面通常有自然坡面、沥青路面、村道、庭院、屋面、混凝土面和覆膜等。

贮存系统有水窖、蓄水池、涝池、塘坝、淤地坝等。

利用系统主要是通过小型蓄引工程和滴灌、渗灌、喷灌及小沟暗灌等节灌技术,为发展高效的农林牧业服务。

径流调控体系的总体布局、优化设计要遵循"依径流配工程,按地形镶措施"的原则。具体讲就是"因地制宜,对位配置;依据径流,布设工程;利用工程,配套措施;高新技术,综合运用"。其核心内容是径流聚集工程,目的是高效利用。

径流调控体系的组成,应本着有截有分、便于调节和合理利用的原则,把降雨径流通过截流、分流、聚集、贮用等措施,分散拦蓄、综合利用。径流调控体系主要包括径流截流分流工程、径流聚集工程、水土保持植物聚流分流、水土保持耕作聚流分流和径流贮用工程 5 个部分。

(一)径流截流分流工程

主要是根据不同频率的暴雨产流量和径流运行规律,有计划地拦截分散径流,处理好产流与蓄流的关系,使水不乱流,变无序径流为有序径流,便于蓄用;又使过量径流有出路,防止冲刷、溢洪,化害为利。截流、分流工程体系,是通过工程、植物和保土耕作等综合治理措施,增强截分降雨径流、涵养水源能力,有效地分散坡面径流,延缓径流的汇集时间,提高沟道、支流的过流量。有截有分,就地分散拦蓄,抑制洪水灾害的发生,并把大多以洪水形式流失的大雨、暴雨径流变成可利用的水资源,为实现径流资源化创造条件。

径流截流分流工程主要包括:山坡截流、分流工程,梯田截流、分流工程,截流引流工程,沟道截流工程等。

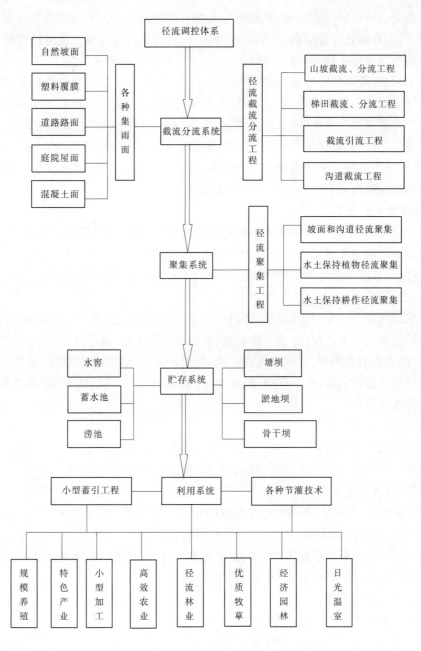

图 13-1　径流调控体系图

(二)径流聚集工程

降雨径流是水资源短缺地区,特别是干旱、半干旱地区的主要水资源。因为这些地区年降雨量少,且年际和年内分配又不均匀,作物生长季节降雨偏少,且多为历时短、强度高的暴雨,在没有径流聚集措施的情况下,坡面径流将大部分流失,进而加剧水土流失和干旱缺水的局面。

聚流是径流调控体系中重要的组成部分。从广义上说,聚流也是分散疏导中的重要一环,其目的都是减少坡面径流量,削弱坡面径流冲刷土壤的能量。当然,与分流在具体实施和作用上还是有所区别。实际上,聚流与分流是对立的统一。在不同自然条件下,聚流与分流的顺序不同,有的是先分后聚,有的是先聚后分,有的是边分边聚。通常径流聚集工程,主要包括坡面径流聚集工程、沟道径流聚集工程、水土保持植物聚流分流工程和水土保持耕作聚流分流工程,把降雨径流收集到特定场所,防止径流损失,使坡面径流资源化。

在坡面上径流汇集的地方,布设与地形、径流量相适应的聚流工程,可以在地下也可以是露天的。在区域性干旱地区,以地下为好,可避免蒸发的损失。在季节性干旱、人多地少、土层薄的地区,可以建设露天的聚流工程。聚流既可调控和减少径流的冲刷,又可开发利用,为治理措施中的植物措施提供一定的水源,使植物生长良好,既能起到保持水土的作用,同时又为当地发展高效农林牧业以及居民生活提供水源。

1.坡面径流聚集工程

通过分流与聚流,建立科学的能量流和物质流网络系统,可以使坡面径流朝着人们所希望的方向控制。削弱和转化坡面径流冲刷能量是调控坡面径流的关键。主要包括坡耕地径流聚散工程,荒坡地径流聚散工程,村庄、道路径流聚散工程,大型径流聚集工程。

1)坡耕地径流聚散工程

坡耕地径流聚散工程是指通过综合治理措施,改变原有地形特征,使降雨就地拦蓄入渗或从产流场引流入渗并贮存,补充土壤水分,增加土壤含水量,减少降雨径流的损失,增加土壤含水量,提高水的利用率,增加农作物产量,在生产生活需水关键期可以进行补灌补用的工程。主要工程措施包括:水平梯田、隔坡梯田、等高耕作、等高植物篱、等高水平沟及排洪沟、水窖、蓄水池等。

2)荒坡地径流聚散工程

通过对荒坡坡面进行原有地形的改造,增加降雨入渗和土壤含水量,为造林和种草创造良好的条件。其主要工程措施包括等高水平沟、鱼鳞坑及截、排水沟等。

3)村庄、道路径流聚散工程

在黄土高原区,若道路、村庄、庭院形成的径流处置不当,均可造成严重的水土流失危害。通过村庄、道路径流聚散工程可以拦截贮用和分散径流,使坡面径流各有归宿而不危害村庄、道路和农田,不影响群众生产、生活,化害为利,拦蓄径流以供灌溉、生活之用。主要工程措施包括:截、引、排水沟,水窖、水柜及屋面集流等。

4)大型径流聚集工程

不论是区域性干旱地区还是季节性干旱地区,为了在旱季获得更多的水源,因地制宜地建立必要的大型人工径流聚流工程(如大型的人工径流场),使其在雨量小的情况下,能迅速产流,不至于使雨水随之蒸发损失。主要工程措施包括:人工聚流场、集雨工程、串联水窖、保护地搭棚、棚面集流。

2.沟坡、沟道径流聚集工程

沟坡、沟道是降雨径流的必经之道,也是小流域泥沙的重要产源地。从沟头到沟口,从毛沟到干沟,从沟坡到沟底,分层布设拦蓄工程,在沟道逐级修筑淤地坝、谷坊等截流、分流工程,主要是拦蓄水沙,护坡固沟,防治沟蚀,淤地造田,种植林草和经果林,蓄水灌溉和发展养殖业,充分利用沟道水土资源,发展小流域经济和区域经济。主要工程措施包括:等高水平沟、鱼鳞坑及截、排水沟和大中小型淤地坝,拦沙坝,塘坝、谷坊、库、堰等。

(三)水土保持植物聚流分流

植物在聚散坡面径流中具有本身功能不可替代的作用,因此林草和农作物等植物均属于径流调控体系,与其他措施一样,是该体系中重要的组成部分。

1.植物在聚流分流中的作用

植物有良好的聚散坡面径流的作用。主要反映在:一是可以聚流。当地表有致密的植物覆盖,特别是有紧贴地面的植被和枯枝落叶时,不仅可防止雨滴对土地的直接击溅,而且可阻滞坡面径流,削弱其动能,改变其运行轨迹,增加土壤入渗。其作用的大小,取决于植物类别、组合和覆盖度。二是可以分流。当降暴雨时,坡面径流量随之增大,任何植被在不同坡度的坡地上,也会产生坡面径流,不可能全部拦阻入渗。但是,坡面径流经过植物的层层拦截,极大地削弱了冲刷动能,分散的坡面径流不再具有那么大的破坏力,达到了安全分流的目的。三是可以减少径流量。植被可以截留降雨,一部分蒸发掉,一部分变为地面径流。同时,植被特别是树,可以吸收更多的雨水,大部分通过躯干和枝叶蒸散于大气。

2.植物聚流分流的重点

植物措施与工程措施一样,具有聚流分流的功能,但从发挥聚散径流作用的时间来看,又有别于工程措施,一般比工程措施滞后,工程措施竣工之日,就是聚流分流功能启动之时。而植物措施在实施后的初始阶段,起聚流分流作用的还是为植物生长创造条件的整地工程。只有当植物达到一定的被覆遮盖和保护地面时,其聚散降雨径流的功能,才能随着植被盖度的增加而日益显露。

因此,植物聚流分流的重点包括两个方面:一是以工程聚流促进植物聚流分流。植物是一种活的聚流分流工程,所以有一个生长发育的过程,而这个过程的长短又取决于植物快速生长所需的客观条件。特别是西部干旱、半干旱地区,要缩短植物承担聚散径流作用的时间,必须要认真搞好工程聚流,以改善和满足植物生长发育的微供水环境,工程聚流是植物聚流的基础。工程聚流搞得越好,植物聚流分流的作用就显得越早、越强。二是提高植被盖度。植物调控坡面径流的关键是植被覆盖地面的程度,特别是看是否形成多层次、高密度、有枯枝落叶层的植物群落。

(四)水土保持耕作聚流分流

水土保持耕作是径流聚散工程体系中重要的组成部分。我国几千年来,农民在与水土流失的斗争中,逐渐形成了一套费省效佳的保水保土耕作方法。它们的主要作用都是改变微地形,在一定限度内聚集和分散降雨径流,减轻径流的危害和水土流失,同时增加土壤入渗,改善植物的供水环境和生长发育状况。

水土保持耕作聚流分流,主要包括等高耕作(如等高水平沟种植、等高沟垄种植、起垄耕作等)、聚流积肥耕作(如丰产沟耕作法、抽槽聚流、蓄水聚肥耕作、聚流坑种植等)、免耕、少耕、深耕、渗水孔耕作、地膜覆盖等。

(五)径流贮用工程

径流贮用工程是根据降雨径流的可储性、可移动性和可再分配性,通过修建蓄水池、水窖、淤地坝、塘库等径流贮蓄工程,利用自然集流面和人工聚流场,把多个坡面的降雨径流和不同时段的降雨径流聚集贮存起来,减少水分的无效消耗,增加作物生长期的水分供应,实现降雨径流资源化和在时空上的再分配,提高降雨径流的集蓄利用效率。

二、小流域径流开发利用体系

(一)小流域径流开发利用体系的优化配置

径流开发利用体系的优化配置,是按照系统工程学、水土保持学、水利学、水文学和生态经济学等原理,将径流截流、分流工程,径流聚集工程,径流贮用工程进行优化配置,使径流由无序变有序并走向资源化,开源与节流并举,保护与利用兼顾,综合开发利用,有利于缓解水少、水脏、弃水、断流、洪涝、干旱、水土流失严重、生态环境恶化等问题,拓宽有限水资源的利用空间和深层开发,提高水资源利用率、土地产出率和农业综合生产力,促进资源、环境和经济协调发展,人类与自然和谐相处,加快我国水土流失的有效控制,为可持续发展创造条件。

1. 小流域径流开发利用体系的建设

小流域是具有网络结构和整体功能的复合系统。小流域水循环不仅构成了社会经济发展的资源基础,也是生态环境的控制因素,同时也是诸多水问题和生态问题的共同症结所在。小流域径流开发利用体系的实质,就是遵循自然规律和经济规律,对水循环过程的各个环节进行综合开发利用。小流域的经济发展和生产布局要以水资源的安全供给与可持续利用为基本前提,兼顾除害与兴利、当前与长远、局部与全局,进行社会经济用水与生态环境用水的合理分配。

2. 调查和掌握小流域径流情况和影响径流的因子

建立小流域径流开发利用体系,关键是要调查和掌握流域的径流情况和影响径流的因子。如调查流域干支沟断面的大小、比降、沟道长度、沟滩宽度以及沟道分流、串沟、回水和沟道内洪水、枯水期等情况;查清洪水来源、最大和最小流量、最高洪水位和最大漫滩边界、流向变化及洪水波浪的大小等情况。了解影响径流的因素,主要是了解河床组成、冲淤变化情况、河床地质如岩石、砾石、沙、壤土、淤泥等分布情况;流域内的地形、地质、土壤、植被;流域分水线,闭合集水区面积,降水量、降水强度、降水历时、降水的时空分布、出境水量、过境水量、引入水量、蒸发量;现有水利水保工程的规模、数量,引水、蓄水情况,水土保持综合治理情况和近期、远景规划;小流域经济发展情况等。

3. 因害设防、对位配置,布置径流聚散工程

在调查研究的基础上,全流域统一规划,上下游、左右岸兼顾,坡沟兼治,依据不同地形部位生态位特征,确定土地单元适宜性,因害设防布设径流聚散工程,使小流域降雨径流调、蓄、用有机结合,形成能够满足植物生育用水和群众生产生活需要的小流域径流开发利用体系。小流域径流开发利用措施主要包括径流调控工程措施、植物措施、保土耕作措施,各种措施相结合形成一个完整的径流开发利用体系。

(1)小流域径流开发利用的工程措施。修建以坡面工程和沟道工程为主体的径流调蓄工程,包括梯田、水平沟、聚流坑、截流沟、分流沟、蓄水池、沉沙池、谷坊、淤地坝、塘库坝、贮流输出设施和人工径流场等。利用高处集流场贮流自压节灌,不同部位的贮流设施串联并用,互相补充,变无序组合为有序组合,实现坡面径流资源化,发挥水的最大利用率和产出率。

(2)小流域径流开发利用的植物措施。包括人工草地、水土保持林、经果林、景观林、封禁治理以及农作物的合理种植等,提高植被覆盖度。

(3)小流域径流开发利用的保土耕作措施。包括等高种植、等高沟垄种植、深耕、间作套种、轮耕、免耕、少耕、地膜覆盖等。实现低产变高产,低效变高效,促进小流域种植业的发展。

(二)黄土高原地区小流域径流开发利用体系

黄土高原大部分属干旱、半干旱地区,多年平均降水量只有 $200\sim700$mm,且分布不均,年内年际变差大,$6\sim9$ 月降水占年降水量的 $60\%\sim75\%$,多雨年的雨量为少雨年的 $3\sim4$ 倍。年内降水又往往以暴雨形式出现,导致十分严重的水土流失,加上山坡地持水能力低,大量降水未能利用便汇入河流。黄土高原自产径流量 350 亿 ~443.71 亿 m^3,水资源严重短缺。干旱缺水是黄土高原地区多年来造林成活率低、保存率低和植物防护作用低的重要原因。由于林草植被的减少,山坡地涵养水源能力降低,更进一步加剧了水资源紧缺程度。此外,经济发展对水资源的不合理开发利用,造成河流下游断流、地下水位下降、土地严重退化,更加剧了生态环境恶化。

在黄土高原地区,解决水土流失和缺水问题已成为改善区域生态环境的关键。黄土高原地区小流域径流开发利用体系,主要包括径流开发利用工程措施体系、径流调控植物措施体系、径流调控保土耕作措施体系。

1.建立和完善径流开发利用工程措施体系

以聚流为主,辅之以分;当汛期暴雨强度大、且历时长时,也要重视分流。修建以梯田为重点的坡面聚散工程和以骨干坝、淤地坝、谷坊、沟头防护等工程为主的沟道聚散工程。聚流、分流、贮流和拦泥相配套,充分利用好本地区的降雨径流,不断提高单位水的利用率和产出率。

2.建立径流调控植物措施体系

以工程措施聚流为先导,人工重建植被或封禁治理,提高植物措施调控坡面径流能力。

3.建立径流调控保土耕作措施体系

推广等高沟垄耕作、水平沟种植、草田轮作、间作套种、地膜覆盖等保土耕作措施体系,承担工程措施体系和植物措施体系未及部位的聚散功能。

(三)黄土高原地区小流域径流开发利用实例

1.定西坡面径流汇集、存储、高效利用形式

定西位于干旱、半干旱地区,年均降水量420mm,且集中于 $7\sim9$ 月,多以暴雨形式出现,形成暴雨径流,导致严重的水土流失,加剧水资源贫乏,降水与农作物需水供需错位,十年九旱。在该地区,水是维护良性生态系统和社会经济发展的制约因素。没有水,就没有良性生态系统;没有水,就没有可持续的农、林、牧业生产。水的来源,主要依赖降雨径流,径流调控是水资源开发、利用、配置、保护的基础。因此,该地区在特定的自然条件下,在与水土流失、干旱抗争中,创造了许多调控坡面径流的聚散工程,并应用于实践,取得了可观的成效。

1)坡面径流聚散工程

主要是以下几方面:

(1)坚持大规模地修建水平梯田和荒山坡聚流整地工程,为农、林、牧业生产创造条件。

(2)利用自然集流面集流。充分利用路面(沥青路面、砂石路面)和庭院集流面集流。

(3)建设人工集流场。为了提高集流效率,选择坡面的适宜地段,经过防渗减渗处置,在表面铺设相关材料建成的集流面。用于集流场的铺盖材料有:混凝土、聚乙烯薄膜、沥青玻璃丝油毡、HEC(土壤固化剂,与土混合比例 1:6~1:10)、水泥土等。据观测,薄膜集流效率达 80% 以上;在同等条件下,沥青玻璃丝油毡集流效率比薄膜高 15%;HEC 比水泥土高 80% 左右。每平方米集流材料的造价:混凝土为 18~30 元,沥青玻璃丝油毡为 4 元,HEC 为 3~5 元,薄膜为 1 元。

2)集流贮水工程

建设贮水工程要注意以下几点:

(1)建设水窖。主要形式有 3 种,即混凝土球形水窖,容积 20~40m³;混凝土壳圆柱形水窖,窖积 40~60m³;红胶泥水窖,容积 15~40m³。

(2)采用水窖防渗抗冻技术。主要采用 C20 混凝土,抗渗标号选取 S_4,抗冻指标选取 D_{50} 的水泥等建材,抹面时掺入 2%~5%(指占水泥重量)的防渗剂。窖体要设在地面 80cm(最大冻土深度)以下。

(3)采取沉沙与过滤方法,保证水窖水质。

3)贮流输出设施

贮流输出利用要考虑以下相关条件:

(1)选用手压泵、汽油泵、潜水泵等小型提水机具。手压泵取水,一般配软管用于点浇等地面洒水方式;汽油机泵取水,采用软轴连接技术,其扬程达 36~42m,可配 4~7 组 F-4 系列或 SW200 系列喷头,实施喷灌、滴灌、抗旱坐水种、地膜穴灌等节水技术;电力潜水泵取水,一般选用喷灌、微灌技术,也可选用膜上灌、膜下罐等高效地面灌水技术。

(2)设置闸阀,自流施水。在临近崖坎处修建的池、窖等贮水建筑底部,可布设水管和闸阀,用水时打开闸阀,自流放水。

4)坡面径流汇集利用技术

(1)水窖配套形式及高效利用技术。定西市安定区径流汇集利用技术,主要有梁顶光头式配套形式,路边葡萄串式配套形式,场、院、凹地单点式配套形式。并配套相应的窖水高效利用技术,如自压微灌、外动力加压微灌、坑灌及水肥穴施等。

(2)坡耕地活动式集流自压滴灌配套形式。张富等在安定区安家沟小流域研制了"上部坡地夏季种粮、秋季覆膜集流、地边修贮流水窖、补灌下部作物"的一地多用,低耗高产,聚流与贮流、用流相结合的配套形式。覆膜集流效率达到 93%,集流场坡地覆膜后播前土壤含水量为 15.43%,有效地保持了土壤水分;补灌新修梯田玉米每公顷产量达到 3 150kg,坡地春小麦每公顷产量达 2 502kg。

安定区安家沟、九华沟小流域,采用各种集流场和水窖建造技术,建集流贮流水窖 878 眼,配套微灌设施为小麦、玉米、谷子等农作物以及果树和大棚蔬菜进行补灌,补灌面积达 167hm²,增产效益明显,补灌农田每公顷生产粮食平均 4 500kg,比大田增产 90%。

2. 宁夏南部山区坡面集流微灌形式

宁夏南部山区丘陵占 70%,沟壑密度 2.5km/km²,水土流失面积占 79.6%,旱耕地占 92%,坡耕地占 80%,植被覆盖率低,地形破碎,人口居住分散。水资源十分匮乏,年降水量少,暴雨径流占降水量的 59%~70%。为解决干旱缺水问题,从 1995 年以来,实施了坡面集流微灌工程。采取如下措施。

(1)修贮流水窖。主要修建适应宁南山区实际的酒瓶式和盖碗式两种贮流水窖。建造工序为窖盖土膜制作、拱盖混凝土浇筑、挖窖体、窑体防渗、建窖台与沉沙池。窖壁以水泥砂浆防渗,窖底用混凝土或红胶泥与水泥砂浆防渗。单窖容量一般为 $40\sim60m^3$,窖深 $6\sim8m$,水窖造价为 $800\sim1\,600$ 元。

(2)修建集流场。人工集流场主要有简易集流场和混凝土集流场两种。简易集流场是将自然坡面整平压实,或用黄土与水泥或白灰、红胶泥、防渗粉等混合均匀后整平压实。混凝土集流场是用混凝土分块现浇,厚度 5cm,或以土工布作为活动集流场。也可利用山坡、道路、场院、屋面和排洪渠等为自然集流场。

(3)修建沉沙拦污设施、输出设施和微灌设施,做到配套完善,卫生安全,节灌增效。宁南山区累计修建贮流水窖已近 40 万个,形成了梯田、水窖、地膜、结构调整和高效利用水资源的优化模式,节灌面积达 4 万 hm^2。集流贮流水窖微灌工程规模小,投资少,见效快,农户自建、自管、自用,运行费用低,使用寿命可达 30 年以上,适于干旱缺水的水土流失地区。

宁南山区集流贮流(水窖)微灌工程,控制和减轻了局部面积上的水土流失,改善了山区降水时空分布不均、供需错位造成的干旱缺水问题。据测算,一个水窖可控制 $0.3\sim0.5hm^2$ 面积的降雨径流。宁南山区已建成的集贮流水窖微灌工程,每年可减少下泄泥沙 200 万 t,解决了 40 万人的饮水困难和 28 万人的温饱问题,累计节约拉水费用达 5 000 多万元;补灌的地膜玉米可增产 1.5 倍,补灌土豆可增产 2 倍,补灌小麦可增产 5.5 倍,综合效益显著。

3. 青海省互助县干旱山区坡面径流聚贮工程形式

青海省互助县的干旱浅山区耕地面积大,占总耕地面积的 50%。多年平均降水量只有 350mm 左右,其中有 70% 以上的降雨集中在 7～9 月,且多以大雨、暴雨形式出现,有限的雨水资源不仅得不到有效利用,还造成了严重的水土流失。缺水成了制约当地经济发展的"瓶颈"。

该县为了缓解干旱缺水问题,加快了坡面径流聚贮工程建设。从 1998 年开始,在干旱山区大力推行雨水集流工程。实施两年,先后在 7 831 户农户中,修建混凝土薄壳球形聚贮径流水窖 17 052 个,建混凝土集流场 94 万 m^2,建配套输出设施 125 套。将降雨径流汇集于贮水窖中,实现了秋蓄春用,边蓄边用,并推广微灌技术,有效地解决了春旱缺水的问题,发展了庭院经济,改善了生产生活条件,控制了水土流失,为干旱山区发展经济、建设水土保持生态环境开辟了一条新的途径。

第三节　坡面径流调控体系配置

小流域是由无数坡面和许多支毛沟组成的,而坡面是小流域产水产沙的源头。因此,治理小流域的关键是调控坡面径流,如果能将坡面上的降雨径流科学地分散与聚集,按照人们所要求的除害兴利原则进行调控,不仅能有效地从小流域的源头控制水土流失,而且能把降雨径流变为有效的水资源,发展小流域经济,让农民增加收入致富。

一、农坡地径流聚集工程

农坡地径流聚集工程是指为了防止农坡地上发生的水土流失,提高农田降水利用效率,提高作物产量,通过改变微地形而在农坡地上兴修的一种保持水土、蓄水拦泥、排水防漏、聚肥增产的工程措施。梯田、山边沟及灌溉与排水是农坡地径流聚集的主要工程形式。前者决定坡地利用的形态,即阶梯状或平行坡面耕作,故为关键方法。在坡度较大或坡面较大的情况下,为了更好地拦蓄径流或充分发挥机械作业的效率,或为了同时达到上述两种目的,在坡耕地上往往需要进行一定的工程措施,以达减少径流、保土蓄墒及增产的效果。所谓径流聚集工程,就是通过工程措施改变地表特征,以增加渗透或聚集径流并使之分布于生长作物的小块地上的一种措施。

农坡地径流聚集的方法很多,但各有各的用途和功效,任何一种方法都不可能适用于所有的土地而得到同样的功效,用什么方法,应完全由土地的需要去决定。在一块土地上很少是只用一种方法的,常常是多种方法配合应用,使各方法发挥的功能综合起来,达到控制土壤冲蚀、高效利用资源、增产、增收的目的。

下面介绍的主要径流聚集工程措施有:水平梯田、隔坡梯田、隔坡水平沟、山边沟等保土聚流工程措施和等高耕作、沟垄耕作等保土汇流耕作措施;主要径流聚集植物措施有等高植物篱埂。

(一)水平梯田

黄土高原地区土质疏松,水土流失严重。坡耕地占总耕地面积的 50% 以上,在水土流失严重的黄土丘陵区,坡耕地可占到总耕地面积的 70%～90%,其中大于 25°的坡耕地占 15%～20%。坡耕地在降水较大时,水流在下坡位汇集,汇流动能较大,下坡位土壤易被水冲走,最后在地形低凹处淤积。上坡位土壤在雨强较大时,土壤受雨滴溅蚀扰动,耕层土壤极易离散,顺水流方向向下移动,动能明显高于上溅土粒,因此土壤侵蚀严重。因此,坡耕地是水土流失的主要来源地,其严重的水土流失已成为限制黄土高原坡耕地粮食生产的重要因子。所以,坡耕地的治理应是黄土高原水土流失治理的重要内容,是关系到农业可持续发展的紧迫问题。

水平梯田作为黄土高原重要的基本农田形式,是一项坡耕地治理的根本措施。水平梯田是指田面平整或近于水平,台坎陡直,顺等高线呈长条形、带状布设,多采用半挖半填方式修建的梯田。水平梯田是防治水土流失的得力措施,可以变跑水、跑土、跑肥的"三跑田"为保水、保土、保肥的"三保田";水平梯田田面质量高,土地利用率高,可提高粮食产量、促进生产力的发展,具有保收、增收等经济效益,是农业可持续发展的基础工程;另外,水平梯田还可以使农田作物、土壤、小气候以至整个生态环境系统都得到改善。因此,在黄土高原地区进行水平梯田建设具有十分重要的意义。

1.水平梯田的优点

水平梯田的基本特点就是用土壤拦蓄天然降水,通过土壤贮存水肥,保持肥力,提高地力,解决作物生长需水,创造了作物生长的良好土壤理化性质,使作物具备高产稳产的基础条件,具有明显的水土保持效益和经济效益,其主要优点如下:

(1)拦蓄雨水、削弱径流,保土保肥。山坡地修成水平梯田后,改变了地形条件,截短了坡长,对保持水土的作用十分显著。据各水保科研部门测定,水平梯田拦蓄径流、泥沙效率均在 90% 以上,标准水平梯田可一次拦蓄日降水 70～100mm。绥德县辛店试验场 1959 年 9 月 19～20 日,一次降雨 95mm,最大强度 1.2mm/min 的情况下,水平梯田拦蓄效益为 92%。米脂县高西沟 1958 年 8 月 1～2 日,一次降雨 150mm,水平梯田未发生水土流失;1961 年 9 月 27 日,在连续降雨 20 天,其中一段集中降雨 131.2mm 的情况下,水平梯田流失量仅为 1.0%。

(2)增加农作物产量,提高抗旱能力。由于水平梯田有效地拦蓄了地表径流,因而土壤的水分、养分含量一般比坡耕地高,基本上能够达到高产稳产。据在绥德县王茂沟小流域调查,20世纪50～90年代水平梯田平均单产为1 461kg/hm²,而坡地单产为514kg/hm²。多年平均水平梯田产量是坡地产量的2.84倍,也就是说,山坡地兴修1hm²水平梯田,在保证总产粮不减少的情况下,可退耕坡地2.84hm²。因此,水平梯田增加农作物产量的效益是很明显的。

根据黄委会绥德水保站观测,水平梯田与坡耕地相比,土壤含水率高13%,有机质高26%,全氮含量高33%,水解氮高33%。随着时间的推移,梯田肥力不断增强,抗旱功能愈加明显。该水保站辛店试验场测定结果是,1991年与1983年相比,梯田有机质由0.289%增加到0.51%,含氮量由0.012%增加到0.03%。甘肃省平凉地区1986、1987两年万公顷水平梯田产量调查资料显示:1987年虽是一个干旱年,在全区普遍减产的情况下,梯田比坡地的增产幅度仍很显著。

2. 水平梯田设计

黄土高原地区水平梯田的修建多为就地取材,以黄土修筑土埂,并积累有丰富的经验。因此本文主要针对黄土高原地区土埂水平梯田的设计和修建进行论述。

水平梯田作为改造坡耕地、控制水土流失、建设基本农田的措施,是通过改变局部地形实现的,从断面看(见图13-2),水平田面是由挖方区三角形 MOC 和填方区三角形 AON 形成的,AP、RC 称为地坎(田坎),它是由半填半挖而成,在 A、R 处,通常筑有田埂,或称为地埂,主要起拦蓄地表径流和田面积水。α、β 分别表示坡面和地坎的坡度,L、b、B 分别表示坡面宽度、田坎水平投影宽度、田面宽度,H 表示田坎高度。

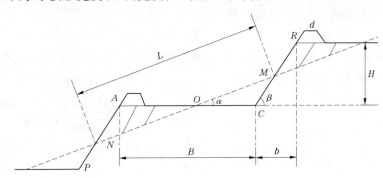

图13-2　水平梯田设计断面计算图

由图13-2可知

田坎占地宽
$$b = \frac{H}{\cot\beta}$$

田面宽度
$$B = H(\cot\alpha - \cot\beta) \tag{13-14}$$

地坎高度
$$H = L\sin\alpha \tag{13-15}$$

将式(13-15)代入式(13-14)得:

$$B = L\sin\alpha(\cot\alpha - \cot\beta) \tag{13-16}$$

式(13-15)说明,地坎高 H 与坡面宽 L 成简单的正比关系,而式(13-16)中,由于 α、L 随 H 在一定范围内变化,因此,B 是 L 与 β 的二元函数。通过以上三式,可以计算出梯田断面的各个要素,所谓设计梯田最优断面,实际上就是确定合理的田面宽度。由图13-2看出,

单位长度梯田开挖土方量:

$$V = \frac{1}{2} \cdot \frac{H}{2} \cdot \frac{B}{2} = \frac{1}{8}BH \tag{13-17}$$

式中表明,单位长度梯田开挖土方量 V 与田面宽度 B、地坎高度 H 的乘积成正比,对该式加以变换,得到:

$$V = \frac{1}{8}\frac{B^2}{\cot\alpha - \cot\beta} \text{ 或 } V = \frac{1}{8}\sin^2\alpha(\cot\alpha - \cot\beta)L^2 \tag{13-18}$$

式(13-18)表明,在 α 较小时,V 与 B 的平方或 L 的平方成正比。当田面宽度为 B 时,以修建 100m^2 田面为例,其田面长度 $C = \frac{100}{B}$,所以每 100m^2 梯田开挖土方量为:

$$V' = \frac{1}{8}BH \cdot \frac{100}{B} = 12.5H \text{ 或 } V' = 12.5L\sin\alpha$$

因此,每 100m^2 梯田开挖土方量是原地面坡度(α)和地面宽度(L)的函数,对于既定的坡度,它与坡面宽度 L 成正比。

(二)隔坡梯田

隔坡梯田是 20 世纪 60 年代在黄土高原出现的一种治坡工程措施,是根据拦蓄利用径流的要求,沿原自然坡面隔一定距离修筑水平梯田,在梯田与梯田间保留一定宽度的原山坡,坡面产生的径流蓄于水平梯田上。这种平、坡相间的复式梯田布置形式,叫做隔坡梯田(见图 13-3)。其实质是把若干单位面积上接受的降水,集中到一个单位面积上利用,使坡面的雨水径流进入梯田和梯田自身田面上的雨水两者叠加利用,造成梯田土壤水分优势,以满足梯田作物或林果类生长需求,取得增产稳产的效益。隔坡梯田因其修建省工,既能防治水土流失,又能利用坡带种草发展畜牧,加快坡耕地治理进度,同时还可利用坡带产流灌溉下面的水平梯田地,蓄水保墒,促进了农作物的生长,在干旱少雨的黄土高原及人少地多地区有一定的推广价值。

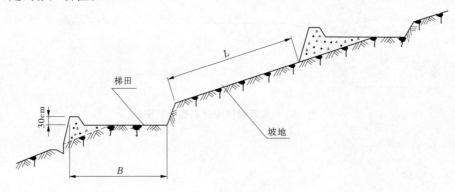

图 13-3 隔坡梯田断面图

1.隔坡梯田的优点

(1)减少投资,节省劳力。在梯田建设方面,由于它每修水平梯田一台,上方都要保留一定面积的原坡面不动,这就降低了单位面积投资,相对地增加了经济效益。据调查,实施隔坡梯田模式与常规建设梯田、造林、种草相比,单位面积投资减少 30%,节省劳力 50%,大大加快了治理坡耕地的速度。

(2)有利于发展径流农业,提高农田抗旱能力。隔坡梯田中坡面上的来水汇入平段水平梯田之中,补充其水分不足,开展径流农业,提高农田抗旱能力,隔坡梯田能充分利用梯田的拦蓄能力,具有显著的拦泥、蓄水、聚肥和增产作用。

根据高晓玲等人的研究,隔坡梯田水平田面内侧2m土层内的水分储量比之隔坡部分要高70~299mm,并且随着坡平比的增大,坡段来水量越来越大,梯田内侧水分增长幅度也变大且趋于均匀。可见,隔坡梯田将坡面和水平田面的降雨聚合在一起,形成一种典型的径流农业模式,使得水土保持和集流抗旱效益充分的发挥。

隔坡梯田是以一段自然坡和一个紧接着的水平台田形成的冲淤平衡单元,从坡面流失的水土被水平台田拦截,改善了台田的水肥条件。根据宁夏固原县多年实践,隔坡梯田较同类地区连台梯田粮食产量增加750kg/hm²,较同类地区坡耕地粮食产量增加1 500kg/hm²。隔坡带饲草产量48 000kg/hm²,较同类地区坡地产草量增加22 500kg/hm²。

2.隔坡梯田适用范围和设计

隔坡梯田模式适用于年降水量300~400mm、坡度15°以上的坡地,在黄土高原具有广泛的适用性。

以坡面集水面积决定梯田的田面宽度及梯田与梯田间距。坡面集水面积的设计,应根据当地自然降水量与主栽作物蓄水量满足程度,确定农田水分亏缺状况,然后以亏缺水分的补充量决定坡面的集水面积。

至于在修建隔坡梯田时,坡面与梯田的比例的确定,要根据该区域的年均降水量和一次最大暴雨的径流量以及坡向、坡度来设计。根据各地的实践,在400~500mm的降水地区,坡、田比例为3:1;在300~400mm的降水地区一般为5:1。这样每公顷承流面积可以增加1 350~2 250m³水。宁夏固原县多年实施经验表明,隔坡比例与一次暴雨降雨量、地面坡度、隔坡带植被等因素有关。在黄土高原地区,影响较大的是地面坡度,坡度15°~20°时,承流与产流面积的比例为1:2;坡度20°~25°时,比例为1:1.5~1:2;坡度25°以上时,比例为1:1。

隔坡梯田的隔坡间距随各地自然、社会经济条件而异,一般多为水平台田宽度的1~3倍;而某些干旱少雨地区,为了达到水平台田蓄水保墒的目的,隔坡间距则可能达到或超过水平台田宽度的5~6倍。

(三)隔坡水平沟

隔坡水平沟是20世纪80年代末山西旱地农业的重要成果。主要用于营造用材林和经济林。近几年来,该项技术应用于种植业,取得了明显的效益,成为稳定粮食生产,解决黄土高原水土流失区人民温饱问题的有效技术措施。其技术要点是:在15°~25°坡耕地上,沿等高线由低到高依次规划成4~6m宽的带;挖沟时,从地边沿等高线将沟表面及沟下沿堆土部位坡面0~20cm的熟土层向上坡翻,然后用沟内挖出的生土做沟下硬埂,埂高40cm,顶宽30cm,挖深40cm,挖到深度后再沿沟深翻一锹,将农家肥和化肥施入,并将移出的表层活土回填到水平沟内,修整后的沟田耕作带净宽1~1.2m。水平沟使坡地变成了沟坡相间的农田,具备了拦蓄地表径流的能力,是一种有效的田间蓄水工程措施;加上深翻后,土壤孔隙度增大,入渗能力增强,进一步提高了蓄水保墒的效能。采取高低相间的种植结构,通风透光条件良好,有利于作物二氧化碳的补充和光合作用。在水肥充足、通风透光条件好的基础上实行密植,是增产的必要措施。

据山西省农科院在隰县观测,1991 年 7 月~1992 年 9 月期间,共出现降雨径流 5 次,15°坡耕地上,各次径流及泥沙量测定结果(见表 13-1)表明:隔坡水平沟的径流量、表土流失量比传统耕作分别减少 71.9% 和 69.3%。这种耕作法有效地蓄纳降雨,提高雨季的蓄墒率,达到"秋雨春用",为坡耕地作物的持续高产稳产奠定了物质基础。据 1996 年在隰县、石楼两地的试验表明(见表 13-2),隔坡水平沟田与传统耕作相比,秋末 2m 土层蓄水量分别增加 191.3mm 和 154.6mm,玉米产量提高 206.0% 和 196.9%,降水利用效率提高了 8.7kg/(mm·hm²)和 7.8kg/(mm·hm²)。

表 13-1　1991~1992 年隔坡水平沟的水土保持效果

日　期 (年·月·日)	降雨量 (mm)	最大雨强 (mm/30min)	传统耕作(ck)		水平沟	
			径流量 (m³/hm²)	侵蚀量 (t/hm²)	径流量 (m³/hm²)	侵蚀量 (t/hm²)
1991.7.10	24.1	20.6	62.25	15.07	27.75	7.56
1991.9.8	16.8	20.4	40.65	17.88	14.10	3.82
1992.8.10	40.1	12.3	125.1	35.95	55.91	13.92
1992.8.27	22.7	11.1	17.25	10.41	6.30	18.75
1992.8.30	86.2	24.8	490.5	74.82	103.20	3.25
平均	37.98	17.84	147.15	30.83	41.4	9.46

表 13-2　不同耕作法的土壤水分状况、玉米产量及降水利用效率的比较(1996 年)

项　目	隰县			石楼		
	隔坡水平沟	传统耕作	增加	隔坡水平沟	传统耕作	增加
2m 土层蓄水量(mm)	571.2	379.9	191.3	518.8	364.2	154.6
玉米产量(kg/hm²)	7 285.5	2 380.5	4 905.0	6 337.5	2 134.5	4 203.0
降水利用效率(kg/(mm·hm²))	12.9	4.2	8.7	11.7	3.9	7.8

(四)等高耕作

等高耕作法是沿坡地等高线进行耕作和种植,改顺坡种植为等高种植,也称横坡耕作法(见图 13-4)。等高耕作法是防治坡耕地水土流失最经典的耕作措施之一,是黄土高原地区坡耕地保持水土的一种基本措施,也是其他耕作措施的基础。

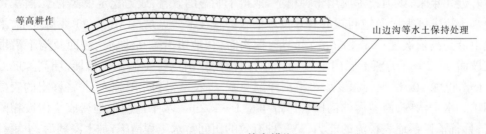

图 13-4　等高耕作

在等高耕作方式下,地形特性的改变实现了对侵蚀力的再分配,即通过改变耕种方向对地面作物、地面粗糙度、土壤通透性以及降雨入渗等起作用,使地表径流被分散,不至于迅速沿坡汇集,减少了径流对坡耕地土壤的冲刷,增加了降水的入渗径流,从而减少了坡面水土流失。

等高耕作方式不但具有较高的水土保持效益,而且具有较高的经济效益。Kiepe 等在热带地区的试验表明,采用横坡耕作后,93%～98% 的土壤流失得到控制。甘肃省西峰水土保持试验站的观测表明,在 2°左右的坡耕地上,等高耕作比顺坡耕作减少径流量 51.4%～57.37%,在 0～7cm 的土层内,其土壤水分比顺坡耕种的高 2.80%～9.59%。据天水水土保持试验站观测,等高耕作保水能力比顺坡耕作的田块高 2.5 倍。内蒙古武川旱农试验示范区的试验表明,等高种植与顺坡种植相比,其土壤水分增量(蓄墒量)随降水量的增加而增大,增墒量为 6.0～28.1mm,增墒幅度为 63.8%～196.5% ,降水利用率提高了 25.8%～59.8%,春小麦产量提高 28.8%。

但等高耕作一般适合于小于 10°的缓坡地,随着坡度和降雨强度的增加,它的作用明显降低。赵西宁等人的研究表明,随着坡度增大,不同耕作管理措施下的土壤稳渗速率随之减小,当坡度由 5°增加到 25°时,等高耕作土壤稳渗速率由0.52mm/min 减小到0.25mm/min,随降雨强度增大,不同耕作管理措施下的土壤稳渗速率也呈现出减少趋势,等高耕作的土壤稳渗速率由0.58mm/min 减小到0.32mm/min。

(五)沟垄耕作

沟垄耕作是在等高耕作的基础上进行的一种耕作措施,即在坡面上沿等高线开犁形成沟和垄,在沟内和垄上种植作物或牧草。用以蓄水拦泥,保水、保土、增产。

1.沟垄种植的优点

因沟垄耕作改变了坡地小地形,将地面耕成有沟有垄,使地面受雨面积增大,减少了单位面积上的受雨量。一条垄等于一个小土坝,一条沟等于一个小水库,因而有效地减少了径流量和冲刷量,增加了土壤含水率,减少了土壤养分流失,有较好的保水、保土、保肥和增产效果,在我国西北地区得到较为广泛的应用。根据绥德、天水、定西等水土保持试验站的试验资料,沟垄种植方法一般每年平均减少地表径流量 60%～90%,减少土壤冲刷量 80%～95%。根据绥德、西峰、湟中等水保试验站的资料,在一次较大暴雨条件下,沟垄耕种措施比一般平作法减少地表径流量 70%～90%,减少土壤冲刷量 90%左右。一般可使作物增产 8%～33%。

2.沟垄耕作法防止土壤侵蚀和增产的原因

(1)蓄水保肥。沟垄耕作的优越性,主要表现在小地形改变,受雨面积比较大,单位面积上的受雨量相对减少,改变了小地形,把雨水分散拦蓄在各个沟垄内,使其就地下渗,因而有效地减少径流发生的次数和径流量、冲刷量。若以土壤含氮 0.02% 计,每年每公顷可减少氮流失 37.5kg;若以土壤(20cm 表层内)含有机质 0.5% 计,可减少有机质流失 337.5kg,相对地增加了作物需要的养料。由于减小了径流,土壤含水率较平作有显著的提高,特别是在 20cm 以上的土层内提高较多。秋作物以沟垄耕作法种植,在雨季拦蓄了足够的水分,还能供给作物后期需要的水分,促进作物正常生长发育,所以沟垄耕作具有抗旱作用。

(2)加深耕作层。沟垄耕作比平作加深了耕作层,有利于根系发育和块茎、块根的形成,并使土壤充分风化,再加上集中施肥和保住的水土,可以改善土壤的理化性状,加速土壤熟化,供给作物较多的养料。培土还可防止作物倒伏。

(3)适当调节地温。沟垄耕作对于提高土壤温度和减小温度日振幅的小气候效率方面都比平作好。在春季,由于接受阳光的面积较大,土温升高很快,白天垄内地表温度一般高出平作 2~3℃,故能提早出苗。夏季,沟垄耕作可以蓄积较多雨水,作物茎叶生长茂盛,地表被覆面积增加,能降低垄内温度。据陕西米脂杜家石沟 1956 年 7 月 2~5 日在马铃薯地的测定,垄内地温比平作地温低 2℃。而在一天中土壤表层的温度变化情况则是:昼间降低地表最高温度的范围是 1.3~2.3℃,而夜间提高地表最低温度的范围是 0.5~0.6℃。由于在白天降低地表最高温度,夜间提高地表最低温度,能够促使农作物较迅速发育,缩短其生长期。据绥德水土保持试验站历年试验和大田生产观测,沟垄耕作一般均较平作提早成熟 7 天左右,这对于生长期较短的西北地区,可以避免早霜危害。

(4)可以实行密植。沟垄耕作使土、肥、水保蓄得好,因此可以实行条播密植,增加单位面积株数,因而可以增加地面被覆程度和提高单位面积产量。

沟垄耕种法,不只是在拦蓄径流上起很好的作用,并且是保证耕作质量,减轻畜力负担和逐步使坡地变成梯田的一项措施。

(六)等高植物篱

坡地等高植物篱是当前坡地农林复合经营的最重要应用方式之一,其主要形式是在坡面相隔一定距离沿等高线布设密植的灌木或灌化乔木、灌草结合的植物(一般为固氮植物)篱带,带间种植农作物。通过对植物篱周期性的刈割避免对相邻农作物遮光,提供改善土壤的物质材料。

从定义可以得出复合植物篱种植模式要具备以下几个特点:①植物篱要由生长快、耐切割、萌蘖力强的多年生木本固氮植物组成;②植物篱要周期性刈割,防止与农作物竞争;③植物篱必须沿等高线密集种植,形成带状。

等高植物篱(如图 13-5 所示)一般由丛生草本植物或萌蘖强的灌木组成,它们在近地面处紧密地靠在一起,能降低地表径流流速并拦截沿坡面下移的固体物质,使其在篱笆处堆积,逐渐减缓篱笆带间的坡面坡度,日久甚至形成水平梯田。同时每年对植物篱的修剪可以得到一定数量的地面覆盖物和绿肥,减小雨滴的击溅作用并改善土壤的理化性质。

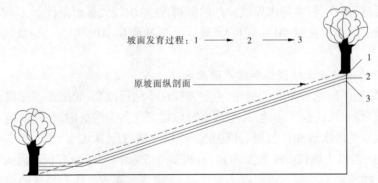

图 13-5 植物篱带间坡形示意图

等高植物篱是在热带和亚热带地区备受推崇的坡耕地改良和利用措施,与传统的梯田等工程措施相比,等高植物篱造价低廉,操作简单。此外,植物篱本身还能提供有经济价值的产品,具有固氮能力的植物篱还能提高土壤肥力,且广布的植物篱有隔离带的作用,可减少带间农作物病虫害的发生和减缓病虫害的传播速率,具有工程措施无法比拟的优势。针对我国坡耕地水土流失严重、水保资金相对短缺的现状,等高植物篱是应大力推广的水土保持措施。

等高植物篱最初出现于 20 世纪 30 年代,在印度尼西亚为了解决橡胶林的水土流失及土壤培肥问题,在林下种植豆科固氮植物。但该技术的研究和应用在 20 世纪 80 年代以后才在非洲热带和东南亚热带地区得到重视,不少国际组织从不同角度开展了对该技术的研究,但由于政治、经济、社会和文化传统等方面的因素,该技术还仅在少数国家得到较好的推广应用;国际山地综合发展中心从 1991 年以来在兴都库什－喜马拉雅地区的热带及亚热带地区开展对坡地农业技术的试验、改进和示范工作,并在一些国家取得了较好效果。

等高植物篱种植模式在我国的兴起是 20 世纪 90 年代初期,对等高植物篱模式在坡耕地土壤养分、经济效益和水土保持等方面进行了一些研究,1998 年后影响和试验范围逐渐扩大。近年来对等高植物篱种植模式的试验和研究主要集中在长江中上游干旱河谷区和三峡库区、北方黄土高原水土流失严重地区。

1. 等高植物篱的水土保持效益

在坡耕地上种植植物篱后,通过植物篱机械拦截,缩短了地表径流在坡上运动的长度,延长了地表径流的下渗时间,降低了径流的流速,改善土壤水分参数,增加水分的入渗量,因而能使坡耕地的水土流失得到十分有效的控制。定位研究结果表明,等高固氮植物篱可以减少坡耕地地表径流 26%～60%,减少土壤侵蚀 90% 以上,土壤侵蚀量由 43.2t/hm^2 减少到 4t/hm^2;在河北张家口怀安县常家沟试验场对 8°坡耕地上的试验观测表明,1995 年汛期降雨量 340mm 时,4 年生紫穗槐植物篱坡耕地比邻近坡耕地减少径流量 66.2%,减少泥沙流失量 72.2%;与有土埂的坡耕地相比,也可以分别减少径流量和土壤侵蚀量 47.6% 和 35%(见表 13-3),使土壤流失得到完全控制。

表 13-3　不同坡耕地小区的水沙效益

小区名称	汛期降雨量 (mm)	径流量 (m^3/hm^2)	对比 (%)	侵蚀产沙量 (kg/hm^2)	对比 (%)
坡耕地	340	800	100	7 190	100
土埂坡耕地	340	416	52	4 621	65
紫穗槐篱坡地	340	264	33	1 919	27

对植物篱试验小区土壤的动态监测表明:植物篱坡耕地的土壤养分含量与试验设置初期相比,碱解氮、速效磷、速效钾等速效养分和有机质都有不同程度的增加。虽然含量增加得不多,但结合土层厚度的增加效果考虑,说明植物篱明显地扩大坡耕地土壤养分。

2. 等高植物篱的经济效益

在土地生产力方面,植物篱能改善退化土地和坡耕地的生产力,提高农作物产量,植物篱果园的经济效益比常规果园要高,种植在植物篱间的桑树比传统地埂桑的桑叶产量高 114.3%～180.6%,并且没有化肥和农药投入的污染。在黄土半干旱丘陵区梯田埂种植紫穗槐和柠条,实践证明对固埂和改良土壤物理性质很有好处。分析表明,紫穗槐是很好的固氮植物,鲜茎叶含氮 1.3%、含磷 0.3%、含钾 0.8%,高于一般植物。尤其对改良土壤,增加土壤养分,改善土壤结构,效果很理想。在建设和维护的投入方面,其经济效益更加明显。据调查,当地不同标准的坡改梯每公顷投入 4 500～45 000 元,而通过等高植物篱建立梯地每公顷投入仅在 450～600 元,且维护简单。

3. 等高植物篱的品种筛选

选择适宜的品种是植物篱种植模式的前提。植物篱品种的筛选应考虑以下三个问题:

(1)投入低,易操作,功效长,适于大范围的推广和应用。

(2)能充分发挥水土保持作用,萌蘖、耐修剪、适应能力强,生长速度快,能够在近地面部位尽早郁闭。

(3)能培肥土壤,且具有多种用途或经济价值。

目前,唐亚等在金沙江干旱河谷地区筛选出的植物篱树种主要有山毛豆、云南合欢、新银合欢;李秀彬等在三峡库区应用了新银合欢、马桑、黄荆和木槿等;陕北有柠条、槐、沙棘、沙柳等。但这方面工作还需要继续开展,以满足各地环境和实际需求。

4.等高植物篱的适用范围

从等高植物篱的优势和限制因素,其主要应用于以下地区:

(1)水土流失严重地区。

(2)劳动力丰富的贫困地区。

(3)梯田石料短缺不适于修筑石坎梯田,而修筑土坎梯田投入多、稳定性差的地区。

(七)山边沟

山边沟又称拦坡沟,是横跨坡向所挖的截水沟,分段筑小土埂,目的在于分层拦蓄和排去过剩的流水,以保蓄水分。沟身向排水方向作适当的降坡,慢慢将坡面截阻的径流排向安全出路,使径流水不致累积起来,造成冲蚀。如果构筑妥善,功效良好。根据谢和寿的报告,一年间 1hm² 曾保持土壤达 81t。在坡度较陡或面积小的农田,不适于构筑宽垄地段时,山边沟可代用。

山边沟构筑的要点是:位置适当,足够的横断面,良好的坡降和安全的出水口。

在预定构筑山边沟的田地,应事先就坡度的大小、冲蚀、有没有坡度突变和天然排水等情形作一次全面的勘察。

1.横断面

横断面应该根据雨量资料来决定,依照本地雨量估计及大面积应用的成功例子,其横断面(见图 13-6)为:采用 1:1 的边坡,宽、深各 0.33m,如果太长可酌情加宽。

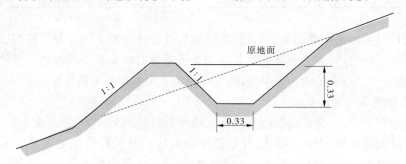

图 13-6 山边沟的横断面 (单位:m)

2.坡降和长度

山边沟以排水为目的,沟身向排水的方向应该有适当的坡降,水才能顺畅地排出。

坡降因沟长和土壤性质来决定。土壤性质中等,沟长在 100m 以内,以 0.5/100 为适当,在超出 100m 以上部分,就得 1/100 了。但仍视土壤允许流速予以修订,使水向排水方向畅流。降坡不良可引起淤塞,但过大则会导致沟身冲蚀。沟身过长,应以分段改变降坡较为合理,一般沟的长度应在 300m 以下。

3. 间距

间距是说隔多远挖一条沟,第一条一般自上开始,然后照距离顺次而下,假如有坡度突然变动的情形,应在变动的上或下 1m 挖一条,再在其间补充其他的沟。

4. 测定桩线

第一条沟或主要的沟位置及沟距决定后,即可开始测定桩线。测量定桩线的方法与测等高线大同小异,一般采用两根刻上刻度的竹竿和手执水准仪测量。

若降坡是分向两头的双向排水,则从中间开始测;如果是单向排水可自出水口处开始测,施测者站在开始处,拿竹竿的站在前方 10m,如果是 1/100 的降坡,水准仪对准竹竿上同高点再低 10cm 时,就为 1/100 的降坡了,对准后在竹竿处将桩钉下去,如果是 0.5/100 的降坡,10m 应高或低 5cm。这样每 10m 一桩继续钉下去,就测出了降坡的沟线。

沟线依次钉好后,检查一下降坡等有无错误,急弯等略加调整使其平顺。对于坡度均整的坡面,第一条沟线确定后,其下部沟线即可按沟距测定,如此按顺序测完全区。

5. 挖沟

挖沟的次序是自上面逐条向下挖,这样即使在挖掘中遇雨也不致冲坏。沿着钉好的桩线,用绳子牵好,如果桩与桩间地形变动较大,应该顺地形加插竹桩,必要时再拿手执水平仪校正一下,使绳线尽量符合计划的降坡。绳子牵好后,最方便的挖掘方法是从绳的下线开始挖,将其筑成一条土垄,尽量踏实,并将沟底和边坡进行整修,沟底务必保持平顺。假如有凸起和低洼的情形,应该整修。足够的横断面非常重要,最好能照设计横断面用木条或竹子扎成一个沟形的框架,随时放进去校正则更为可靠。若桩线确定后先用牛犁沟线,然后挖掘,较为省工。

6. 排水

农民往往开很多垂直等高线的纵沟,因沟身太陡,势必导致冲蚀,所以应尽量避免。假使山边沟太长,或是受地形限制而非这样做不可,应选定较为平缓的位置。沟身必需浅而宽,并及早种上草皮。

有些纵沟又往往被利用为道路,这是不许可的。种草后的排水沟决不容践踏或放养牲畜,尤其是在雨后,否则草皮毁坏,前功尽弃。如果当地有石块,利用石块砌成排水沟,可兼作道路。道路位置上下向为宜,留在较高的脊地上,不致遭到冲蚀。沿山边沟下侧的土埂可作为横路。虽然因等高而有弯曲,但这是无法避免的。

7. 耕作

有山边沟的园地应当进行等高耕作或等高栽培等,否则仅仅作山边沟就失去了意义。

等高栽培在有山沟的园地实施较为简单。一般沿着上下山边沟线种植,将短行置于中间部分。为了减少短行的数目,在钉桩时即应尽量考虑使桩线互相平行。

8. 养护

新挖的沟要符合规格。但由于行走及操作而使松碎土块很容易将沟淤塞,应随时整修。下雨后与雨季前后,应勤加巡视,一发现问题立刻整修,否则小问题会变成大损失。假如有土淤积应予清除,铲到畦中去。裂缝应及时修补,沟内可留矮生草类,但高茎、木本及太易蔓延的草类应除去。

二、荒坡地径流聚集工程

荒坡地也是小流域泥沙的主要来源之一。通过综合治理,对荒坡面进行了较大的工程处理,改变了原有的地形特征,可以减少下游泥沙来源,使降雨就地拦蓄入渗和从产流场引流入渗,补充了土壤水分,减少降雨径流的损失,增加土壤含水量,提高了水的利用率。荒坡地径流聚散措施主要包括水平阶、水平沟、鱼鳞坑、燕尾式聚流坑、等高聚流坑、分水沟、截水沟、排水沟等工程措施和植物措施。

(一)水平阶

沿等高线将坡面修筑成阶状台面,阶面水平或稍向内倾斜,阶面宽度因地区而异,石质山地一般 0.5~1.0m,土石山地 1.0~1.5m;阶长依地形而异,一般 5~6m;水平阶深度 30cm 以上。阶外缘培修土埂或无埂,见图 13-7。施工从坡下开始,先修第一阶,然后将第二阶的表土下填,依此类推。此法适用于干旱石质山地或黄土山地。

(二)水平沟

水平沟是沿等高线挖沟的一种整地方法,沟的断面呈梯形或矩形。水平沟的上口宽 0.5~1.0m,沟底宽 0.3m,沟深 40cm 以上,外侧有埂,埂顶宽 20cm,沟过长时每隔一定距离留槽土,沟间距 2~3m,见图 13-8。水平沟整地沟宽且深,容积大,能拦蓄较多降水,适用于急需控制水土流失的山地。

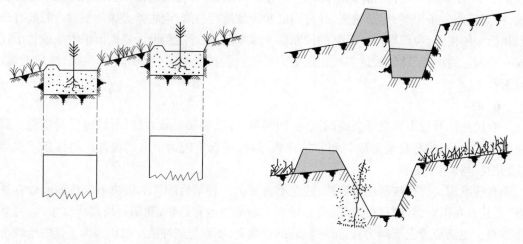

图 13-7　水平阶整地　　　　　　　　图 13-8　水平沟整地

(三)鱼鳞坑

随自然坡形沿等高线按一定的株距挖坑。一般规格为,坑长 1.2m,宽 1m,深 1m,见图 13-9。回填山坡表土,并在坑的外缘用未风化或半风化的生土筑土埂高 30cm,用于蓄水。将苗木栽在坑内。此法自 20 世纪 50 年代以来一直应用于造林绿化,尤其是山高坡陡的深山区,效果最佳。其特点是:①省工,每天每工可挖 15 个,1hm^2 用工量 120 个;②适于山高坡陡处,不易造成滑坡,有利于水土保持;③原坡面的植被破坏量少。

实验表明,在降雨强度为 1.03mm/min 情况下,鱼鳞坑整地造林措施的 90min 平均蓄水效益为 58%,减沙效益为 48%。但这项措施也有其弊端,在鱼鳞坑未被径流、泥沙填满或破坏时,减沙效益很显著,而在径流将鱼鳞坑土埂冲毁后减沙效益迅速降低,因此在每场大暴雨后,应及时地修整鱼鳞坑整地工程,使其恢复拦泥蓄水能力,以保证树木生长需要的土壤水分和减少水土流失。

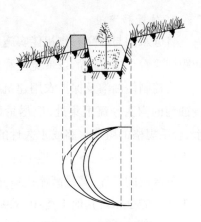

图 13-9　鱼鳞坑整地

(四)燕尾式聚流坑

这是甘肃省安定区在总结鱼鳞坑利弊的基础上创新的,适宜于 25°以上的陡坡地。该工程既少动土减少水土流失,又避免了鱼鳞坑的弊端,可以多聚流,保证人工重建植被的正常生长发育。聚流坑的行距为 5～8m,坑距为 4～5m,聚流坑内种植灌木,坑的深、宽各 1m,坑两边延伸的聚流埂间宽 2m,形似燕尾,能拦蓄较多的坡面径流。

(五)等高聚流坑

该工程适宜于 25°以下的坡地,各地的做法大同小异,只是规格有所不同。甘肃省安定区的做法是:沿等高线开挖水平聚流沟,沟为梯形,上宽1.5m,底宽 0.5m,深 0.5m,沟内横向按一定距离(2m 左右)设一小土挡,类似竹节沟,沟距(即隔坡)依据降雨量而定,一般为 4～6m。沟为汇流区,种植经济林或水土保持林;隔坡段种草、灌木或封育,为产流区。宁夏彭阳县的做法是:在荒坡上,每隔 4～8m(具体间隔依降雨量确定),按等高线开挖一条深、宽各 0.8m 的水平聚流沟,回填土后,形成边埂高 0.5m、顶宽 0.4m、工程面宽 2m 的聚流区,沟内聚流种经济林或水土保持林,隔坡段封禁治理(包括补种草类)。

(六)分水沟

分水沟是一条特别设计的沟,横跨着坡面而与坡面成直角,将径流水引到安全的出水口,如图 13-10 所示。它的效用有:①可以将长坡变成短坡;②筑在侵蚀沟沟头与边缘,可分散水流,以防止侵蚀沟的冲蚀;③分散水流以免危害到农场的建筑物;④截阻上段来自农地的径流,保护下段土地不致遭受冲蚀或洪水泛滥。

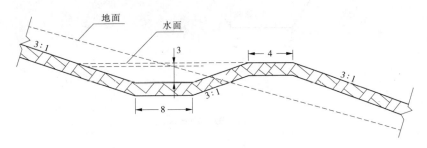

图 13-10　分水沟的横断面图　(单位:m)

1.应用要点

(1)排水区域需要充分配合覆盖、轮作、等高间作或梯田等,使不致有过多的土壤流失而填淤沟中。

(2)在等高间作的农地,分水沟的间距,以不超过三条带为原则。

(3)分水沟和出水口的设计,流速不应过高,应使植被覆盖能生长好。

(4)分水沟在能构筑梯田的农地上,不应作为永久的控制方法。

2．位置和间距

将分水沟与等高间作相伴实施，以减少坡的长度；沟的位置，须照特定的作业设计实施，间距则要看土壤、位置、条带宽度和所应用的作业方式等而定。

为控制侵蚀沟及保护农用建筑物进行分水处理时，有三项重要的因子设定其间距：①在侵蚀沟的沟头径流汇集处，应尽量设在距离沟头较远的位置；②所定沟的位置应能安全出水，合乎规格的植草水路或永久性的出水，获得顺畅而缓慢的流速；③如用分水沟保护下方的土地，位置应靠在下方土地上缘。

分水沟的设计，其最高流速应允许沟内草类的生存。通常的安全流速如下：①裸露的沟沙土：0.457 2m/s；其他土类：0.609 6m/s。②植物生长不良的沟：0.914 4m/s。③植物生长不尚好的沟：1.219 2m/s。④植物生长优良的沟：1.524m/s。

3．构筑

雨季过后或集水区域被改良时，是构筑分水沟最好的时期，因此时径流和淤塞都是最少的。

布置分水沟和阶地可采取同一程序，全部的长度都用同一降坡。若应用渐变的降坡时，沟断面的大小应随坡降的变化予以决定。

分水沟钉桩后，可采用宽垄阶地或山边沟相似的构筑方法。

(七)截水沟

1．定义

沿近似等高方向布设，横跨于被保护土地或保护物的上方，用以拦截径流并将径流引导至安全地点的沟渠(见图13-11)。

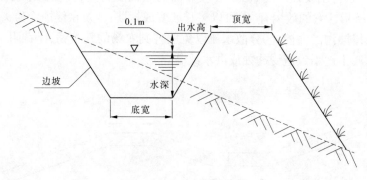

图13-11　截水沟断面图

2．目的

(1)截泄径流以保护农地及构造物。

(2)截泄径流以抑制沟壑冲蚀。

3．应用说明

(1)凡需要拦截上方径流以免发生冲蚀或灾害时适用。

(2)土筑截水沟宜植草保护沟身安全，边坡及沟底视实际需要设计确定。

(3)应将所截径流引导到安全地方排除。

4．设计

1）求径流量

按地面坡度、集水面积等估计求得径流量。例如，在台北区某一农地，其地面平均坡度为30%，集水面积为1hm²，其径流量为0.434m³/s。

2）决定截水沟断面

根据现场土壤条件或材料，决定截水沟降坡及边坡种类，用下述方法及步骤求得。

(1)假定截水沟断面。根据径流量及截水沟降坡等，假设断面形状、大小及水深，但应注意下列事项：①径流量大时，截水沟断面应增加；②坡度大时，截水沟断面应减小，但应注意其容许最大流速；③其土质愈差，降坡应小，边坡亦较缓；④断面设计应酌加0.1～0.3m的安全超高。

(2)估计糙率系数 n。其大小按沟内物质的光滑程度而定。

(3)计算水力半径 R：

$$R = \frac{A}{P} \tag{13-19}$$

式中：R 为水力半径，m；A 为过水断面面积，m²；P 为湿周，m。

(4)梯形截水沟面积可以由下式求出：

$$A = bd + zd^2 \tag{13-20}$$

式中：b 为沟底宽，m；d 为水深，m；z 为边坡斜率。

(5)计算平均流速 v：

$$v = \frac{1}{n}R^{\frac{2}{3}}S^{\frac{1}{2}} \tag{13-21}$$

式中：v 为平均流速，m/s；n 为曼宁粗糙系数；R 为水力半径，m；S 为水面(沟底)比降。

求得的平均流速 v，应小于不致引起冲蚀作用的最大安全流速。

$$Q = Av \tag{13-22}$$

式中：Q 为流量，m³/s。

(6)如截水沟设计可通过的流量 Q 与径流量相等或稍大，则为适宜的设计。如截水沟设计流量 Q 小于径流量，则截水沟断面过小，应重新设计，截水沟断面应满足通过所估计的径流量。如截水沟设计流量过大，则为不经济的设计，应减小断面后重新计算流量 Q，至适当为止。

5．施工注意事项

(1)挖沟前应先整理截水沟基础，铲除树木、草皮及其他杂物等，填土不得含有树根、杂草及其他腐蚀物。

(2)填土部分应充分压实，填土面如有积水应先排除，不得在淤泥及积水上填土。

(3)填土部分应预留高度10%的沉陷量，其表面应植草保持稳定。

(4)挖出的石块应尽量利用，以加强沟身安全。

(5)填土堆放位置，应事先妥予安排，以免再度搬移，浪费劳力。

(6)沟身须按设计断面及降坡整平，以免发生流水不畅现象。

(八)排水沟

1．定义

为排泄径流，顺着山坡方向用块砖、红砖、混凝土等衬砌沟面，以保护沟身安全的纵向排水沟,其断面形式如图 13-12 所示。

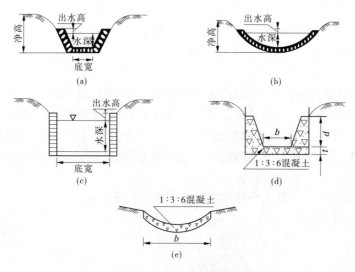

图 13-12　排水沟横断面图

2．目的

(1)排泄径流,保护沟身安全。

(2)汇集截水沟、山边沟、横向排水沟等的流水,引导至安全地点排放。

3．应用说明

(1)适用于农地排水系统。

(2)流量大、坡度陡急之处,宜采用混凝土沟。

(3)实施机械作业场地,宜采用抛物线形断面。

(4)沟两侧压力强度较大容易冲蚀崩坍之处,应采用混凝土沟。

(5)多石地区可就地取材采用块石沟,较为经济。

(6)为争取施工时效或在施工困难地区,可采用预制混凝土构件。

(7)浅宽断面的砌砖沟可兼步道,在较陡处可增建踏阶。

(8)与园内道路、山边沟等交会处,宜设置过水沟面或埋设涵管,以利农业机械通行。农地排水与农路系统交叉处,埋设涵管,以利于排泄径流及农机行驶。

(9)每隔适当长度及最下游应视需要设置跌水,设置跌水的目的是减缓沟渠中水流流速及动能,以减小对沟底的侵蚀并保护消能设施。

4．设计

(1)估计径流量。同截水沟设计步骤。

(2)沟面材料及断面形状设计。按现场状况、作业需要、流量等条件,决定衬砌材料及断面形状。

(3)断面大小设计。先测定沟的坡度,依据径流量大小及衬砌材料种类,按截水沟设计步骤2)的方法求得。

5．施工注意事项

(1)挖沟身时须按设计断面及降坡整平,以利流水顺畅。

(2)挖土深度须足够,沟顶应比地面低 10cm 以上,使两岸向沟心倾斜。完工后堆积的土石应散开或搬移他处。

（3）沟两侧应与地面密合，如有空隙应填土并充分压实，沟缘宜植草保护。

（4）砌石沟使用的块石应力求大小均匀且质坚耐用，砌块石施工时，应将石块洗涤润湿，并于完工后经常洒水以保护湿润，防止龟裂。

（5）红砖在使用前应充分润湿，形状不良的红砖尽量使用于沟底。每层红砖尽量使其平行，各层的垂直接合缝应相互交错并与墙面成直角。

（6）一般应直线修筑，因地形限制确须转弯时应以跌水联结。衔接时务使接口凹槽向上游，自下而上施工，接头应密合。

（九）植物措施

植物措施主要包括造林和种草措施。

人工造林措施可以防治水土流失，增加经济收入。采取人工造林对荒坡地进行治理时，应同时着眼于开发利用，尽量能够获得经济、生态、社会三方面的效益。为减轻或制止水土流失，改善生态环境，解决农村燃料、饲科、肥料缺乏问题，增加经济收入，一般主要发展经济林、薪炭林、饲料林和用材林。在干旱、半干旱水土流失严重地区，立地条件很差的地方，一般发展薪炭灌木林或饲料灌木林；在立地条件较好的地方，一般发展经济林和速生丰产林；为充分利用水土资源，减轻病虫害，提高造林效益，可以发展混交林。树种规划应坚持适地适树、对位配置的原则，在小流域内坡面的上部、中部、下部、阴坡、阳坡等不同位置，土地条件不同，不仅应布设不同林种，在同一林种中，还需考虑配置不同树种，并考虑树种的生物学特性。薪炭林要求萌芽、萌蘖力强，耐平茬，火力旺的树种；饲料林要求耐干旱、耐放牧、耐平茬，同时适口性好的树种；用材林要求材质好、价值高、速生丰产的树种。

采取人工种草措施可以防治水土流失，并促进畜牧业和农村综合经营发展，提供农村工、副业原料，促进商品生产发展，增加群众经济收入。选作水土保持草种的基本条件是草种抗逆性强，保土性好，生长迅速，经济价值高。干旱、半干旱地区选种应以旱生草类为主，其特点是根系发达，抗旱耐干，如沙蒿、冰草等。

三、村庄、道路径流聚集工程

在黄土高原，道路、村庄、庭院的径流处置不当，可造成严重的危害和水土流失。其主要径流聚集工程措施包括道路聚流、庄院聚流、屋顶聚流、蓄水池、塘堰和水窖。

（一）道路聚流

道路聚流主要是利用混凝土路面、柏油路面和砂石路面作为集流面进行聚流。道路聚流与路边的贮流设施相结合，将道路径流引入贮流设施。

宁夏固原县湾掌沟小流域，对降雨产生的道路径流进行有序疏导、分流，一是将径流引入路旁的梯田内，增加土壤水分；二是在路面径流汇集处的路旁梯田内修建容积 $30\sim50m^3$ 的水窖，引径流入水窖贮用。同时，将路边的排水沟与梯田旁的水窖相连，聚集排水沟的径流入窖。

（二）庄院聚流

庄院聚流主要是利用庭院、打谷场等作为集流面，并设置径流聚贮设施进行贮流。庭院聚流以满足农村饮用水为主，兼顾发展庭院经济。

甘肃省定西市千方百计聚集庄院径流，在宅院、场院等地的径流汇集处修建 $30\sim50m^3$

的水窖,将宅院、屋顶、场院的降雨径流聚集入窖,在窖前修沉沙池和拦污装置,经过储存消毒,可供人畜饮用,同时也为发展庭院经济提供水源。

(三)屋顶聚流

农村、居民小区和城区利用屋顶聚流,可用做补灌地下水或将汇集的径流贮存于贮流池中,再通过输出设施用做灌溉农作物和花、草、树木,冲刷卫生间,洗车和道路洒水等;节约自来水,并防止受污染的水直接流入河道。

(四)蓄水池

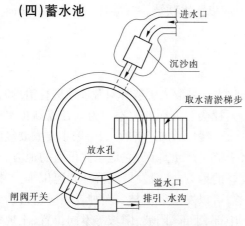

以拦蓄地表径流为主而修建的,蓄水量在 $50\sim1\,000 m^3$ 的蓄水工程,称为蓄水池(见图 13-13)。蓄水池可以拦蓄地表径流,充分和合理利用自然降雨或泉水,就近供应耕地、经济林果浇灌和人畜饮水需要,减轻水土流失。

蓄水池按材料可分为土池、浆砌条石池、浆砌块石池、砖砌池和钢筋混凝土池等;按形式可分为圆形池、矩形池、椭圆形池等几种类型。此外,蓄水池还可分为封闭型和敞开式两大类。

图 13-13　圆形蓄水池平面示意图

蓄水池一般规划布设在坡面水汇流的低凹处,并与排水沟、沉沙池形成水系网络。以满足农、林用水和人畜饮水需要。规划布设中应尽量考虑少占耕地,来水充足,蓄引方便,造价低,基础稳固等条件。

蓄水池的配套设施有:引水渠、排水沟、沉沙池、过滤池(有人畜饮水要求的蓄水池)、进水和取水设施(放水管或梯步)。房屋前后或道路旁的开敞式蓄水池还应加栏杆或围埝。人畜饮水用的蓄水池一般为封闭式,以确保用水清洁卫生和安全。

蓄水池容积的计算。

$$W = \frac{h \cdot \varphi \cdot F}{800} \tag{13-23}$$

式中:W 为蓄水容积(来水量),m^3;h 为 10 年一遇 24h 暴雨量,mm;F 为集水面积,m^2;φ 为径流系数,采用当地经验值。

不同断面容积计算:

圆形　　　　　　　　　　$V = \pi R^2 H \tag{13-24}$

矩形　　　　　　　　　　$V = HAB \tag{13-25}$

椭圆形　　　　　　　　　$V = \frac{2}{3}\pi abH \tag{13-26}$

式中:H 为池深,m;R 为半径,m;A 为池宽,m;B 为池长,m;V 为容积,m^3;a、b 为椭圆长半轴和短半轴,m。

蓄水池容积的确定要根据来水和需水量平衡计算,以需水量为主。一般来水比较丰富的情况下,即 $V < W$ 可考虑通过沿山沟、排洪沟排入山塘或溪河;当 $V \geqslant W$ 时,可引其他水源补充水量。

断面设计:蓄水池池壁多采用浆砌条石(见图 13-14)、混凝土等材料衬砌,也有黏土蓄水池。池壁衬砌厚度应作内力计算,其受力条件应选择池内无水、砌体承受土压力的最不利条件作为计算荷载,并根据防渗要求确定砌体厚度,一般不小于 20cm。池底可用混凝土防渗处理,厚度一般 10~15cm。池壁非条石、砖或混凝土衬砌的黏土蓄水池,新填土方池壁夯筑厚度应大于 1.5m,内坡一般为 1:0.7~1:0.5。蓄水池的深度一般在 5m 以下。

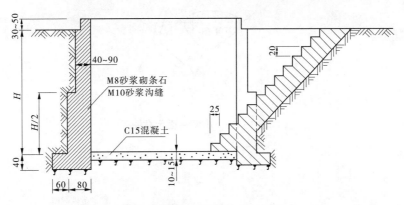

图 13-14 条石衬砌断面 (单位:cm)

建于缓坡上的蓄水池,一般是在临坡一侧埋设管道取水。管道进口离池底的距离视泥沙在池内淤积的高度而定。如来沙量较小,管道进口也可与池底齐平,这样,可以充分利用池内蓄水。出口端设闸阀控制,放水时,水流经消力池进入灌溉渠道。

建于平地上的蓄水池,不便埋设放水管取水,常为人工挑水方便而修建进池梯步。进池梯步有两种做法:其一,梯步为实体墩。这种形式,费工费料,占用水池容积较大;其二,梯步为空支墩。这种形式,省工省料,占用水池容积较小,设计时,宜用此种梯步结构。

为了防止池中水漫顶,冲毁水池,须设溢流口。一般溢流口宽 0.5~1m,深 0.2~0.3m,溢出的水流入引水沟内。

(五)塘堰

塘堰指蓄水量在 0.1 万~10 万 m^3 的小型蓄水工程。可拦蓄坝址以上地面径流、小溪流、泉水,抬高水位,提供农田、果林、人畜饮水等需要的水源;减轻山洪灾害,保护耕地、林地、道路,防治水土流失。塘堰可分为山塘、平塘、石河堰三种形式(见图 13-15)。按建筑材料又可将石河堰分为临时和长期两种。

1.坝址选择

(1)一般应选在有一定来水,"肚大口小",地质良好的地方。

(2)坝址应尽量靠近用水区(灌区、生活用水等)且比用水区位置高,这样就可以自流引水且引水渠短,渠道建筑物少,沿途渗漏损失少,比较经济。

(3)坝址附近应有足够可使用的建筑材料,以节省修建费用。同时对于坝顶非溢流的,要考虑有适宜开挖溢洪道的位置。

2.容积测量与计算

(1)横断面法。在选定坝址后,首先测出坝轴线的横断面,然后在塘堰内沿沟道施测一条与坝轴垂直的纵断面,见图 13-16。

图中桩号位置应根据两边山坡及河滩变化来定,量出桩号间的距离,并测出各桩号处的

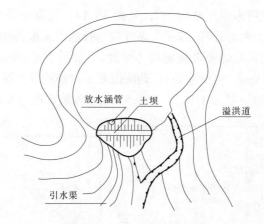

图 13-15　山塘平面示意图

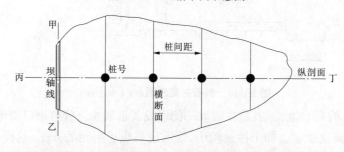

图 13-16　塘堰横断面

横断面。计算容积时,在各横断面图上以不同水位为顶线,求出各横断面图上不同高程以下横断面面积,然后将相邻的两断面面积平均值乘以其间距,得出二断面之间不同水位的容积。最后把各部分容积按不同水位相加,即得出各种不同水位时的容积,列成表格,以容积为横坐标,水位为纵坐标,就可绘出塘堰的水位容积关系曲线。若有地形图,亦可用求积仪求出各水位的库塘容积。

(2)系数估算法。若无条件进行堰塘容积测量且容积小于 10 000m³ 时,可采用下式估算(见图 13-17)。

$$V = \frac{H \cdot B \cdot L}{K} \tag{13-27}$$

式中:V 为塘堰容积,m³;B 为近坝处水面宽度,m;H 为近坝处水深,m;L 为塘堰的水面长度,m;K 为系数,在峡谷地形 $K=6$,开敞地形 $K=4$。

3．山塘设计

山塘一般由塘基(相当于水库大坝)、塘坊(放水洞)和溢洪道三部分组成。山塘的设计也就是对这三部分技术参数的确定。

洪水总量确定:汇入山塘的洪水可分为三种情况。

(1)建于山腰、山麓的山塘。洪水主要来自山丘坡面。洪水总量(W)依下式计算:

$$W = 1\ 000KRF \tag{13-28}$$

式中:W 为洪水总量,m³;K 为径流系数;R 为设计频率下的暴雨量,mm;F 为山塘集水面积,km²。

(2)建于居民点附近的山塘。洪水主要来自屋顶的产流和庭院、道路等硬地面的产流。

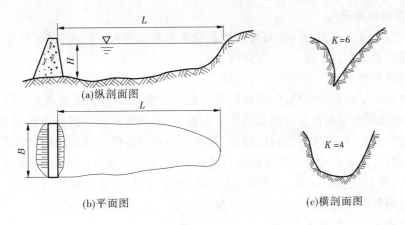

(a)纵剖面图

(b)平面图

(c)横剖面图

图 13-17　塘堰容积系数估算

洪水总量(W)依下式计算：

$$W = 0.001R(\beta_1 F_1 + \beta_2 F_2) \tag{13-29}$$

式中：β_1 为屋顶瓦面产流效率，%；β_2 为集流区内禾场(晒谷场)、庭院、道路等硬地面产流效率，%；F_1 为屋顶面积，m^2；F_2 为禾场、庭院、道路等硬地面面积，m^2；其余符号含义同上。

（3）建于山冲中间的山塘。这类山塘承纳的洪水由三部分组成：上游山塘下泄的洪水，附近山坡来水，集流区内稻田超标准排水。洪水总量(W)依下式计算：

$$W = W_0 + 1\,000KRF + 10[(h_0 + R) - h]F_3 \tag{13-30}$$

式中：W_0 为上游山塘泄洪量，m^3；h 为稻田最大许可蓄水深度，mm；h_0 为暴雨前稻田存水深度，mm；F_3 为集水区内稻田面积，hm^2；其余符号含义同上。

（六）水窖

水窖，也称旱井，是干旱、半干旱地区群众创造的一种集蓄雨水的设施。随着水资源供需矛盾的日益尖锐，世界各国均十分重视对雨水资源的集蓄利用。水窖在黄河流域历史悠久，主要用于解决人畜饮水。据宁夏《平原县志》记载，同心县预旺乡在元代以前就有水窖。据调查，甘肃省境内有明代时期的水窖，距今 360 多年。甘肃省西峰市温泉乡、环县城关乡和陕西省靖边县三岔渠乡等地保存有清道光至同治(1821～1874 年)的水窖，距今 100 余年。

近几十年来，水窖已打破了解决饮水的传统模式，向"窖灌农业"模式的深度发展，例如干旱关键时刻，用窖水点浇抢播；通过集蓄雨水，开发窖水微灌，发展果树，促进了农果业生产的发展，出现了"千年旱塬疑无路，窖灌农业又一春"的大好局面。

20 世纪 90 年代后期，黄土高原已建有水窖 250 余万眼，主要分布在山西右玉—陕西靖边、定边—宁夏同心—甘肃定西、兰州一线附近的干旱及苦水地区；其次分布在山西乡宁—陕西洛川—甘肃西峰、平凉一线附近地下水埋藏较深的黄土高塬沟壑区及阶地区。

近年来，水窖这一古老的集雨利用技术，不仅在黄土高原的干旱、半干旱地区有很大发展，在山东、四川、贵州等省一些干旱缺水山区，也正在大建水窖，导引山涧泉水和集蓄雨水，以解决人畜饮用和抗旱补灌问题。水窖的发展，引起了生产发展的连锁反应，促进了当地农村经济的发展和人民生活的改善。

1．水窖的配置模式

水窖一般布设在村旁、路旁,有足够地表径流来源的地方。近期在场、庭院乃至梁峁顶部人为建造集流面布设水窖,以集蓄降雨径流。

1)峁顶集蓄配置模式

黄土高原的梁峁丘陵沟壑区,除有限的降水资源外,没有任何灌溉条件。针对这一具体情况,榆林市水利水保局在本市的余兴庄乡实施了"峁顶集蓄式"(俗称峁顶光头式)水窖配置模式。这种模式,首先选择离村庄较近,基本农田和经济作物比较集中的山峁,将山顶推平,然后挖窖体,用块石或青砖砌成圆拱直墙式断面,水泥砂浆抹面防渗,窖的容积为300～800m³。地坪形状随地形而异,一般为圆形和长方形,四周向中心倾斜,以利雨水汇集。汇集的雨水经两级沉沙池澄清,清水流入水窖贮存,供人畜饮水和灌溉之用。

2)路旁葡萄串式配置模式

所谓葡萄串式水窖配置,是指沿硬质路面(或弱透水土、石子路面)两侧农田中各农户分别开挖的水窖(瓶窖或长方体水窖),收集路面径流(见图13-18)。这是近年在黄土高原出现最多的主要用于灌溉的一种水窖配置模式。

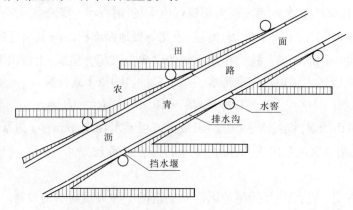

图 13-18　路旁葡萄串式配置模式

3)场、院、洼地单点式配置模式

水窖单点式配置模式,是指在居民点的庭院内、打谷场边、山坡集水洼地等地方开挖水窖,以收集屋面及来自这些地面的降雨径流,供人畜饮用或为庭院经济(果园、大棚、蔬菜)、农田、植树造林提供灌溉水源。

黄土高原这种水窖配置模式分布最广,历史最为悠久。这种配置模式中的水窖以瓶颈状居多,根据当地的土质和施工经验,也有挖成枣核形、灯泡形和圆柱形的。水窖的容积多在20m³左右。

根据甘肃省定西市安定区多年平均降水量为425mm的调查资料,容积为20m³的水窖,一年可蓄水2.5次,亦即一年可蓄水50m³。在干旱和半干旱地区兴修水窖,不仅解决了人畜饮水,且为农田抗旱提供了宝贵的水源。

2．水窖的结构形式

水窖是蓄存雨水的主要设施。黄河流域的水窖有井式水窖和窑式水窖两种。一般来水量不大的庭院或道路旁,修井式水窖,单窖容量20～50m³,群众多采用井窖。

1) 井窖

井窖分窖体和地面建筑物两大部分。窖体由窖筒、旱窖(不蓄水)和水窖(蓄水部分)三部分组成,如图 13-19 所示。窖筒直径 0.6~0.7m,深 1.5~2m;旱窖与窖筒相连,深 2~3m,呈喇叭状扩展到水窖面,直径 3~4m;水窖深 3~5m,向下直径逐步缩小,底部直径 2~3m。地面建筑由窖口、沉沙池、进水管三部分组成。窖口直径 0.6~0.7m,用砖或石砌成,高出地面 0.3~0.5m;沉沙池设于来水方向,距窖口 4~6m,呈矩形,长:宽:深为 2:1:1~3:2:1.5;进水管直径 0.05~0.08m,从沉沙池向下与旱窖相连。

2) 窑窖

窑窖与井窖相比,容量较大,技术简单,施工容易,出土方便,开挖较快,还可自流引水,取水方便。窑窖横断面形状似窑洞(见图 13-20),主要部分有窑门、窑顶、水窖、沉沙池等。窑顶一般矢跨比为 1:2,跨度 3~4m,矢高 1.5~2.5m,窑长 8~13m,蓄水部分为上宽下窄的梯形槽,边坡横竖比为 8:1,深 3~4.5m,底宽 1.5~4.5m。

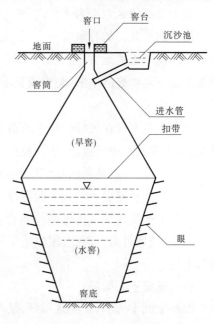

图 13-19　水窖结构

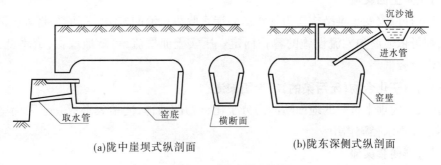

(a)陇中崖坝式纵剖面　　　　(b)陇东深侧式纵剖面

图 13-20　窑窖结构示意图

3. 水窖容积的计算

(1)对于井窖,可按下式估算:

$$V = \frac{h}{3}(S_D + S_O + \sqrt{S_D S_O}) \tag{13-31}$$

式中:h 为井内最大蓄水深度,m;S_D 为井底面积,m^2;S_O 为井窖蓄水深度处的水面积,m^2。

(2)对于窑窖,可按下式估算其容积:

$$V = 0.5(b_1 + b_0)hl \tag{13-32}$$

式中:b_1 为窑窖蓄水面宽度,m;b_0 为窑窖底宽,m;h 为窑窖蓄水深度,m;l 为窑窖长度,m。

四、大型径流聚集工程

黄土高原地区农民为了致富,千方百计拦蓄更多的坡面径流用于发展经济产业,生产适销对路的农产品。如甘肃省安定、秦安、通渭等县(区)和陕西省榆阳区、志丹县,在梁峁顶部较为宽阔而平坦的地方,建大型混凝土人工聚流场,聚集四周以及本身的坡面径流和降雨,在聚流场下建串连的水窖(圆形或长方形)或建大水窖储存聚流场收集的降雨径流,发展大棚蔬菜和瓜果。

该类工程不仅在区域性缺水的黄土高原采用,而且在季节性干旱地区,如北京市密云、怀柔、房山等县区也已应用,既调控径流,防治水土流失,又解决干旱缺水的问题。

人工聚流场,就是利用降雨径流的可储性,通过人工修建的各类聚流面汇集降雨径流,把汇集的坡面径流引入贮流工程存储变为可调节的水资源,通过输出设施变为宝贵的生产要素。人工聚流场必须具备两个条件:一是地表渗漏少;二是产流快,还要求坡陡、表面光滑,减少水流摩阻力。因此,聚流场主要有混凝土面、压实土面、高分子化合物喷涂面、塑膜、塑料大棚等。

(一)混凝土面聚流

混凝土面不透水,集流效果好,是与水窖配套的主要集雨场,一般修建 $100m^2$ 的混凝土面,可满足两个 $15\sim20m^3$ 水窖贮水的要求。常用的混凝土面造价为 $18\sim20$ 元$/m^2$,使用寿命约 20 年。混凝土面往往会出现裂缝,需要及时进行维修。

(二)压实土面聚流

这是一种以改变土壤结构作为集水区表层来收集径流的方法。一般是将表土清理夯实上层,面积可依地形和贮流设施的容积而定。压实土面聚流,可就地取材,成本低,便于推广,但集流率较低。

(三)高分子化合物(无污染的)喷涂面聚流

即在表土清理平整后的地面喷洒高分子化合物的液体,使地表形成一层薄而坚硬的覆盖,起到蓄集雨水径流作用。

(四)塑料薄膜聚流

塑膜使用方便,聚流面积可大可小,利于因时因地制宜,也便于与贮流设施综合配套。据试验,塑膜集雨效率高达 80% 以上,有广阔的推广前景。

(五)塑料大棚产流面

塑料大棚,聚流面积较大,易于引流贮用,能就地用于棚内补灌。由于塑料大棚生产有利于抗旱保墒,改变了植物生长的季节差异,缩短了菜、果成熟的周期,能更好地利用光、热、水、土资源。目前,塑料大棚生产模式已在农村广泛兴起,塑料大棚聚流成本低,效益好,已成为干旱半干旱地区发展保护地高效农业的重要措施。

第四节 沟道径流调控体系配置

沟道径流调控体系配置,由沟坡径流聚集工程和沟道径流聚集工程组成。

一、沟坡径流聚集工程

沟坡是指峁缘线以下，沟道底部以上的坡面，包括塬坡、二坪、梁坡及沟坡。坡度陡，地形破碎，侵蚀严重，布设措施根据坡度大小、完整程度而定。对于坡度过大不适于植被和工程措施的坡面，可以采用自然封育措施，利用生态的自我修复能力进行自然恢复。在比较平缓和完整的沟坡上，采用水平沟、水平阶、反坡梯田和大鱼鳞坑等工程整地，以改善立地条件，营造经济林和用材林；在陡峻破碎的沟坡地上，应以种树种草为主，按照宜草则草、宜灌则灌的原则，种植牧草或营造柠条、沙棘、刺槐等灌木林。以削减暴雨径流，控制沟坡的冲沟发育和洪水对坡脚的冲蚀破坏，达到防治在沟坡上广泛发育的浅层滑坡、泻溜和沟壁崩塌等侵蚀的目的。具体的工程措施包括等高水平沟、鱼鳞坑及截、排水沟等。

二、沟道径流聚集工程

沟道是径流、泥沙的聚集区。治理中，以控制沟床下切，抬高侵蚀基点，拦蓄降雨径流及溪流、泉水，用作农田、果园、菜地、林草地和人畜饮用水等方面的水资源，防止山洪灾害和拦蓄泥沙，保护耕地、林地、道路、村庄的安全，防治水土流失为目的。主要的沟道径流聚集工程措施包括淤地坝、谷坊、拦沙坝等工程措施和配套的植物措施。

(一)淤地坝

淤地坝是指在沟道中修筑的为了滞洪拦泥淤地，巩固并抬高侵蚀基准面，减轻沟蚀，减少入河泥沙，化害为利，充分利用水沙资源的一项水土保持治沟工程措施。淤地坝是我国黄土高原地区独特的一项治理措施，由于淤成的坝地水肥条件优越，已成为黄土高原建设稳产高产基本农田的一项重要内容。

1. 淤地坝系规划原则

(1)以小流域为单元，从支沟到主沟，从上游到下游，根据不同沟段的地形和比降，选择比较顺直、适宜筑坝(口小肚大)的沟段，全面系统地布设大、中、小型淤地坝，同时在适当位置布设小水库和骨干坝。规划时，下坝最高洪水位末端应与上坝坝趾有 10m 以上的距离，以避免下坝回水淹上坝坝体。

(2)根据坝控流域内土壤侵蚀量大小，确定各坝的拦泥坝高、拦泥库容、淤积年限、修建顺序。

(3)集水面积较大(5km² 以上)且沟中有常流水的，淤地坝一般需同时布设溢洪道和泄水洞，如图 13-21 所示。集水面积在 1~5km²，有常流水的，修建的淤地坝只设泄水洞不设溢洪道，但需经水文计算，确保大坝安全。集水面积较小(1km² 以下)，沟道无常流水的，修建淤地坝可只设简易溢洪道，不设泄水洞。

(4)对已淤平种植的坝地，应规划坝地防洪、保收、防碱治碱工程措施，保证坝地高产稳产。

2. 设计标准与淤积年限

设计洪水标准的选定对淤地坝的安全运行至关重要。设计洪水标准过高，会造成投资浪费；标准偏低，抵御洪水能力差，常造成溃坝，淹没农田，使坝地作物减产甚至绝收。在坝系中，若一坝溃决，将形成连锁反应，使下游各坝相继溃决，损失巨大。

在 20 世纪 80 年代以前，黄土高原所建淤地坝设计洪水标准偏低，垮坝随处可见。淤地

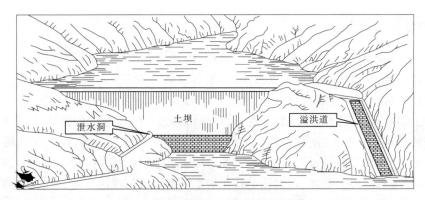

图 13-21　淤地坝

坝设计洪水标准与淤积年限可以参考我国在 1996 年颁布的《水土保持综合治理技术规范——沟壑治理技术》(GB/T16453·3—1996)和 2003 年颁布的《水土保持治沟骨干工程技术规范》(SL289—2003)。

3. 布坝密度

适宜的布坝密度是坝地防洪保收的重要条件之一。布坝密度可通过坝地面积与流域面积之比来反映。该值愈大,说明该流域布坝密度大,坝地面积大,拦洪能力强,防洪保收率高;反之,说明该流域内布坝密度低,坝地面积小,拦洪能力小,防洪保收率低。

4. 建坝顺序

坝系规划完成后,流域内建坝顺序要有一个系统的考虑。如果先在沟口筑坝,尽管淤积年限短,能很快受益,但洪水威胁大;如果先在上游筑坝,顺序往沟口推进,下游坝系泥沙来源减少,淤积年限长,投资回收年限长。因此,建坝顺序的安排是一个系统工程问题,要综合考虑。

(1)对于集水面积在 1km² 以下的小支沟,淤地坝修建的顺序是:先在沟口或下游选择合适坝址,修建第一座坝。待其淤平种地时,再修其上游的第二座坝。在第二座坝拦泥淤地过程中,可保护第一座坝安全生产。第二座坝淤平种地时,再修其上游的第三座坝。如此依次向上游推进,直到把全沟修完。与此同时,山上的治坡工程也要同时进行,以减轻沟道洪水泥沙压力,确保坝地生产安全。

(2)对集水面积为 3~5km² 或是更大的支沟,淤地坝修建的顺序是:一般应从上游向中、下游次第修坝,其坝高、库容等技术指标,应依次逐渐增大。也可在中游和下游同时各修一座中型淤地坝,待其淤平后再逐步向上游推进筑坝。并在上、中游适当位置选一坝址,作为标准较高的治沟骨干工程,以保证坝地安全生产。

(3)对集水面积为 10~20km² 的主沟,淤地坝的修建顺序是:一般应先在其上游和两岸支沟各坝建成后,再建中、下游的淤地坝(一般为大型),以减轻中、下游坝的洪水、泥沙负担,降低工程造价。

在沟中有常流水或泉水集中露头处,应选择适当位置,修建小水库、蓄水池,可供人畜饮水或浇灌坝地。同时,应在其上部修淤地坝或治沟骨干坝,暴雨时拦蓄洪水。泥沙沉淀后,泄放清水入水库存蓄利用,以延长水库寿命,提高水库利用率。

(二)谷坊

谷坊是修建于沟谷底部用以固定沟床、稳定沟坡、制止沟蚀的工程,又名闸山沟、砂土坝、垒坝阶等。其主要功能为固定沟床,稳定两边沟坡;分段拦蓄泥沙,减小沟道纵坡,抬高侵蚀基准面,阻止沟床下切;缓解山洪、泥石流危害。

1. 谷坊类型

根据谷坊的建筑材料可分为土谷坊、石谷坊和植物谷坊类型。土谷坊由填土夯实筑成,适宜于土质丘陵区;石谷坊(如图 13-22 所示)由浆砌或干砌块石建成,适宜于石质山区或土石山区;植物谷坊多由柳桩打入沟底,枝梢编篱,内填块石而成,通称柳谷坊(见图 13-23、图 13-24)。土、石谷坊拦蓄泥沙淤地后,可用于栽种果木或经济作物;柳谷坊则逐渐发展为成片的沟底林。为了防治泥石流,提高谷坊坚固性,可修建钢筋混凝土或混凝土谷坊。按透水性,可分不透水性与透水性两种;按结构,可分重力坝式、拱坝式及格栅坝式。

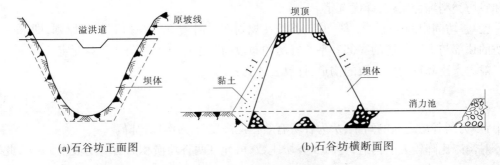

(a)石谷坊正面图　　　　　　　　(b)石谷坊横断面图

图 13-22　石谷坊示意图

图 13-23　柳谷坊示意图

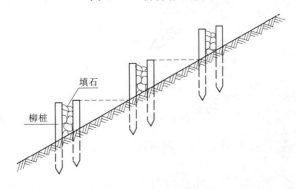

图 13-24　柳谷坊剖面示意图

2．谷坊的布设

主要解决谷坊的高度和间距两个问题。

(1)谷坊高度的确定。谷坊高度是工程设计的关键,要依据修建谷坊的材料,反复计算确定,直至承受的水压力和土压力不毁坏工程为止;同时,要考虑两谷坊之间形成的阶地,有利开发,便于经营。为此,可用"顶底相照"的办法进行校核,选取最佳方案。一般谷坊最大高度均在5m以下,常见者为1~3m,设计时视建筑材料的不同可参照下列情况而定。

干砌石谷坊:1.5m左右;浆砌石谷坊:3.5m左右;土谷坊:3~5m;柳谷坊:1.0m左右。宜在流域面积1km^{2}以下的沟道采用。

具体一条沟道中,每座谷坊设计的高度要根据沟道地形、沟床的宽窄、径流泥沙量的大小和谷坊类型综合比较,择优选定。

(2)谷坊间距的确定。一般而言,谷坊在规划布设时遵守"顶底相照"的原则,即下一个谷坊的顶部与上一谷坊的底部齐平。谷坊的布设间距也可以下列公式计算而定。

对沟床比降较均匀一致的沟道,计算公式为:

$$L = \frac{h}{i} \tag{13-33}$$

式中:L为两谷坊之间的间距;h为谷坊有效拦泥高度;i为沟床比降。

对沟床比降较大的沟道,为减少谷坊座数,可允许两谷坊淤积后有一定坡度$i-i_c$,此时谷坊间距L可依下式确定:

$$L = \frac{h}{i - i_c} \tag{13-34}$$

式中:i_c为淤积后比降,根据淤积物颗粒组成,按经验选择:粗砂兼有卵石时$i_c=0.02$;黏土为0.01;黏壤土为0.008;砂土为0.05。

(三)拦沙坝

在沟道中以拦截泥沙为主要目的修建的横向拦挡建筑物称拦沙坝,坝高一般5~10m。其主要功能为拦沙滞洪,减免泥沙或泥石流对下游的危害,利于下游河道的整治、开发;提高侵蚀基准面,固定沟床,防止沟底下切,稳定山坡坡脚;淤出的沙渍地可复垦作为生产用地。其类型主要分为砌石坝、混合坝、铁丝石笼坝、竹石笼坝和格栅坝四种类型,见图13-25~图13-28。

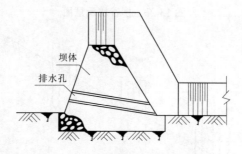

图13-25　浆砌石坝梯形剖面图

1.资料收集

(1)地形、地质资料。包括1:10 000小流域地形图;1:5 000~1:2 000库区地形图;1:1 000~1:200坝址地形图;坝址处地质构造及河床覆盖层厚度及物质组成资料;沟道地下

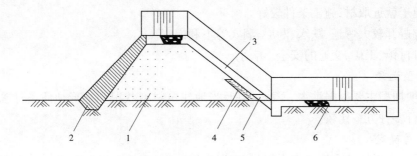

图 13-26 土石混合坝

1—填土坝体;2—黏土斜墙;3—砌石护面;4—反滤体;5—排水孔;6—砂砾石垫层

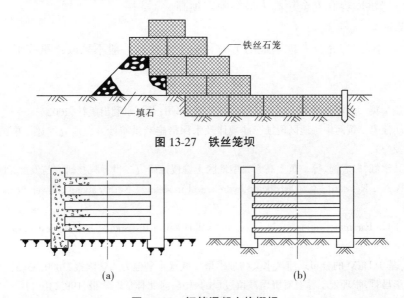

图 13-27 铁丝笼坝

铁丝石笼

填石

(a)   (b)

图 13-28 钢筋混凝土格栅坝

水、泉水溢出地段及其分布状况。

(2)水文气象资料。包括降水、暴雨、洪水、径流、泥沙和气温变化、冻结深度等。

(3)天然建筑材料。包括土、砂、石料的分布、性质及储量等。

(4)水土流失及治理现状。包括该流域水土流失的类型、流失程度、危害、治理现状和治理经验等。

(5)社经资料。包括该流域的人口、劳力、经济、土地利用、交通、电力以及当地建筑材料的价格等。

2.规划原则

(1)拦沙坝建设必须以小流域综合治理规划为基础,上下游统筹考虑,治沟与治坡有机结合,形成一个完整的小流域综合防护体系。

(2)在沟谷治理中拦沙坝与谷坊、小型塘坝等工程互相配合,联合运用。

(3)拦沙坝设置,必须因害设防,最大限度地发挥综合功能。

3.坝址选择

(1)坝轴线短,库容大,拦沙效果显著。

(2)坝址附近地质条件较好,利于布设建筑物。

（3）便于就近取材，施工条件较好。

（4）应避开较大弯道、跌水、断层、洞穴等不利因素。

（5）对村镇、工矿、交通的安全影响小。

4. 坝型选择

拦沙坝坝型主要根据洪水、泥沙量以及当地建筑材料状况和地形地质条件确定。坝型选择应进行多种方案比较。

5. 坝高确定

根据《水土保持综合治理技术规范》中淤地坝标准，按照坝控面积、洪量模数来计算设计和校核频率下的洪水总量，根据坝控面积、输沙模数和设计淤积年限来计算拦沙库容，再根据拦泥库容、滞洪库容和安全超高来最终确定坝高。

6. 工程施工

工程量要小，并应充分考虑当地的劳力和施工条件。一般不采取跨汛施工。

参 考 文 献

[1] 王万忠，焦菊英. 黄土高原水土保持减沙效益预测. 郑州：黄河水利出版社，2002

[2] 朱金兆，胡建忠. 黄河中游地区侵蚀产沙规律及水保措施减洪减沙效益研究综述. 中国水土保持科学，2004，2(3)

[3] 王占礼，吴永红，白志岗，等. 黄土高原典型地区土壤侵蚀研究. 世界科技研究与发展，2000，22(1)

[4] Michael B.A., Refsaard J C. Distributed hydrological modeling. Netherlands：Kluwer Academic Pubilishers，1996

[5] Refsaard J C. Parameterization, calibration and validation of distributed hydrological models. Hydrology, 1997

[6] 郭生练. 基于DEM的分布式流域水文物理模型. 武汉水利电力大学学报，2000，33(6)

[7] 杨立文，李昌哲，张理宏. 林冠对降雨截留过程的研究. 河北林学院学报，1995，10(1)

[8] Beasley D.B., Huggins L.F., and Monke E.J. ANSWERS：A model for watershed planning, Transaction of the ASCE, 1981, 23(4)

[9] Podmore T.H., Huggins L.F. Surface roughness effect on over−land flow. Tr of the ASAE,1980,23(6)

[10] Huggins L.F., Monke E.J. The mathematical simulation of the hydrology of small watersheds. Technical Research Center, West Lafayette, 1996

[11] Foster G R., Meyer L D. Mathematical simulation of upland erosion by fundamental erosion mechanics. Agricultural Research Service, USDA, 1975：190~207

[12] 牛志明. 分散型物理模型在三峡库区小流域土壤侵蚀过程模拟中的应用研究. 北京林业大学博士学位论文，2000

[13] 张金慧，高登宽，马宁. 水平梯田是山坡地保持水土的重要措施. 陕西农业科学，1999(3)

[14] 徐庭灿，王笞相，贾泽祥. 陇东、陕北、晋西地区水平梯田的减灾作用. 灾害学，1994,9(2)

[15] 高晓玲，蒋定生. 隔坡梯田优化设计试验研究. 水土保持研究，1994,1(1)

[16] 马荣亮. 宁夏固原隔坡梯田模式建设内容及效益分析. 中国水土保持，2003,29(2)

[17] 卢宗凡，梁一民，刘国彬. 中国黄土高原生态农业. 西安：陕西科学技术出版社，1997

[18] 王占礼. 黄土高原地区耕作技术效益研究. 农业工程学报，2000,16(3)

[19] 傅涛，倪九派，魏朝富，等. 坡耕地土壤侵蚀研究进展. 水土保持学报，2001,15(3)

[20] 赵西宁，王万忠，吴发启. 不同耕作管理措施对坡耕地降雨入渗的影响. 西北农林科技大学学报（自

然科学版),2004,32(2)

[21] 唐亚,谢嘉穗,陈克明,等.等高固氮植物篱技术在坡耕地可持续耕作中的应用.水土保持研究,
      2001,8(1)

[22] 刘世海,余新晓,于志民.北京密云水库集水区板栗林水化学元素性质研究.北京林业大学学报,
      2001,23(2)

[23] 孙辉,唐亚,谢嘉穗.植物篱种植模式及其在我国的研究和应用.水土保持学报,2004,18(2)

[24] 孙辉,唐亚,赵其国.干旱河谷区坡耕地等高植物篱种植系统土壤水分动态研究.水土保持学报,
      2002,16(1)

[25] 申元村.三峡库区植物篱坡地农业技术水土保持效益研究.水土保持学报,1998,4(2)

[26] 尹迪信,唐华彬,朱青.植物篱逐步梯化技术试验研究.水土保持学报,2001,15(2)

[27] 蔡强国,卜崇峰.植物篱复合农林业技术措施效益分析.资源科学,2004,26(2)

[28] 蔡崇法,丁树文,张光远.三峡库区紫色土坡地养分状况与养分流失.地理研究,1996,15(3)

[29] 袁远亮,孙辉,唐亚.等高固氮植物篱脐橙园综合效益研究.中国生态农业学报,2001,9(4)

[30] 周兴魁,孙国亮,蔡强国.黄土丘陵区的地埂植物篱——紫穗槐.山西水土保持科技,1997(2)

[31] 石生新.整地造林措施对强化降雨入渗和减沙的影响.土壤侵蚀与水土保持学报,1996,2(4)

第十四章　小流域治理植物措施与工程措施对位配置

第一节　技术对位

　　小流域治理植物措施与工程措施的对接——技术对位，就是把小流域水土流失防治工程植物措施与所需工程技术的对位配置。通过研究环境资源条件与生物生育对环境资源的需求之间的发展变化规律，按照生态位的能级分布层次，逐维分析环境资源分布特征对植物种生长发育条件的胁迫程度(限制性因子)及适宜性，选择与环境资源特征相适宜的植物种，使环境资源位特征满足植物生育需求位，达到植物需求位与环境资源位相互适宜、相互吻合——对位配置。水土保持植物措施与工程措施的对位配置反映了生物体与环境资源位的依赖关系和特定生物种与相应工程措施相互依存的规律性。小流域治理植物措施与工程措施的对接——技术对位，其第一个考虑的层次是植物措施的布局要根据不同地形部位小气候特征，布设不同的植物种；第二个考虑的层次是由于降雨不能满足植物生长需求而引起的土壤含水层持续不断的干化。

　　下垫面对气候因子的再分配，不同地形部位具有不同的地形小气候资源位，只能满足特定植物的生育需求；不同植物种具有不同的生态适应性，只能在特定的小气候条件下正常生育。地形小气候条件只有满足植物种生态位条件——即对位配置，植被建设才能取得相应的实际效果。黄土高原沟壑密集，地形切割深，起伏不定，造成不同地形部位的小气候条件差异显著。据定西市水保所在安定区安家沟流域的研究，各地形小气候因子在不同地形部位(分梁峁顶、阴坡和阳坡中部、沟底4个部位)的数量分布，除风速、相对湿度外，其他因子无显著差异，但均有规律性变化；风速的差异除阴阳坡中部差异未达到显著水平以外，其他两两间均有极显著差异；相对湿度除沟底显著高于其他各点外，均无显著差异。研究表明，植物种的土地生产潜力随坡位的抬升、风速的增大而降低；风对植物蒸腾、光合作用的效应取决于风速的大小和植物种的生物学特性(叶型、密度、株高、生育期、抗机械损害能力等)和生态学特性。风速低于植物生育破坏临界值(2m/s)时，对植物光合作用有所促进，而大于临界值时，将导致植物在形态学、生态学、解剖学上的变化，影响其光合作用。由于坡面中部以上风速较大，使阔叶乔木林蒸腾作用受到抑制，生长发育不良。相比之下，灌木、牧草由于低矮、叶面小，对风的抗性较强，生长发育良好，但其生长表现为：阴坡优于阳坡，沟谷优于坡面，坡面下部优于上部。因此，在农业生产建设和布局过程中，要充分注意风速和相对湿度对农业生产的影响，特别是风速的影响。

　　由于不同地形部位土壤形成条件和土壤利用措施的不同，土壤物理常数也因之发生变化。张富等在安家沟流域的研究表明(见表14-1～表14-3)，土壤供水性能在非饱和状态下，梯田、荒地、林地水分特征曲线率依次增大，由于其土壤质地的影响，田间持水量及凋萎湿度也相应降低。田间持水量为：梯田24%，林地19.28%；凋萎湿度为：梯田6.44%，林地

5.4%。土壤有效水范围及最大有效含水量以梯田最大,灌木林地次之,草地第三,坡耕地第四,荒地第五,乔木最小。

表 14-1 不同利用方式有关土壤水分特征值汇总

测定项目	梯田	坡地	草地	林地	荒坡
土壤容重(g/cm³)	1.09~1.21	1.204~1.211	1.244~1.237	1.147~1.360	1.170~1.201
田间持水量(%)	24.00	20.99	20.68	19.78	20.91
凋萎湿度(%)	6.44	6.43	6.00	6.37(乔)5.4(灌)	6.31
2m 土层最大有效含水量(mm)	430	351.48	361.72	298.6~390.6	346.60
实际有效含水量(mm)	93.5~199.4	130.8	53.5	21.7~72.3	78.6
土壤总孔隙度(%)	58	54	53	55	55

表 14-2 不同利用方式土壤水分特征曲线汇总

利用方式	土层深度(cm)	回归方程式	相关系数
荒地	0~30	$Y = 1.475\,8 \times 10^{-3} X^{-3.690}$	0.987 9
	30~100	$Y = 9.741\,0 \times 10^{-4} X^{-3.823\,4}$	0.998 3
	100~150	$Y = 1.389\,0 \times 10^{-3} X^{-3.677\,2}$	0.988 2
	150~200	$Y = 1.564\,4 \times 10^{-3} X^{-3.339}$	0.991 1
	0~200	$Y = 1.227\,7 \times 10^{-4} X^{-3.588\,9}$	0.995 1
林地	0~42	$Y = 1.017\,8 \times 10^{-3} X^{-3.681\,8}$	0.998 7
	42~109	$Y = 1.179\,0 \times 10^{-4} X^{-3.208\,7}$	0.997 0
	109~220	$Y = 9.085\,0 \times 10^{-3} X^{-3.204\,3}$	0.996 7
	0~220	$Y = 1.466\,0 \times 10^{-4} X^{-3.391\,6}$	0.997 5
梯田	0~30	$Y = 1.601\,4 \times 10^{-4} X^{-4.700\,1}$	0.998 3
	30~150	$Y = 4.114 \times 10^{-4} X^{-4.319\,8}$	0.997 8
	150~160	$Y = 1.693\,6 \times 10^{-4} X^{-4.8}$	0.998 3
	0~160	$Y = 3.338\,9 \times 10^{-4} X^{-4.417\,2}$	0.998 2

注:Y 为土壤水水势(hPa);X 为含水率,X = 土壤水/干土重。

表 14-3 2m 土层内植物生长季土壤水分含量汇总 （单位:mm）

利用方式	阴坡			阳坡		
	上部	中部	下部	上部	中部	下部
梯田	285.14	261.13	252.96	260.12	260.12	211.31
耕地	321.48	305.09	280.83	289.38	274.51	232.25
草地		219.53		229.00	207.22	
林地	227.58	238.58	244.88	214.55	208.33	168.55
荒坡	261.55	262.30	257.30	185.52	186.12	190.00

除林地外不同地形部位对土壤含水率的影响,在阴阳坡的差异极显著。这是因为阴坡太阳辐射量小于阳坡,热量条件低于阳坡,使土壤蒸发、植物蒸腾量低于阳坡,这就使土壤储水消耗也低于阳坡。林地的阴阳坡差异不显著,这是因树木自身生理生态特征所致,由于它根系庞大,常年生长,蒸腾作用强烈,对水分要求量大,在400mm降雨条件下满足不了它的需要,无论阴阳坡土壤都难以得到休养生息的机会,常年处于水分亏缺的状态。

自然荒坡在不同坡位上的土壤含水量差异虽不显著,但从流域上部往下有依次增多的趋势,这主要是因为风速的影响,越靠上部风速越大,致使土壤蒸发量相对增多,但梯田和坡耕地恰恰相反,流域上部梯田和坡耕地的土壤含水量越往下越递减。这是因为流域中下部小气候及土壤环境条件较好,适宜作物生长发育,形成作物生长茂盛,产量较高,蒸腾量相应增大的结果,消耗了土壤储水,虽然土壤蒸发量从上往下有减小的趋势,但作物生长旺盛所消耗的水比它大得多,掩盖了风速对土壤蒸发的影响。此外,不同地形部位林地上土壤含水量与林种的关系非常密切,灌木林地含水量远低于阔叶乔木林。

综上所述,由于不同地形部位对气候资源的再分配,构成了不同地形部位特定的生态条件,为半干旱地区植物选择提供了新的条件。在一般条件下,土地生产的适宜性在无其他限制因子时,随坡位升高而降低,流域内安排农林牧业生产时,梁峁顶及坡面上部应以抗风耐旱灌木、牧草为主。相比之下,坡面中部以下是良好的农林牧生产基地,但阔叶乔木仅适宜于阴坡以下栽植。因此,从半干旱区小流域自然条件的适宜性看:

(1)在梁峁顶、阴阳坡上部、中部及阳坡下部不宜造阔叶乔木林,相对适于发展抗风耐旱的灌木林。阔叶乔木林仅宜在阴坡下部及四旁栽植。其密度随树种不同而变化。

(2)随坡位抬升,农作物产量呈降低趋势,坡面中、下部较适宜种植农作物,尤以下部为优。

(3)坡向、坡位对牧草产量影响不显著,适宜或比较适宜在各地形部位种植。

第二节　梯田措施对位配置

梯田作为一项水土保持措施,具有控制水土流失、提高地力、从时空尺度上合理调控雨水资源,从而稳定提高土地产出,有巨大的生产利用潜势。据定西水保所对安定区安家沟测定,梯田土壤干容重为 1.09～1.21g/cm³,凋萎湿度(小麦)为 6.44%,田间持水量为24.00%(坡地为20.99%),土壤总孔隙度为58%(坡地为54%),梯田2m土层内最大有效水含量430mm,比坡地351.48mm高出22.33%,实际有效水含量为93.5～199.4mm,比坡地130.8mm平均高出11.96%。1963年6月4日安定区安家沟流域遭受24小时104mm的百年一遇的特大暴雨,梯田田面未发生径流冲刷,坡地小区(作物为糜子)径流量达371.25～678.0m³/hm²,产沙量达57.15～123.0t/hm²。1995年定西遭遇50年一遇连续11个月不降雨的特大干旱,梯田含水率比坡地高出20%,梯田每公顷产量比坡地高出450kg,粮食总产量1.14亿kg。由于梯田具有高标准的拦蓄功能、强大的"土壤水库"储存能力,对自然降雨的时空分布发挥了调节能力,显著地提高了雨水的利用率,从而提高了土地产出,为半干旱地区稳定解决粮食、"三料"问题提供了基础平台,发挥了巨大的经济社会效益。

一、梯田分类

根据国标《水土保持综合治理技术规范》(GB/T16453.1～16453.6—1996),梯田分类见表 14-4。

表 14-4 梯田分类

分类依据	梯田名称
地面坡度	分陡坡区梯田与缓坡区梯田
田坎建筑材料	分土坎梯田与石坎梯田
梯田断面形式	分水平梯田、坡式梯田、隔坡梯田
梯田用途	分旱作物梯田、水稻梯田、果园梯田、茶园梯田等

二、梯田布局原则

以小流域为单元,根据当地社会经济发展对农产品的需求和坡改梯后由于土地质量等级的提高而出现的土地多宜性,进行坡耕地治理的全面规划,根据不同条件,对其中确定为梯田区的地段,进行有关梯田的具体规划布局;在此基础上,再进行相应的设计和施工。

水是影响农作物生长和发育的重要因素之一。研究表明,由于地表径流和土壤重力自由水向下运移,塬面、梁峁等正地形部位,土壤含水量较低,地下水埋藏深;沟谷及沟坡中下部等负地形部位,土壤含水量较高,地下水埋藏浅。在半干旱、半湿润的气候条件下,沟谷及沟坡中下部的土壤水分条件往往适合树木的生长,自然植被为森林;梁峁、塬面及沟坡中上部的土壤水分条件往往适合草灌的生长,自然植被为草原。根据以上研究,在黄土高原地区建设水平梯田时,梯田作物如果能够达到高产、稳产,应将其配置到沟谷的坡中部和下部为宜。关于梯田措施的规划、设计、施工、管理,在《水土保持综合治理技术规范 坡耕地治理技术》(GB/T16453.1—1996)中已有明确的规定,这里仅根据水土保持治理措施对位配置的要求,对其中需要细化的部分进行了摘引。

梯田防御暴雨标准,一般采用 10 年一遇 3～6h 最大降雨,在干旱、半干旱或其他少雨地区,可采用 20 年一遇 3～6h 最大降雨。根据各地降雨特点,分别采用当地最易产生严重水土流失的短历时、高强度暴雨。

梯田类型的选用。对坡耕地土层深厚,当地劳力充裕的地区,尽可能一次修成水平梯田。在坡耕地土层较薄,或当地劳力缺乏的地方,可以先修坡式梯田,经逐年向下方翻土耕作,减缓田面坡度,逐步变成水平梯田。在地多人少、劳力缺乏,同时年降水量较少、耕地坡度在 15°～20°的地方,可以采用隔坡梯田,平台部分种庄稼,斜坡部分种牧草,暴雨中利用斜坡部分地表径流增加平台部分的土壤水分。

(一)陡坡区梯田的规划布局

(1)选土质较好、坡度(相对)较缓、距村较近、交通较方便、位置较低、邻近水源的地方修梯田。有条件的应考虑小型机械耕作和提水灌溉。

(2)需有从坡脚到坡顶、从村庄到田间的道路。路面一般宽 2～3m,比降不超过 15%。在地面坡度超过 15%的地方,道路采用 S 形,盘绕而上,以减小路面最大比降。

(3)田块布设需顺山坡地形,大弯就势,小弯取直,田块长度尽可能在 100～200m 之间,以便利耕作。

(4)梯田区不能全部拦蓄暴雨径流的地方,应布置相应的排、蓄工程;在山丘上部有地表径流进入梯田区处,应布置截水沟等小型蓄排工程,以保证梯田区安全。

(二)缓坡区梯田的规划布局

(1)以道路为骨架划分耕作区,在耕作区内布置宽面(20~30m 或更宽)、低坎(1m 左右)地埂的梯田,田面长 200~400m,便利大型机械耕作和自流灌溉。

(2)一般情况下耕作区为矩形或正方形,四面或三面通路,路面宽 3m 左右,路旁与渠道、农田防护林网结合;耕作区道路两端与村、乡、县公路相连。

(3)对少数地形有波状起伏的,耕作区应顺总的地势呈扇形,区内梯田埂线亦随之略有弧度,不要求一律成直线。

三、梯田设计

(一)梯田断面要素

1.断面要素

(1)梯田断面要素见图 14-1。

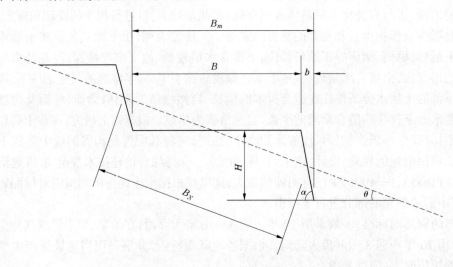

图 14-1　水平梯田断面要素

θ—原地面坡度(°);α—梯田田坎坡度(°);H—梯田田坎高度(m);B_X—原坡面斜宽(m)
B_m—梯田田面毛宽(m);B—梯田田面净宽(m);b—梯田田坎占地宽(m)

(2)各要素间关系:

田坎高度	$H = B_X \sin\theta$	(14-1)
原坡面斜宽	$B_X = H/\sin\theta$	(14-2)
田坎占地宽	$b = H\cot\alpha$	(14-3)
田面毛宽	$B_m = H\cot\theta$	(14-4)
田坎高度	$H = B_m\tan\theta$	(14-5)
田面净宽	$B = B_m - b = H(\cot\theta - \cot\alpha)$	(14-6)

(3)除上述各要素外,田边应有蓄水埝,高 0.3~0.5m,顶宽 0.3~0.5m,内外坡比约 1:1。水平梯田断面主要尺寸参考数值见表 14-5。

表 14-5　水平梯田断面尺寸参考数值

地面坡度 θ	田面净宽 B	田坎高度 H	田坎坡度 α
(°)	(m)	(m)	(°)
1°～5°	30～40	1.1～2.3	85°～70°
5°～10°	20～30	1.5～4.3	75°～55°
10°～15°	15～20	2.6～4.4	70°～50°
15°～20°	10～15	2.7～4.5	70°～50°
20°～25°	8～10	2.9～4.7	70°～50°

注:引自《水土保持综合治理技术规范 坡耕地治理技术》(GB/T16453.1—1996)。

2. 工程量的计算

(1)单位面积土方量的计算:

$$V = \frac{1}{2}\left(\frac{B}{2} \times \frac{H}{2} \times L\right) = \frac{1}{8}BHL \tag{14-7}$$

式中:V 为单位面积(hm² 或亩)梯田土方量,m³;L 为单位面积(hm² 或亩)梯田长度,m;H 为田坎高度,m;B 为田面净宽,m。

当梯田面积按公顷计算时:

$$V = \frac{1}{8}BH\frac{10\,000}{B} = 1\,250H \tag{14-8}$$

当梯田面积按亩计算时:

$$V = \frac{1}{8}BH\frac{666.7}{B} = 83.3H \tag{14-9}$$

(2)单位面积土方移运量的计算:

$$W = V \times \frac{2}{3}B = \frac{1}{12}B^2HL \tag{14-10}$$

式中:W 为单位面积(公顷或亩)土方移运量,m³·m。

土方移运量的单位为 m³·m,是一复合单位,即需将若干立方米的土方量运若干米距离。

当梯田面积按公顷计算时:

$$W = \frac{1}{12}B^2H\frac{10\,000}{B} = 833.3BH \tag{14-11}$$

式中:W 为每公顷土方移运量,m³·m。

当梯田面积按亩计算时:

$$W = \frac{1}{12}B^2H\frac{666.7}{B} = 55.6BH \tag{14-12}$$

式中:W 为每亩土方移运量,m³·m。

(二)梯田设计

水平梯田断面设计需求得不同坡度下梯田的优化断面。田面应有适当的宽度(陡坡区一般 5～15m,缓坡区一般 20～40m)。田坎坡度适当,既能坚实稳固,又不多占耕地。

为了满足水平梯田种植作物时对水分的需求,减缓或消除土壤干化层对作物生育的影响,甘肃省在大量科学研究的基础上,设计中引入了增产系数、植物增产要求的土壤最低含水率、设计频率年 2m 土层内平均土壤最低含水率、土壤干容重、设计频率年降水量×降水有效利用系数、增产聚流比、设计频率年产流深(mm)、安全聚流比等设计因子,对水平梯田的优化设计进行了深化研究,并形成《甘肃省小流域水土流失综合防治工程建设技术规程》(DB62/T346—94)。现介绍如下:

1. 设计要求

(1)测绘梯田区1:5 000～1:2 000田块地形图和1:500～1:200典型剖面图。

(2)防洪安全频率按当地实测最大点暴雨或200年一遇最大24h暴雨一次径流量计算。

(3)增产保证频率。农作物用地,半干旱地区不小于75%,干旱地区不小于50%;经济林果用地不小于90%。

(4)计算安全聚流比K_a。田块有效蓄水深不大于500mm,工程维修年限不少于3年。要求安全聚流比K_a大于或等于增产聚流比K_c,不小于1。若实际要求的K_c大于K_a的最大值时,则要调整K_c,降低增产保证频率。

(5)当设计K_c大于1时,地块按隔坡布设。隔坡聚流面大小,应由田块增产保证频率最高和全耕作区总产最大权衡确定。

(6)水平梯田田宽。黄土地区不小于8m;土石山区不小于4m。

(7)坎高H应根据修筑材料确定。土质不大于5m,硬坎外坡不大于70°,软坎外坡不大于45°;石坎不大于85°。

2. 工程形式

按布设形式分连台梯田和隔坡梯田两种(见图14-2);按埂坎材料性质分土坎梯田和石坎梯田两种。

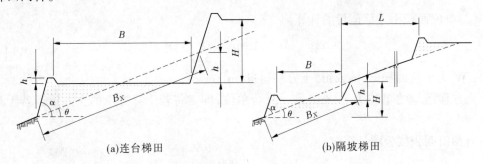

(a)连台梯田　　　　　　　　(b)隔坡梯田

图14-2　水平梯田

3. 工程设计

(1)求聚流比K值:

$$h_b = k\left(\frac{2\gamma}{W_1 - W_2}\right) - P \tag{14-13}$$

$$K_c = h_b/h_p \tag{14-14}$$

$$K_a = h_x/h'_p + SN \tag{14-15}$$

式中:h_b为设计频率年要求径流补给深,mm;k为增产系数,取值1.2～1.4;W_1为植物增产要求的土壤最低含水率,%;W_2为设计频率年2m土层内平均土壤最低含水率,%,一般取8%～10%;γ为土壤干容重,kg/m³;P为设计频率年降水量×降水有效利用系数(0.7～0.8),mm;K_c为增产聚流比;h_p为设计频率年产流深,mm;K_a为安全聚流比;h'_p为实测最大点暴雨或 200 年一遇最大 24 小时暴雨产流深,mm;h_x 为工程设计蓄洪深,mm;S 为聚流面年侵蚀深,mm;N 为田埂加高年限,采用 3~5 年。

(2)断面设计:

连台梯田

$$B = H(\cot\theta - \cot\alpha) \tag{14-16}$$

$$B_x = H/\sin\theta \tag{14-17}$$

隔坡梯田

$$B = 2H(\cot\theta - \cot\alpha) \tag{14-18}$$

$$B_x = 2H/\sin\theta \tag{14-19}$$

$$L = KB \tag{14-20}$$

石坎梯田

$$B = 2\cot\theta(H_t - h_t) \tag{14-21}$$

$$H = B/\tan\theta \tag{14-22}$$

式中:B 为田面水平净宽,m;B_x 为田面斜宽,m;H 为田坎高度,m;θ 为原地面坡度(°);α 为田坎坡度(°);L 为田块隔坡间距,m;K 为聚流比;H_t 为土层厚度,m;h_t 为挖方处保留的土层厚度,不小于 0.5m。

第三节　林地径流聚散工程

林地径流聚集工程是小流域径流调控中的一项重要的措施,以防止水土流失、阻截和汇聚地表径流及恢复、保持土地肥力为主要目的,包括建设天然林、天然次生林、人工乔木林或灌木林。其主要功能为:覆盖地面免遭雨水直接击溅侵蚀,防风固沙;根系固结土壤,增强土壤抗冲蚀能力;拦截地表径流,增强土壤入渗能力,涵养水分;为禽兽和昆虫提供栖息场所,改善生物多样性;改善生态环境;提供木材、薪柴等。

黄土高原天然植被的地带性分布取决于水、热条件为主的气候地带分布。由于黄土高原半干旱地区植物光热的生产潜势,远远大于水分的生产潜势,因此人工植被普遍出现了生物产量高,土壤干化严重的现象,水分成为影响植物生长发育的主要限制因子,水分环境的好坏制约着植物生产力的高低。就其对林木生长的制约程度而言,森林带＜森林草原带＜典型草原带。森林带的水分生态条件可满足林木成材对水分的需求,林木采伐后,土壤水分在经过 3 个雨季后可基本恢复。森林草原带可基本满足 10 龄以下林木生长对水分的需求,人工沙棘林平茬后,经过 3 个雨季,土壤水分可得到部分恢复,但恢复的水平远低于森林带。典型草原带不能满足人工林生长对水分的需求,即使林木采伐后的土壤水分恢复也很困难。解决环境水分承载力与植物生产力之间的矛盾是植被建设与生态环境恢复的关键措施。与天然荒坡比较,由于物种和密度的不同,不同植被地带的人工林均存在一定程度的水分亏缺和不同深度的土壤干化层现象,为使植被建设达到预期目标,按照不同立地条件的降水补给量、林木需水量,确定适宜的造林密度(在半干旱地区乔木树种一般 1 500 株/hm²,灌木 3 000 株/hm² 左右),匹配与之适应的径流聚集工程,解决水分承载力与植物生产力之间的矛盾,是林木正常生长发育的保证条件。安定区在九华沟流域治理中,以系统工程和径流调控理论为指导,在植物措施对位配置的前提下,增加坡面产流、提高拦蓄标准,以满足植物需水为目标,创造性地提出了径流聚集工程,使林木成活率、保存率达到 90％ 以上,生长量比对照提高一倍以上,取得显著成效,并提出了半干旱区水土保持综合治理林业措施对位配置模式,见表 14-6。

表 14-6　半干旱区水土保持综合治理林业措施对位配置模式

地形部位		适宜树种
梁峁顶部		云杉、毛条、山毛桃、爬地柏、沙棘
阴坡	上部	油松、河北杨、侧柏、柠条、紫穗槐
	中部	油松、侧柏、云杉、河北杨、华北落叶松、沙棘、紫穗槐、文冠果等
	下部	油松、侧柏、云杉、河北杨、毛白杨、青杨、旱柳、华北落叶松等
阳坡	上部	侧柏、山毛桃、柽柳、狼牙刺
	中部	侧柏、油松、樟子松、山毛桃、毛条
	下部	侧柏、油松、梨、刺槐、杏、山毛桃、毛条、花椒、爬地柏、沙冬青
沟床		河北杨、青杨、新疆杨、小叶杨、二白杨、旱柳、刺槐、梨等
四旁		河北杨、新疆杨、刺槐、旱柳、杏等

梁一民等通过对气候带与植被带之间的适应性以及适地适树(草)的研究,提出了"应用植被地带分布规律指导人工林草植被建设,选择地带性植被优势种作为主要造林种草的植物种,模拟天然植被结构实行乔灌草复层混交快速建造稳定植被"的适宜林草种选择的科学方案(见表 14-7)。

表 14-7　黄土高原人工林草植被适宜树草种(梁一民等,1999)

植被地带	人工林草植被主要树草种	主要伴生或四旁绿化树种
暖温性森林地带	油松、刺槐、侧柏、白桦、槲栎、栓皮栎、辽东栎、水杉、沙棘、连翘、山桃、山杏、紫穗槐、二色胡枝子、榛子、狼牙刺、苜蓿、小冠花、红三叶、白三叶	小叶杨、新疆杨、旱柳、泡桐、白榆、杜梨、臭椿、元宝枫、银杏、茶条槭、国槐、椴树、白蜡、玫瑰
暖温性森林草原带	油松、刺槐、侧柏、辽东栎、沙棘、柠条、山杏、山桃、紫穗槐、火炬树、连翘、二色胡枝子、狼牙刺、苜蓿、沙打旺、红豆草、小冠花、白羊草、兴安胡枝子	小叶杨、河北杨、新疆杨、旱柳、杜梨、白榆、臭椿、元宝枫、茶条槭、国槐、椴树、白蜡、玫瑰
暖温性典型草原带	柠条、沙棘、山杏、山桃、扁核木、苜蓿、红豆草、沙打旺、兴安胡枝子、芨芨草	小叶杨、河北杨、新疆杨、旱柳、杜梨、白榆、臭椿
暖温性荒漠草原带	沙枣、柽柳、柠条、羊柴、花棒、山桃、乌柳、芨芨草、沙蒿、白刺	旱柳、新疆杨、小叶杨、白榆、臭椿

人工造林不但要考虑适地适树的原则,而且必须考虑它们的群落学特性或林学特性,利用树种间的相辅现象增加树种结构的多样性,可以形成生态系统的分层性和空间异质性,从而创造合理的生态位结构,以提高林带的可塑性及抵抗外来灾害的能力。在适地适树的基础上以适地适林为目标,应依据植被地带性分布规律和树种的生物生态学及群落学特性、生态位理论,选择适宜的树草种及相应的林分(植物群落)结构。实践证明,由于物种的生物学、生活型特性的不同,物种的种内和种间搭配会产生相宜和相克等不同效果,纯林结构的

群落稳定性和生产力不如混交林,应尽量避免单一的林分结构,特别是避免榆树、臭椿、杨树等实践证明适地而不能成林树种;在营造混交林时,要注意速生与慢生树种、深根性与浅根性树种的搭配,以提高水土资源的利用率。同时注意避免相克树种如毛白杨与桑科植物(易受桑天牛的危害)、杨树与落叶松(易发生黄粉病)的混交,以降低病虫害的危害。

一、树种选择原则

首先要求根系发达,根蘖萌发力强,固土能力强;生长旺盛,郁闭迅速,树冠浓密,落叶丰富,且易分解,可较快形成松软的枯枝落叶层,具有改良土壤性能,能提高土壤的保水保肥能力;有较强的适应性和抗逆性;具有一定经济价值,兼顾当地群众对燃料、肥料、饲料、木材及开展多种经营的需要。

二、树种配置原则

(一)确定种植树木密度的原则

(1)以防护型为主要目的的要求要多层次、高密度。

(2)一般喜光而速生的树种宜稀;喜阴性或初期生长慢的树种宜密。

(3)干形通直而且自然整枝良好的宜稀;干形易弯曲而且自然整枝不良的宜密。

(4)一般种植林木常用的株距为 $1\sim2m$,行距为 $2\sim4m$。但对一些速生树种或进行农林间作的,株行距可适当放宽。

(二)种植点的配置

(1)行状的种植点配置。种植点成行配置,是普遍应用的配置方式。这种配置方式可以使林木均匀地分布于林地,能充分利用林地空间,树冠和根系发育较为均匀,且便于抚育管理。

(2)正方形配置。正方形配置株行距相等,相邻株连线成正方形,这种配置方式比较均匀,能使树冠发育匀称,是种植用材林、经济林常用的配置方式。

(3)长方形配置。长方形配置行距大于株距,相邻间连线成长方形。这种方式均匀程度不如正方形,但有利于行间中耕除草等抚育管理,也便于行间间作农作物。在山地种植林木时,由于地形条件限制,一般都是行距大于株距,这样有利于树冠均匀发育及保持水土。

(4)正三角形配置。要求各相邻植株的株距都相等,行距小于株距,为株距的 0.866 倍。这种配置方式能在不减少单株营养面积的情况下、增加单位面积上的株数,从而获得高产。由于这种配置方式的定点林木复杂,一般仅用于经济林。

(5)簇式配置。植株在种植林木地点上呈群丛状分布,群内植株密集,而群间距离较大。簇式配置的特点是能保证群簇植株迅速郁闭,有利于抵抗干旱、日灼、杂草等不良外界环境影响。

(三)混交林配置

1.混交类型

种植混交林必须选择适宜的混交树种,根据混交树种之间的特性不同,主要有阴、阳性树种混交,针、阔叶树种混交和乔、灌树种混交等三种混交类型。

2.混交方式

常用的混交方法有株间混交、行间混交、带状混交。

(1)株间混交。在同一种植行内隔株种植两个以上树种的混交方法,称株间混交,又称行内混交、隔株混交,一般多用于乔灌混交类型。

(2)行间混交。一树种的单行与另一树种的单行依次栽植的混交方法,称行间混交,又称隔行混交。

(3)带状混交。一树种连续种植3行以上构成"带",与另一树种构成的"带"依次种植的混交方法,称带状混交。

三、工程整地

(一)整地方式

(1)带状整地。在坡面较为整齐的条件下,沿等高线呈长条状翻垦种植林地土壤,并在开挖部分之间保留一定宽度原有植被的整地方法。包括水平带状、水平阶、反坡梯田、水平沟整地等整地方法。

(2)块状整地。是呈块状翻垦整地造林的方法,多用于地形较为破碎或坡面较陡的地方。山丘地区采用块状整地的方法有:穴状、块状、鱼鳞坑等。

(二)整地的要求

(1)质量要求。各种整地方法均需保证质量,符合规格要求,应保持活土层。

(2)整地时间。整地应在种植前一年或半年进行。春季栽植应在前一年夏季或秋季整地,秋季栽植可在当年夏季整地。

(三)种植方法

1.苗木栽植

(1)苗木规格。针叶树种多采用1年生或2年生壮苗栽植,阔叶树种多采用1年生壮苗;一般容器苗可采用较小苗木;而在地表干旱、杂草危害的地方要用较大苗木。壮苗还应有较高的根冠比,苗干端直,色泽正常,针叶树种亦应具有饱满顶芽。

(2)苗木保护。苗木起苗以后到栽植入土过程中,要保护好苗木根系。对于针叶树,护根的方法是带土栽植,蘸泥浆护根,运输时用苔藓或其他保水物质包装,栽植时用小铁桶等容器提苗,并注意随起苗随栽植,当天起苗当天栽完;对于阔叶树种,起苗后如需长途运输也应注意妥善包装,到达栽植地应予假植,随栽随取;对于萌芽力较强的刺槐、紫穗槐、杨树等树种,秋季栽植时,可采用截干栽植方法,避免失水干梢。截干高度一般在原根颈以上3cm处截断。

(3)栽植分法。分穴植、直壁靠边植、丛起丛植等方法。穴植的技术要求是"三填、两踩、一提苗",即一填表土于坑底,把苗木放入穴中央,再填一些湿润熟土于根底,用脚踩实一次,将苗木稍向上轻轻提一下,使苗根舒展与土壤密接,再将生土填入踩实,最后覆些土保墒。栽植深度一般以超过原根系5~10cm为准。很多针叶树种及初期生长缓慢的栎类等树种,采用丛植栽植伤根少。丛生幼苗彼此遮护,抗逆性较强。丛植栽植的苗木应成丛起苗,带土栽植,每丛2~3根即可。

(4)栽植季节。根据栽植地区气候、土壤条件和栽植树种生物学特性,确定栽植季节和时间。

(5)容器苗栽植。容器育苗多用于针叶树种或其他幼苗期生长较慢树种。容器苗栽植应注意选择较好立地条件,用半年或一年生苗在雨季或春季栽植。起苗运输过程中要避免损坏容器、弄散土坨。

2.播种种植

1)适于播种种植的条件

(1)大中粒种子。大粒种子及油松、侧柏等中粒种子。

(2)立地条件较好。阴坡、半阴坡、土层较厚、土壤水分条件良好，有一定植被遮盖，发生暴雨时不致被冲淤，伏天不致灼伤的地方。

(3)鸟兽危害较轻。

(4)种子来源丰富。

2)播种技术

(1)播种方法。最常用的方法是穴播，有条件的大面积直播造林，可采用飞机播种。

(2)播种量。大粒种子，每穴2～3粒；种粒稍小的每穴3～5粒，种粒小的每穴10～20粒。

(3)种子处理。播种前应检验种子的质量，并对种子进行消毒、浸种、催芽和拌种处理，方法与苗圃种子处理相同。

(4)覆土。覆土深度应根据播种时间、种子大小、土壤水分、土层深度等灵活掌握。秋播宜深，春播宜浅，土质黏重、土壤湿润者宜浅，沙质土或干燥土宜深。一般大粒种子覆土5～8cm，中粒种子覆土2～3cm，小粒种子覆土1～2cm。

(5)播种时间。可分春季、雨季、秋季。春季以早春抢墒播种较好；雨季在阴雨天播种；秋播不宜过早，以免当年发芽受冻。

3.分殖栽植

(1)插条栽植。利用树木枝条直接插于栽植的土地，此法不经育苗，就地取材，方法简便。插条栽植分为低干和高干两种。

低干插条是通用的方法，采取1～3年生、木质化程度高、色泽正常的枝条作为插条，长30～60cm，粗0.5～3.0cm，因树种和立地条件不同而异，每穴插植1株或2株。插条栽植要掌握"深埋、实砸、少露"的原则，地上只留1～2cm即可。高干插条要选通直枝条作为插条，深栽1m左右。高干插条成林迅速，保护容易，一般多用于"四旁"栽植杨、柳等树木。

插条栽植要严格控制质量，灌木树种最好是平茬后从基部萌出的健壮枝条。插条采后要妥善贮藏，严防失水，栽植前可浸水3～5天。采集插条时间，应在秋季树木落叶后或春季发芽前。

(2)埋条栽植。埋条栽植适用于湿润河滩、河岸，把采好的枝条修去侧枝截成40～50cm长，然后按照30～50cm的株距埋入已整好的坑里，外露3～5cm，覆土踩实即可。

(3)分根种植。一般从秋后落叶到翌年春发芽前，从健壮的树根部挖取插穗(穗长15～20cm，粗1～3cm)，或在苗圃起苗时取用，随挖随栽。

(4)分墩栽植。适用于丛生灌木，把盘墩很大的条墩劈下一部分，下带根系，上带枝条，移栽在整好的地上。

(四)管理

1.土壤管理

(1)松土除草。在幼树的头两年，松土除草每年不少于三次。在幼树已稳定，超出杂草高度，不再受杂草遮蔽阳光压抑生长时，或者林木已基本形成支配局势时，可以减少除草次数,一年一次即可。松土、除草通常结合进行,第 1 次可在 4 月上、中旬,第 2 次在 5 月中旬,第 3 次在 7 月下旬。刚出土的幼芽需要适当遮阴,可适当保留部分灌木或杂草。

松土除草的方式视整地方法而异。对山地或坡面上林木可按原整地方式,采用带状或穴状抚育。结合松土除草,还应整修破损的整地工程,清除工程内淤泥,提高保土保水效益。

(2)林农间作。林农间作既利用幼林地生产一定数量的粮食及其他副产品,增加了收入,又抚育了幼林。间种作物,应选择矮秆经济作物和豆科作物,以免影响幼林生长。间种一般在幼林行间进行,间种时应防止对幼树的损伤,陡坡林地应注意保持水土。

2．幼树管理

(1)间苗定苗。播种种植的幼苗,在种植后 1～2 年内应分次进行间苗,以促进幼苗的正常生长发育,最后每穴保留 2～3 株生长健壮苗木,多余的拔掉或结合栽植林木移栽。间苗时间,最好在雨后或结合松土除草进行。

播种种植间苗后以及采用丛植法种植的人工林,还应进行定株抚育。按照留优去劣原则,每穴保留一株干形端直、生长健壮的幼树,除去多余植株。定株的年限,视幼林生长情况而定,若立地条件好,幼林生长快时定株可早,反之,可晚一些。一般松类树木种植后 3～5 年定株。

(2)除蘖。杨树、刺槐等树种栽植后或截干栽植时,常在基部萌发出萌蘖条。因此,在栽植 1～2 年后,应选留生长健壮、干形通直的主干,将其余的萌蘖条去掉。

(3)平茬。平茬时应紧贴地面,不留树桩,平茬工具要锋利,切口平滑。平茬后最好盖土,防止茬口冻伤及损失水分。平茬一般在早春进行。

(4)修枝。修枝强度以修枝高度占整个树高的比例表示。一般幼树修枝强度宜小,大树可适当加大。阔叶树在树高 3m 以下时,修枝强度不应超过树高的 1/5～1/4,树高 3～6m 时可达 1/4～1/3,6m 以上时可达 1/3～1/2。针叶树修枝强度应更小些。树木生长旺盛修枝强度可稍大,反之应小。修枝一般宜在初冬和早春树木休眠期进行,这时修枝伤流轻、愈合快。

进行修枝时,对于细小枝条(直径 1cm 左右),一般用快斧或砍刀(镰刀),紧贴树干由下向上进行递削,保持切口平滑,便于伤口愈合;对于较粗大枝条,则宜用锯,先由下向上锯,再由上向下锯,避免撕破树皮,造成粗糙切口和裂缝。同时应防止修枝过度。

3．幼林检查和补植

1)幼林检查

造林施工单位与上级主管部门每年秋后要对去秋和今春新栽和补植的幼林进行一次调查,确定栽植成活率,评定栽植质量,确定补植或重新栽植的地块和面积。

栽植成活率调查方法如下。

(1)成片林地采用标准地或标准行法。林地面积 6.5hm² 以下的标准地应占 5%;6.5～32 hm² 的标准地应占 3%;32hm² 以上的标准地应占 2%。标准地选择要随机抽样,山地调查要包括不同地形部位和坡向。防护林带或路渠植树可每隔 100m 检查 10～20m,力求调查结果符合客观实际。

(2)苗木栽植和播种栽植,每穴有一株成活或多株成活均按成活 1 株或 1 穴计,埋条栽植各长达 1m 地段没有苗木即算 1 株死亡。

(3)成活率计算:

$$标准地成活率(\%) = \frac{标准地成活株数(或穴数)}{标准地种植株数(或穴数)} \times 100\% \qquad (14-23)$$

$$平均成活率(\%) = \frac{1号标准地面积 \times 成活率 + 2号标准地面积 \times 成活率 + \cdots\cdots}{1号标准地面积 + 2号标准地面积 + \cdots\cdots}$$

$$(14-24)$$

(4)成活率分级。栽植成活率在40%以下者,要从统计的幼林面积中注销,不计入栽植完成面积,重新栽植;成活率为41%～84%者,应进行补植。栽植成活率的评定标准如下:

一等,成活率在85%以上;二等,成活率在41%～84%;三等,成活率在40%以下。

2)补植

按照造林技术规范规定,除成活率在85%以上且分布均匀者外,都应在当年冬季或第二年春季进行补植;而成活率低于40%的则需要重新栽植。

第四节　草地径流聚散工程

我国是世界第二草地资源大国,草地总面积约4亿 hm²,占国土总面积的40%,是耕地面积的4倍。其中黄土高原地区草地面积占该区土地总面积的33.0%。黄土高原地区地处中纬度地带,气候温和,但变异较大,有利于各种草地类型的形成和多种牧草的生长。因此,多样的草地类型,丰富的牧草资源,以一定的格局相互组合分布在不同的地域生境中,形成了不同的生态地理分布规律。

黄土高原地区由于受气候、地形、地貌因素的影响,形成了丰富多样的草地类型和不同的牧草种类,在该区范围内,既有反映半干旱地区以多年生丛生禾草和旱生杂类草为主的典型草原类,又有干旱地区旱生多年生丛生禾草和旱生、超旱生的小灌木及小半灌木共同组成的荒漠草原类。由于受生境条件的影响,在该区形成的主要草地类型复杂多样,从类型和面积的分布看,即丘陵典型草原类居第一位,含7组83个型,草地总面积占黄土高原地区草地面积的36.7%;梁塬典型草原类居第二位,含6组79个型,总面积554.33万 hm²,占草地总面积的24.2%;荒漠草原类居第三位,含5组54个型,草地总面积占该区草地面积的23.7%;其次为山地草甸草原类,含4组19个型,总面积占该区草地面积的12.6%,以上4种类型的特点是旱生、超旱生植物占据优势,同时还有一些中生和中旱生杂类草镶嵌分布在群落之中,在群落的结构中常常还出现大量的小灌木和小半灌木分布在群落中,并占据一定优势,尤其在退化、沙化严重的群落中,灌木的生长更加明显。

黄土高原地区地表深厚的黄土层连续分布,地貌典型。在类型多样的天然草地上,分布着种类繁多的优良饲用植物。据统计,该区约有饲用植物1 150余种,占该区植物总数的73.6%。主要以禾本科、豆科、菊科和莎草科为主。

各类草地牧草的组成,依据不同的生境条件使其生长繁殖各具特色。如典型草原中的优势牧草本氏针茅在黄土高原地区分布广,适应性强,在各类草地群落中都能见到,成为该区草地类型中的主要牧草。主要以种子繁殖,但根蘖繁殖能力也很强。另外从种间分布看,本氏针茅具有极强的竞争能力,在该区51%以上的群落中都含有本氏针茅。尤其是退化草地,经过封育或改良后,首先是本氏针茅占据优势,在种间竞争过程中,抑制了杂类草和其他有毒有害牧草的生长。本氏针茅群落在封育期结构简单,层次分化不明显,一般为单层。封育2～3年后组成群落种类的高度、盖度以及多度则发生较大变化,并改变了植物群落的结构。以本氏针茅为优势种,以大针茅、硬质早熟禾、冷蒿、百里香等为次优势种组成的植物群落,在整个生长发育阶段由于没有受到人为破坏及牲畜的啃食和践踏,因而得到了充分的生长发育,植株高度由原来的5～8cm增加到43～65cm,丛幅相应加大,覆盖度由原来的10%～20%提高到85%～95%,形成密集的上层,此时群落层次分化明显,优良禾本科牧草形成了群落的第一层;第二层以阿尔泰狗娃花、蒿类为主;第三层以二裂委陵菜、星毛委陵菜、百里香组成。另外,如大针茅、甘青针茅、糙隐子草、冰草、硬质早熟禾等,分布在不同草地类型中,通过封育后由种子或根茎繁殖也可形成优势种,参于种间竞争,占据一席之地。再如旱生豆科牧草达乌里胡枝子、砂珍棘豆、狭叫米口袋等,广布于黄土高原地区的典型草原地带。在合理放牧利用下,各植物组成了不同的草地类型。

黄土高原地区大面积的天然草地由于过度放牧及人类频繁的活动,使原有的天然草地已失去了本身的面貌,向次生化和荒漠化方向发展。据调查,在黄土高原地区重度退化草地面积达286.7万hm²,占该区草地总面积的14.8%;中度退化草地1 040万hm²,占草地总面积的54.0%;轻度退化草地420万hm²,占草地总面积的21.8%。该区草地退化、沙化,使牧草产量下降,优良牧草减少,质量降低,杂类草和有毒有害植物不断增加。如宁夏的南部山区、山西晋北地区、陕西北部和甘肃的陇东等地区在重度退化的草地上,优良禾本科牧草减少89.3%,豆科牧草减少80%,杂类草增加70%以上。

天然草地严重退化的主要原因是因为大农业的结构比例失调,长期以来重农轻牧和不科学的造林活动及在家畜和人口增长无节制的情况下,大面积的开荒愈来愈严重。如号称畜牧业基地的宁南山区,近20多年来大片天然草地基本绝迹,绝大部分开垦为农田,开垦指数高达75%以上,致使草地面积逐渐减少,到处超载过牧,又无合理的放牧技术,造成大面积的天然草地退化,引起严重的水土流失,草地生产力递减,逐年往复,形成生态系统恶性循环。与此同时,干旱、风沙(尘暴)、暴雨、鼠害频繁,再加上无计划的采割、挖药等人为活动的破坏,形成对自然资源掠夺式的利用,这些都是造成草地退化的主要因素。

草类是非常经济有效的径流聚集植物,且生生不息。它具有保护地表免遭雨水溅蚀和风力吹蚀;固土,增强土壤抗蚀力;改良土壤,增强入渗能力;提供饲料、肥科、燃料和蜜源,以及为综合利用提供原料等方面的生态功能,是其他措施和其他作物难以代替的。近年来,种草日益受到人们的重视。目前,国内外草类在径流聚集工程中的应用项目除前面介绍的草田带状轮作,聚肥、绿肥以外还有坡地防风、路面防蚀等。

一、草类在径流聚集工程中的意义和作用

(一)减少农田水土流失

国内外大量实践证明,采用牧草和粮食作物带状间种的方法,草带可以保护土壤,促进作物生长和提高产量。据陕西省绥德、甘肃省定西、山西省离石等水保站(所)试验资料,用草木樨、玉米、谷子、高粱进行带状间种,比农作物单种减少径流31%～80%,减少冲刷量67%～94%,并提高了农作物产量。辽宁七家子水保站试验结果,草田带状间种比大田单种减少径流77.8%,土壤含水量由26.3%增加到28.8%,农作物产量提高了24.8%。天水水保站试验结果,草田带状间种在4°～18°不同坡地上,比一般单种减少水土流失90%～95%。种草还可以解决或部分解决烧柴问题,减轻对植被的破坏,有助于土壤保护。

(二)改良土壤、提高土壤肥力

土壤是农作物的立地基础,人们从事农业生产,就是要充分利用土地获得高额产量。而要获得高产,就要不断保持和培肥地力,这是保证农业持续增产的根本。广泛种植草类作物,特别是豆科草类是培肥地力的有效途径。

土壤肥力的中心是有机质,土壤中有机质含量越多,土壤的通透性、保水性、保肥性越强,肥力越高。同时有机质的改土培肥作用,则是任何无机化肥所无法代替的。

水土流失区土壤一般是贫瘠的,有机质含量低。增加土壤有机质的措施,一是施用有机肥料和实行秸秆还田;二是种草,实行草田轮作、套作绿肥。我国水土流失区土地广阔,并且坡耕地多,大量施用有机肥或实行秸秆还田,都有一定的困难。在这样的情况下可行而有效的办法就是种植牧草或绿肥,实行草田轮作。

(三)促进作物增产

由于种植牧草可以改良土壤结构,提高土壤肥力,因此能显著提高其后作物的产量。尤其是种植豆科牧草,其肥效一般可以维持 1~3 年。据陕西省有关资料介绍,苜蓿茬地种小麦,每公顷平均比同等土地增产 41%;苜蓿茬地种糜子,3 年平均产量比同等土地增产 1 倍以上。甘肃省农业科学院试验,草木樨根茬种马铃薯比对照增产 66%。在青海的贵德、民和及甘肃的张掖等地试验,麦收后复种箭舌豌豆,后茬春小麦增产 13%~15%。

甘肃省通渭县什川乡那坡村,以前粮田播种面积达 153.33hm² 以上,最高总产量只有 11.5 万 kg,平均产量不足 750kg/hm²。1974 年以后实行粮草轮作,种紫花苜蓿 53.33hm²,粮田压缩到 100 hm²,而粮食总产一直保持在 13 万 kg 以上,平均产量达 1 275kg/hm²。

辽宁西部旱农地区 5 年多的试验表明,按 2:1 比例将玉米和草木樨间种,在 6 月底之前翻压绿肥作玉米的追肥,能使玉米增产 3.0%~14.7%。

上述一些事例足以说明,在我国北方旱农地区,特别是土地面积较多、广种薄收、土壤贫瘠的低产地区,适当压缩一部分耕地面积,退耕还草,农牧结合,用养结合,集中"三力"(人力、畜力、肥力)种好基本农田,是完全适合的。

(四)增产牧草、发展畜牧

畜牧业是农业不可分割的一个组成部分,是农业生态系统中不可缺少的一个构成因素,是养分循环从植物向土壤转移的有效的中间环节。人工种草,增产饲草、饲料,既可肥田、增产粮食,又能发展畜牧业,是我国北方旱农地区农牧结合的一个非常重要的中间纽带。

在水土流失区,可以充分利用瘠薄地、休闲地、零星荒地和各种空隙地,以及农田本身通过间套复种等方式,种植各种牧草绿肥作物,收割鲜草或干草,可以解决很大一部分家畜饲料问题。通过种草把养地和养畜结合起来,把种植业和畜牧业结合起来。

牧草与粮食作物相比较,具有较强的适应性和抗御自然灾害的能力。粮食作物对水热条件要求严格,它所需要的条件得不到满足时,会严重影响产量,甚至颗粒无收。例如,1982 年甘肃中部大旱,年降水量仅为正常年份的一半左右,旱地大秋作物基本无收,夏粮也受到严重影响。但生长两年以上的紫花苜蓿产草量受影响却不大,其鲜草产量仍可达 15 000 kg/hm² 以上。

种植牧草不仅产量比较稳定,同时单位面积所获得的营养物质也比种粮高得多。当然,牧草同粮食的经济利用价值是不同的,但就其所含营养物质而言,却存在着一定的可比性。苜蓿一般每公顷可收鲜草 22 500kg 左右,获得可消化能相当于 3 117kg 小麦籽粒连同其秸秆的可消化能的总含量;可获得可消化蛋白质 1 000kg,相当于 10 260kg 小麦籽粒连同其秸秆的可消化蛋白质的总含量。目前我国北方旱区的旱地小麦单产只有 750～1 500kg/hm²,籽粒与麦秸的重量为 1:(1～1.5),可见 1hm² 小麦的营养物质与 1hm² 苜蓿相比,相差甚远。

将牧草用作青饲料或喂青干草粉,能代替一部分精料,减少精料的消耗,降低喂饲家畜成本。例如,陕西省水保所用草木樨进行喂猪试验,每增重 1kg 可节约精料 50%。

牧草营养丰富,含有家畜所必需的蛋白质、矿物质、各种维生素和其他营养物质。豆科牧草干物质中含粗蛋白质 15%～20%,粗脂肪 2.5%～5.0%,无氮浸出物 30%～50%,粗纤维 25%～35%,灰分 6%～10%,含有各种必要氨基酸,生物学价值很高,可弥补谷类饲料蛋白质之不足。还富含钙、磷、胡萝卜素和各种维生素如 B_1、B_2、C、E、K 等。按单位面积营养物质的产量计算,豆类牧草是最高的。

禾本科牧草干物质中含粗蛋白质 8%～12%、粗脂肪 2.5%～4.0%,无氮浸出物 35%～45%,粗纤维 28%～38%,灰分 5%～10%。豆科牧草与禾本科牧草混播,能延长放牧期,增加产草量,改善适口性,提高牧草的营养价值。

适时刈割的牧草,蛋白质含量高,粗纤维含量低,柔嫩多汁,适口性好,易消化,可青饲、青贮,亦可调制干草、草粉、草砖、颗粒饲料。可提取叶蛋白,也可有计划地直接饲喂。其草籽还可代替粮食作精料,均为各种家畜、家禽所喜食。

综上所述,发展草业除以上所述优点外,以其发展畜牧业也比种粮养畜效益高得多。

(五)明显改善生态环境

种草可以调节气候。草地好像一个巨大的恒温器,能调节气温,特别是在干旱沙漠地区,有着显著的降温作用。据测定,夏季在烈日照射下,裸露黄土温度上升很快,而草地的温度则上升比较缓慢,两者相差可达 1/2～2/3。大片草地由牧草的蒸腾而散发出大量水蒸气可增加空气湿度,降雨时又可有效地拦蓄降水。

种草可防风沙污染,净化空气,有利生产和人民健康。牧草叶面粗糙,有的还具有绒毛,能吸附或阻留空气中的粉尘。草地的叶面积总和可达地面积的 20～30 倍,吸附空气中粉尘能力比裸露地面要大 70 倍。

种草可清新空气。草在进行光合作用时,吸收二氧化碳放出氧气,使空气变得清新。

种草能在短期内解决农村烧柴问题。例如草木樨第二年收籽后,1hm² 能收到 3 750～7 500kg 的干柴,它比高粱秆做烧柴的火力旺而耐烧。据绥德县估计,每户有 0.2～ 0.3hm² 草木樨干柴,就能基本上解决全年烧柴问题。水土流失区解决了烧柴问题,就可以减少破坏天然植被,保护生态环境。

此外许多牧草如红豆草、苜蓿、草木樨、苕子等还是很好的蜜源植物,发展养蜂可获得优质蜜。一些草籽除用作饲料外,还可用来榨油、制粉、制醋、酿酒等,开展副业加工。

二、草种选择

不同的草种具有不同的生物学特性,除必须适应环境恶劣地区的气候、土壤条件外,还应具备以下条件:

(1)生长迅速,枝叶繁茂,根系发达,能较快形成地面覆盖。

(2)适应性强,耐旱、耐寒、耐热、耐湿、耐瘠薄土壤。

(3)有较高的经济价值,青草及草产制品可作饲料、饲草,或是开展多种经营的原料。

(4)繁殖容易,管理简便。

不同海拔高度具体的适宜对位草种见表14-8。

表14-8 半干旱区水土保持综合治理适宜草种对位配置模式

海拔(m)	草 种	海拔(m)	草 种
2 500	禾本科牧草	2 200~2 000	紫花苜蓿等
2 500~2 000	禾本科牧草	<2 000	紫花苜蓿、豆草等
2 400~2 000	红豆草、紫花苜蓿、禾本科草	<1 900	香豆子等

三、草种繁殖

(一)草种田选择

种子田应选在背风向阳,地势平坦,土质肥厚,土壤酸碱度适中(pH值6.5~7.5),具有排灌条件和管理方便的田块。

(二)种子田面积的确定

根据畜牧部门资料,禾本科草种的繁殖系数为40~60,豆科草为20~30,一般无性繁殖的草种为30左右。即1hm² 种子田,在正常年和较好管理条件下,收获的种子可播种40~60hm² 或20~30hm² 面积。在前一年秋可根据来年草业发展面积,制订草种田面积规划。

(三)草种收获

1．草种收获时间

不同草种生育期不同,抽穗、开花、成熟不一致,黑麦草属、羊茅属、早熟禾属、三叶草属、燕麦属、雀麦属等秋季播种的草种,5~6月收获;春播和夏播的草种在9~10月收获。一些草种如草木樨、红豆草,因开花期不同,成熟有先有后,待种穗有70%成熟,即可收获。

2．草种收获、贮藏方法

草种收获有收割、脱粒、晾干三道工序,脱粒下来的湿种子,应在干净的场地及时晾晒至种子内含水分不超过14%(可用种子水分测定仪测定),然后过筛和风净。

种子贮藏方法与稻、麦、玉米等农作物相同,用麻袋或编织袋以标准重量(40kg/袋)包装,贴标签,存放在干燥通风的库房或0℃以下冷库内,同时做好防鼠、防虫、防霉变等工作。草种在库房存放时间不宜过长,以防种子失去种用价值。

采用营养繁殖的草种,随用随在种源田上采取,取后加强施肥管理,以促进种茎再生续用。

(四)种植技术

1．播种期

播种期是根据草对日照时间长短的反映来确定的,分长日照草和短日照草两大类。长日照草大多为冬春性草,其特性是种子必须经过越冬春化阶段才能正常进行繁种,以秋末和冬初播种为主,如黑麦草、苇状羊茅等。短日照草大多数为夏秋草茂,春播夏长秋收种,如高粱、坚民草、小米草等。草种对季节要求强,春播要适时,地温回升至12℃左右即开始播种,秋季播种宜早、雨季播种要抢墒播种。

2．整地备耕

耕翻以前要施肥,按30 000~60 000kg/km² 农家土杂肥和三要素复合肥375~750kg

均匀撒施地表作底肥,然后机耕或畜力耕翻地,耕深 20～30cm,同时清除杂草及杂物等。春播的最好前一年秋季耕翻,并耙糖保墒。秋播的最好经夏翻晒垡,播前耙糖。雨季播种的可先把土地耕翻,等降雨后播种;也可耕翻后随即播种覆土,等降雨后出苗。

3. 选种

1)选种方法

选种方法主要有片选、株选、粒选。

(1)片选是在有种子基地的地方,将种子田单收、单打、单存为种子;如无种子田,就需在实生草地上选择生长旺盛、无病虫害地块,单收做种子。

(2)株选是在种子田或实生草地上,选择健壮植株收种子。这种方法适用于小面积种植或种子田播种。

(3)粒选是粒粒精选,选择颗粒饱满、成熟充分、粒型大小适中、无病虫害、无损伤、无霉坏的作为种子。这种方法适于种子颗粒较大的种子。

2)种质测定

优良草种要求籽粒饱满,含水率不超过 14%,不陈旧,无霉味,种子纯度在 90% 以上,发芽率在 85% 以上,利用率在 90% 以上。播前,应对准备实施播种的草种进行种质测定,主要内容有:

(1)真实性测定。根据种子外貌特征、辨认种子是否是所需单种,标签与种子是否相符,有无掺假。

(2)纯净度测定。纯净度指种子的纯度和净度。测定方法是在备用种子中随机取样 5g(必要时重复 3 次),剔选出杂种子及泥沙、碎石、残枝、种柄等分别称重,按式(14-25)计算。

$$种子纯净度(\%) = \frac{抽样种子重 - (混杂种子重 + 异物重)}{抽样种子重} \times 100\% \qquad (14\text{-}25)$$

少数栽培草种、多数野生草种,需用硝酸钾、稀硫酸等浸泡或放在 0℃ 以下冷冻处理48h,或用粗砂磨破种皮做发芽试验,才能得到真实结果。

当种子纯净度低于 90% 时,应进行清选,使纯净度达 90% 以上方为合格。

(3)发芽率测定。播前一个月要对种子进行发芽试验,测定备播种子的发芽率,以确定播种量。方法是把一定量的备播种子用温水浸泡,充分吸水膨胀,取出 100 粒种子均匀铺放在铺有二层滤纸的器盘中,上面盖一层湿纱布,然后将器盘放在调温调湿箱中(温度保持 20～30℃,不要低于 15℃ 或高于 35℃,湿度保持 90% 以上),或夏季在室温下培养,3 天后开始观察,一直到种子不发芽为止(约 20 天以上,有的还更长),其中把始发芽后 10d 左右定为该种子的发芽势(%),发芽终止时的发芽总数为发芽率(%)。

$$发芽率(\%) = \frac{萌发种子粒数}{供测种子粒数} \times 100\% \qquad (14\text{-}26)$$

为了求出比较符合种子质量的发芽率,做发芽试验时,一般应做三次以上重复,发芽率低于 70% 以下的种子不宜采用。

(4)种子用价(%)。种子用价是确定田间播种量的依据。

$$种子用价(\%) = 种子纯净度 \times 种子发芽率 \times 100\% \qquad (14\text{-}27)$$

(五)种子处理

为促进草种早萌发,促成苗全苗壮,播前要进行种子处理。

(1)浸种。采用"两开一凉"温水浸种,即将种子置于两桶开水兑一桶凉水的温水中浸泡一昼夜,也可用2%~4%的稀硫酸浸泡种子12~24h,晾干后播种。

(2)春化处理。对苜蓿等种子,在6℃以下保持20天,然后播种。

(3)软化处理。将硬粒蜡质种子铺在碾盘上,碾至外壳脱落,黄皮发毛,可用碾滚或掺和细砂擦破种皮办法软化。

(六)播种技术

1.用种量计算

$$田间实际用种量(kg) = \frac{种子用价100\%的用种量 \times 100}{种子用价} \qquad (14\text{-}28)$$

若考虑气候和田块等条件较差时,应在田间实际播种量的基础上加25%的种子进行播种。草种繁殖中的播种量,通常比人工种草用种量减少1/3~1/2。

2.播种技术

(1)条播。用锄头沿等高线开沟,将种子点于沟中,然后覆土。匍匐茎草类、高大草类和粮草间、套、轮作的采用宽行条播,行距30~100cm;对于矮小密丛型草和建人工草地的采用窄行条播,行距20~30cm。

(2)撒播。将种子均匀撒于整好的地上,然后用耙或耱等方法覆土镇压,覆土厚度0.5~1.0cm。

(3)穴播。多适种无性繁殖(营养枝条、分蘖、根茎、块根作种的)草种或在坡地撒播、覆土镇压有困难的草种,穴距30~100cm,行距20~100cm。穴点在地面呈品字形排列,用锄头挖穴后,随即下种覆土。

(4)混播。将多种具有不同植物学特性的草种按一定比例称量后混合播种,适宜城市草坪绿化和建立混播型人工草地使用。

(七)栽植和埋植

1.栽植

将草的幼苗、分蘖枝和营养枝条,按定距移栽到规划好的草地上。这种方法适用于育苗移栽或人工草场漏播缺苗补栽等。移栽前,必须对土地施足底肥并进行耙耱,栽植时最好带土移栽,勿伤植株根系,注意不能将草的地上部分掩埋,栽好后有条件的地方,还应适当灌溉。

2.埋植

主要适用于用种根和块根繁殖的草种。埋植前,需对种根和块根进行选择,并截成寸长的段或块状,每个栽植段或块都要有2~3个芽眼,同时对截伤处用草木灰拌之以防腐烂。种根或块根处理好后,按定距埋植土中,埋植深5~10cm。

(八)人工草地的管理

草场的管理、利用和改良,应根据"谁建设、谁管理、谁使用"和"共管共用"的原则。

(1)加强管护。以村或乡划定管护范围,固定使用权,建立健全管护制度,防止鸟兽危害和人畜践踏。

(2)施肥促壮。人工草地幼苗期每隔20天左右,施用尿素75~100kg/hm²。对已建成的人工草地,每年年终施用375kg/hm²复合肥,做到草场不退化。

(3)杂草防除。对危害草场的水花生、野艾蒿等恶性杂草,采用人工挖根铲除、刈割或采用除草剂进行清除。

(4)防治病虫害。黑麦草属牧草的叶锈病,用 500 倍氟硅酸钠或 200 倍敌锈钠喷雾防治,对常出现的蝼蛄、油葫芦、蚜虫、黏虫等,可选用敌百虫、敌敌畏等农药喷雾杀虫或拌毒饵诱杀。

(5)轮封轮牧。应根据饲养牲畜种类、人工草场面积、年产草量及载畜量对草场做出规划,有计划地进行封育和放牧。

(6)改良土壤。对土壤板结的人工草地,使用圆盘耙或钉齿耙疏松土壤并施肥、灌溉,促使牧草植被恢复。

(7)补种牧草。对稀疏草地,耙松土壤,施肥灌溉后撒播适当量草种。

(8)人工更新。对已退化草地,可将草地全都翻耕,重播草种;也可分带更新,即在草坡沿等高线划出更新草带,带宽 5m 左右,分年隔带更新。

第五节　坡地水土保持耕作措施

在坡耕地上,土壤遭受侵蚀的原因虽然很多,但最普遍的因素主要是由于产生的径流所引起。为了防止径流的产生,对坡度小于 25°的坡耕地上,兴修梯田仍是很有效的水保工程措施。但在坡度较缓的坡耕地如能及时正确地采用水土保持耕作法,同样可以增加降水入渗、制止径流产生、减少土壤冲蚀,收到保水、保土、稳产增产的效益,而且要比兴修梯田简单易行、投资较少。坡地水土保持耕作措施有以下三个主要任务:

(1)根据天然降雨的季节分布,及时采取适宜的措施,最大限度地把宝贵的天然降水,纳蓄于"土壤水库"之中,尽量减少农田内各种形式径流的产生。

(2)根据水分在土壤中运动的规律,及时采取适宜的措施,减少已纳蓄于"土壤水库"中水分的各种非生产性消耗,如土表蒸发、渗漏等。使土壤内所储蓄的水分,最大可能地及时为农作物生长发育所利用,调节天然降水季节分配与作物生长季节不协调的矛盾。

(3)根据生态学原理,及时采取适宜的措施,促进肥效的提高,防止倒伏,消灭杂草及一些病害虫害,以提高有效土壤水分对农产品的转化效率,即提高水分的生产效率。

总之,在现有的生产条件下,天然降水是否能较充分地被土壤所蓄纳并有效地用于农业生产,是农业生产成功与失败的主要关键。简而言之,水土保持耕作的中心任务就是蓄水保墒,提高天然降水的生产效率,给作物生产创造一个良好的土壤环境条件。

基于坡耕地水土流失发生发展的成因,水土保持耕作措施可分为三类。一类为改变微地形,增加地面粗糙度,强化降水就地入渗拦蓄、削减或制止径流冲刷土体的保水保土耕作法,即保护型耕作法,例如,等高耕作、沟垄种植等。第二类为调整地面植被结构,以增加地面植被覆盖为主或改善地面抗冲抗蚀性能的保护性水土保持种植措施,即保护型种植法,例如,多种作物的间作套种、草田带状间轮作及免耕覆盖等。在一类与二类水保耕作的基础上,我们总结得出第三类,即由第一类与第二类相结合,或再加上改土培肥的复合式耕作措施,即复式水土保持耕作法,例如,蓄水聚肥改土耕作法、等高垄作与免耕覆盖相结合的聚土免耕垄沟种植制等。

一、保护型耕作法

以改变小地形、强化降水就地入渗拦蓄、削减径流冲刷动能为基本原理的耕作法，主要包括等高耕作、水平沟、垄作区田、格网式耕作等。

(一)等高耕作法

等高耕作法是沿坡地等高线进行的耕作方法，也称横坡耕作法。它是改变传统性顺坡耕作最基本、最简易的水土保持耕作法，也是衍生和发展其他水土保持耕作法的基础。

等高耕作所要求的坡度与坡长，随土壤特性(疏松土壤坡长可长些)、作物类型(保护性能好的作物坡长可长些)、地区的降雨特点(暴雨强度小的地区可长些)而变化。

(二)沟垄耕作法

这是在等高耕作基础上改进的一种耕作方法，即在坡面上沿等高线开犁，形成较大的沟和垄，沟垄相间，在沟内和垄上种植作物(见图 14-3)。此为更有效地控制水土流失的一类耕作方法，可用于 10°~20° 坡地。因沟垄耕作改变了坡地小地形，每条沟垄都发挥就地拦蓄水土的作用，同时增加了降水入渗。

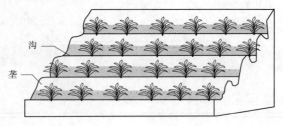

图 14-3　沟垄耕作法

黄土高原陕西、山西等地区推行的水平沟种植法、沟垄种植法、丰产沟种植法，东北地区推行的等高垄作、垄外区田及四川省推行的格网耕作法等，均属于沟垄耕作法的基本范畴。

二、保护型种植法

以自然植被防止土壤侵蚀的原理为基础，通过调整作物结构，增加地面植被覆盖空间和时间延续性的水土保持种植法，例如，间作套种、草粮带状间作、草田轮作、少耕、免耕和深耕，秸秆地面覆盖和地膜覆盖等。以增加地面覆盖为主的保护型种植法与等高耕作(垄作)的水土保持耕作法相结合，可充分发挥制止或削弱水力和风力对地面的侵蚀作用。

(一)间作套种

间作是指在同一地块，成行或成带(厢式)间隔种植两种或两种以上发育期相近的作物。套种是指在前茬作物的发育后期，于其间播种或栽植后茬作物的种植方式。

间作套种作物的选择，应具备生态群落和生长环境的相互协调和互补，例如，高秆与低秆作物、深根与浅根作物、早熟与晚熟作物、密生与疏生作物、喜光与喜阴作物，以及禾本科与豆科作物的优化组合与合理配置，尤其在雨季时，作物生长最为繁茂，覆盖率达 75% 以上，以能取得最大的水土保持效益。

在黄土高原及东北等北方地区，间作套种多以等高条状布设，如图 14-4、图 14-5 所示。

间作和套种主要应用在土层较厚的坡耕地，可以增加地面覆盖，扩大根系的分布范围，改良土壤，减少水土流失；充分利用土地，提高复种指数；作物之间相互促进，提高单位面积

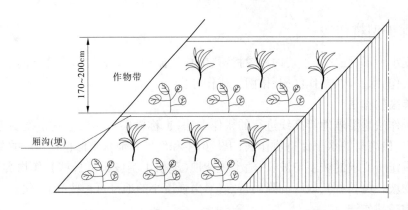

图 14-4　间作示意图

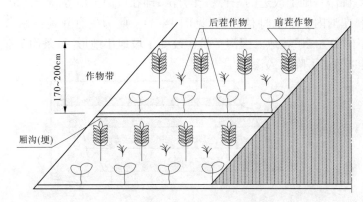

图 14-5　套种示意图

产量。

　　美国在坡耕地上实施中耕作物玉米与密生型大豆的间作套种,同时实施等高沟垄种植或玉米秸秆覆盖,有效地控制了侵蚀。

　　尹传逊等在黄土高原延安上砭沟流域进行了间作套种径流小区(5m×20m)的观测研究,结果表明,水平沟种植黄豆和水平沟玉米套种黄豆比平作黄豆径流减少 48.82% 和 55.71%,冲刷量减少 97.17% 和 96.67%,即间作套种的侵蚀已得到控制,且入渗降水量有明显的提高。

　　实行间作、套种耕作时应该注意以下几点:

　　(1)间作、套种应结合水土保持耕作技术,诸如等高耕作、沟垄种植等,使之更能发挥蓄水保土效益和增产作用。

　　(2)间作、套种作物,应是禾本科与豆科、高秆与矮秆、疏生与密生、深根与浅根、喜阳和喜阴、早熟与晚熟等优化组合,保证主要作物的密度,组成一个既能充分利用光、热、水、肥等自然资源,又能有效减少水土流失的作物群体结构。

　　(3)在决定间作、套种形式和作物组合时,应使作物在雨季生长最为繁茂、覆盖率达75%以上。

(二)等高带状间作和轮作

1. 等高带状间作

　　等高带状间作就是横着坡向,将坡耕地划成若干条带,种植不同作物,又称等高条带种植。主要是多年生牧草和作物的草粮带状间作,也包括中耕疏生型作物和密生型谷类、豆类作物的带状间作。这样,在空间上构成带状间作,在时间上作物与牧草轮换种植,可避免农田裸露,又组成草田轮作。可减缓径流,拦蓄疏生作物带冲下来的水土;同时,豆科作物与牧草也利于改良土壤结构,提高土壤肥力和蓄水保土能力,并通过逐年耕作,促进坡地向梯田转化。

甘肃省环县、镇原等地带状种植历史悠久,经验丰富。在10°~20°的坡耕地上,每隔10~20m,沿等高线种一条苜蓿带,带宽1~2m(最宽3.5m),把坡地划分成几个坡段,形成生物带坡式梯田,起到截短坡长、减轻冲刷和缓流落淤的作用。通过每年的向下翻土耕作,草带上部逐渐抬高,下部逐渐降低,使地面的坡度逐渐减缓,原来没有台阶的坡面,逐渐形成1~1.5m的台阶。草带的间距随坡度增大而缩窄。这种办法既保持水土,为坡地变梯田创造了条件,又能解决牲畜饲料。如果把草带的宽度加大到与作物带相同,并按轮作区种植,实行轮作,就形成草田带状轮作。

设计等高带状种植的最重要因素之一是带的宽度。为了避免过多的径流和侵蚀的发生,中耕作物带的宽应受到限制,密生型作物带宽度,以能拦截容纳来自上部条带的径流泥沙。在机械化田间作业下选择带的宽度时,还要求带的宽度应是中耕作物所使用的作业机械工作宽幅的整倍数。假如播种、中耕和收获使用的是行距0.75m的6行作业行,带宽就必须是4.5m的整倍数。

2.农作物轮作和草粮带状间作轮作

农作物轮作是指在1年或1年以上生产过程中轮换种植不同农作物,建立起用地养地、相互适应,并能减轻水土流失、提高产量的一种保土耕作制度。农作物与牧草的轮作,称之草田轮作(见图14-6),将地面划分成若干面积基本相同的小区,进行作物和牧草的轮作。在坡地轮作小区的布设采用等高草粮带状轮作的方式,或称之草粮带状间作轮作。该种植方式可在大于20°的陡坡地实施,不仅保证地面有良好的植被覆盖,以发挥拦蓄降水、径流和制止侵蚀的作用,而且具有改良土壤和提高作物产量的效益。

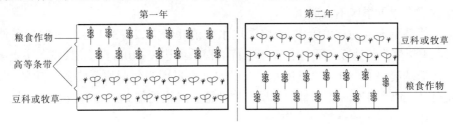

图14-6　轮作种植

采用轮作耕种应该注意,中耕与非中耕作物应间隔排列;轮作应尽量不安排休闲,以与其他作物间作或套种绿肥、牧草替代;轮作应与间作套种配合,合理安排茬口。

中国科学院、水利部水土保持研究所卢宗凡等在黄土高原陕北地区的安塞丘陵坡地,进行了6年(1983~1988)草、粮带状间轮作试验。共设置了11组处理,进行径流小区野外定位观测。小区的面积为5m×20m,坡度为30°。处理中农作物与草成带状间作轮作,带宽为3m。其处理设置为:①对照(裸露地);②沙打旺;③紫花苜蓿;④草木樨;⑤沙打旺＋谷子间轮作;⑥紫花苜蓿＋谷子间轮作;⑦苜蓿＋马铃薯间轮作;⑧草木樨＋谷子间轮作;⑨水平沟谷子;⑩普种谷子;⑪普种马铃薯。

据6年的观测资料分析,与裸露地作对照,4种处理的粮草带状间轮作,平均径流量减少了14.5%,侵蚀量减少了72.87%;与传统单种作物比较,草粮带状间作轮作的径流量略有增加,侵蚀量减少了10%以上。在大于25°的陡坡上采用草、粮带状间作轮作,在提高保持水土效益基础上,既解决了一部分粮食问题,还解决了部分牧草饲料,通过草粮轮作也能逐步取得改土效益。该办法对于地少人多,又多陡坡且土壤贫瘠地区,可作为促进陡坡退耕还林还草的过渡性措施。

天水水土保持试验站,把当地的传统轮作(扁豆→休闲→冬小麦→谷子)改为草田轮作(扁豆+草木樨→草木樨→冬小麦→谷子),第一年地表径流减少58%,土壤侵蚀量减少73.8%;第二年径流减少78.2%,土壤侵蚀量减少84.4%。

3.旱塬地的轮作及其效应

黄土高原的大部分地区年降水量在300~500mm,属半干旱或偏旱,除水土流失外,干旱缺水是限制农林牧生产的另一重要因素。在旱塬地通过合理轮作,可提高有限降水的利用率和作物产量。

周会成等在年均降水量为350~400mm的残塬区海原县进行了合理轮作农田水分效应的试验研究。结果表明,1988~1990年,小麦→豆→谷子轮作比连作3年小麦总增产687kg/hm²,增产幅度为36.4%~37.2%,水分利用率比连作提高0.81kg/(mm·hm²);马铃薯→糜子→豆轮作比连作3年小麦总增产2 071kg/hm²,增产幅度100%,水分利用率比连作增加2.415kg/(mm·hm²)。

刘忠民等在年均降水量为487mm的宁南丘陵区的残塬,进行了粮豆、草粮及作物连作的试验研究(1985~1990年)。结果表明,春豌豆→春小麦→春小麦→糜子的粮豆轮作能比较好地调节土壤水分,轮作期内的农田水分基本保持平衡状态,水分利用效率4.8~5.1kg/(mm·hm²),有效水利用率52%~68.1%,说明还有生产潜力。以草木樨代替豆类作物的轮作方式,水分利用效率3.3~5.1kg/(mm·hm²),有效水利用率65%~77%,接近极限值,故这种轮作方式在半干旱区不太适用。

以苜蓿代替草木樨的草粮轮作,土壤深层水分消耗特大,2~3年生苜蓿的根系伸展到4m深土层,4年生苜蓿达6m深土层,5年生苜蓿根系可达8~10m深土层,该深层土壤水分的含量已接近凋萎湿度。此时0~100cm土层的含水量因当年降水量得到一定的补偿,土壤含水量可达14%~17%,能适合于耐旱作物种植。建议轮作方式为:苜蓿5~6年→谷子(糜子)→春小麦→春小麦→粮豆轮作。

春小麦连作的土壤水分状况,主要受春小麦收获后空闲期降水量的影响,只有丰水年才能得以恢复,不能取得以上轮作方式的不同作物互相调节土壤水分的作用,势必造成春小麦减产,故不宜提倡春小麦连作。

(三)少耕、免耕和覆盖

少耕是指在常规耕作(又称传统耕作)基础上,尽量减少耕作次数或实行间隔耕种的一种耕作方法,是介于常规耕作与免耕之间的中间类型。

免耕是指作物播种前不单独进行耕作,直接在前茬地上播种,在作物生育期间不使用农机具进行中耕松土的耕作方法。

免耕和少耕均为避免或减少农机具耕作对土壤结构的破坏,同时与覆盖相结合保留前作的残茬,或以残茬覆盖地面,对保护土壤防治水蚀、风蚀,有机质积累,改善土壤结构,培肥地力,增强土壤抗蚀能力具有良好的作用,故属于保护型耕作措施。对于覆盖措施,除采用作物秸秆覆盖外,我国西北干旱地区还保留了古老的砂田覆盖,发展了地膜覆盖。

采用少耕、免耕耕种应该注意:为避免少耕、免耕多年后土壤板结和有机质减少的弊端,要种植绿肥和重施有机肥,通过精耕细作,使土肥融合,改善土壤结构;要结合采用高效除草剂、杀虫剂和复合肥料。

1. 少耕、免耕和残茬覆盖

免耕在中国的农耕史上出现较早,例如古老的砂田覆盖沿用至今;华北地区在茬地上直接播种玉米、大豆;南方水稻区在水稻收割后直接播种小麦,都是免耕作业法,有悠久的历史。

20世纪40年代美国实行多种农具进入田间,之后,发现农机具耕作对土壤结构破坏等不利影响,提出了少耕、免耕法的研究。60年代时,美国的免耕技术得到广泛的应用。到70年代,美国已有1 802.5万 hm^2 的土地采用了免耕法,1.3亿 hm^2 土地采用少耕法。美国威斯康星州研究,在6°坡地上用切碎的玉米秸秆覆盖地面,第二年可减少土壤侵蚀77%。秸秆覆盖为机械化操作,在联合收割机上安装秸秆切碎机和撒播机,在收割的同时把作物秸秆切碎,撒在地面,用农机具进行耕作。每公顷秸秆残茬覆盖量3 360～6 720kg。据美国统计,免耕可提高劳动生产率3倍多,减少燃料消耗的2/3。

中国现代少耕、免耕法的研究和应用始于20世纪70年代,至90年代初推广面积已达1 234万 hm^2。1991年召开了全同性的免耕、少耕和覆盖农业的学术会议,就该农业体系在防止水蚀、风蚀,提高谷物产量,改善土壤物理、化学性质,改善土壤微生物和土壤养分状况及调节土壤生态系统等方面的研究成果,进行了广泛的交流。

土壤学家侯光炯教授在总结中国农耕史的基础上,提出了中国式的水土保持自然免耕法。侯教授带领的研究组在四川长宁县进行了旱作稻田与等高沟垄耕作相结合的自然免耕法的试验研究,不仅取得防止水蚀风蚀和地表蒸发的作用,而且还收到免灌高产的效果。在免耕操作中,首先将田面做成等高沟垄,并使田面处于全面覆盖(残茬、麦壳、糠壳类覆盖)状况,即垄作覆盖,之后在作物生育期实行长期免耕。1985～1988年3年的田间试验表明,采用旱地免耕加覆盖的方法栽种水稻,从插秧到收割,未进行灌溉,垄部土壤始终湿润松软,每公顷水稻产量3年来均达到了5 250～6 750kg的高产水平。由此说明,该综合性免耕技术不仅有效地防治了水蚀、风蚀,而且还取得免灌高产的效益。该试验还证明,由于免耕充分发挥了土壤毛管水的均匀湿润及土温均匀的调节,形成了稳定的水热条件,从而提高了有机肥的增产潜力,相对降低了化肥的肥效。据此,施用有机无机复合肥取得明显的增产效益,较单施用化肥的同一处理,每公顷增产975kg,增产率在15%以上。

陕西省渭北高原在5°～25°的坡耕地进行了少耕残茬覆盖法试验。其具体做法是:7月份冬麦收获后耕翻,即将麦草覆盖地面;待播种后,仍使田面全部为麦草覆盖;直至收获不再耕作。结果表明,少耕残茬覆盖法的入渗率增加了72%～101%,土壤流失量减少了46%～91%,径流量减少了40%～80%,小麦产量增加了13.1%～23.5%,其中5°的缓坡耕地效益较明显。

2. 砂石覆盖

砂石覆盖俗称砂田、石田,是我国西北地区农民长期以来与干旱、侵蚀做斗争的创造,也是我国古老的免耕法。砂田主要分布在我国气候干旱、蒸发强烈、风蚀严重、水源紧缺的西北半干旱向干旱过渡地区。砂田具有独特功能，它既没有现代免耕法用秸秆覆盖造成的土温低、病虫害多的缺陷，也没有化学覆盖那种作用时间短、通透不良、成本高的不足。砂石间空隙大，有很好的渗水作用，具保护土壤、滞阻水分蒸发的作用，日蒸发量比裸地减少70%以上。而且多吸收太阳辐射，增温快，温差大，促进作物快长早发，有利于作物中蛋白质和果品中糖分含量的提高，增产幅度大，也是防治土壤水蚀、风蚀的有效措施。

砂石覆盖是以砂或石砾覆盖于农田地表，新砂田多年不再进行耕犁，有一套分石播种的栽培方法，种粮、种瓜皆能在干旱地区得到相对稳定的收成。此法盛行于黄土高原甘肃省兰州地区。

砂田根据灌溉条件，可分为水砂田和旱砂田两大类。根据砂石性状，可分为卵石砂田、碎石砂田及绵砂砂田，其中以卵石砂田质量最高，光滑不板结，保墒性能强，需砂砾数量少，耕作管理方便。根据使用寿命，可分为新砂田、中砂田和老砂田。一般旱砂田少于20年为新砂田，20～40年为中砂田，40年以上为老砂田。水砂田由于砂土易混合，砂田老化快，一般3～4年为新砂田，5～6年为中砂田，7年以上为老砂田。

砂田的耕作管理比较简单，其特点是既要为作物的生长创造良好的条件，又要尽量防止砂土混合、砂田老化，主要包括以下四个方面。

(1)松砂。一般在作物收获后、播种前进行松砂耕作，特别是旱砂田在大雨、暴雨后，要用耖耧纵横松动砂层，破除板结，便于接纳雨水，减少蒸发，增强防旱抗旱能力。但要注意松砂时耧铲不得入土，只能在砂层中进行；否则，反会造成砂土混合。

(2)播种。砂田播种多采用耧播或隔行垄种。大田作物一般采用耧播，如小麦、谷、糜等。播种时用耖耧将砂层耖开，种子播在砂层与土壤交界处。经济作物、瓜类、蔬菜等，多采用穴播，扒开砂层，挖穴，将种子放入土内，然后覆土盖平，拍实，穴周围用卵石封严，等到出芽时再将上面卵石扒开。

(3)施肥。旱砂田一般不施肥，水砂田以及种植经济作物、瓜类的砂田，需年年施肥。施肥的方法有穴施和条施两种。穴施是根据播种穴的位置，扒开砂层，用手铲将肥料翻入土中，然后耙平拍实，覆盖砂石；条施时先将砂层扒开60～70cm左右的行，扫净细沙，将肥料均匀施入行内，用锨翻入土内16.5～19.8cm，然后将土耙平压实，再将砂层覆盖于原处。基肥一般秋施较好，有利于肥料分解从保墒。

(4)灌水。水砂田灌水切勿用洪水，最好用清水，否则会缩短砂田寿命，使砂田过早老化。

3. 地膜覆盖种植法

利用塑料薄膜覆盖农田地面的栽培技术，称之地膜覆盖种植法，简称地膜覆盖。农田通过地膜覆盖主要能防止土壤水分蒸发，提高土壤水分的保存率和利用率；另一方面能提高地温，促进作物生长发育。日本是世界上研究应用地膜覆盖最早的国家之一，从20世纪50年代初就开始在蔬菜、花生、烟草等作物上应用；美国、苏联、以色列等国家相继将地膜应用于棉花、蔬菜、烟草等作物。

我国地膜覆盖的应用虽起步较晚，始于20世纪70年代后期，但覆盖面积已占居世界首位，尤其在北方旱作农业区。地膜覆盖不仅应用于蔬菜、瓜果等经济作物，而且玉米、小麦的地膜覆盖面积有了快速发展。到1994年全国地膜玉米已扩大到110万 hm²，地膜小麦由

1996 年全国的 4 万 hm²，到 1998 年猛增到 56.7 万 hm²，其中甘肃省 16.3 万 hm²，山西省 32.5 万 hm²。在水土流失区地膜覆盖主要应用于旱作农业，例如地膜玉米和地膜小麦发挥了明显的抗旱保墒作用，取得了大幅度增产的效益；近年来，地膜谷子也开始应用，取得了类同的增产效益。

陕西省靖边县年均降水量 350mm，无霜期 115 天，在旱坡地上试种地膜玉米后，平均单产由每公顷不到 1 000kg 增长到了 2 925kg；榆林市建立的 600 万 hm² 的地膜玉米样板田，每公顷产量达 17 488.5kg。

地膜玉米使玉米生育期缩短 18～5 天，使玉米适宜区域北移扩展。山西省农业科学院旱地农业研究中心地膜小麦的试验表明，土壤水分蒸发减少，植株蒸腾速率增强；地膜穴播的水分利用率较无地膜覆盖的提高了 67.1%，小麦增产 24.7%。

甘肃省农业科学院旱地农业研究所系统研究了旱地冬小麦周年地膜覆盖栽培的增产机理。研究结果表明，地膜覆盖减少了土壤水分无效蒸发，未覆盖的对照区土壤水分无效蒸发占总降水的 45%，周年地膜覆盖的则占年度总降水的 2%；提高了蒸腾耗水比例和光合速率，表层 5cm 土层 ≥0℃ 地积温增加 10.5%，幼穗分化提前 2～3 天。在等量施肥条件下，地膜覆盖较露地增产 21.6%～45.0%，并随施肥增高而增大。在中肥、高肥、超高肥处理情况下，地膜小麦较露地小麦（1995～1996 年）两年平均增产依次为 63.1%、103.1%、110.2%。在底墒充足条件下，地膜小麦增产效益更明显。

甘肃省农业科学院粮食作物研究所在年降水量为 400mm 左右的定西市进行了地膜谷子的试验示范（1990～1995 年）。1992 年在遭受干旱和早霜不利条件下，地膜谷子的产量仍达 5 140.5kg/hm²，较露地谷子增产 64.4%；1995 年在遭受 70 年罕见的严重干旱后，一般旱地作物几乎绝收，地膜谷子平均产量仍达 4 776kg/hm²。

地膜覆盖作为防止土壤水分蒸发，提高土壤水分利用率的有效措施，已在全国广泛被采用。在黄土高原半干旱地区，地膜覆盖除发挥保持水土、抗旱保墒作用外，还是增加地温、促进苗期发育的一个重要措施。但是必须指出，不是在任何情况下地膜覆盖都能带来增产效益。李凤民的春小麦地膜覆盖试验研究指出，播前土壤水分状况欠佳，又被作物大量利用，加之作物生长后期降水量不足情况下，均可导致减产和水分利用率下降。

采用地膜覆盖栽培应该注意：由于地膜覆盖能加速土壤中营养物质的分解转化，促进作物生育，提高产量，因而消耗地力较多，故必须配合增施有机、无机肥料，以防生长后期养分供应失衡和肥力下降。目前，降解膜尚未取代普通膜（非降解膜）的条件下，年复一年地使用普通膜，其残片残留田间会造成土壤"白色污染"，混入土中的地膜残片势必影响土壤通透性，严重阻碍作物出苗和根系生长，成为农田新的污染物质，故在每次地膜用完后应及时消除田间残膜。今后应注重研制高光效、易降解的地膜，为其大面积推广应用扫清障碍。任何新技术的应用，必须重视短期快速效益与可持续发展相结合。

（四）深耕密植

深耕是对于耕层浅、蓄水保墒能力弱的坡耕地，逐步加深犁底层，促进土壤透气性，提高渗透性能。密植是根据作物特性和立地条件情况，合理加大种植密度。深耕适用于 25° 以下的坡耕地。密植应用于土层较深厚肥沃的坡耕地。深耕能改善土壤结构，增加土壤入渗和土壤蓄水保墒能力；合理密植能增加地面覆盖，减少雨滴对地表土壤的溅蚀，减缓地表径流，提高作物产量。

深耕可结合中耕、兴修梯田和平整土地进行。深耕深度一般为 20～40cm。深耕时间依作物而定,夏田作物在夏收后进行伏耕,秋田作物在秋收后进行秋耕。密植的作法主要是指在坡耕地上采取等高保土耕作措施后,种植作物时缩短相应的株距。

深耕密植时应该注意:要沿等高线深耕,以减少水土流失;因地制宜选择作物品种,要合理密植;深耕、密植一般不单独进行,要配合其他水土保持耕作措施。

三、复式水土保持耕作法

这是保护型耕作法和保护型种植法的组合及发展。例如,前面提到的侯光炯先生提出的中国式的水土保持自然免耕法,即包含有保护型沟垄种植、免耕覆盖及科学施肥等多项内容。此外,延安市进行的水平沟留茬倒垄种植法;山西省吕梁地区广为推行的蓄水聚肥改土耕作法;四川紫色土丘陵地区进行的聚土免耕立体种植制等,均属于复式耕作法。这类耕作法把水土保持耕作与抗旱保墒、改土培肥有机结合,取得了保持水土与增产的持续效应。

(一)水平沟留茬倒垄复式耕作法

陕北延安市自 20 世纪 80 年代以来,水平沟与沟垄种植法得到大面积的推广应用,水土保持效益较明显。近年来,延安市水土保持研究所在水平沟基础上又进行了留茬倒垄复式耕作法的试验示范。该耕作法经受了暴雨考验,显示了优越性。表 14-9 列举了 1990 年 7月 31 日一次降雨 40.3mm、雨强 21.2mm/h 情况下不同措施效益的对比。

表 14-9　1990 年一次暴雨不同耕作措施效益对比

耕作措施	径流量		土壤流失量	
	m^3/km^2	%	t/km^2	%
一般种植(对照)	22 790	100	522	100
水平沟	23 990	105.3	340	65.1
水平沟覆草	24 790	108.8	404	77.4
水平沟留茬倒垄	19 190	84.2	212	40.6
留茬免耕种植	25 590	112.3	302	57.9
粮草带状间作	21 190	93.0	383	73.4
粮灌带状间作	19 590	86.0	333	63.8

由表 14-9 可知,水平沟留茬倒垄种植水土保持效益最明显,径流量减少 15.8%,冲刷量减少近 59.4%。又以 1990 年作物播种前与作物收获后 0～30cm 土壤养分比较,全氮增加0.05g/kg,全磷增加 0.04g/kg,有机质增加 0.7g/kg。

据 1988～1991 年不同措施增产效益的比较,以谷子、黄豆两种作物为例,水平沟种植法与一般种植法比较,谷子增产效益 12%～132.4%,黄豆为 15.3%～76.8%;水平沟+青草覆盖(作物定苗后用青草覆盖地面,草长 20～40cm,草量 3kg/m²),谷子和黄豆的产量在原水平沟基础上,可再增产 10%以上;水平沟留茬倒垄种植,谷子与黄豆的产量较水平沟种植增产分别为 9%～25%与 25%～34%。

(二)蓄水聚肥改土耕作法

蓄水聚肥改土耕作是山西省水土保持科学研究所在总结群众坑田、沟垄种植经验基础上,延伸和发展的新耕作法。针对当地水土流失、干旱缺水和土地贫瘠缺肥的三个主要矛盾,通过改变微地形,集保土蓄水、聚肥改土为一体,解决了三个矛盾,从而取得明显的增产效益,较常规耕作法增产40%～100%,故群众称之丰产沟法,已在山西省吕梁地区大面积推行。

1. 丰产沟作业

丰产沟的作业可分为人工、人畜结合和机械三种方法。基本操作为去掉一份表土待用,生土部位挖坑,取生土培垄,集两份表土和肥料填于原一份面积的沟内,即成蓄水聚肥新型的沟垄相间复式耕作体系。人工的具体操作程序如图14-7所示。

(1)修地埂。距地边30cm处取30cm宽表土层(深15cm)翻到地块内侧(见图14-7(a)),在此生土层下挖取深20cm土层加高边埂,形成第一条种植沟(见图14-7(b))。

(2)聚肥种植沟。将第一条种植沟底部深翻约15cm(见图14-7(c)),将沟上侧60cm宽、深15cm的表土填入沟内,即完成积聚30cm厚肥沃表土,再加上深翻15cm松土共约45cm的松土层(见图14-7(d))。

(3)培生土垄。将取走表土的下半部宽30cm的地面松翻约15cm深,然后取上半部30cm宽、深15cm的生土,翻到外侧深松的生土上,形成第一道生土垄(见图14-7(e)),垄的内、外两侧拍实。取生土后的沟内再深翻(见图14-7(f)),再回填上部60cm宽的表土,完成第二条种植沟(见图14-7(g)),依次类推。种植沟内表土集中,土壤肥沃,又有利于蓄水和集中施肥,适宜种植玉米、谷子等作物。在土垄上宜种植大豆及豆科绿肥作物,既利于土壤改良,也利于保护土壤免遭降雨径流冲刷。

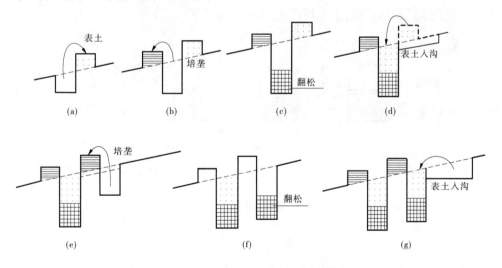

图14-7　丰产沟人工作业示意图

人、畜配合作业是以山地型深翻、开沟、结合人工辅助填表土、培生土垄。在坡地自下而上逐级完成。机械化作业采用大型LF－450型耕作机,在前一次作业留下的深沟,由前翻土器和后翻土器将深15cm、宽约60cm的表土翻入沟内,然后用松土铲深松已经剥离表土部分左侧30cm宽的生土,深松深度15cm;随后起土筑埂器将已剥离表土部分左侧30cm生土,以深度15cm翻到左侧深松过的生土上面,形成高出地面12cm以上的生土埂;在挖走生土的地方形成一条深宽各30cm左右的沟,由第二深松铲将沟底生土再深松15cm,即回到前一次作业深沟的程序,依次类推。

史观义等根据多年试验研究,提出丰产沟的最佳耕幅为80cm,沟垄比为46cm:34cm,有利于机械化耕作,能获得最优土地利用率,有利于"生土垄"改造与培肥,并可采用80cm宽的地膜覆盖,建立稳产高产基本农田。

2.丰产沟的水土保持和增产效益

丰产沟发挥了多种功能,除有效控制水土流失和增产外,提高了降水资源的利用,提高了土壤肥力,加快了生土熟化。据山西省水土保持科学研究所对1978～1984年4年实施测定,每毫米降水产玉米8.55～13.5kg/(mm·hm²),较常规耕作增产1～2.5倍;生土垄经3～4年种植豆科作物或绿肥,土壤物理性状得到明显改善,有机质含量增加1～3g/kg。

3.丰产沟覆盖技术

丰产沟经不同覆盖技术的试验研究得出,"垄盖膜"或"全盖垄半盖沟"和"垄盖膜沟内盖秸秆"的方式较好。垄盖的地膜最好把覆盖面延长到沟的两侧,只留下沟的中部15～20cm宽裸露,以利于垄上集流的降水入渗,同时也减少裸露蒸发的地面面积。如果单纯在沟内覆盖地膜,效果很不稳定,一遇干旱,可出现减产趋势。如1987年伏旱严重的情况下,丰产沟不覆盖处理区玉米产量4 017kg/hm²,高粱产量4 985kg/hm²,而单纯沟内盖膜处理区玉米单产为2 205 kg/hm²,高粱单产为2 945 kg/hm²,减产率分别为45.1%和40.9%。而垄盖膜处理区玉米产量为6 960 kg/hm²,高粱产量为7 305kg/hm²,分别增产73.3%和46.5%。大春作物垄盖膜时间最好在早春地表4～5cm解冻时,即强烈蒸发来临之前,以防止春墒散失。如春季挖丰产沟,则应随挖随盖,以免失墒。"垄盖膜半盖沟"的种植方法如图14-8所示,与未盖膜的丰产沟作比较,玉米增产65.8%,高粱增产42.9%。

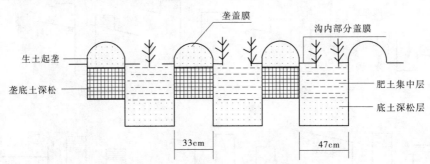

图14-8 丰产沟"垄盖膜半盖沟"种植方法示意图

参 考 文 献

[1] 郭廷辅,段巧甫.水土保持径流调控理论与实践.北京:中国水利水电出版社,2004

[2] 张富.黄土丘陵区小流域生态位特征及植物措施对位配置研究.水土保持学报,1991(2)

[3] 郭廷辅,段巧甫.径流调控理论是水土保持的精髓.中国水土保持,2001(11)

[4] 张信宝.黄土高原植被建设的科学检讨和建议.中国水土保持,2003(1)

[5] 张富,胡朝阳.黄土高原植被对位配置技术研究.中国水土保持,2003(1)

[6] 张富.西北半干旱地区林地土壤水分动态研究.中国水土保持,1990(2)

[7] 张富.半干旱地区雨水资源化潜力研究.见:全国雨水利用学术讨论会暨国际研讨会论文集.北京:中国林业出版社,2001

[8] 侯艳红,张富.梯田建设是半干旱地区实现小康社会的基础平台.中国水土保持,2005(7)

[9] 景亚安,张富.甘肃黄土丘陵沟壑区水土流失及其控制技术与效益研究.见:中美水土保持研讨会论文集.北京:中国林业出版社,2003

[10] 宁建国,张富.半干旱区新修梯田作物选择与轮作制度.中国水土保持,1992(2)

[11] 陈云明,刘国彬,杨勤科.黄土高原人工林土壤水分效应的地带性特征.自然资源学报,2004(3)

[12] 梁一民.从植物群落学原理谈黄土高原植被建造的几个问题.西北植物学报,1999(5)

[13] 高椿翔,高祯霞,朱成民.科技兴林 建造合理的生态位结构.防护林科技,2000(1)

[14] 水利部水土保持司,中华人民共和国国家标准:水土保持综合治理技术规范.国家技术监督局发布,1996

[15] 长江流域水土保持技术手册编委会.长江流域水土保持技术手册.北京:中国水利水电出版社,1999

[16] 杨春峰.耕作学(西北本).银川:宁夏人民出版社,1986

[17] 尹传逊,尹贻亮.坡耕地蓄水保土耕作技术措施的探讨.水土保持通报,1992,12(6)

[18] 朱祖祥,等.中国农业百科全书土壤卷.北京:中国农业出版社,1996

[19] 周会成,韩仕峰.半干旱偏旱地区合理轮作农田水分效应的研究.水土保持通报,1990,10(6)

[20] 刘忠民.宁南黄土丘陵区不同轮作方式农田水分平衡研究.水土保持通报,1992,12(6)

[21] 李文祥.必须把推广免耕法作为水土保持战略对策.水土保持通报,1998,8(5)

[22] 熊凡,徐风来,童风.四川丘陵旱坡地多熟作物覆盖少耕技术研究.北京:中国科学技术出版社,1991

[23] 侯光炯.论中国式的水土保持自然免耕法.水土保持学报,1987,1(1)

[24] 侯光炯,张绪林.论覆盖和等高垄作相结合,收到水土保持和免灌高产效益.水土保持学报,1998,2(4)

[25] 黄成付,席明河.陕西渭北旱塬坡耕地麦秸残茬覆盖少耕法的试验研究.见:中国耕作制度研究会编.全国少耕、免耕和覆盖技术研究论文集.北京:中国科学技术出版社,1991

[26] 史志诚.陕西省玉米、小麦地膜覆盖栽培技术的应用与推广.西北农业大学学报,1998,26(6)

[27] 黄明镜,晋凡生.地膜覆盖条件下旱地冬小麦的耗水特征.干旱地区农业研究,1999,17(2)

[28] 樊延录,王勇,等.旱地冬小麦周年地膜覆盖栽培的增产机理及关键技术研究.干旱地区农业研究,1999,17(2)

[29] 吴国忠.谷子地膜覆盖栽培的增产作用及发展趋势.甘肃农业科技,1999(2)

[30] 李凤民.地膜覆盖导致春小麦产量下降的机理.中国农业科学,2001,34(3)

[31] 史观义,杨才敏.蓄水聚肥耕作法的水土保持效益观测研究.中国水土保持,1984(9)

[32] 史观义,等.丰产沟耕作法最佳耕幅确定的研究报告.山西水土保持科技,1992(3)

[33] 张沁文,王文德.水土保持耕作措施的新发展.中国水土保持,1984(9)

[34] 史观义,等.丰产沟覆盖效应及其最佳覆盖技术研究初报.中国水土保持,1993(10)

[35] 焦居仁主编.水土保持综合治理 技术规范(GB/T16453.1～16453.6—1996).北京:中国标准出版社,2001

[36] 甘肃省水土保持局.甘肃省小流域水土流失综合防治工程建设技术规程(DB62/T346—94).兰州:甘肃科学技术出版社,1994

第五编 水土保持防治措施新进展

第十五章 自然植被生态修复

在黄土高原地区,面蚀、沟蚀、泥流、崩塌、滑塌、泻溜等13种侵蚀方式异常活跃。因此,在该区为防治水土流失、维护和提高土地生产力、合理利用水土资源、建立良好的生态环境、最大限度地发挥水土资源的经济效益和社会效益,就要因地制宜地进行治理,在加快人工治理的同时,注重发挥生态系统自我修复能力,把造林、种草、基本农田建设、治沟工程建设与生态自我修复措施有机结合,统一规划,统筹安排。这是实现水土保持生态建设综合目标必需的技术集合。将生态自我修复理念融入水土保持工作实践体系,作为水土保持生态建设综合技术体系的重要组成部分,将为人与自然和谐共处、经济社会与生态环境协调发展起到有力的保障。

生态修复从根本上讲就是尽力控制人为活动对生态环境的破坏和干扰,减轻生态系统所承受的超负荷压力,增强生态系统自我组织和协调的能力,使其在一定的时空条件下,按照自身生长发育规律,迅速恢复发展。这就要求人们在对自然环境开发利用的同时,必须注意保护自然、尊重自然、善待自然,树立人与自然和谐相处的理念。但是长期以来,在人与大自然的关系问题上,人类为了自身利益的发展总是无休止地与大自然作斗争,无节制地索取自然资源,土地过度开垦,草原超载过牧,森林过度采伐,湖泊、沼泽、湿地过度垦殖,开发建设过程中的乱采乱挖、乱堆乱倒、乱排乱放,破坏植被,污染水源和空气,导致生态恶化、水土流失、洪灾泛滥、绿洲消失、沙尘肆虐。这都是人类不遵守自然法则而遭到来自大自然的报复和惩罚。实施生态修复的目标不只是单纯地恢复植被,更重要的是它揭示了自然法则的根本内涵,即人是自然界的主体,但又是地球生态链条中的一个环节,与自然万物息息相关、相依为伴。人类的生产生活只有遵循这个关系,才能获得来自自然更多的发展条件,这便是实施生态修复的理论意义。

黄土高原地区的生态修复应本着先局部后区域、先重点后全局的思路,保护与重建相结合、环境改善与经济发展相结合、短期与长期相结合,逐步使这一地区环境、社会、经济复合系统向健康持续的方向发展。

第一节　生态修复概论

一、水土保持生态修复概念

(一)国外已有研究对生态修复概念的界定

生态修复研究和实践的历史可以追溯到 19 世纪 30 年代,但将生态修复作为生态学的一个分支进行系统研究,则是从 1980 年 Cairns 主编的《受损生态系统的恢复过程》一书出版以后才开始的。在生态修复的研究和实践中,涉及的概念有生态修复、生态恢复、生态重建、生态改建等。20 多年来,国内外不同学者从不同的角度对这些概念有不同的理解和认识,尚未形成统一的看法。

生态恢复(Ecological Restoration)的称谓主要应用在欧美国家,具有代表性的界定主要有:

(1)Diamond(1987)认为,生态恢复就是再造一个自然群落或再造一个自我维持并保持后代具持续性的群落。

(2)Harper(1987)认为,生态恢复是关于组装并试验群落和生态系统如何工作的过程。

(3)国际恢复生态学会(Society for Ecological Restoration)先后提出三个定义:①生态恢复是修复被人类损害的原生生态系统的多样性及动态的过程(1994);②生态恢复是维持生态系统健康及更新的过程(1995);③生态恢复是帮助研究生态整合性的恢复和管理过程的科学,生态整合性包括生物多样性、生态过程和结构、区域及历史情况、可持续的社会实践等广泛的范围(1995)。第三个定义是该学会的最终定义。

(4)Jordan(1995)认为,使生态系统恢复到先前或历史上(自然的或非自然的)的状态即为生态恢复。

(5)Cairns(1995)认为,生态恢复是使受损生态系统的结构和功能恢复到受干扰前状态的过程。

(6)美国自然资源委员会(The US Natural Resource Council)(1995)认为,使一个生态系统恢复到较接近其受干扰前的状态即为生态恢复。

(7)Egan(1996)认为,生态恢复是重建某区域历史上有的植物和动物群落,而且保持生态系统和人类的传统文化功能的持续性的过程。

不难看出,上述界定的共同点是生态恢复既可以依靠生态系统本身的自组织和自调控能力,也可以依靠人工调控能力,但均未强调生态系统本身的自组织、自调控能力和人工调控能力对生态系统恢复作用的主次地位。

(二)国内研究对生态修复概念的界定

水土保持生态修复一词是 2000 年以后在我国出现的,并且逐渐被人们广泛认识。该名词是独具中国特色的概念,国外并没有这样的提法。水土保持生态修复一词的出现标志着中国治理水土流失的理念有了重大突破。水土保持生态修复是具有普遍意义的生态修复的一种类型,但也具有其独特的特征,即水土保持生态修复概念的界定应符合中国土壤侵蚀面积广、强度大,经济落后,人口众多等国情。

焦居仁(2003)认为,生态恢复指停止人为干扰,解除生态系统所承受的超负荷压力,依靠生态本身的自动适应、自组织和自调控能力,按照生态系统自身规律演替,通过其休养生息的漫长过程,使生态系统向自然状态演化。恢复原有生态的功能和演变规律,完全可以依靠大自然本身的推进过程。在焦居仁界定的定义中,生态恢复仅依靠生态系统本身的自组织和自调控能力。但是为了加速被破坏生态系统的恢复,还可以辅助人工措施为生态系统健康运转服务而加快恢复,则被称为生态修复。该概念强调生态修复应该以生态系统本身的自组织和自调控能力为主,而以人工调控能力为辅。

杨爱民、刘孝盈等对水土保持生态修复作如下界定:水土保持生态修复有广义和狭义之分。广义水土保持生态修复是指,在特定的土壤侵蚀地区,通过解除生态系统所承受的超负荷压力,根据生态学原理,依靠生态系统本身的自组织和自调控能力的单独作用,或依靠生态系统本身的自组织和自调控能力与人工调控能力的复合作用,使部分或完全受损的生态系统恢复到相对健康的状态。

狭义水土保持生态修复是指在特定的土壤侵蚀地区,通过解除生态系统所承受的超负荷压力,根据生态学原理,依靠生态系统本身的自组织和自调控能力的单独作用,或辅以人工调控能力的作用,使部分受损的生态系统恢复到相对健康的状态。

广义水土保持生态修复和狭义水土保持生态修复的区别在于前者不强调恢复作用力的主次,并且恢复的生态系统既可以是部分受损的,也可以是完全受损的;而后者则强调必须以生态系统本身的自组织和自调控能力为主,以人工调控能力为辅,恢复的生态系统只能是部分受损的。目前,通常所说的水土保持生态修复指的是狭义的概念。

二、水土保持生态修复的分类

(一)广义水土保持生态修复类型
依据生态修复对象的不同,广义水土保持生态修复可划分为如下类型。

(1)退化坡面生态系统生态修复。指对退化耕地、林地、草地、荒地等生态系统的生态修复,这是水土保持生态修复的重点。

(2)退化河流生态系统生态修复。指对主要因人为驱动力所导致的退化河流生态系统的生态修复。2003年以前,水土保持主要是以小流域为单元进行综合治理的,因小流域的面积均较小,其汇水的部位基本上都是季节性河道,或发生暴雨时才有径流流过,这样的河流或沟道并不构成水生态系统,无需进行生态修复;2003年以后,水土保持综合治理大示范区建设在全国广泛开展起来,大示范区的面积可逾 $1\,000km^2$,位于大示范区的河流有些是常年性河流,尤其是在湿润地区均是常年性河流。这些常年性河流的水生态系统常因各种人为驱动力的作用而退化,对这样的河流生态系统进行生态修复也是水土保持生态修复的范畴。

(3)内陆河流域退化绿洲生态系统生态修复。内陆河流域从上至下,可分为山区生态系统和平原区生态系统。以河流为中心,从内往外,平原区生态系统又可分为绿洲生态系统和荒漠生态系统,而绿洲生态系统由内往外又可再分为人工绿洲生态系统和天然绿洲生态系统。内陆河流域退化绿洲生态系统的生态修复主要是指对退化天然绿洲生态系统的生态修复。

(4)退化水库生态系统生态修复。对位于大示范区内的退化水库生态系统进行生态修复也属于水土保持生态修复的范畴。

(5)退化矿区生态系统生态修复。是指对废弃矿地生态系统进行生态修复。

(二)狭义水土保持生态修复类型

依据生态修复所依靠的作用力不同,狭义水土保持生态修复可分为:

(1)生态自然修复。即完全依靠生态系统本身的自组织和自调控能力进行生态修复。

(2)自然和人工共同修复生态。即以依靠生态系统本身的自组织和自调控能力为主,以人工调控能力为辅进行生态修复。

三、水土保持生态修复的分区

(一)水土保持生态修复分区的原则和依据

1．一级类型区划分

以影响生态修复和植物生长的控制性因素——水作为划分生态修复一级类型区的主导因子。

干燥指数是反映水分状况的核心指标,故以干燥指数作为划分生态修复一级类型区的主导因子。干燥指数(蒸发能力与降水量之比)>5、多年平均降水量<200mm 的地区,植物(乔、灌、草)生长困难,属干旱区。干燥指数 2~5、年降水量 200~400mm 的地区,仅利于灌、草生长(不宜乔木生长),属半干旱区。干燥指数 1~2、年降水量 400~800mm 的地区,适宜植物(乔、灌、草)生长,属半湿润区。干燥指数<1、年降水量>800mm 的地区,利于植物(乔、灌、草)生长,属湿润区。

2．二级类型区划分

按照全国水土流失一级类型区,即西北黄土高原区、东北黑土漫岗区、南方红壤丘陵区、北方土石山区、南方石质山区、风沙区、冻融侵蚀区等,依据全国水土保持工作分区划分生态修复二级类型区。

3．考虑生态修复措施布局分区

依据区内相似性、区间差异性和社会经济条件,确定生态修复措施布局。由于生态修复还与人均土地资源有密切关系,故在分区中采纳主导因子干燥指数的同时,还要考虑人口密度和水土流失强度两方面的因素。据有关部门资料,全国人口密度分布情况,从黑龙江的黑河至云南的腾冲画一条东北至西南的人口线,人口线以东,土地面积占全国面积的 43%,人口占全国人口总数的 94%;人口线以西,土地面积占全国面积的 57%,人口占全国人口总数的 6%。

此人口线跨越本节分区中的第Ⅱ区、第Ⅲ区。本节分析的生态修复重点在第Ⅱ区。从全国人口密度分布情况分析,第Ⅱ区大部分地方,人口稀少,有利于开展生态修复。

(二)生态修复分区结果

根据上述原则和依据,将全国划分为 4 个一级类型区和 13 个二级类型区。

1．长白山区及东南部湿润带生态修复区

分布范围:本区分布在长白山脉和淮河以南、云贵高原以东的大部分地区。包括广东、广西、湖南、湖北、江西、浙江、福建、海南、上海、重庆及云南、贵州、四川、安徽、河南、江苏的部分和长白山脉以东一带。

主要特点:本区除长白山区和河南、安徽等省的部分地区外,大部分地区的降水量充沛且蒸发能力弱。多年平均降水量在 800mm 以上,且湿热同季,有利于植物生长和自然生态修复。从全国梯级地形分析,该区大部分地区属于一级阶梯,地势相对较低。地貌的特点是平地与丘陵山地相间,大江大河的冲积平原发育。主要的冲积平原有长江三角洲、珠江三角洲等,且多湖泊,著名的湖泊有洞庭湖、鄱阳湖等。本区水土流失类型,除福建等沿海省份有少部分风蚀外,其余均为水蚀。水土流失按发生地类分析,主要发生在以下三类地:一是耕地中的坡耕地;二是林地中的稀疏林地,包括未成年的和管理粗放的经济林地;三是未利用地中的半裸露荒地。大部分地方的流失强度在中轻度或以下,少数地方有强度流失。本区重力侵蚀发育,重力侵蚀类型有崩岗、滑坡、泥石流等。崩岗主要发生在花岗岩区;滑坡、泥石流灾害主要发生在变质岩区,如云南省东川市泥石流区、三峡库区等。广西、贵州等省(区)的岩溶地貌发育,土地石化现象严重。本区多丘陵岗地,且大部分已作为农林业用地和经济果林地开发。多荒山荒坡资源。长江以南广泛分布第四系红壤土。本区东部省份的社会经济较发达,生态修复有一定的经济基础,但人口密度较大,土地资源相对紧缺,生态修复空间受到一定的限制。本区平均人口密度 100～400 人/km²。四川大部、长江三角洲以及沿海地带的人口密度 >400 人/km²,而长白山区的人口密度仅为 1～50 人/km²。

2. 华北、东北部分及青藏高原东部半湿润带生态修复区

分布范围:本区呈东北至西南斜轴线走向,以哈尔滨、长春、北京、拉萨为一线,包括山东、河北、北京、河南,以及宁夏、山西、陕西、甘肃、四川、西藏等省(区)的部分和东北三省部分。

主要特点:本区大部分地方属于半湿润区,多年平均降水量 400～800mm,干燥指数 1～2。原生植被西部为亚热带季风雨林,中东部为温带森林和典型温带森林草原。大部分地区的光热资源充沛,有利于乔灌木生长,但降雨量偏小,部分地方的造林成活率不高。

从全国梯级地形分析,该区大部分地方属于二级阶梯,地势相对较高。黄土高原部分和云贵高原大部分都处在本区的中部和西部。著名的平原有华北平原、黄淮海平原和东北平原。本区还包含大兴安岭部分地区的水蚀和冻融侵蚀交错区,以及青藏高原部分冻融侵蚀区。本区水土流失主要发生在东北的黑土地、黄土高原部分地区、华北的半裸石质山地、云贵高原干热河谷区以及西南丘陵山地的坡耕地。西南部分地区泥石流沟发育。本区社会经济发展差距较大。大城市和平原区的经济较发达,而偏远山区的经济相对落后。水土保持生态修复的重点也在山区。本区人口密度,西安至哈尔滨一线以东大部分地方 100～400 人/km²。其中,黄淮海平原的人口密度 >400 人/km²,西安至哈尔滨以西大部分地区 1～50 人/km²。

3. 内蒙古高原、黄土高原、青藏高原半干旱带生态修复区

分布范围:本区分布在大、小兴安岭至呼和浩特、银川、西宁、喜马拉雅山一线,呈东西走向。包括辽宁、吉林、内蒙古、山西、陕西、甘肃、宁夏、青海、四川、西藏等省(区)的部分或大部分地区。

主要特点:本区大部分地方降雨稀少,多年平均降水量 200～400mm,蒸发能力强,干燥指数 2～5,属半旱区。自然植被为温带灌木林或乔灌林。本区的自然特点是水资源缺乏。从全国梯级地形分析,该区大部分地区属于三级阶梯,地势更高。区内东北部是内蒙古高原,中部是黄土高原,西部是青藏高原,大兴安岭部分位于本区东部。多沙地,著名的沙地有毛乌素沙地、浑善达克沙地等,是京津风沙源区。本区水土流失类型,除内蒙古高原和黄土高原部分地方以风蚀为主以外,其余大部分地区仍以水蚀为主或水蚀风蚀交错,青藏高原以冻融侵蚀为主。本区的水土流失危害突出表现在两个方面：一是黄土高原大面积强度流失区，水土流失不仅对该区生态环境、社会经济发展、人民生活造成严重危害，而且区内还是黄河的主产沙区，大量泥沙对黄河防汛构成严重威胁；二是内蒙古高原浑善达克沙地的风蚀对异地的危害，尤其是对京津地区的沙尘暴危害。冻融侵蚀地区因人烟稀少，又不造成异地危害，暂且不论。本区人口密度相对较小，呼和浩特、银川、西宁一线以东大部地区 $50\sim100$ 人$/km^2$，以西大部地区 $1\sim50$ 人$/km^2$，青藏高原部分地区不到 1 人$/km^2$。大部分地区社会经济欠发达，生产方式较落后。该区历史上就是有名的水土流失区，造成的异地危害也特别严重。既是全国水土流失治理的重点区，也是全国水土保持生态修复的重点区，由于本区水资源缺乏，降水量不足，生态修复过程中的人为参与力度需要加大。本区荒漠化现象也很严重，且每年以数万公顷的速度扩展。草地"三化"（沙化、碱化、退化），农地沙化，生态环境恶化的势头仍未被遏制。

4．新疆、内蒙古西部、青藏高原西北部荒漠干旱带生态修复区

分布范围：本区分布在我国西北部，包括内蒙古、宁夏、甘肃、青海部分地区和新疆维吾尔自治区。

主要特点：干旱缺水。本区绝大部分地方降雨稀少，多年平均降水量<200mm，个别地方甚至<50mm。如吐鲁番盆地多年平均降水量仅 15.2mm，而且蒸发能力特强，干燥指数>5，有的地方甚至高达 100 以上，属于温带大陆性干旱区。本区属于内陆河流域，主要的内陆河有：准噶尔内陆河、中亚细亚内陆河、黑河、塔里木内陆河、河西内陆河、青海内陆河、羌塘内陆河等。本区是全国干燥指数最高的地区，也是全世界最干燥的区域之一，不少地方的干燥指数>20，属于极端干燥气候区。青藏高原隆起，阻隔了印度洋大气环流入境，是导致本区严重干旱的根本原因。本区水土流失类型以风蚀为主。主要发生在退化草原和宁夏、甘肃、青海等省（区）的部分牧区。乱开滥挖野生资源（如甘草、发菜等）以及草原鼠害、虫害（蝗虫等）是加剧本区水土流失的重要原因。本区雪山高原区为冻融侵蚀区。人口密度小，大部分地区为 $1\sim50$ 人$/km^2$，西部大部分地区不到 1 人$/km^2$。本区油、气资源丰富，发展前景良好。

四、水土保持生态修复的技术方法

尽管水土保持生态修复的关键是植被的恢复，但在我国水土流失类型多样、社会经济条件千差万别的条件下，它仍然是一项复杂的系统工程，措施包括了还林还草、封山禁牧、舍饲养殖及综合治理等。对水土流失轻度区通过封育保护，尽快遏制水土流失，大面积地进行生态修复，加快治理进度。对地广人稀、土地利用率不高的区域（水土流失轻度或部分中度但人口较少的区域）进行灌草补植、封育保护。在强度水土流失的部分区域，可先进行简单的治理，控制大面积的水土流失，在此基础上再进行生态修复。其技术方法可分为广义和狭义两类。

（一）广义水土保持生态修复的技术方法

1．退化坡面生态系统生态修复

（1）退化耕地生态系统的生态修复。少施化肥，增施农家肥料；种植绿肥植物，增加固氮作物品种；轮作、套作，间种、混种；减少化学防治，增加生物防治；植等高植物篱等。

(2)退化林地、草地、荒地生态系统的生态修复。在封禁的基础上,补种乡土树种、草种。封禁在我国早就得到广泛的应用,这里需要强调的是封禁只是解除了导致坡面生态系统退化的不合理放牧、刈割、开垦、樵采、挖药材等人为压力(或称人为驱动力),还需预防、解除导致坡面生态系统退化的自然驱动力,如火灾、鼠害等。一般来说,自然驱动力并不是导致坡面生态系统退化的主要驱动力,但也不容忽视。封禁时间的长短因生态系统类型、受损程度、气候等因素的不同而不同,一般来说,乔木林、灌木林、草地生态系统可分别为 8 年以上、5~8 年、3~5 年。

2．退化河流生态系统生态修复

在土壤侵蚀地区,导致河流退化的驱动力主要有修路、开矿、樵采、河岸放牧、化肥与农药的面源污染、工业废水与生活污水的点源污染、过度捕鱼等,对由于这些驱动力所导致的退化河流生态系统进行生态修复,最重要的是要减轻或解除导致河流生态系统退化的驱动力,让河流休养生息。此外,还可采取如下两种方法:一是减少河流人工直线化的程度,增加河流弯曲度,以增加河流生境的多样性,进而增加水生生物多样性;二是在河流两岸种植生物隔离带(种类和宽度应因地制宜),一方面防治面源污染,另一方面为河流水生生物增加营养源。

3．内陆河流域退化绿洲生态系统生态修复

其主要生态修复技术方法,一是合理开发利用水资源,实施生态应急补水工程,至少要满足天然绿洲生态系统最小生态需水量;二是合理调整土地利用结构,适当减少人工绿洲面积,使人工绿洲和天然绿洲面积比例调整到 1:1 左右。

4．退化水库生态系统生态修复

对退化水库生态系统的生态修复可采取与退化河流生态系统相同的方法。

5．退化矿山生态系统生态修复

该生态系统的土壤、植物等组分完全受损,缺乏植物生长所需要的营养元素。对这种严重退化的生态进行生态修复,可采取的方法有:覆盖土壤,对土壤进行物理处理,添加营养物质,去除有害物质,种植适应性强的先锋树种或草种、间种乡土树种或草种。

(二)狭义水土保持生态修复的技术方法

(1)生态自然修复的基本技术方法是封禁法。该方法适用于受损程度较轻的生态系统。

(2)自然和人工共同修复生态的基本技术方法是"封禁＋补种"法。该方法适用于受损程度较重的生态系统。

在以上措施中,尚有许多问题没有解决。如在植被恢复方面,以生态自我修复为主的恢复途径的研究较少,且主要集中在封禁的效果上,在生态自我修复的途径、方法、关键技术、区域差异、动态监测与评价等方面研究极少,且由不同研究单位分散进行,不能对大范围的生态自我修复工程的实施提供可靠依据。因此,在生态修复工程的实施中,制定生态自然修复的技术措施、标准、目标等,对于充分发挥生态自我修复能力、加快植被恢复与生态重建,具有重要意义。

五、水土保持生态修复的意义

(一)生态修复是从生态战略高度提出的对水土流失综合治理的新理念

生态修复是以整个生态系统为出发点和立足点的,是生态系统结构与功能整体上的恢复与改善,是一种宏观的理念与思路,要求人们的思想观念、生产生活方式要作变革,要更多地遵循自然规律,调整产业结构,提高环境人口容量,实现与自然和谐发展。水土保持是生态修复的重要组成部分,这几年我们开展的水土流失综合治理,更多的是倡导以小流域为单元,以流失斑为对象,采取生物措施与工程措施相结合,封禁治理与强化治理相结合,山水田林路统一规划、综合治理,生态、社会和经济效益共同提高,是一种区位或点位的因害设防技术路线,不能等同于生态修复。生态修复的关键措施是封山育林育草,核心是预防保护,但也不能简单地等同于封育管理,它是一个地区整体封育保护综合取得的结果,如果还把一个封育点看成一个修复区,这样就违背了生态学观点,把生态修复简单化、措施化,达不到生态修复的目的。

(二)生态修复强调的是依靠大自然力量进行自然修复

目前在工作实践中,多把生态修复与生态重建和封育措施混淆起来,这会给生态修复工作带来不必要的负面影响。从广义上来说,生态修复包括生态自然修复和生态人工修复两大内容,是生态结构与功能上的修复过程。但生态的人工修复不能简单理解为人工治理,人工的修复还包括创造一些条件,以最大程度地防止和减少人为干扰及破坏大自然,促进生态的自然修复。由于目前的财力、物力和人力不可能充分保障,人工的治理是极为有限的,速度也是缓慢的,有时技术措施不当,管护不到位,人工治理措施还会在某种程度上改变与破坏着生态。因此,生态修复强调的是"充分依靠大自然的力量,发挥生态的自我修复能力,加快水土流失防治步伐",落到实处就是要强调生态自然修复,把所有可封可育政策、措施用上,在现有"大封禁,小治理"成功做法的基础上大大增加封禁治理的比重,以封禁为龙头,加快水土保持生态建设步伐。

(三)生态修复是社会性的系统工程,需要全社会共同努力

生态修复需要行政、法律、政策、经济和技术等各个方面的有力支撑,是一项全面的、复杂的、系统的社会工程,需要计划、农业、林业、环保、交通、教育、新闻等等各个部门的协作配合和全社会的共同努力,不要简单地认为生态修复是一个或某几个部门的工作。水土保持部门作为水土保持委员会常设机构,不要包治理任务,也不要推卸责任,要充分发挥协调与监督职能,避免在履行职责时出现缺位、错位和越位,其重要的职责在于依法依规协助当地政府制定政策,宣传贯彻,严格执法,协调沟通,加强服务,编规划,抓监督,促保护,建试点,树示范,搞推广。

(四)生态修复是一项长期性工作

生态是生物与环境有机结合的整体,其修复包括结构和功能上的修复,不是局部某个或几个流失地的治理恢复,也不是简单的植被恢复和地表径流的控制就可达到生态的全面恢复。生态修复依托的是大自然力量,追求的是费省效宏和加速全面治理进程。虽然南方拥有优越的水热条件和丰富的植被资源,生态的自我修复过程与成效会比西北旱冷恶劣自然条件快而显著,但生态系统内部生物的多样性与稳定性,生物链的形成仍需要一个长期的或是比较长期的恢复过程,任何急于求成,想短时期内就大见成效的思想是不对的,也是不现实的。

(五)生态修复要着重发展农村经济,解决群众生产生活问题

山区是重要水源地的集水区域,地理上往往居于经济发达城镇的上中游地区,水土流失分布面广且较有条件实施生态修复,因此广大山区的生态得到恢复,对于改善人居环境,促进整个地区经济的可持续发展将起到重要作用。但客观现实是山区的经济还较落后,群众的生产生活水平较低,条件较差,要正确处理好生态、生产和生活的关系,大力发展农村经济,采取倾斜政策和经济扶持,重点解决群众的生产生活问题。如采取措施实施生态移民,补贴群众解决以煤代柴、以电代柴等生产生活能源问题,这样山区群众简单的"靠山吃山"思想与行为就会淡化,对植被的人为干扰与破坏才会减轻,生态修复才有可能实现。

(六)生态修复的形式和目标要因条件而定

生态修复要依靠大自然的力量实现,需要一定水、热、植被、土壤等自然条件和社会经济条件。生态修复的形式内容多种多样,如何界定生态修复的条件和形式有待进一步探讨确定。目前最常用、最直接的实施形式是封育保护。根据不同的土地类型、植被状况及生态修复目标,划分重点预防保护区、重点监督区和重点治理区,分类指导;也可采取全封或半封半开发形式,还可分成封禁型、封育型和封造型进行管理。按照整体的生态建设规划,因地制宜、因势利导地处理好封育与开发的关系至为重要,条件不具备的就不能采取全封,否则也是事倍功半。社会经济条件对生态修复起着重要作用,经济搞活了,农民的生产经营方式不再仅仅依靠"田间地头"传统农业耕作,生产生活能源也发生了根本性的变革,生态修复措施也要采取新的对策。

(七)生态修复要有充分的组织措施作保障

生态修复作为一种新的理念与思路,既要有政策理论上的务虚铺垫,也要有综合措施上的务实开展,特别是要以充分的组织措施作保障,着重解决当地生态修复中存在的主要矛盾。要加强宣传教育,始终坚持"预防为主"的水土保持工作方针,加大监督执法力度,敦促开发建设项目水土保持工程"三同时"制度的落实,杜绝边治理边破坏的现象与行为,减少工程侵蚀,有效地遏制人为造成的新的水土流失;要针对各地普遍存在着山地开发中水土流失严重的状况,及时出台政策,规范开发行为,指导群众改变传统耕作方式,促进生态系统更好地修养生息和自我调节;要加大封育力度,措施要到位,资金要保障,责任要明确,管护要跟上,奖罚要分明,不要停留在口头封育;要倡导劳动力从农村向城镇转移,改变生产经营方式,搞活经济,淡化"靠山吃山"的思想;加强重要水源地的保护力度,加强生态修复效果的监测评价和科学试验。

第二节　生态修复适宜的自然条件选择

生态修复作为一项水土保持措施具有投资少、见效快的特点,尤其适合黄土高原区水土流失治理面积大、资金投入有限的现状。但生态修复也有其自身的特性,并非所有的水土流失区均适宜采取生态自我修复措施。因此,在开展生态修复时,首先要分析黄土高原的立地条件,以此来确定是否可以进行生态修复。

一、从自然状况分析生态修复的主要限制条件

(一)植被群落破坏程度

植被群落破坏程度是衡量生态系统在一定的时间内有没有自然修复能力的重要指标,无论是森林生态系统还是草原生态系统,如果其生态群落及结构已遭到根本性的破坏,地力已发生退化,则在这种条件下要进行生态自我修复是不切实际的。也就是说群落的调节修补是有一定限度的。另外,在区域自然植被基础较差的地区,依靠自然修复速度太慢,也不可能得到有效恢复。因此,这些地区应列入重点治理区,加大投入力度,继续坚持以小流域为单元,山、水、田、草、林、路、村、园综合配套的治理,人为启动并重建生态系统。自然条件较好的地区,可能已达到了亚顶级群落,基本实现了平衡、良性的目标,应列入重点预防保护区,既要加强管护,防止人为破坏发生逆行演替,也可以适当地加以科学开发利用。自然条件中等的区域是极为适宜开展生态修复的重点区域,既有基础,又节约投资,加快进度。这可能是生态修复区与重点治理区、重点预防保护区最主要的区别,是适合开展生态修复的重点区域,其原状植被覆盖宜在 40%～70%之间。

(二)水分条件

水分是植物生长的必要条件。首先我们来分析降水条件。降水在一定条件上决定了植物群落的分布。但据内蒙古阿拉善盟畜牧处观测,干旱地区梭梭林围栏封育的第二年,当年新枝均长可达 60～80cm,高增长 50～60cm,株冠幅增加 60～70cm,,且第二年有多种植物侵入,封育效果明显。由此可见,降水量的分布不应成为生态修复的限制条件。因生态修复主要是依靠大自然的自我修复能力,无论是在湿润、干旱或半干旱地区,都有适宜该地区气候条件生长的植物,也有该区域的植物顶级群落。只要有适宜的土壤条件,并对修复区实行严格的管护,生态修复是可以实现的。但是,当年的降水量的多少对干旱或半干旱地区植物的生长至关重要,如当年的降水量偏少,显然将直接影响到植物的生长发育。

虽然降水不能成为生态修复的主要限制因子,但是生态给水的状况却直接关系到生态修复的成败。选择生态修复区应充分考虑到水源补给等的基本条件。生态给水条件将决定修复的难度与最终效果。例如榆林市地处干旱、半干旱地区,多年平均降水量 400mm 左右,在北部的毛乌素沙漠南缘长城沿线风沙区降水量较低,但地下水位高、埋藏浅,水的补给与涵养条件相对较好,是利于开展生态修复的良好区域。

(三)土壤条件

土壤是植物生长的根本,土壤条件包括土壤结构、土壤质地、土壤更新能力等,在同等降水条件下,土壤层厚、土壤肥力高的区域则植被恢复快,反之,水土流失严重、土层薄、土壤贫瘠的区域则生态的自我修复能力有限,水土保持生物和工程措施就显得尤为重要。

二、黄土高原生态特点

在了解生态修复对自然环境的要求后,我们再分析一下黄土高原地区当今的生态特点。

(一)宏观空间演替带谱性

黄土高原植被是自然长期演变的结果,并与自然地带气候土壤等规律相一致,最终达到

与当地土壤气候条件相适宜的顶级植被群落。黄土高原地区西起日月山,东至太行山,北至长城,南抵秦岭,总面积约 64 万 km²。区内具有复杂的气候生物带。受东南与西北的水分、热量差异明显的影响,植被空间顶级植被群落分布呈 2 条线 3 个植被带的带谱性分布。2 条线是:兰州—靖远—清水河—靖边—长城线;临夏—漳县—平凉—庆阳—延庆—离石线。3 个植被带是:落叶阔叶林带,森林草原带,草原带。第一条线以北是干旱区,年降水量小于 300mm,植被属草原、荒漠草原带,植被景观呈层片。两条线之间是半干旱区,年降水量 300～550mm,植被属半干旱森林草原带,呈灌草两个层片复合型。第二条线以南是半湿润区,年降水量大于 550mm,植被属落叶阔叶林,呈乔灌草 3 个层片复合型。

(二)微观空间演替层次性

在黄土高原,局部微观空间植被演替分布呈层次性。影响黄土微观空间层次性的因素是水分,在黄土高原局部微观空间,虽然降水不会随地形、高度而变化,但是由于下垫面物质性质和相对高度及坡位、坡向的不同形成的小气候作用,出现黄土高原垂直剖面上下水分差异。坡面水热条件的这种层次分布现象,造成坡面上下植被分布也呈层次性。梁峁坡天然植被往往是草本植物,沟坡是灌草,沟道是木本植物;同时,坡向不同植被类型也不一样,阴坡较阳坡湿润,天然植被分布阴坡比阳坡广泛。

(三)时间演替有序性

植被演替总是按照正向演替和逆向演替两个方向进行。在未经外界干扰或外界干扰停止的情况下,植被群落会朝受破坏前的阶段(群落)方向发展,或恢复到结构更复杂、更稳定的阶段(群落),并且后一阶段总比前一阶段利用环境更充分,朝改变环境作用更强的正向演替方向发展,即裸地—草本—灌丛—乔木,土壤结构改善,蓄水保土能力增强,肥力提高,生态环境向良性发展,例如黄土高原原生群落的形成就是一个很好的例子。在人为破坏或自然灾害等干扰作用下,如乱伐、乱垦、滥牧或火灾病虫害等,原来稳定性较大、结构复杂植被群落消失,取而代之的是结构简单、稳定性较差的群落,朝着利用环境和改变环境的能力相对减弱的逆向演替方向退化,即乔木—灌丛—草本—裸地,造成森林、草原植被退化,水土流失加剧,土壤肥力降低,土地退化,生态恶化。当外界干扰因素消除后,则植被演替又向着正向恢复方向进行。但是,破坏程度愈严重,持续时间愈长,退化的阶段就愈远、速度愈快,而恢复的阶段也就愈多,速度就愈慢。黄土高原由于人类对自然资源的不合理开发利用,特别是对植被的严重破坏,使得植被逆向演替,生态系统退化,功能衰退,生物多样性减少,水土流失加剧。目前黄土高原的植被景观正是正向演替和逆向演替反复进行的结果。

三、黄土高原实行生态修复的有利条件

从黄土高原以上特点可以看出,就自然条件而言,该区实行生态修复虽然存在一些不利因素,例如严重的水土流失对土地资源的破坏严重,土壤侵蚀导致土壤的退化和生产力降低,降水总量少、变率大、且年际与季节都不均,干旱频繁,霜冻与冰雹对幼苗和植株的危害严重等,但也存在着许多有利的条件。我们归纳如下。

(一)水土流失类型的复杂性和水土保持目标的多样性,决定了治理措施的综合性

黄土高原地区有 13 种侵蚀方式异常活跃,这也就决定了治理方式的多样性,对于某种

治理方式在一些地方不适合,但很有可能在另一些地方就适合,因此可因地制宜采取生态修复。

另外,黄土高原土地资源丰富,回旋余地大,且有各种不同的立地类型,为采取多种技术措施,进行植被修复提供了条件。例如黄河流域黄土高原地区水土流失面积达 43 万 km^2,其中有一半以上的水土流失面积需要用植被建设的方法加以治理。黄土高原虽然大面积土体干旱、养分贫瘠、基础肥力低、抗逆性差、生产力不高,但土层深厚,质地适中,透水性良好,本身并无植被恢复障碍性病因,只要有效控制人类活动,对水土资源进行涵养性开发,提高土地质量,增加环境系统的容量、稳定性和协调性,强化生态因子的耦合度和组合功能,就一定能发挥明显的生态效力。

(二)适宜的乔、灌、草等植物和动物种类较多,有利于形成较为稳定的生态系统

灌木是黄土高原地区的主要造林树种,黄土高原有灌木树种 646 种,其中裸子植物 2 科 3 属 7 种;被子植物 66 科 174 属 639 种。在这些灌木树种中,经济价值高、适应性强、生物量大的树种有很多,从这些资源中可以选出许多能够满足黄土高原地区植被建设所需要的适宜树种。

(三)景观生态学原理和演替理论证明黄土高原实行生态修复具有可行性

从景观生态学的缀块—廊道—基底理论看,在大、中尺度上恢复生态系统,能够实行土地利用的整体,考虑生境的破碎化,恢复和保持景观的多样性和完整性;从生物群落演替理论看,除极端退化的地区外,多数地区可以恢复生态系统的一定结构和功能,并使系统保持自我维持状态。

(四)运用生态适应性原理和生态位原理,充分利用该地区乡土树种

在各地都有最适宜本地区不同生境的植物、动物种类,即乡土品种,并能做到各居其位。而且该地太阳辐射总量丰富,光能资源充足,利用潜力大,可保证林草植被生长对光能的需要,并形成稳定的土地生产力。气候较温和,生长季较长,气温日较差大,有利于植物生长与干物质积累。水热组配协调,对满足林草植被水热需求,有效利用有限降水与热量资源十分有利。

充分利用上述有利条件,化消极因素为积极因素,将会有效地促进该地区修复的进程。

第三节　生态修复适宜的社会经济条件选择

我国进行的两次遥感监测成果对比分析表明,我国水土流失 10 年来的发展变化趋势为:一是水土流失面积在减少,生态恶化的趋势初步有所遏制;二是部分地区有改善,水力侵蚀面积、侵蚀强度有所减轻;三是部分地区在恶化,风力侵蚀面积呈增长趋势,侵蚀强度在加重,沙漠化在扩展,生态恶化的趋势尚未得到有效遏制;四是综合防治进度很不协调。由此可见,水保生态建设形势十分严峻,当前最突出的矛盾是治理进度慢。点上治理,特别是小流域综合治理都很成功,但是,面上治理缓慢,这种状况与全面建设小康社会的目标和经济社会发展的需要极不相称,必须调整思路,采取新的防治对策。生态修复正是应运这种形势的需要和时代的呼唤而脱颖出来的一种费省效宏的治理方法和理念。

能够进行生态修复的地区不仅要有适宜的自然条件,而且对社会经济条件也有要求。

一、人口密度

能够进行生态修复的地区人口密度不宜过大,因为人口密度的大小直接确定了生态系统中"消费者"所占的比例。人口过于密集,其畜牧业所占比重也必将加大,人口、灶口、牲口的"三口"问题亦将突出,物质积累速度放慢,甚至供不应求,必然加大生态系统恢复的压力,而且为修复的管理带来困难,甚至于造成生态退化,无法实施生态修复。因此,较少的居住人口是划分生态修复区域的重要指标之一。如陕北地区,在 20 人/km² 以下为宜。

根据近年来的实践经验,可以根据人口密度、年降水量、土层厚度、林草覆盖度、水土流失强度、人均纯收入和人均基本农田,把水土保持生态修复的适宜度划分为 5 类(见表 15-1)。

表 15-1　水土保持生态修复适宜条件评价标准

级别	人口密度 (人/km²)	年降水量 (mm)	土层厚度 (cm)	林草覆盖度 (%)	水土流失强度	人均纯收入 (元)	人均基本农田(hm²)
Ⅰ 完全适宜	<50	>800	>40	>40	轻度	>4 000	>0.09
Ⅱ 基本适宜	51~100	601~800	31~40	31~40	中度	3 001~4 000	0.07~0.09
Ⅲ 较难适宜	101~200	401~600	21~302	1~30	强度	2 001~3 000	0.05~0.07
Ⅳ 困难适宜	201~400	201~400	11~20	11~20	极强	1 001~2 000	0.03~0.05
Ⅴ 极难适宜	>400	<200	<10	<10	剧烈	<1 000	<0.03

适合开展生态修复工作的是Ⅰ区和Ⅱ区,这两个区域人口密度不大,年降水量较多,土层深厚,林草覆盖度较好,水土流失强度在中度以下,且人们生活水平较高。最不适宜生态修复的地区是Ⅳ区和Ⅴ区,相比之下这两个区域的自然、社会和经济条件都比较差,在这里开展生态修复工作,很难取得预期的成效,且投入与产出比也很不协调。Ⅲ区是介于以上两类中间的一类,这个区域的各个方面条件都处于中间水平,我们认为这个区域也可开展生态修复工作,但要辅助必要的人工干预措施,才能使得效益在最短时间发挥出来,而且这类区域在开展工作时要注重各个方面对位配置,这样才能达到费省效宏的目标。

二、社会经济条件

由于未能遵循自然规律,背离土地适宜性和潜在利用方向和方式,黄土高原的社会经济与自然生态系统的正向运行机制形成了巨大的不整合,使得土地利用结构和产业结构劣化,土地生产力下降,经济贫困化。盲目垦殖、陡坡开荒、粗放经营、广种薄收、封闭自给性生产,形成和加剧了生产活动、经济行为、社会环境与土地利用、土地经营之间的正反馈叠加效应,其作用结果增大了人类活动的生态限制性,缩小了产业拓展和资源利用的空间和机会,衍生出土地生产力下降、产业结构僵化、经济贫困化等一系列问题。

生态恶化和经济贫困化的并存趋向,强化了黄土高原生态经济因子的相互制约性,形成复合非良性正反馈倍增效应。水土资源的挤压性开发强有力地改变了土壤与生物的自然演替方向及其性状和关联,增加了水和土等主要生态因子的振动和变异,如降水的变率、时间分配、土地类型、地形地貌、土壤结构的地域及垂直分异、生物群落特征等,从而降低了"大气—土壤—生物"系统的物质、能量流动和转化速率以及区域生态潜力。同时增加了生态力与经济力的矛盾和不整合,加剧了土地生态、经济功能的失调和失衡,降低了土地生产率,进而形成土地经济活力弱化的不良趋向。生态与经济的双重负影响,共同形成和加剧了土地系统的结构的劣化,并以此为中心产生了生态经济复合系统的恶性循环,生态经济复合系统结构劣化,约束因子增多,地力下降,生态经济功能萎缩,非良性正反馈效应增强。

以上是黄土高原地区在社会经济方面存在的不利条件,但它也存在许多优势。如拥有多项加快植被建设的新技术、新成果,包括立地条件划分与适地适树、沙棘栽培技术、飞播造林种草技术、径流林业技术及经济植物栽培技术等。

第四节　生态修复措施的对位配置

水土保持对位配置就是通过研究发展主体所处的环境资源位与发展主体(或生物生育)对环境资源的需求位之间的发展变化规律。按照生态位的能级分布层次,逐维分析环境资源分布特征对发展主体(或生物生长发育条件)的胁迫程度(限制性因子)及适宜性,协调资源位和需求位之间的关系,选择与环境资源位相适宜的发展主体(或生物种),或者改变环境资源位使环境资源位满足发展主体(或生物)所需的生态位条件,达到生物需求位与环境资源位相互适宜、相互吻合——对位配置。

一、根据植物带分区,实行生态修复对位配置

根据植被带分区,可将黄土高原地区分为森林带、森林草原带、典型草原带和荒漠草原带。具体的分类指标和各带的修复措施如下。

(一)森林带

该带年均气温 9.0~12.0℃,年均降水量>550mm,土壤水分属均衡补偿区和准均衡补偿区,地形以黄土丘陵、台塬和山地为主,植被为落叶阔叶林。区内水热等自然条件较好,植被恢复和建造较易,通常利用植苗、直播、封育、飞播等手段,造林都可取得成功,造林成活率和保存率达80%以上,3~5年后即可修复植被。目前,人为活动较轻的地区,森林覆盖率在90%以上的地段随处可见。因此,只要实行适地适树和采用正确的造林技术,植被完全可能修复。

(二)森林草原带

该带年均气温 8.5~10.0℃,年均降水量 450~550mm,土壤水分属准均衡补偿区,地形以黄土丘陵和残塬为主,植被由落叶阔叶林向草原过渡,草原占有相对优势。区内生态环境较脆弱,天然林地一旦遭到破坏,较难逆转。人工造林多在阴坡和沟道进行,若立地条件选择不当,则可呈"小老树"。灌木和草本植物一般均能正常生长发育。因此,如实行乔灌草结合,通过人工种植、天然封育、人工补播等途径,4~5年后植被可获得修复。覆盖率可望达80%以上。

(三)典型草原带

该带年均气温 7.5~9.5℃,年均降水量 350~450mm,土壤水分属亏缺区,地形以黄土

丘陵和浅山丘陵为主,植被为干旱草原。区内水热条件较差,特别是干旱制约了林木的生长。人工造林只有在沟道等少数水分条件较好的地段和有灌溉条件的地区进行。草本植物和部分耐旱灌丛生长正常。据在陕西、甘肃、宁夏、内蒙古等地调查,采用植苗、封育、封禁经补播等方法,4~7年后植被可得到修复,覆盖率可望达70%以上。

(四)荒漠草原带

该带年均气温6~8℃,年均降水量<300mm,由于降水少,土壤蒸发强烈,土壤水分属强烈干旱区。地形以沙地和丘陵低山为主,植被以半荒漠耐旱草本和灌木为主,种、属较少,结构简单,一般盖度25%~50%。同心县罗山由于海拔较高,分布有天然森林,林区面积8 700多hm²。据统计,区内现有植被,包括乔、灌林地和草地约108万hm²,尚有沙地面积约21万hm²。根据在盐池、定边等地区的调查和试验表明,采取封山配合人工播种、栽植乃至飞机播种等途径,植被仍可恢复到60%~80%。但一部分地区因严重干旱,地下水又埋藏很深,则不宜建造植被。因此,从总体上考虑,认为该区植被可望恢复程度在40%~50%。

二、根据地形等自然条件分区,进行生态修复对位配置

综合地形地貌、水土流失及植被状况等因素,将黄土高原分为黄土高塬沟壑区、黄土丘陵沟壑区、风沙区、土石山区、黄土阶地区、高地草原区、干旱草原区、林区和冲积平原区等9个类型区。其中黄土丘陵区因其分布范围广、内部差异较大,又将其分为5个副区。由于不同类型区影响生态修复的自然和社会经济条件各异,因此实施生态修复的方法也各有针对性,从而达到快速恢复林草植被的目的。

(一)黄土高塬沟壑区

该区主要分布在甘肃的西峰、平凉,陕西的咸阳、铜川,山西的西南部,总面积3.24万km²,沟壑密度为1~3km/km²。多年降水量在500~600mm,适宜灌乔植被生长。人口密度较大,农业人口密度约为160人/km²。塬面平坦,水土流失轻微,占总面积的39%,地面坡度一般小于5°。该区实施水土保持生态修复,首先要在塬面上建设高标准的基本农田,为退耕还林还草创造条件;其次,要在沟谷修筑谷坊、塘坝、淤地坝等沟道工程,拦截泥沙,解决人畜饮水,并为沟坡人工营造植被和自然恢复植被提供一定的水源条件,促进植被的快速恢复。

(二)黄土丘陵沟壑区

该区总面积21.6万km²,分5个副区。

1. Ⅰ副区和Ⅱ副区

第一和第二副区主要分布在陕西的榆林、延安,山西的临汾、忻州、吕梁,内蒙古的鄂尔多斯、呼和浩特南部,甘肃的环县及宁夏的彭阳等地。沟壑密度3~7km/km²,地形破碎,年均侵蚀模数高达5 000~30 000t/km²,水土流失非常严重。年降水量在400~500mm适宜灌草植被生长。农业人口密度为60~70人/km²,人均土地面积1.4hm²以上。该区是黄河泥沙的主要来源区,也是实施生态修复的重点区域。该区实施生态修复,应坚持以小流域为单元的综合治理,以治促封,封治结合。该区群众有打坝淤地的习惯和经验,也是黄土高原淤地坝建设的重点地区,在小流域治理中,要把淤地坝建设和缓坡地修梯田作为重点,在解

决群众基本粮食需求和农业结构调整的前提下,促进大面积的退耕还林还草和植被恢复。

2.Ⅲ副区和Ⅳ副区

第三和第四副区主要分布在甘肃的天水、平凉南部、临夏,青海的海东,陕西的宝鸡北部,宁夏的固原,河南的三门峡、洛阳等地区,沟壑密度2～4km/km²,大于15°坡面占50%～70%,是水土流失的主要策源地,也是生态修复的重点。年降水量400～550mm,适宜草灌生长。农业人口密度大于150人/km²,是第一、二副区的两倍多,人均耕地少。因此,该区实施生态修复关键和前提是解决农民的基本粮食需求。应在缓坡建设基本农田的同时,在沟道中建设淤地坝,发展小片水地,增加粮食生产,提高农民的生活水平。使大面积的陡坡耕地退耕还林还草。

3.Ⅴ副区

第五副区,主要分布在甘肃兰州、白银、定西、榆中、环县,宁夏的清水河中游,陕西定边以及山西的平鲁、右玉等地区,沟壑密度1～3km/km²,年均降水量300～400mm,干旱少雨,地面坡度较缓。该区实施生态修复的主要措施为:以封为主,封治结合。要加大集雨节灌工程和小型水利水保工程的建设力度,开展引洪漫地为主体的基本农田建设,发展高效农业,在解决群众温饱的基础上,对大面积的荒山实行封育或轮封轮牧。

(三)土石山区

该区在黄河中上游7省(区)都有分布,总面积13.86万km²。青、甘、蒙地区农业人口密度小(只有30人/km²),人均土地资源丰富,年降水量200～400mm,。陕、晋、豫地区农业人口密度相对较大(80多人/km²),年降水量丰富(500～700mm),适宜草灌乔生长,只要保护得好,植被很容易得到恢复。实施生态修复的措施是实行全面封禁。对于有少量人口居住的地区,要以移促封,采取生态移民。不能移民的要适当建设基本农田,在支毛沟修建石谷坊或沟底造林,有条件的干沟利用沟滩造地,减少坡耕地流失数量,退耕还林还草,禁止在植被好的坡面开垦农田、搞造林工程。在荒山荒坡地上封坡育草或造林种草。

(四)风沙区

风沙区主要分布在毛乌素沙地和库布齐沙漠,总面积6.5万km²。该区人口稀少(农业人口13人/km²),土地面积大(8hm²/人),降水量少(150～400mm)。该区实施生态修复的关键措施是营造防风固沙林带,在固定和半固定沙丘上大面积种植适宜沙地生长的草灌或实施围栏封禁,防治沙地植被遭到破坏,同时开展引水拉沙造田或发展水地,解决当地群众粮食问题。

(五)干旱草原区和高地草原区

该区主要分布在内蒙古的鄂尔多斯、乌海,宁夏中部、白银北部,青海的甘南、黄南、海北州等地区,总面积9.38万km²。该区人口稀少,土地面积广,植被覆盖较好,水土流失较轻,年降水量干旱草原区为200mm,高地草原区为400～600mm。该区实施生态修复,应实行轮封轮牧,合理利用浅层地下水和地表径流,积极建立人工优质高产高效饲草基地,在大力推进舍饲的同时,对草场有计划地进行围栏封育和补播改良,以草定畜,防止超载放牧,减轻畜牧业对天然草场的压力,使草场能够得到休养生息。严禁违法开采中草药引起草场退化。

(六)林区

该区主要分布于子午岭和六盘山,总面积1.96万km²。特点是植被覆盖程度高,水土流失轻微,年降水量较多(600～700mm)。生态修复的主要措施是:严格贯彻水土保持法、森林法等法律法规,采取有效的预防监督措施,依法保护山林;健全管护组织,制定乡规民约,严禁滥采乱伐;对于生活在林区的稀少人口,要实施生态移民,对林区进行全面封禁;对人口相对集中的地区,要加强基本农田建设,努力实现少种、高产、多收,防止群众扩大耕地,破坏林草植被。

(七)其他区域

包括黄土阶地区、冲积平原区,总面积7.3万 km²。该区人口密度大,农业生产条件好,水土流失轻微。生态修复的主要措施为:缓坡地修建基本农田,在解决群众粮食需求的前提下,退耕陡坡地;保护好现有湿地,防止湿地生态环境遭到破坏,维护生物多样性;积极发展四旁植树和农田防护林建设,提高植被覆盖率。

三、依据水土流失分区进行生态修复对位配置

第三种分类的方法是根据各区域的水土流失情况及生态修复措施,由此分为禁牧育草型、休牧育草型及封山育林型三种。

(一)禁牧育草

黄土高原地区生态退化严重、人口数量相对较少的地区,实施永久性封育和禁牧,实行禁牧育草,完全禁止在这些区域放牧各种牲畜,也杜绝人类的其他经济活动,使禁牧区各类生态系统不再向人类提供经济利益服务,仅为人类提供生态保护功能。区域内的牧民全部实行异地搬迁安置,牧民的牲畜全部出栏销售,在一个时期内,使退化、沙化草地休养生息,自我恢复。

封育的速度和程度取决于天然植被破坏的程度。一般在年降水量500mm左右的森林边缘地、牧荒坡经过2～3年的封育,覆盖度可由30%～40%提高到60%～90%,产量由1 500～2 250kg/hm²提高到3 750～6 000kg/hm²;年降水量350～400mm的灌丛草原区,封禁10年后,产量由牧荒坡450～750kg/hm²提高到1 050～2 250kg/hm²。据宁夏研究显示,封育3～5年后,植被可初步得到恢复,封育6～8年后覆盖度明显增大,植物种类增加,产草量提高0.1～1.0倍。宁夏二道湖林场的一片流动沙丘,封禁前大风时黄沙滚滚,封育5年后生长以油蒿为主的植被,覆盖度达50%,并在地表形成结皮,使原先的流动浮沙地变成了固定沙地。

(二)休牧育草

对黄土地区一定区域重度退化草地,视地形、分布、自然条件和草场退化程度,实行短期休牧和季节性休牧。

1.短期休牧

一般禁牧时间为5～10年,在休牧期间禁止放牧,对区内牧户饲养的牲畜,贯彻"以草定畜,草畜平衡、强化设施、协调发展"的指导方针,加大草原基本建设力度,大力实施灭鼠治虫,清除毒杂草,并实施补种、施肥等措施,在草原植被恢复以后,再按照"以草定畜、草畜平衡"的原则加以合理利用,坚决制止超载过牧,严防草场退化。

2.季节性休牧

就是每年按不同季节进行禁牧封育。可以按冬、春、夏、秋轮牧的办法,也可以按牧草生

长发育的需要,在牧草返青期和结籽期停止在草原上放牧,待牧草完成生长期后再行放牧,使牧草充分获得有性和无性繁殖的机会,促使草地生态逐步向良性方向发展。与此同时,加大人工饲草料基地建设,大力推广舍饲、半舍饲技术,使草畜矛盾得以缓和。

(三)封山育林

对于天然林区,目前对天然林资源的价值取向已由经济性为主转向以生态性和公益性为主,国有林也以生产经营木材为主的经济经营转向以保护和恢复林区资源为主的事业单位,昔日的伐木人变成了今日的植树人和护林人。但从局部来看,对于那些地广人稀,林区较为分散,管护难度大的地区,要进一步强化天然林的保护工作,所有天然林,不管面积大小,都要建立档案,实施永久性封育,禁止放牧,杜绝人类的砍伐,使封山育林地休养生息,自我恢复,在一定时期内不再为人类提供经济利益服务。

根据以上三种分类方式可以看出,综合各种立地条件下不同的资源位及植被的生态位,水土保持生态修复在黄土高原地区主要是两种类型,一类是基本修复措施,其中又包括封育保护类措施,即防止人为破坏,巩固治理成果,保护和发展林地、草原植被为主体的陆地生态系统等重要措施。这类措施主要是封山育林、封坡育草、禁牧育林、禁牧育草等。封禁的方式有全封、半封、轮封等;退耕类措施,即退耕还林、退牧还草、生态移民等措施,这类生态修复措施保护效果好,而且费用较少;补偿治理类措施,即通过补偿和局部治理再创生态系统。在消失与再创之间有一段时间差,这段时间很多物种失去了生息地,花费也较大。这类措施主要包括迹地造林、复垦利用、疏林补植、局部治理等。这类措施的重点是对立地条件差、自然修复的水土流失地施以人工修复,改善环境,进而实现自然修复。另一类是辅助巩固措施,其中又包括调整能源措施,即为使生态修复不致影响当地群众生活而进行的,调整能源结构。具体有推广液化气、沼气池、节柴灶、节能灶、太阳能利用及以电代柴,以煤代柴,以气代柴等;加强预防监督措施,这是生态修复的关键和核心,为巩固生态修复成果,管护成果,防止人为新的水土流失,必须加强水土保持预防监督工作。其他辅助措施,其作用是调整经济结构、营造经济果木林、发展乡村工业和旅游业,引导农村劳动力外出打工、制定优惠政策等。

第五节　生态植被修复的演替及人工干预

开展水土保持生态自我修复,依靠并发挥自然力的作用,使植被自然恢复。随着我国水土保持生态自我修复试点工程的开展,水土保持生态自我修复,逐渐成为水土保持生态环境建设的重要内容之一和生态恢复的重要途径之一。

水土保持生态修复,使得一定地区退化生态系统的核心组成部分植物群落(已受损)在排除外来干扰(人为破坏)的条件下得以正常进行,并经过一定的时间逐渐恢复演替到该地区原来的地带性稳定群落和自然生态系统的过程。由此可见,在水土保持生态修复影响下,植物群落自然发生演替并且随水、热条件的变化,在不同的区域表现为不同的演替过程。认识和了解不同区域植物群落的自然演替过程,对于预测水土保持生态修复对区域植被演替的影响,进而为不同区域人工建造植被或人工调控植被自然演替过程,提供借鉴或依据。

一、水土保持生态自我修复及人工干预对植被演替的影响

(一)水土保持生态自我修复对森林区及森林草原区植被演替的影响

就植被演替规律,黄土高原森林区曾经反复开垦,目前除开垦种植农田外,全部处于森林恢复演替的不同阶段。这是认识水土保持生态修复影响,植被演替规律的重要基础。综合已有研究,可以把黄土高原森林区植被自然演替过程分为以下几个阶段:猪毛蒿(Artemisia scoparia)群落——铁杆蒿(Tripolium vulgare)群落、华北米蒿(A.giraldii)群落、华北米蒿、长芒草群落——黄背草(Themeda triandra)群落、大油芒(Spondiopogon sibiricus)群落、白羊草(Bothriochloa ischaemum)群落——狼牙刺(Sophora viciifolia)灌丛、黄蔷薇(Rosa hugonis)灌丛、沙棘灌丛、虎棒子(Ostryopsis davidiana)灌丛——山杨(Populus davidiana)林、白桦(Betula platyphylla)林、侧柏(Platycladus sorientalis)林或辽东栎、油松林。虽然阴阳坡植被都经过草本阶段、灌丛阶段、早期森林阶段和后期森林阶段,但其物种却有变化,且达到后期森林阶段的演替时间有较大差异。据邹厚远研究,在自然状态下,阴坡演替到顶级群落阶段约需100年,而阳坡则约需150年,具有明显的落叶阔叶林区植被演替的规律。森林草原区植被演替过程,则表现为不同的规律,先后经历先锋群落阶段黄蒿(Artemisia annua)群落、苦菜(Ixeris denticula)群落、狗尾草(Setaria viridis)群落、猪毛蒿群落——多年生禾草群落、长芒草群落、大针茅(Stipa grandis)群落、糙隐子草群落、香茅(Cymbopogon ciyratus)群落、冰草(Agropyron cristatum)群落——多年生蒿类群落、铁杆蒿群落、华北米蒿群落、茵陈蒿(Artemisia capillaris)群落、达乌里胡枝子群落——疏林草原阶段山杏(Prunus armeniana var. ansu)、大果榆(Ulmus macrocarpa Hance)、杜梨(Pyrus betulafolia)、侧柏、杜松(Juniperus rigida)等旱中生矮乔木侵入多年生蒿类群落。演替止于疏林草原。同时,与森林区不同的一个特征是:森林区蒿类群落在前,禾草群落在后,而在本区则是禾草群落在前,蒿类群落在后。但据作者实际观测,二者也可平行演替或禾草群落先于蒿类群落。具体过程与生境有很大的关系。

(二)水土保持生态修复对草原区植被演替影响

对草原区植被演替变化的研究,由于研究区域及研究对象(退耕地或退化草地)的不同,研究结论也各异。邹厚远等对宁夏云雾山草原保护区的植被自然过程的研究表明,该区草原演替基本经历香茅群落、百里香+杂草群落、长芒草+百里香群落、长芒草+铁杆蒿群落、长芒草+大针茅群落等不同阶段。而我们在吴旗县的调查表明,在演替的第2阶段,还有大量的赖草(Leymus scalinus)群落、冰草群落,与其他物种形成过渡性的演替类型。此后的演替中,达乌里胡枝子、冷蒿等群落也出现较多,并形成长芒草+达乌里胡枝子、长芒草+冷蒿(Artemisia frigida)或冷蒿等相对稳定的群落类型。部分地方还观察到白羊草群落。而程积民等也对排除外来干扰下的草地植被演替开展了一定的研究,如分别对典型草原区长芒草群落、百里香群落、铁杆蒿群落、达乌里胡枝子群落等在封育、放牧等条件下的演替过程进行了研究,其中封育条件下的群落演替过程表明,封育后群落演替过程趋于自然状态,建群种和伴生种的分布愈来愈显著,而未封育的群落结构简单、层次分化不明显。显示出植被自然恢复在草原植被恢复重建中的重要作用。但就目前来看,关于水土保持生态修复对植物

群落演替影响的认识,大多数来自于不同研究者的分散研究。鉴于研究目的、区域等差异,在样本选择、调查内容及方法等方面可能不同,要深入和全面认识水土保持生态修复对区域植被演替的影响,尚需进一步的工作,调查研究的区域分布也应更为全面一些。

(三)生态修复对植被正向演替的促进作用

黄土高原地区,地形破碎,千沟万壑,土质疏松,陡坡地种植不但效益低下,而且容易造成水土流失。实行退耕还林还草,既可恢复植被,也可减轻水土流失强度。天然草原区实行退牧或轮牧,既解决超载过牧问题,尽快恢复植被,也可控制水土流失,减缓沙化。

陕西省属内陆河流区,实行退耕还林还草、封山禁牧 5 年来,完成退耕还林 30.67 万 hm²(包括荒山造林),加快了生态修复,取得良好效果,植被盖度明显增强。吴旗县累计退耕还林 7.33 万 hm²,全县林草覆盖率由 1997 年的 22.4% 提高到 49.6%。

开山种地,过度垦荒,其实都是谋求生存之举。因为土地本身就是农民的生存之本。但大量的山坡地被挤压式地开垦之后,植被破坏,水土流失,土地生产效益低下。一种"越垦越穷,越穷越垦"的恶性循环也就从此开始。实施退耕还林还草后,土地得以休养生息,植被得以恢复。但光靠退耕还林的粮款补助,是不能满足农民脱贫致富奔小康的,也无法保证粮食的安全问题。因此,必须建设高效益的基本农田,提高林草的经济效益。

陕北黄土高原地区,大面积建设淤地坝,是解决这一矛盾的最佳选择。淤地坝既可拦泥滞洪,也可淤地造田,形成的坝地土肥水足,稳产高产。调查表明,坝地土壤含水量分别是梯田、坡地的 2 倍和 2.5 倍。每吨土壤中氮、磷、钾含量是坡地的 1.2 倍、5.2 倍和 1.25 倍。据多年数据分析,1hm² 坝地的效益相当于 8hm² 左右坡耕地和 4hm² 旱地梯田。1994 年、1995 年由于连续遭受大旱,一般旱地大幅度减产甚至绝收,但坝地产量仍稳定在 3 750kg/hm² 以上,有的高达 10 500kg/hm²,可见打坝造田,既可确保粮食安全,增加农民收入,也可控制水土流失,促进生态修复。

二、生态修复实例分析

(一)自然概况

定西市安定区位于甘肃省中部,地处黄土丘陵沟壑区第五副区,自然条件严酷,生态环境脆弱,水土流失严重。属干旱、半干旱气候区。该区 2002 年被列入黄河水土保持生态工程第一批生态修复试点区(县),规划生态修复总面积 104.25km²,封禁面积 75.25km²,分杏园和东岳高峰 2 个封育区,涉及 3 个乡镇的 11 个行政村。项目区年降水量 350~460mm,年均土壤侵蚀模数 5 840t/km²。

(二)生态修复效果

1. 生态修复使项目区内生态环境得到明显改善

通过封禁、退耕、林草抚育等各项治理措施的落实和宣传管护力度的加大,草地、耕地等土地初级生产力明显增强,水土流失明显减轻。据监测,实施各项措施并通过封禁保护,封育区林草覆盖度由初期的 30% 提高到 66%,年土壤侵蚀模数由 5 840t/km² 下降到 2 100t/km²,天然草地干生物产量由 0.57t/hm² 增加到 2.42t/hm²,灌木林(沙棘)干生物产量由 4.5t/hm² 增加到 6.6t/hm²。通过对杨树、沙棘、草场、苜蓿及荒坡(对照)等不同土地利用类型径流小区观测,杨树、沙棘、草场、苜蓿地的土壤流失量分别比对照减少 55.4%、63.5%、55.6% 和 88.1%。利用样方对林草植被进行监测的结果表明:乔木林地和灌木林地的林分郁闭度均达到中郁闭水平(未封育区均为弱郁闭);封育区沙棘生物产量较对照提高 46.7%,封育草场的牧草产量是对照的 4.2 倍。通过封禁,山变绿了,动植物群落得到良性发展,禽类、昆虫数量明显增加,昔日罕见的黄鼠狼、狐狸、猫头鹰、老鹰等动物已频繁出现。封育保护使区域生态系统的自我组织和调控作用增强,生态环境开始向良性发展,为实现人与自然和谐共处创造了条件。

2. 实行舍饲养殖有效地保护了天然植被

通过制定禁牧舍饲规定,从政策、资金、技术等方面扶持农户大力发展舍饲养殖,对贫困户、专业户及先进农民优先发放扶贫贷款、提供良种和无偿技术服务。在修复区,每公顷退耕还林还草地养殖 15 只小尾寒羊,目前小尾寒羊已发展到 800 多只,良种及改良种畜占到 90%。小尾寒羊繁殖率比土种羊高 3 倍,羊的出栏率由 25% 提高到 48%,出栏时间缩短 6~9 个月。舍饲养殖还发展到猪、鸡、鸭、鸽子、兔等多种家畜家禽,给农民带来了可观的经济效益,从根本上杜绝了乱啃滥牧现象,有效地保护了天然植被。

总之,生态修复不是简单的封闭式管理,不是单纯的禁垦、禁牧、禁伐,而是要在确保当地社会经济可持续发展、群众安居乐业、社会安定团结的前提下,控制人为破坏,实现生态的重建和恢复。这是一项系统工程,必须从解决群众的生产、生活问题入手,把生态修复理念融入到防治实践之中,将行之有效、深受群众欢迎的沼气池、节柴灶建设以及舍饲养畜、生态移民、退耕还林等纳入进来,使其真正成为人与自然和谐共处的纽带、经济社会与生态环境协调发展的保障。

生态修复作为一个新兴的理论和技术研究方向,日益引起人们的高度重视。由于生态系统的复杂性,因此生态系统的修复方法和措施还有待完善。黄土高原地区的生态修复要从当地自然、区位和生态的实际出发,确定开发方向、增长方式和发展途径,把谋求发展思路、开发建设行为和实现增长方式真正建立在不造成新的破坏、新的流失和有助于改善生态环境的基础上。

参 考 文 献

[1] 蔡建勤,张长印. 全国水土保持生态修复分区研究. 中国水利,2004(4)

[2] 苗光忠. 生态修复需解决好三个关键问题. 中国水土保持,2004(10)

[3] 张信宝,齐永青. 非干旱造林困难地区植被恢复的科学检讨及建议. 中国水土保持,2004(10)

[4] 何京丽. 北方典型草原水土保持生态修复技术. 2004,11(3)

[5] 康爱民,徐建中. 对牧区草原生态修复的认识与思考. 水利发展研究,2004(12)

[6] 杨爱民,刘孝盈. 水土保持生态修复的概念、分类与技术方法. 见:全国水土保持生态修复研讨会论文汇编. 2004

[7] 焦居仁. 生态修复的要点与思考. 中国水土保持,2003(2)

[8] 方天纵. 水土保持生态修复理论依据初步分析. 见:全国水土保持生态修复研讨会论文汇编. 2004:134~138

[9] 杨少林,孟菁玲. 浅谈生态修复的含义及其实施配套措施. 中国水土保持,2004(10)

[10] 古建伟,孙世权.实施生态修复工程是改善江河源区生态环境的有效途径.中国水土保持,2004(9)

[11] 冯华.梯田＋水窖＋林草＋塘坝,经济、生态两相宜——甘肃定西看"水保".人民日报,2004年10月24日

[12] 李贵,梁俊林.实施封禁治理,走生态畜牧之路.见:全国水土保持生态修复研讨会论文汇编.2004

[13] 刘震.推进生态修复,加快治理步伐.中国水土保持,2004(10)

[14] 卜崇德,杨军.宁夏全境封册禁牧的成效、问题与对策.见:全国水土保持生态修复研讨会论文汇编.2004

[15] 黄弈龙,陈利顶,等.黄土丘陵小流域沟坡水热条件及其生态修复初探.自然资源学报,2004,19(2)

[16] 高嶙,杜琳.安定区开展生态修复试点的做法与效果.中国水土保持,2005(2)

[17] 卜崇德.从盐池县刘窑村的变化看自然修复在生态建设中的重要地位.见:全国水土保持生态修复研讨会论文汇编.2004:425~427

[18] Daily, G.C. 1995. Restoring value to the world's degraded lands. Science, 269: 350~354.

[19] Vitousek, P.M., Ehrlich, P.R., Ehrlich, A.H., and Matson, P. Human appropriation of the products of photosynthesis. Bioscience, 1986, 36: 368~373.

[20] SER 1996. Society for Ecological Restoration, Definitions 1. Ecological restoration. www.ser.org/definitions.html.

[21] Bradshaw, A.D. Land restoration: now and in the future. Proc. R. Soc, Lond. Ser. B, 1984,223: 1~23.

[22] Bradshaw, A.D. 1990. The reclamation of derelict land and the ecology of ecosystems. In Restoration ecology: A synthetic approach to ecological research. Edited by W.R. Jordan, M.E. Gilpin, and J.D. Aber. Cambridge University Press, Cambridge, U.K. pp. 53~74.

[23] Bradshaw, A.D. 1999. The importance of nitrogen in the remediation of degraded land. In Remediation and management of degraded lands. Edited by M.H. Wong, J.W.C. Wong, and AJ.M. Baker. Lewis, Boca Raton, Fla. pp. 153~162.

[24] Emily Bernhardt, Elizabeth Chornesky, Scott Collins, et al. Ecology for a Crowded Planet Science. Washington, May 28, 2004, 304(28): 1251 ~1253.

[25] SER: 2002, The SER Primer on Ecological Restoration. www.ser.org.

[26] Daniel Sarr,Klaus Puettmann, et al.Ecological restoration of land with particular reference to the mining of metals and industrial minerals: A review of theory and practice. Journal of Forestry.Bethesda: 2004, 10 (5):20~25.

[27] A Carl Leopold. Living with the Land Ethic.Bioscience, Washington,2004,54(2):149~155.

[28] Daniel Sarr,Klaus Puettman et al.Restoration Ecology:New Perspectivesand Opportunities for Forestry. Journal of Forestry, Bethesda,2004,102(5):20~25.

[29] Hulse, D.,Ribe, R. Land conversion and the production of wealth. Ecological Applications 2000,10(3): 679~682.

[30] Miles, J. Vegetation succession: past and present perceptions. In Colonization, succession and stability. Edited by A.J. Gray, M.J. Crawley and PJ. Edwards. Blackwell, Oxford, U.K., 1987:1~29

[31] Parrotta, J.A. and Turnbull, J.W.. Catalyzing native forest regeneration on degraded tropical lands. Ecol. Manag, 1997, 99: 1~290.

[32] Glenn－Lewin, D.C., Van der Maarel, E. Patterns and processes of vegetation dynamics. In Plant succession: theory and prediction. Edited by D.C. Glenn－Lewin, R.K. Peet and TT. Veblen. Chapman and Hall, London, 1992: 11~31.

第十六章　水土保持预防监督及方案编制

　　随着国家可持续发展战略的实施和依法治国基本国策的深入贯彻,水土保持预防监督工作在保护生态环境、减少自然灾害、提高人民生活质量、促进经济社会发展中的地位和作用越来越重要。《中华人民共和国水土保持法》(以下简称《水土保持法》),第1章第4条规定:国家对水土保持工作实行"预防为主、全面规划、综合治理、因地制宜、加强管理、注重效益"的方针。按照这样一个总的方针,把预防新的水土流失作为水土保持工作的重点,这符合我国的国情,符合我国搞水土保持的现实。为保证《水土保持法》的实施,国务院又发布了《中华人民共和国水土保持法实施条例》,严密了执法的法规,确立了监督和法律责任的条文。各省(自治区、直辖市)和所属的水土流失重点地区(州、市)、县(区、旗、市)结合当地的具体措施,先后制定了各地各级的《水土保持法实施办法》或《实施细则》等地方性法规,使水土流失的预防工作,既具有法律效力,又具有可操作性。

　　2004年,全国第四次水土保持预防监督工作会议召开,突出预防监督这个主题,认真总结经验,分析形势,明确目标和任务,进一步推进水土保持预防监督工作。2004年8月,水利部制定了《全国水土保持预防监督纲要(2004～2015)》,明确了21世纪初期我国水土保持预防监督工作的指导思想、目标任务、总体布局和对策措施,全面推进水土保持预防监督工作。

　　为了加强开发建设项目水土保持工作,防止人为造成新的水土流失,《水土保持法》第19条要求:在山区、丘陵区、风沙区修建铁路、公路、水工程,开办矿山企业、电力企业和其他大中型工业企业,在建设项目环境影响报告书中,必须有水行政主管部门同意的水土保持方案。《中华人民共和国水土保持法实施条例》进一步明确开发建设项目必须编制水土保持方案。

　　1994年,水利部、国家计委、国家环保局制定了《开发建设项目水土保持方案管理办法》、水利部相继出台了《开发建设项目水土保持方案编报审批管理规定》、《开发建设项目水土保持设施验收管理办法》、《水土保持方案编制资格证单位考核办法》、《加强大型开发建设项目水土保持监督检查工作的通知》等规章和规范性文件。对于开发建设工程项目,依照《水土保持法》贯彻落实"一方案"、"三权"、"三同时"、"两费"制度。"一方案"指每一个开发建设项目都要编制水土保持方案;"三权"指水土保持方案审批权、监督检查权、执法收费权;"三同时"指建设项目中的水土保持设施必须与主体工程同时设计、同时施工、同时投产使用;"两费"指依法征收水土保持设施补偿费、水土流失防治费。即依照《水土保持法》第2章第18条和第19条,首先严格掌握水土保持方案的审批,水土保持监督执法机构依法行使监督、审批、收费;在此基础上,监督建设项目中的水土保持设施,必须与主体工程实行"三同时";建设工程竣工验收时,应当同时验收水土保持设施,并有水行政主管部门参加。水土保持方案的编报工作由建设单位负责,必须由持有水行政主管部门颁发的《编制水土保持方案资格证书》的单位编制完成。

第一节 水土流失预防和监督

一、水土保持法律法规建设

(一)水土保持法规

运用法律手段对自然资源进行保护,确保自然资源的合理开发和利用,充分发挥自然资源的综合效益,已经成为当今各国所普遍采用的办法。解决中国的水土流失问题,从根本上讲,在于加强水土保持法律法规建设。以往几十年的经验告诉我们,没有一部制约引起水土流失行为的法律,只能是治理跟着破坏走,一家治理,多家破坏,治理的速度赶不上破坏的速度。《水土保持法》的颁布实施,标志着我国的水土保持工作已步入法制化轨道,为预防和治理水土流失提供了法律依据。水土保持法规体系是调整人们在预防和治理因自然因素和人为活动造成水土流失过程中所发生的各种社会关系的法律规范。由于我国水土流失类型和强度不同,人类的生活和生产过程不同,要求针对水土资源开发、利用和保护的不同情况分别做出法律规定,也就是说要求水土保持法律体系和现实水土资源的开发和利用实现对位配置。现在我国水土流失发生了新变化,人为因素造成水土流失越来越严重。通过法规条文规范人的社会行为,也就是说经济社会发展中存在的问题是"需求位",现有的法规条文是"资源位",现实的法规"资源位"要满足现实社会经济发展的"需求位",水土保持预防、监督和水土保持方案编制就是资源位与需求位对位配置的过程。预防、监督、水土保持方案的实施,就是对位配置的结果。水土保持监督管理中出现的新问题越来越多,水土保持法律和技术规范的一些规定不能适应水土保持监督管理工作的要求,水行政主管部门就要把修订水土保持法律和技术规范工作提上议事日程。我国水土保持监督管理工作已经开展10多年了,水利部与国家计委、国家环保总局、国土资源部等主管部门根据我国水土保持不同阶段的情况和出现的问题,颁布实施了一系列法律、法规和技术规范。我国水土保持法规分为6个层次。

第一层次:《中华人民共和国宪法》。

宪法第9条第2款规定:"国家保障自然资源的合理利用,保护珍贵的动物和植物。禁止任何组织或者个人用任何手段侵占或者破坏自然资源"。宪法作为我国的根本大法,确定了我国在自然资源开发、利用和保护方面的基本原则,这就为进一步制定有关自然资源开发、利用和保护的各种法律、法规和规章提供了立法依据。

第二层次:基本部门法。

由全国人民代表大会常务委员会颁布的基本部门法也涉及到有关水土保持方面的内容,是我国开展水土保持法制建设的基础。《中华人民共和国刑法》、《中华人民共和国民法通则》、《中华人民共和国行政处罚法》、《中华人民共和国行政诉讼法》、《中华人民共和国国家赔偿法》、《中华人民共和国仲裁法》、《中华人民共和国拍卖法》、《中华人民共和国行政监察法》、《中华人民共和国合同法》、《中华人民共和国行政复议法》、《中华人民共和国招标投标法》、《中华人民共和国立法法》等基本法,也为水土保持法规顺利实施提供了基本保障。

第三层次:自然资源法。

自然资源法是指调整人们在自然资源的开发、利用和保护过程中所发生的各种社会关系的法律规范的总称。依照《中华人民共和国宪法》的原则,全国人民代表大会还制定并颁布了《中华人民共和国水土保持法》、《中华人民共和国土地管理法》、《中华人民共和国水法》、《中华人民共和国防洪法》、《中华人民共和国森林法》、《中华人民共和国草原法》、《中华人民共和国渔业法》、《中华人民共和国矿产资源法》、《中华人民共和国野生动物保护法》、《中华人民共和国环境影响评价法》、《中华人民共和国环境保护法》、《中华人民共和国农业法》,这些法律奠定了我国社会主义自然资源法律体系的基础。

1991年6月29日第七届全国人民代表大会常务委员会第20次会议通过并颁布了《中华人民共和国水土保持法》,使我国水土保持立法进入一个新阶段,为水土保持法规体系的形成奠定了基础,我国的水土保持事业真正步入了依法管理的轨道。《水土保持法》包括6章42条,对水土保持法的总则、预防、治理、监督、法律责任等作了详细的规定。《水土保持法》作为我国水土资源开发、利用和保护的法律,是我国自然资源法律体系的组成部分,它与其他资源法律一起,组成了我国的自然资源法律体系。

第四层次:国家行政部门制定的有关法令、法规和条例。

国务院及有关部委根据水土保持的具体情况制定的各种专门性法令、法规、条例和决定,是我国水土保持法规体系的重要组成部分。主要有:《中华人民共和国水土保持法实施条例》、《建设项目环境保护管理条例》、《开发建设项目水土保持方案管理办法》、《水土保持生态环境监测网络管理办法》、《开发建设项目水土保持方案编报审批管理规定》、《国务院关于黄河中游地区水土保持工作的决定》、《开发建设晋陕蒙接壤地区水土保持规定》、《关于贯彻执行〈水土保持法实施条例〉有关规定的通知》、《国务院关于加强水土保持工作的通知》、《关于水利建设单位做好水土保持工作的通知》、《关于加强土地开发利用管理搞好水土保持的通知》、《关于加强水利工程水土保持方案编审工作的通知》、《国务院办公厅关于治理开发农村"四荒"资源进一步加强水土保持工作的通知》、《国务院办公厅关于进一步做好治理开发农村"四荒"资源工作的通知》、《关于加强土地开发利用管理搞好水土保持的通知》、《关于加强煤矿生产建设项目水土保持工作的通知》、《关于电力建设项目水土保持工作的暂行规定》、《关于加强有色金属生产建设项目水土保持工作的通知》、《关于铁路建设项目水土保持工作规定》、《关于公路建设项目水土保持工作规定》等。

第五层次:地方性法律、部门规章。

地方法规是各省、自治区、直辖市根据有关水土保持法律和法规,结合本地实际而制定并经地方人民代表大会审议通过的法规。如《山西省实施水土保持法办法》《海南省实施〈中华人民共和国水土保持法〉办法》等。

第六层次:地方规范性文件。

省、自治区、直辖市的土地、环保、水政、农业、林业等主管部门以及市、县级人民代表大会、政府,依据法律、法规、条例、地方性法规和规章等制定的有关流域管理和水土保持方面的规范性文件。

(二)水土保持技术规范与标准

1. 水土保持基础规范与标准

1)《土壤侵蚀分类分级标准》(SL190—1996)

全国一级区的区划以发生学原则(主要侵蚀外营力)为依据,分为水力侵蚀、风力侵蚀、冻融侵蚀三大类型。全国二级区的区划以形态学原则(地质、地貌、土壤)为依据,将水力侵蚀为主的区域分为西北黄土高原区、东北黑土区、北方土石区、南方红壤丘陵区和西南土石山区等二级类型区。各大流域,各省(自治区、直辖市)可在全国二级分区的基础上再细分为三级区和亚区。本标准对水力侵蚀、重力侵蚀、风力侵蚀、混合侵蚀(泥石流)强度进行分级。侵蚀土壤程度分级分两个方面:一是有明显的土壤发生层的分级标准;二是按土层残存情况的侵蚀程度分级标准。

2)《水土保持实验规范》(SD239—1987)

本规范主要适用以从事水土保持实验研究为主要任务的各流域机构所属水土保持实验站(所)和省、市两级所属的水土保持实验站(所)。本规范主要内容包括:实验站(所)的设置;水土保持实验研究工作的方法和程序、水土流失规律实验;水土保持农业技术措施实验;水土保持林业技术措施实验;水土保持牧草措施实验;水土保持工程措施实验;小流域综合治理实验;中间实验;土壤理化分析;土壤研究成果的鉴定与推广;资料整编与成果汇编。

3)《水利水电工程制图标准　水土保持图》(SL73.6—2001)

本标准适用于水土保持区域治理,水土保持流域治理,水土保持生态环境建设、开发项目建设,水土保持方案项目的规划、项目建议书、可行性研究、初步设计、招标设计、施工图设计等规划设计阶段的制图。

4)水土保持监测

水利部于2000年1月31日颁布了《水土保持生态环境监测网络管理办法》,对水土保持生态环境监测的任务、监测站网的建设与资质管理、监测机构职责、监测数据和成果的管理等作了规定。

2．水土保持综合治理技术规范与标准

1)《水土保持规划通则》(GB／T15772—1995)

本标准适用于大面积总体规划和小面积实施规划。在综合调查的基础上,根据当地农村经济发展方向,合理调整土地利用结构和农村产业结构,针对水土流失的特点,因地制宜地配置各项水土保持防治措施,提出各项措施的技术要点。分析各项措施所需的劳工、物资和经费,在规划期内(小面积3~5年,大面积5~10年)安排好治理进度,预测规划实施后的效益,提出保证实施规划的措施。规划的内容与程序主要包括水土保持综合调查、水土保持区划、土地利用规划、防治措施规划、分析技术经济指标和整理规划成果。规划成果整理包括规划报告、附表、附图、附件等。

2)《水土保持综合治理技术规范》(GB／T16453.1~16453.6—1996)

水土保持综合治理技术规范包括《坡耕地治理技术》(GB/T16453.1—1996)、《荒地治理技术》(GB/T16453.2—1996)、《沟壑治理技术》(GB/T16453.3—1996)、《小型蓄排引水工程》(GB/T16453.4—1996)、《风沙防治技术》(GB/T16453.5—1996)、《崩岗治理技术》(GB/T16453.6—1996)。

3)水土保持综合治理效益计算(GB／T15774—1995)

本标准规定了水土保持综合治理效益计算的原则、内容和方法。水土保持综合治理效益包括基础效益(保水、保土)、经济效益、社会效益和生态效益等四类。水土保持基础效益按就地入渗、就近拦蓄和减轻沟蚀等3种情况分别计算;水土保持经济效益分直接经济效益和间接经济效益两类;水土保持社会效益包括减轻自然灾害、促进社会进步两个方面;水土保持生态效益的计算包括水圈生态效益、土圈生态效益、气圈生态效益、生物圈生态效益。

4)《水土保持综合治理验收规范》(GB/T15773—1995)

本标准规定了水土保持综合治理验收的分类,各类验收的条件、组织、内容、程序、成果要求、成果评价和建立技术档案。适用于以小流域为单位的水土保持综合治理验收。验收类型分为单项验收、阶段验收、竣工验收。验收共性要求是三类验收都应有相应的验收条件、组织、内容、程序和成果要求;都应该以相应的合同、文件和有关规划、设计为验收依据;验收的重点都应是各项治理措施的质量和数量。

3. 水土保持工程、生物措施技术规范与标准

水土保持工程措施技术规范包括《水土保持治沟骨干工程技术规范》(SL289—2003)、《水坠坝技术规范》(SL302—2004)、《碾压式土石坝设计规范》(SDJ218—1984)。水土保持生物措施技术规范与标准主要包括《生态公益林建设导则》(GB/T18337.1—2001)、《生态公益林建设规划设计通则》(GB/T18337.2—2001)、《生态公益林建设技术规程》(GB/T18337.3—2001)。森林培育与经营技术规范与标准包括《育苗技术规范》(GB601—1985)、《造林技术规程》(GB/T15776—1995)、《森林抚育规程》(GB/T15781—1995)、《主要造林树种苗木质量分级》(GB6000—1999)。草原与草场管护技术规范与标准包括《豆科主要栽培牧草种子质量分级》(GB6141—1995)、《禾本科主要栽培牧草种子质量分级》(GB6141—1995)、中国草地类型分类的划分标准和中国草地类型分类系统。

4. 开发建设项目水土保持方案技术规范与标准

1)《开发建设项目水土保持方案技术规范》(SL204—98)

本规范适用于矿业开采、工矿企业建设、交通运输、水工程建设、电力建设、荒地开垦、林木采伐及城镇建设等一切可能引起水土流失的开发建设项目水土保持方案的编制。该规范主要包括:

第一部分 总则。简述编制本规范的目的和意义,适用范围,水土保持方案分阶段的要求,开发建设项目水土流失防治任务及责任范围,水土保持方案应达到的目标等。

第二部分 水土保持方案编制要求。主要有水土保持方案各设计阶段的要求,水土保持方案报告书的编制及其基本情况调查、水土流失预测、防治方案的制定、投资概(估)算和效益分析等。

第三部分 水土流失防治工程。对防治开发建设项目水土流失的拦渣工程、护坡工程、土地整治工程、防洪工程、防风固沙工程、泥石流防治工程、绿化工程等7个方面的措施,分别提出技术要求。

2)开发建设项目水土保持方案管理办法

《开发建设项目水土保持方案管理办法》于1994年11月22日由水利部、国家发展与改革委员会、国家环境保护局以[1994]513号文件发布,规定了在山区、丘陵区、风沙区修建铁路、公路、水工程、开办矿山企业、电力企业和其他大中型企业,其建设项目环境影响报告书中必须有水土保持方案,并提出了方案的管理办法。

3)开发建设项目水土保持方案编报审批管理规定

《开发建设项目水土保持方案编报审批管理规定》于1995年5月30日以水利部第5号令发布。规定凡从事有可能造成水土流失的开发建设单位和个人,必须在项目可行性研究阶段报水土保持方案,并根据批准的水土保持方案进行前期勘测设计工作。

二、水土保持"三区"划分

(一)全国水土保持预防监督工作

1. 基本原则

(1)坚持"预防为主,保护优先"的原则,控制人为水土流失,全面加强预防保护工作,依法保护和合理利用水土资源。

(2)坚持"分类指导,分区防治"的原则,依法划定重点预防保护区、监督区、治理区,健全分区防治、分级负责的管理体制。

(3)坚持"依法行政,管理规范"的原则,依法建立健全监督机制,实现管理工作规范化。

(4)坚持"监测先行,科学管理"的原则,加强监测预报工作,提高水土保持工作的科学性和针对性。

(5)坚持"谁开发谁保护,谁造成水土流失谁负责治理"的原则,依法落实人为水土流失防治责任和水土保持"三同时"制度。

2. 主要任务

(1)建立全国水土保持监测系统。目前已经建成了水利部水土保持监测中心、7个流域监测中心站、31个省级监测总站、175个重点分站和典型区监测点的全国水土保持监测网络。对三峡库区、晋陕蒙接壤区、环京津风沙源区、退耕还林区、塔河及黑河下游区、南水北调等区域实施重点监测。每年对重点项目水土流失动态进行公告,每5年对重点地区进行一次公告,每10年公告一次全国水土流失状况。

(2)加强对生态环境良好区域保护工作的力度,制止人为破坏,有效保护治理成果,落实管护责任,使其经济效益、生态效益和社会效益得到持续发挥,生态环境良性循环。

(3)水土保持生态修复工程全面展开并取得实质性进展,实施生态修复面积120万 km^2,通过自然修复,使大范围的植被覆盖率得到恢复和提高,水土流失程度大幅度减轻。

(4)加强"四荒"土地开发的管理工作,规范"四荒"土地开发方式,有效保护天然植被和自然生态景观。

(5)开发建设项目水土保持"三同时"制度得到全面落实,开发建设与水土流失防治同步,水土保持方案报批率达到90%以上,使80%以上的废弃土石渣得到拦挡和防护,水土保持功能得到恢复,生态环境更加良好。

(6)有效控制城市开发建设中的水土流失,使多数城市(镇)人居环境有较大改善,到2015年,全国建立100个国家级、300个省级水土保持生态示范城市,建立1 000个水土保持生态示范城镇,推动水土保持生态示范村建设。

(二)重点预防保护区

1998年11月9日,国务院正式批准实施《全国生态环境建设规划》,把水土保持作为生态环境建设的主体工程。水土保持分区是水土保持生态建设规划的重要组成部分,根据国家水利部《水土保持规划编制暂行规定》(2000)的要求,水土保持分区主要包括水土流失重点防治区划分和类型区划分。水土流失重点防治区即在规划区范围内划出重点治理区、重点监督区和重点预防保护区("三区"划分)。划定水土流失重点防治区,便于分类指导、分区防治、突出重点,提高防治水土流失成效。

重点预防保护区的主要对象是:潜在侵蚀危险地区、水土流失轻度地区、森林水土流失区、草地水土流失区、农业区小片林地草地和治理成果保护区。这些地区通常具备产生土壤侵蚀条件,尤其是随着人口增长和经济发展,水土流失的潜在危险越来越大,因此需要加强预防保护。

全国重点预防保护区,分为国家、省、县三级。国家级重点预防保护区是指跨省(自治区)天然林区和草原面积超过 667 万 hm^2 的区域;省级重点预防保护区是指跨县(市)且天然林区和草原面积大于 66.7 万 hm^2 的区域;县级重点预防保护区是指县境内面积在 6.67 万 hm^2 以上的林区、草原区和集中治理面积达 50km² 以上的综合治理区域。到 2010 年前建成第一批 7 处国家级和 25 处省级重点预防保护区(见表 16-1)。

2004~2015 年内,国家近期重点抓好子午岭、六盘山、桐柏山、大别山、大兴安岭,岷江、大渡河、白龙江、赣江、湘江上游山地植被保护区;呼伦贝尔、锡林郭勒草原植被保护区;首都水资源保护区、丹江口水源保护区、鄱阳湖周边保护区等预防保护重点工程。各级地方人民政府根据本地区实际,也要建立本辖区的重点预防保护区。国家级重点预防保护区由国家水行政主管部门提请国务院发布公告,统一管理;省级和县级重点预防保护区由同级人民政府予以公告,并设立标志,由水土保持主管部门负责统一管理。黄土高原预防保护区总面积为 13.38 万 km²,范围包括潜在侵蚀危险区、轻度水土流失区、森林草原和已达到治理标准的小流域,其中列入国家级重点保护区的子午岭和六盘山林区面积为 2.34 万 km²。

(三)重点监督区

对资源开发和生产建设活动集中、易造成强烈水土流失的地区,设置水土保持重点监督区。要求依法开展监督,全面实施开发建设项目水土保持方案报批制度和"三同时"制度,防止人为造成新的水土流失。重点监督区分为国家级、省级、县级。跨省、集中连片、面积在 1 万 km² 以上的列为国家级重点监督区,跨县、市面积在 1 000km² 以上的列为省级重点预防监督区,面积在 100km² 以上的列为县级重点监督区。计划到 2010 年前,建立 5 处国家级和 24 处省级重点监督区(见表 16-2)。

2004~2015 年内,国家近期重点抓好黄河中游晋陕蒙接壤区煤炭开发区、黄河中游豫陕晋有色金属开发区、新疆石油天然气开发区、陕甘宁蒙接壤石油天然气开发区、长江三峡库区以及国家重点建设的南水北调、西气东输、西电东送、青藏铁路等重点工程的监督管理。各级地方人民政府也要确定本级重点监督区和监督的重点工程,对本辖区的所有重点监督区和重点工程实施有效监督。黄土高原地区监督区总面积 19.74 万 km²,主要分布在工矿集中、人为水土流失严重的地区,其中列入国家级重点监督区的晋陕蒙接壤地区和豫陕晋接壤地区面积为 8.7 万 km²。

(四)重点治理区

《全国水土保持生态环境建设"十五"计划及 2010 年规划》将全国水土流失治理区划分为长江、黄河、海河、淮河、松辽河及东北诸河,珠江及西南诸河,太湖及东南沿海诸河,内陆河等流域。2004~2015 年内,国家近期重点抓好黄河中游多沙粗沙区、长江上中游重点支流区、京津周边风沙源区、草原区、西辽河上游区、东北黑土区、海河流域太行山区、珠江石灰岩区等重点治理区的成果管护监督。各级地方人民政府要对本辖区重点治理成果落实管护责任,同时,根据本地区实际,确定本级重点治理成果管护,落实管护责任。根据全国水土保持生态环境建设"十五"计划及 2010 年规划安排,50 年将全国的宜治理水土流失面积全面实施治理,共 195.54 万 km²,2001~2010 年治理 50 万 km²,2011~2030 年治理 90 万 km²,

表 16-1　第一批水土保持重点预防保护区(1998~2010年)

级别	流域	保护区名称	所在地区
国家级	黄河	子午岭林区 六盘山林区	甘肃庆阳,陕西延安 宁夏固原,甘肃平凉,陕西宝鸡
	长江	岷江、大渡河、白龙江上游林区 湘江、赣江、上游林区 桐柏山、大别山南坡林区	四川甘孜,甘肃陇南、甘南 湖南郴州,江西赣州 湖北黄冈、孝感、随州,河南南阳、信阳, 安徽六安、安庆,桐柏山、大别山南坡林区
	松辽	大兴安岭林区	黑龙江大兴安岭,内蒙古呼伦贝尔
	珠江	珠江融江中上游与桂江上游林区	贵州黔东南,广西桂林、柳州
省级	黄河	秦岭北坡林区	陕西宝鸡、咸阳、西安、渭南
		吕梁山管岑山林区	山西忻州、吕梁
		甘南草原	甘肃甘南
		海东草原	青海海东
		鄂尔多斯草原	内蒙古伊克昭盟
	长江	金沙江下游林区	云南昭通
		雅砻江中下游林区	四川甘孜、凉山
		湘西资水,沅水上游林区	湖南湘西
		秦岭南坡山地林区	陕西汉中、商洛、安康
		神农架林区	湖北宜昌
	海河	燕山林区	河北张家口、承德
		坝上草原	河北承德、张家口
	淮河	鲁中南山地林区	山东临沂、济宁、潍坊、泰安
		伏牛山林区	河南郑州、平顶山、洛阳
	松辽河	小兴安岭林区	黑龙江伊春
		张广才岭林区	黑龙江牡丹江
		老爷岭林区	黑龙江牡丹江
		长白山林区	吉林延边、通化
		呼伦贝尔草原	内蒙古呼伦贝尔、兴安
	珠江	左右江上游及清水江林区	广西南宁、百色
		北江中上游与东江上游林区	广东韶关、河源
	其他	武夷山林区 天目山、仙霞岭、洞宫山林区 澜沧江中游林区 祁连山林区、草原	福建南平、永安 浙江杭州、金华、丽水 云南大理、思茅 甘肃、内蒙古

注:表 16-1、表 16-2引自水利部规划编制组,《全国水土保持建设规划》(1998~2050)(送审稿).1997年10月

表 16-2 第一批水土保持重点预防监督区(1998~2010 年)

级别	流域	保护区名称	所在地区
国家级	黄河	晋陕蒙接壤地 区陕晋豫矿区	陕西榆林、山西忻州、内蒙古伊克昭盟 陕西渭南、山西运城、河南三门峡
	长江	三峡库区	湖北宜昌,重庆万县、涪陵
	珠江	南北盘江矿区	云南曲靖,贵州六盘水
	太湖	福建、浙江沿海采石、工矿区	福建、浙江沿海
省级	长江	毕节矿区	贵州毕节
		嘉陵江及丹江上游矿区	陕西汉中、商洛
		鄂西南矿区	湖北西南 11 县市
		湘东矿区	湖南郴州、株洲
		赣南矿区	江西邯郸
	海河	峰峰矿区	河北邯郸
		唐山矿区	河北唐山
		大同矿区	西雁山、大同
	淮河	郑州、平顶山矿区	河南平顶山、郑州
		舞阳矿区	河南平顶山
		桐柏矿区	河南桐柏
		新县矿区	河南新县
		金寨矿区	安徽金寨
		淮南矿区	安徽淮南
		五河矿区	安徽五河
		徐州、宿州、淮北矿区	江苏徐州、安徽宿州、淮北
		鲁南矿区	山东枣庄
		蒙阴矿区	山东蒙阴
	松辽河	黑龙江东部矿区	黑龙江鸡西、鹤岗、双鸭山、七台河
		松花江沿岸地区	吉林长春、吉林通化
		辽东矿区	辽宁丹东、大连
	珠江	南丹、环江矿区	广西南丹、环江
		右江中游矿区	广西百色
		云浮、高要、肇庆矿区	广东云浮、高要、肇庆

$2031 \sim 2050$ 治理 55.54 万 km^2。黄土高原地区近期治理目标是用 10 年时间,完成水土流失综合治理面积 12.1 万 km^2,平均每年减少入黄泥沙达到 5 亿 t,黄土高原地区水土保持初见成效。

三、水土保持监督执法

水土保持监督属于行政监督范畴,是国家有关主管部门及其所属监督机构按照有关水土保持法律、法规规定的权限、程序和方式,对有关公民、法人和其他组织在水土保持方面行为活动的合法性、有效性进行的检查督导。开展水土保持监督执法是贯彻执行有关水土保持法规的需求,是促进国民经济持续、稳定、协调发展的需要,是保护自然资源和生态环境的重要举措,是巩固现有成果的有效措施。根据《水土保持法实施条例》中的规定,水土保持监督机构负责对《水土保持法》及其实施条例的执行情况实施监督检查。

(一)水土保持监督内容

(1)对农业生产的监督。根据《水土保持法》的规定,对开垦禁垦坡度以上、25°以下荒坡地的行为和活动方式,由水土保持监督部门进行监督管理。

(2)对林业生产进行监督。根据《森林法》的规定,采伐森林活林木及林业经营活动由林业主管部门监督实施。

(3)对交通、水工程、工矿企业生产建设活动的监督。根据《中华人民共和国水法》、《土地管理法》、《水土保持法》、《渔业法》等规定,主要通过审批方案、现场检查、验收设施等方法进行。

(4)对取土、挖砂、采石、开垦荒坡地等生产活动的监督。根据《中华人民共和国水法》、《土地管理法》、《水土保持法》、《渔业法》等规定,主要通过审批方案、现场检查、验收设施等方法进行。

(5)对水资源开发利用的监督。根据《中华人民共和国水法》、《渔业法》、《防洪法》、《土地管理法》等有关规定,对水土资源的开发利用进行监督。

(6)对从事挖药材、养柞蚕、烧砖瓦等副业生产进行监督。

(7)对特殊区域进行监督。根据《环境法》的有关规定对自然保护区、国家公园、文物古迹等进行监督检查。

(8)对重要设施进行监督保护。

(二)水土保持执法的主要内容

(1)对《水土保持法》及《水土保持法实施条例》的贯彻情况实施监督检查;

(2)审批相应级的开发建设项目水土保持方案,督促开发建设单位编制水土保持方案,监督"三同时"制度的执法。

(3)征收、使用和管理水土保持设施补偿费和水土流失防治费。

(4)进行水土保持监测网络的规划、建设与管理,定期公告水土流失状况。

(5)规定水土保持重点预防保护区和重点监督区并实施管理。

(6)核发与管理《编制水土保持方案资格证书》。

(7)对违反《水土保持法》的行为做出行政处理。

(三)监督执法机构和执法队伍的建设

根据《水土保持法》第三十条和《水土保持法实施条例》第二十五条规定,县级以上各级人民政府加强了监督执法的组织建设。改革开放以来,特别是 1991 年《水土保持法》颁布实施后,壮大了监督管理队伍。目前,全国有 200 多个地(市)、2 400 多个县(市、区)经编委批准成立了水土保持监督管理机构,有监督执法人员 7.4 万人,其中专职人员 1.8 万人,兼职人员 5.6 万人,此外,还配备村级群众水土保持管护员约 10 万人。全国流域机构、省、地、县分级管理的监督执法体系基本形成。

各地根据水土保持法建立健全水土保持监督执法体系,建立了专职执法机构,并且培养了一支思想好、业务精、作风正、素质高的监督管理队伍。定期组织培训,严格执行考核上岗的录用制度,加强管理和思想教育,依法持证上岗,文明执法,防止腐败。据统计,全国参加各种培训的基层监督执法人员达 2 万多人次。加强监督执法机构能力建设,保证监督执法活动有稳定充足的经费来源,加强监督执法队伍的装备,完善技术规程规范,提高服务的技术水平。实行执法公开制度,设立了监督人员监督岗及举报电话,自觉接受社会公众的监督。

(四)完善技术服务体系,提高监督执法效果

预防水土流失,在监督执法的基础上,采取必要的技术措施才能收到实效。水利部发布了《水土保持试验技术规范》、《土壤侵蚀分类分级标准》和《水土保持监测技术规程》等技术标准,以及《开发建设项目水土保持方案技术规范》、《开发建设项目水土保持方案编报审批管理办法》和《编制开发建设项目水土保持方案资格证书管理办法》等,使方案编制、审批、实施、验收等各个环节逐步规范化。

1. 制定和完善相应的技术规程规范

明确了方案编制的深度、标准等,方案内容进一步细化、深化。《开发建设项目水土保持方案技术规范》对编制方案的前期工作、基础数据、技术经济指标做出原则规定。根据开发建设项目可能造成的水土流失问题及已有的成功经验,提出拦渣工程、护坡工程和土地整治工程等技术规范。

2. 加强了对资质单位的考核和对技术人员的培训

完成了 1 300 多个甲、乙、丙级水土保持方案编制单位的资质审查和审批工作,水利部先后举办了 16 次水土保持方案编制人员上岗培训班,培训人员 2 800 人次,各省也开展了监督执法人员和编制方案人员培训班。

3. 水土流失动态监测

《水土保持法》第二十九条规定:"国务院水行政主管部门建立水土保持监测网络,对全国水土流失动态进行监测预报,并予以公告"。据此,进入 21 世纪后,水利部为了加快推进水利信息化、现代化,优先启动了全国水土保持监测网络和信息系统建设项目。截至 2005 年为止,经各级编制委员会批准,成立了水利部水土保持监测中心,长江、黄河等 7 大流域机构的监测中心站,31 个省级监测总站和 175 个监测分站。全国各级监测机构现有专职人员 2 500 多人,基本形成了一支专业配套、结构合理的水土保持监测队伍。同时加强了培训,几年来各级监测机构采取多种方式,举办各类监测技术培训班 40 多次,培训人员达 3 500 多人次。

四、水土保持工程管理

(一)项目管理

20 世纪 50~70 年代我国水土保持执行集体经济的行政管理,由于当时的经济基础薄弱,治理分散,水土流失治理进度相当缓慢,全国年均治理进度约 1 万 km²。自 20 世纪 80

年代起,水土保持主管部门正式开展了以小流域为单元的综合治理项目,执行项目式水土保持管理。根据国家发展与改革委员会以及水利部[1995]128号文《水利工程建设程序管理规定》,水利工程的建设程序分为8个阶段,即项目建议书、可行性研究报告、初步设计、施工准备(包括招标设计)、建设实施、生产准备、竣工验收、项目后评价等阶段。水土保持生态工程项目的建设与管理纳入基本建设管理程序,执行国家基本建设项目的管理新模式。

随着深化改革和社会经济的发展,农村中出现了多种治理形式,以小流域为单元进行集中连片和向规模化、集约化方向发展的高标准治理。以个体承包为基础,发展为联户承包、拍卖"四荒"、租赁、股份制等多种形式。治理经费来源也形成了多渠道,从中央到地方、到群众投劳折款和自筹资金。通过不断实践,从中央到地方逐步形成了以项目为单元的水土保持管理体系,包括立项和组织管理、技术管理和科学管理、经费管理、经营管理和监督管护。

根据我国水土流失新的发展形势,应该依法进行水土保持监督执法工作,努力开创水土保持工作新局面,加快水土保持生态环境建设的参与式管理步伐。《水土保持法》总则第三条规定,一切单位和个人都有保护水土资源、防治水土流失的义务。《中华人民共和国水土保持法实施条例》第三章第十八条规定,荒山、荒沟、荒丘、荒滩(简称"四荒")的水土流失,可以由农民个人、联户或专业队承包治理,也可以由企事业单位或者个人投资,投劳入股治理。第三章第二十七条规定,企事业单位在建设和生产过程中必须采取水土保持措施,对造成的水土流失负责治理。《水土保持法》第三章第二十三条规定,国家鼓励水土流失地区的农业集体经济组织和农民对水土流失进行治理,并在资金、能源、粮食、税收等方面实行扶持政策。《水土保持法》的这些条款,无不明确了水土保持的全民性,对于推动水土保持的治理起到了非常巨大的作用。参与式管理可以最大限度地调动农民个人、企事业单位或社会投资治理水土流失的积极性,依靠社会力量治理水土流失,治理速度和治理成效显著。

(二)水土保持生态建设项目"三制"管理

1.水土保持生态工程项目法人制

项目法人是指以项目建设为目的,从事项目建设管理活动的法人。1995年《中共中央关于制定国民经济和社会发展"九五"计划和2010年远景目标的建议》明确了实行项目法人责任制。国务院办公厅国发办[1999]16号《关于加强基础设施工程质量管理的通知》中指出,要"建立项目法人责任制。基础设施项目,除军事工程等特殊情况外,都要按政企分开的原则组成项目法人,实行建设项目法人责任制,由项目法人代表对工程质量负总责"。根据国家发展与改革委员会、水利部的有关规定,水土保持生态工程项目的建设与管理纳入基本建设管理程序,执行国家基本建设项目的项目法人制。实行项目法人责任制后,由项目法人对项目的立项、资金筹措、建设实施、生产经营、还本付息、资产的保值增值,实行全过程负责,并承担风险。根据水土保持的特点,实行项目法人制可采用以下形式:县级水行政主管部门责任制,乡村集体组织负责制,成立股份公司形式的项目法人制,专项工程法人责任制等。

2.项目招标投标制

招标投标是市场经济的一种竞争方式,建设工程招标投标是国际建设市场通行的主要交易方式。我国在社会主义市场经济体制下,进行建设和固定资产投资管理体制改革,也积极推行招标投标制。水利水电行业是我国建设领域最早推行招标投标制度的行业,在招标投标过程中逐步建立并初步形成了一套具有行业特点的规章制度。2000年国务院批转国家发展与改革委员会、财政部、水利部、建设部《关于加强公益性水利工程建设管理若干意见的通知》，再次明确规定水利工程建设必须按照有关规定认真执行招标投标制。2000年1月1日起，《中华人民共和国招标投标法》的正式实施，对水利建设项目招标投标提出了更高的要求。水土保持生态工程项目执行国家基本建设项目招标投标制。

水土保持生态工程项目的招标投标，主要在项目前期的规划设计、主要设备和材料的供应、工程监理、重点工程的施工等方面。2001年10月水利部颁布了《水利工程建设项目招标投标管理规定》，在招标范围中明确规定，关系社会公共利益、公共安全的水土保持等建设项目必须进行招标。常规的工程招标由项目法人通过公开发布公告等形式，请具有一定实力的单位参与投标竞争，通过招标程序，选择具备资质、条件较好的单位承担项目的某些部分的工作。常用的招标方式有公开招标、邀请招标、邀请议标等几种。根据水土保持的特点，经批准可采用邀请招标方式。

3．工程建设监理制

（1）建设监理制。监理是受项目法人委托，对工程建设的各种行为和活动如项目的论证与决策、规划设计、物资采购与供应、施工等进行监督、监控、监察、确认等，并采用相应的措施使建设活动符合行为准则（即国家的法律、法规、政策、经济合同等），防止在建设中出现主观随意性和盲目决断，以达到项目的预期目标的行为。监理的主要任务：①对工程建设各阶段的投资进行控制；②在项目设计和施工中对工程质量进行全面控制；③对工程的进度进行控制；④依据各方签订的合同，对合同的执行进行管理；⑤及时了解、掌握项目的各种信息，并对其进行管理；⑥组织协调项目法人与承包方发生的矛盾和纠纷。监理的业务范围：主要包括项目前期可行性研究和论证，组织编制工程设计，协助法人组织施工招标，对项目的施工进行监理等。主要工作内容是进行工程建设合同管理，依据合同对项目的投资、质量、工期进行控制。

（2）水利工程建设监理制。1996年水利部正式颁发了《水利工程建设监理规定》、《水利工程建设监理单位管理办法》、《水利工程建设监理工程师管理办法》，明确规定在我国境内的大中型水利工程建设项目，包括水土保持工程，必须实施建设监理。在监理单位的选择上明确规定，必须由具有水利工程建设监理资格等级证书、有法人资格从事工程建设监理业务的单位承担。水利工程建设监理单位和监理人员的资质实行统一负责、分级管理制度。

（3）水土保持生态工程的监理。水利部2000年印发了《关于加强水土保持生态建设工程监理管理工作的通知》，对水土保持生态建设监理工程师的培训、考试、注册，监理单位的资质申报等作了全面部署，经过几年的实践，水土保持生态工程的监理已逐步展开。

第二节　开发建设项目人为水土流失

一、开发建设项目水土流失的现状

开发建设项目是指《水土保持法》中规定的一切可能导致和产生水土流失的矿山、电力、铁路、公路、水利工程、挖砂、取土、城市建设等建设项目及生产活动。开发建设项目可能造成水土流失的面积是指项目建设和生产过程中可能使水土流失量增加的土地面积，即由于项目建设、生产等扰动地表而使水土保持功能降低的面积。

"八五"期间全国每年产生废弃土石量达30亿t,有相当多的废弃土石被直接倾倒入江河、河道;1997年全国工业固体废弃物产生量10.6亿t,其中综合利用量仅占38%。据调查:黑龙江省因乱采、滥砍、乱挖造成新的水土流失面积达1.07万km²,占全省累计治理面积的50%以上。山东省的8.2万个开矿、建厂、采石、修路等建设项目,造成水土流失面积2 700km²。内蒙古自治区近几年因开发建设活动造成的新的水土流失面积约1.5万km²,占全区40多年年累计治理面积的33%。而且这一状况仍在发展。陕西省潼关县1982～1990年间通过治理,减少土壤流失量29.62万t,而因开矿、建设等新增加的土壤流失量达227.95万t,是治理减少土壤流失量的7.7倍。陕西省仅1986年修的1 257km公路,就造成土壤流失6 788万t。黄河干流国家重点建设项目万家寨水利枢纽工程在开发建设过程中,将弃土弃渣倾倒在黄河干流附近的大青沟下游段,而未采取任何保护措施。1994年7月一场大洪水将大量弃渣直接冲入黄河,并冲毁施工道路,淹没沟口水厂,造成直接经济损失达120多万元,同时,大坝下游黄河两岸堆放的大量弃土弃渣,随时将被洪水冲入黄河下游。

为了加强开发建设项目水土流失问题,截至2003年底,全国共审批开发建设项目水土保持方案21 668个,其中国家级131个,省级707个,地(市)级1 126个,县级19 704个。累计投入防治水土流失资金120亿元,防治面积1.9万km²,拦护弃土弃渣9.48亿t。

二、开发建设项目水土流失的形式与特征

(一)开发建设项目水土流失的形式

传统水土流失是指由水力、重力、风力等外营力作用下,水土资源和土地生产力遭受破坏和损失,包括土地表层侵蚀及水的损失。开发建设项目造成的水土流失是以人类生产建设活动为主要外营力形成的特殊水土流失类型,是人类建设活动过程中扰动地表和地下岩土层、堆置废弃物、构筑人工边坡以及排放各种有毒有害物质而造成的水土资源和土地生产力的破坏和损失,是典型的人为加速侵蚀。开发建设项目水土流失形式复杂多样,包括建设项目主体建设区和直接影响区的水资源及其环境的破坏和损失、各类固体物质的流失。

1. 水力侵蚀形式

水力侵蚀(Water erosion)系指地表土壤或地面组成物质在降水、径流作用下被剥蚀、冲蚀、剥离搬运和沉积的过程。水力侵蚀主要形式包括面蚀和沟蚀,在开发建设项目区由于人类生产建设活动,两种侵蚀形式均有发生。雨滴的溅蚀发生在开发建设项目区的取土场、排土场、铁路公路工程的扰动地上,在固体废弃堆积体覆盖疏松土层,击溅尤为剧烈。路基、各取土场和弃土场在施工过程中,其工作面呈全裸状,原生地貌和地表植被遭到破坏,基本上失去了水土保持功能。受暴雨影响和水流冲刷,易产生表层的土壤侵蚀,而面蚀的程度和总量与当地的降雨强度、降雨总量、动土面大小、堆体坡度和土壤结构等都有密切的关系。细沟侵蚀主要发生在固体废弃物堆置体、复垦坡面和土质边坡。相对面蚀而言,沟蚀有集中、量大的特点。

2. 风力侵蚀形式

风力侵蚀(Wind erosion)是指在气流冲击作用下,土粒、砂粒脱离地表、被搬运和堆积的过程。自然界的风力主要是受大气环流的控制,但是地表组成物质和植被易受人类活动的影响,在开发建设项目区大面积的扰动地表,使土粒、砂粒脱离,更容易发生风蚀。开发建

项目风蚀危害区主要分布在我国北方干旱、半干旱和亚湿润地区,该区域由于自然条件恶劣,加之开发建设活动对地表的扰动,易引起土地荒漠化。

3. 重力侵蚀形式

重力侵蚀(gravitational erosion)是指坡地表层土石物质,主要由于受重力作用,失去平衡,发生位移和堆积的现象,国际上又称块体运动(mass movement)。在开发建设项目水土流失区主要发生的重力侵蚀形式有泻溜、崩塌、滑坡和洞穴侵蚀。

4. 泥石泥侵蚀

泥石流侵蚀(debris flow erosion)是指泥石流以巨大的冲击力和强大的搬运能力冲刷沟道,破坏和淤埋各种设施的过程。采矿和工程建设剥离、搬运和堆置岩土(包括各类矿物、岩石、土体、尾矿、尾渣、矸石、煤等)为泥石流的爆发提供了各种有利条件。岩土剥离、堆置、倾泻堆置体坍塌、滑坡都可能引起泥石流爆发。

5. 开发建设项目特殊的侵蚀方式

开发建设项目水土流失与原地貌条件下的水土流失存在着必然联系,但也有着明显的区别,导致水土流失形式极为复杂,形成的原因和机制也不完全相同。有些侵蚀形式是传统水土流失本来就有的,如面蚀、沟蚀、崩塌、滑坡、泥石流等,有些则是与工程建设活动密切相关的特殊形式,它是与开采的技术、工艺和工程建设活动的强度和范围等相联系的,如地基下沉、开采沉陷、地下水位下降引起的大范围地面沉降等,并引起各种特殊的水土流失形式。

(二)开发建设项目水土流失的特征

1. 地域的不完整性

开发建设项目区根据其资源分布和建设需要,生产建设区域一般都不是完整的一条流域或地域,如公路、铁路、输油输气管道属于线形开发建设项目,其水土流失区也呈连续或不连续分布的线状区域。由于地域的不完整性,决定了不能用以往的方式即以完整的自然单元进行整治,而是要因地制宜,采取各种相应的措施进行防治。

2. 水土流失特征随时间变化具有阶段性

开发建设项目在施工期和运营期水土流失特征截然不同,施工期地表破坏严重,弃土、弃渣量大,造成十分严重的水土流失;运营期地表得到恢复,治理措施发挥效益,水土流失减轻,保持一个相对稳定的侵蚀量级。因此,在防治措施的布局和实施时序上与常规治理不同,要因时制宜。

3. 水土流失危害潜在性

由于开发建设项目不同,造成的水土流失形式和危害也各不相同,地面生产项目主要是通过对地形地貌及地表的破坏加剧水土流失;而一些地下生产项目如采油、采气、采煤等,除部分地面扰动外,更长期的是通过对地层、地下水等的影响,间接的使地面植被退化,地面塌陷,从而加剧了水土流失,因而其危害具有潜在性。在编制水土保持方案过程中,要因害设防,对潜在危害做出预测并采取对策。

4. 开发建设项目特殊的水土流失形式

水土流失类型复杂多样,开发建设项目在建设和生产过程中,完全由人为因素造成的特殊侵蚀形式,如非均匀沉降、采空塌陷等成因和形式十分复杂,与工程设计、施工工艺和生产流程有密切关系。

三、开发建设项目水土流失的危害

开发建设项目活动使原有的地形地貌、地面物质组成、植被等遭到破坏,产生严重的水土流失,不仅影响开发建设项目区及其周围区域的工农业生产,而且导致区域生态环境恶化。

(一)水土资源遭到破坏

开发建设项目水资源损失严重,地表水以地表径流的形式损失,地下水以矿山排水、钻井、凿洞、地下水超采等形式损失,水资源损失严重,影响植物生长,造成土地塌陷,有的形成土地石化、沙化,供水发生困难。开发建设项目除正常征用土地外,还破坏了周围原有的地形地貌,使水循环系统受到影响,导致水量失衡。项目建设过程中取土场和采石场等动用土石量较大,大量弃土、废渣占用大面积土地和耕地,诱发崩塌、滑坡和泥石流等灾害。

(二)恶化生态环境

每年全国工业固体废弃物产量约 5.6 亿 t,其中煤矸石有 1 亿 t。全国历年积存的工业固体废弃物约 66 亿 t,其中煤矸石有 12 亿 t,大量固体废弃物占用土地,影响环境。冶金工业生产及采煤开矿产生煤灰、粉尘污染空气,影响植物生长,造成生态环境恶化。火电企业建设过程中造成的水土流失及生产过程中的废弃灰渣,造成流失和粉尘污染已成为严重的环境问题。

(三)污染水源,诱发自然灾害,毁坏工程

开发建设项目产生的垃圾及废弃物乱倒、乱排现象十分严重,致使河水混浊不清、水质各项指标下降,污染了水源。修筑公路、铁路,就近、就地向河流、沟道倾倒弃土弃渣,阻塞河道,淤积水利工程,降低水利工程的防洪御洪能力,经常出现小雨量、高水位、大灾害的现象,损失惨重,严重影响人民的生产生活。

(四)加速土壤沙化,土地生产力降低或丧失

开发建设活动临时修建的房屋、施工场地、便道等对土地的占用、碾压,使土地裸露,挖沟筑渠,使表土层挪移,被翻入地下,地下砂土层上翻,引起或加剧土壤沙化,严重降低了土地生产力。

第三节　水土保持方案编制

一、水土保持方案概述

(一)水土保持方案概念

水土保持方案(soil and water conservation plan for construction projects)是指针对开发建设项目的建设区和影响区域内已经存在的或在工程建设和运行过程中可能产生的水土流失开展预防、保护和综合治理的设计文件。水土保持方案是开发建设项目总体设计的重要组成部分,是设计和实施水土保持措施的技术依据,是防止开发建设项目引起水土流失的基本保障。水土保持方案既是一种技术性文件,又是一种具有法律效力的执法文件,是基层水土保持执法的重要依据。

(二)水土保持方案类型

凡是从事有可能造成水土流失的开发建设单位和个人,必须在项目可行性研究阶段编报水土保持方案,而不仅仅指山区、丘陵区和风沙区。

1. 水土保持方案分类

水土保持方案分为水土保持方案报告书和水土保持方案报告表两类。

在山区、丘陵区、风沙区修建铁路、公路、水工程,开办矿山企业、电力企业和其他大中型工业企业,由于占地范围大,人为造成的水土流失严重,必须编制"水土保持方案报告书"。

在山区、丘陵区、风沙区开办乡镇集体矿山企业,开垦荒坡地、申请采矿以及其他生产建设单位和个人,必须填报"水土保持方案报告表"。一般小型企业和工程建设区,由于占地面积较小,人为造成的水土流失相对较轻,只需向水土保持监督管理部门申报报告表。

2. 水土保持建设项目类型

根据法律法规的规定,主要有以下7类建设项目须编报水土保持方案。

(1)矿业开采,包括有色金属、黑色金属、稀土、煤炭、石油、天然气等。

(2)工业企业,包括冶金、电力、建材、化工、森林采伐、邮电通信等。

(3)交通运输,包括铁路、公路(含工矿企业内部的铁路、公路)、机场、港口、码头等。

(4)水工程,包括水利水电的枢纽工程,输(引、供)水及灌溉、排水、治涝工程,河道整治及堤防工程等。

(5)城镇建设,包括新建农村小城镇(含移民区)、大中城市扩建改建、经济开发区与旅游开发区建设等。

(6)开垦坡地,开垦、禁垦坡度(国家规定为25°)以下、5°以上荒坡地的。

(7)坡地造林和经营经济林木,在5°以上坡地上整地造林、抚育幼林、经营经济林木的。

(三)水土保持方案特点

1. 方案具有强制实施性

编制完成的水土保持方案一经水行政主管部门审定和批准,从法律上即具有了强制实施性,就要求项目单位严格按照批准的水土保持方案进行设计、施工,未经批准不得擅自停止实施或更改方案。项目工程竣工验收时,必须由水行政主管部门同时验收水土保持设施。水土保持设施验收不合格的项目工程不得投产使用。

2. 以施工区为核心的小区域性

水土保持方案的防治范围是围绕施工区或施工沿线划定的小区域范围。这个范围是根据征地范围,施工开挖、弃渣的地貌部位,弃渣方式及洪水、沙害、泥石流的源地而确定的。围绕着项目建设区和直接影响区的水土保持防治范围而定,不能随意划定。

3. 防治措施的针对性和高标准性

制定防治方案时要因地、因时、因害设防,每一项治理措施都针对某一具体水土流失类型设定,采取的措施与以往小流域治理中形成的措施有所不同,形成自己的独特体系。此外由于生产建设安全运行的需要,其防治标准要远远高于一般的小流域治理,因而其投资标准也较高。

4. 方案实施的即时性

开发建设项目的防治方案其实施期具有非常强的即时性,坚持水土保持设施与主体工程同时施工,特别是在项目建设期,如修建铁路、公路、通信和输电线路等,发生的水土流失是在建设中,如果建设项目已竣工,方案才开始编制或刚编制完,水土流失已成事实,危害无法弥补。

5. 实施单位的可操作性

水土保持方案不是大区域宏观指导性的规划,不是一般措施到位的流域规划。防洪拦渣、护路、护岸、护矿等工程措施及水土保持林草措施要达到设计水平,而且设计防护标准要与防护对象的标准相适应,要提出实施的时限及保证措施。总之要达到定位、定性、定量和定序,具有可操作性和可实施性,便于施工和监督检查。

6. 对当地造成不利影响的补偿性

大型开发建设项目施工中的开挖、弃渣,必然对当地的环境质量、工农业生产、群众生活产生一系列不利影响,对河流、水库、农田、林草措施构成一定威胁。所以水土保持方案在布设工程施工防护设施的同时,应注重为改善当地环境质量,发展当地工农业生产,改善群众生活,创造必要的条件。在蓄水拦泥淤地、复垦造田、农田防护、生物措施安排上尽可能和当地经济发展紧密结合,对施工造成的不利影响和损失应予以补偿。

(四)方案编制原则

(1)全面贯彻《水土保持法》及其实施条例等有关水土保持的法律、法规,编制的水保方案应符合国家对水土保持、环境保护的总体要求,将水土保持方案纳入建设项目总体设计中,并为建设项目服务。

(2)认真贯彻"预防为主、全面规划、综合防治、因地制宜、加强管理、注重实效"的水土保持工作方针,根据工程特点和实际需要,采取工程措施、生物措施和耕作措施相结合的办法。

(3)坚持水土保持设施与主体工程同时设计、同时施工、同时投产使用的"三同时"原则。建设工程竣工验收时,应当同时验收水土保持设施,并有水行政主管部门参加。

(4)坚持"谁开发,谁保护,谁造成水土流失,谁负责治理"的原则,一切单位和个人都有保护水土资源、防治水土流失的义务,从事可能引起水土流失的生产建设活动的单位和个人有责任保护水土资源,并负责治理因生产建设活动造成的水土流失。

(五)水土保持方案的服务年限

开发建设项目的建设和生产期差异较大,大体可分为两类:

(1)一次性建设项目。如修建公路、铁路、码头、机场、通信和输电线路、水利水电工程、城镇及开发区建设等,这类项目一般都是在建设时期造成新的水土流失,建设期也不会太长,几年内基本建完,水土保持方案也应与其相适应,开发建设项目完成之时,水保方案实施也应竣工,因此水保方案的服务年限与主体工程建设期相同。

(2)长期性生产建设项目。如矿业开采、冶金、建材、化工等,这类项目除在建设过程中造成新的水土流失外,在生产期间将继续产生人为的水土流失。从生产期来看,一般都在几十年甚至上百年,需要采取的水保措施是根据其生产进度和状况安排的,但由于我国经济体制的不断变化,国情和企业的状况也在发生变化,因此水保方案不可能服务几十年甚至更长时间。根据目前我国经济发展和环境保护的形势和要求,这类生产建设项目其水保方案的服务年限一般为10~15年,最长不超过20年,到了服务年限后,应根据当时的情况再编制可实施的水保方案。

二、水土保持方案分阶段编制要求

水土保持方案的阶段划分根据基本建设项目的建设程序和水土保持工作的实际需要,

水土保持方案编制分为可行性研究、初步设计、技施设计三个阶段。新建、扩建项目的水土保持方案,其内容和深度应与项目主体工程所处的阶段要求相适应。已建、在建项目须直接编制达到初步设计或技施设计阶段深度要求的水土保持方案。

(一)可行性研究阶段

可行性研究阶段,应进行必要的现场考察和调查,预测论证开发建设项目各种活动造成的水土流失情况,提出预防和控制水土流失的不同比较方案。对防治水土流失的重点地段、重点工程进行重点分析和论证,提出适合此阶段的比较合理的方案。估算水土保持各项工程投资,并将其列入建设项目工程总投资中。同时要提出对初设阶段应注意的水土保持问题和建议。

(二)初步设计阶段

初步设计阶段,是根据批准的可行性研究阶段的水土保持方案,对方案的内容进一步具体化。此阶段应对原方案进行复核,开展相应深度的勘察和调查研究,运用科学方法对开发建设活动造成的水土流失进行预测,确定建设项目水土流失防治的责任范围,提出水土保持分区防治措施和总体布局。对各项水土保持工程进行初步设计,提出年度实施计划。根据防治工程编制水土保持投资概算,做出分年度投入安排。要求提出方案实施的保障措施,如机构、人员、经费使用等,是落实"三同时"的重要措施。该阶段的水土保持方案可根据具体情况确定必要的报告及附件。

(三)技施设计阶段

在项目水土保持初步设计的基础上,进行各项水土保持工程的技术设计和施工图设计。技施设计阶段,主要根据初设阶段进一步具体提出各项工程的设计图、施工图及施工计划,编制投资预算、技施设计报告及附件,便于组织实施。

三、水土保持方案报告书的主要内容

(一)方案编制总则

开发建设项目的水土保持方案确定了建设单位所应承担的防治范围和责任,也为水土保持监督管理提供了科学依据,使水土保持工作更趋于合理、完整和科学性,并使水土保持工作内容更加深入细微、全面具体,充分为开发建设项目服务。开发建设项目水土保持方案编制程序见图 16-1。

(二)项目区概况

1. 项目概况

主要说明建设项目名称、建设规模、建设性质、位置(应附平面位置图)、工程布局(应附平面图)、总投资、发展规划和建设项目防治责任范围、施工工艺、采挖及排弃固体废弃物的特点等主要技术经济指标。

2. 自然和社会经济条件

凡能诱发水土流失的各种自然因素都要进行说明,包括项目区及周边地区地形、地貌、地质、岩性、土壤、地面组成物质、植被状况、气象、水文、河流及泥沙等。社会经济状况主要说明项目区及周边地区人口、劳动力情况、生产关系及组织形式、土地利用、经济发展方向和水平等社会经济状况。

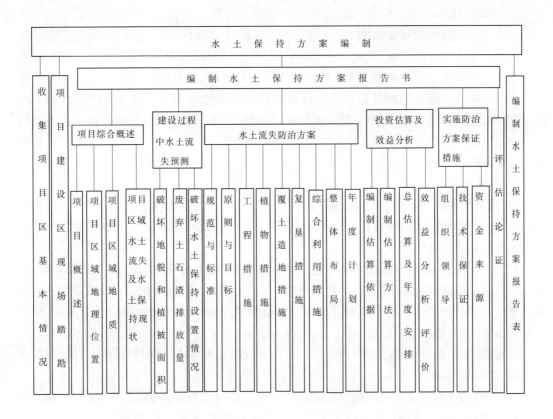

图 16-1 开发建设项目水土保持方案编制流程图(引自陈家才,1997)

3. 项目区水土流失现状及防治情况

项目区原生的水土流失类型、面积、强度、空间分布形式和水土保持设施现状,开发建设中和建设完后造成新的水土流失情况,生产建设开挖及排放弃土、弃渣的形式和弃土、弃渣量,因项目建设破坏植被和水土保持设施量,给当地和生产单位造成的危害,治理情况。采取重点与一般相结合,以重点为主的方法进行调查。着重了解不同类型土地的径流模数、土壤侵蚀模数。项目区内每一不同类型区至少选一个有代表性的地段或小流域,对上、中、下游,坡面,沟壑进行全面调查,与项目区内面上一般调查情况相验证。

(三)水土流失预测

开发建设项目的水土流失预测,就是应用水土流失规律,结合开发建设项目的发展规划、总体布局、生产工艺和施工工艺,特别是地面扰动和破坏、弃土弃渣及占压土地的方式和特点等情况,在全面调查的基础上,经过综合分析,采用特定的方法,对可能产生的水土流失做出预测和推测。水土流失预测的内涵实质上是对开发建设项目可能造成的水土流失形式、原因、程度、危害和水土流失量进行预估和推测。同时,应对可能破坏的水土保持设施和降低水土保持功能的数量、面积或工程量进行预测,为水土流失补偿费的计算提供依据。水土流失预测的外延就是对开发建设项目可能造成具有较大危害的水土流失进行定性和定量的分析,为项目主体选线、选址、总体布局和局部工程设计提供修正意见。水土流失预测是流失防治区划分和水土保持措施数量、标准的确定及措施优化配置的基础。新增水土流失量的预测是开发建设项目水土流失预测的主要内容。

1．预测时段划分

开发建设项目一般可分为两种：一种是一次性的建设项目，另一种是长期生产建设项目。前者对水土流失的影响，只是在基本建设期，项目建成以后对水土流失没有影响，而且还有水土保持功能。后者对水土流失的影响不仅在基建期，而且在建成以后由于其生产性弃渣还会影响水土流失。开发建设项目预测时段一般可分为基本建设和生产运行两个时段，应分时段进行水土流失预测。对一次性建设项目，应重点预测建设期间造成水土流失的情况；对长期生产性建设项目，还应对生产期的水土流失进行预测，重点放在近10～20年的水土流失预测。

2．预测内容

(1)扰动原地貌、损坏土地和植被的面积。通过查阅开发建设项目的技术资料，利用设计图纸，结合实地查勘，对项目建设期与生产运行期开挖扰动地表、占压土地和损坏林草植被的面积分别进行测算。

(2)弃土、弃石、弃渣量预测。主要包括主体工程、临建工程、附属设施(如交通运输、供水、供电、生活设施等)、取土(石、砂)料场等生产建设过程中的弃土(石、渣)及工业和生活垃圾等方面。通过查阅项目技术资料及现场实测和预测，了解其开挖量、回填量、剥采比、单位产品的弃渣量等，预测各时段的弃土、弃石、弃渣总量。

(3)损坏水土保持设施的面积和数量。对因开发建设损坏水土保持设施的面积、数量进行测算，并附表列出。

(4)可能造成水土流失的面积及流失总量。调查建设项目对地面层、植被扰动情况，并了解废弃物的结构组成及其堆放位置和形式。分别对水蚀、风蚀进行预测。

(5)可能造成的水土流失危害。分析预测水土流失对土地资源的破坏和影响，对项目区及周边生态环境的影响，导致土地沙化、退化的可能性，下游河道泥沙的增加，对下游防洪的影响等方面进行预测。

3．预测方法

水土流失预测是水土保持方案编制过程中确定防治重点、布设相应措施的基础工作。由于大多数建设项目都没有实测的水土流失资料，水土保持方案编制工作中必须采取各种方法进行测算。关于开发建设项目可能造成的水土流失量预测方法，《开发建设项目水土保持方案技术规范》(SL204—98)中提出了数学模型、实地测试和类比预测3种方法。在方案编制中，可根据不同分区土壤流失特点和地形地貌条件选择合适的预测方法。

1)数学模型法

利用各地水土保持研究所、实验站的观测资料和研究成果，主要是降雨、地形、植被、地面物质组成、管理措施等影响因子与水土流失的定量关系，建立相应的数学模型进行预测。数学模型法是在一定的假定边界条件下推演出来的，受区域自然条件因子的影响较大，一般不具有通用性，应根据地域特点对参数进行修正。数学模型法需要有足够的基础数据资料，宜结合当地观测资料进行预测，受时间和编制经费等条件的限制，一般较少采用。

当前，美国通用土壤流失方程(USLE)预测土壤流失强度应用较多。对于新增水土流失量的预测采用下式计算：

$$Q = \sum (S \times A \times T) \tag{16-1}$$

式中:Q 为施工期间土壤侵蚀增加总量,t;S 为土壤侵蚀面积,hm^2;A 为扰动前后土壤侵蚀模数差,$t/(hm^2 \cdot a)$;T 为预测时段,a。

2)实地测试法

对已建、在建项目,可以在实地对水土流失面积、数量、速度等进行测试和计算,如新增或加剧水土流失的面积,弃土、弃石及废渣的排放量,破坏的水土保持设施数量及面积等,可在实地和地形图上量算确定。有条件的项目可布设水土流失监测点进行实测。

3)类比预测法

利用开发建设项目毗邻地区类似已建或在建项目观测、研究成果,通过分析比较,用以预测拟建项目水土流失量。主要适用于拟建项目与已建或在建项目同属一个自然地理区域,地形、地貌、气候、土壤、植被等自然条件相似的开发建设项目,但要注意某些系数、参数的校正,以期更符合本项目的实际情况。

4)专家预测法

开发建设项目所在区域水土流失资料较缺乏而难以采取其他有效的预测方法时,利用专家的知识和经验,根据项目区自然地理条件和水土流失特点进行水土流失量预测。

5)土壤侵蚀强度分级法

根据《土壤侵蚀分类分级标准》(SL190—96),以侵蚀外营力和地形、地貌、土壤为依据,按照侵蚀强度分级表估算水土流失量。

为使预测结果尽量符合实际,必要时可采用几种方法预测并进行对比分析论证确定。

4.预测结果综合分析

在对建设项目可能产生的水土流失进行定性、定量的预测后,按国家的土壤侵蚀分级标准,对本项目的水土流失强度变化、导致的后果等进行系统分析,提出结论性意见,为下阶段确定水土保持措施提供科学依据。

(四)水土流失防治措施

1.水土保持方案的防治任务

根据《开发建设项目水土保持方案技术规范》的规定,开发建设项目应做好以下几方面的水土流失防治工作:对征用、管辖、租用土地范围内的原有水土流失进行防治;在生产建设过程中必须采取措施保护水土资源,并尽量减少对植被的破坏;废弃土(石、渣)、尾矿渣(砂)等固体物必须有专门存放场地,并采取拦挡治理措施;采挖、排弃渣、填方等场地必须进行护坡和土地整治;开发建设形成的裸露土地,应恢复林草植被并开发利用。

2.防治目标

水土保持方案的防治目标是根据建立水土保持方案报告制度的法规精神并结合工程实际,提出各阶段的防治目标和具体部署及要解决的主要问题而确定的,是由水土保持方案自身的特点所决定的。明确水土保持方案的防治目标是保证编制好水土保持方案,解决主要问题的关键。

(1)使新增水土流失得到有效控制。控制施工所造成的新增水土流失是方案编制要解决的重点问题。通过对开发建设项目可能造成具有较大危害的水土流失进行定性和定量的分析,在工程运行期间,采取多种水土流失防治措施,如拦控工程、防风固沙工程、防洪拦渣工程、土地复垦工程及边坡削坡开级、导流、砌护工程,有效控制项目区的新增水土流失。

(2)原生地面水土流失应得到有效治理。水土保持方案除必须强化防洪拦渣、复垦护坡工程措施外,还应加强梯田、坝地、水地等基本农田的建设,营造水土保持林及防风固沙林,对征用、管辖、租用土地范围内的原有水土流失进行防治。

(3)建设项目安全应得到保证。大型开发建设项目及配套设施的施工,必须采取必要的防护措施。对险工险段上游沟道坡面必须采取必要的工程防护措施,确保施工免遭洪水、风沙侵袭,防治水土流失的危害。水土保持方案设置的防护体系,在工程竣工后也能保护其安全运行。工程运行的设计标准应按工程设计运行年限来确定。

(4)方案实施后,明显改善生态环境,为当地的发展创造必要条件。通过水土保持方案的编制和实施,使工程建设中产生的弃土、弃渣妥善处理和利用,对已破坏的地表、植被进行恢复治理,尽可能减少人为水土流失的发生,使生态环境得到改善。在防护措施布设、复垦造田、道路修建、劳力安排等方面和当地经济发展紧密结合,以补偿因施工占地造成的不利影响或损失。

3. 防治责任范围

水土保持方案防治范围的确定直接关系到责任区的大小和投资的多少,是一个比较复杂涉及因素较多的问题,但总的原则是一切从实际需要出发,遵循水土保持法规中确定的"谁开发,谁保护"、"谁造成水土流失,谁负责治理"的原则,科学地合理地划定方案的防治范围。开发建设项目的水土流失防治责任范围,应通过现场查勘和调查研究,经与项目所在地县级以上水土保持监督管理机构协商后确定,一般应包括以下两个方面:

项目建设区指开发建设单位的征地范围、租地范围和土地使用管辖范围。该区主要包括开发建设和生产占地、修路、采挖、排弃、附属设施和工业场地等征用、租用的土地,这是直接造成损坏和扰动的区域,是治理的重点地区,也是项目单位的管辖责任范围。为生产建设而修建的临时工程和其他场地也应包括在内。一些地下生产的生产建设项目,由于对地表易造成影响,与地下作业区相对应的地面均应列入项目建设区的范围。

直接影响区指项目建设区以外由于开发建设活动而造成的水土流失及其直接危害的范围。包括项目建设区以外,虽不属于征、占的土地范围,但由于建设单位的生产建设活动而造成水土流失危害的区域,也是建设单位应该负责防治的区域。如因修建工程对下游及周边地区排放的洪水而造成水土流失和危害,或因建设项目需要安排的移民区等,都应列入直接影响区进行水土流失的防治。确定影响区时,要注意征地区与影响区的区别,不能仅仅治理建设项目征地范围内的地域。要合理确定影响范围,只要划分到能消除负面影响的地段即可,既不能人为地缩小范围,也不能无根据地漫无边际地划分。

4. 方案的设计深度

目前国家把水土保持方案作为建设项目环境影响报告书的一部分内容,而大多数环境影响评价报告书只达到可行性研究阶段,环境影响评价中提出的防治策略都未落到实地,还不能直接用于实施。水保方案是要求在建设和生产中实施的方案,如果设计深度只在可行性研究阶段,则难以实施,因此编制水保方案时要从总体方案和单项措施两方面区别考虑:水土保持方案的原则和目标、措施总体安排和布局等宏观性防治规划达到可行性研究水平即可。水土保持方案中涉及的主要防治工程如库坝工程、护坡工程、导流工程、林草及复垦工程等应达到初步设计水平。

根据工程建设进度安排的需要,分近期和远期防治方案。近期(一般在10年以内)布设的防治措施应达到初步设计水平,以利于组织实施。远期的防治方案达到可行性研究水平即可,因为几十年后的企业生产建设情况和国家要求已发生变化,现在的设计到那时将不符合现状而不能实施。

5．防治分区及措施布局

开发建设项目地形地貌变化较大,其扰动和破损地面的方式多种多样,应根据建设项目区的地貌类型、建设时序、造成水土流失特点、项目主体工程布局、防治责任区不同等进行分区,根据水土流失防治的轻重缓急,确定防治重点,提出水土保持措施的总体布局。每一个建设项目的水土流失都应当分区防治,分区是制定防治方案的基础。在分区基础上,确定各区采取的防治措施及其布局。除文字说明外,要有治理措施设计图。大型建设项目,主要防治区的防治措施可另行编制。确定的各项防治工程,技术上应具可行性、有效性。既要克服低标准防护,又要避免盲目提高工程标准,增加工程投资。单项工程的比选,既要按技术规范的要求,也要充分总结和吸收以往的经验,借鉴已成功的做法,使各项措施经济适用。

6．方案实施进度安排及其工程量

按水土保持“三同时”制度的要求,结合建设项目的实际情况,以最大限度地减少水土流失为原则,确定完成全部防治工程的期限和年度安排。首先要配置随时都产生水土流失的地段的防治措施,有的工程应在建设初期建成,有的应在施工过程中同步实施,还有的要在主体工程完成后实施。根据项目建设中产生的水土流失特征,安排各阶段的防治措施,并根据防治工程的进度,合理地安排工程量,提出各计划年度的具体工作量,不能平均分配工程量。

(五)水土保持投资估(概)算及效益分析

投资估算是项目建议书或可行性研究阶段对建设工程造价的预测,它是造价管理的龙头。投资概算是初步设计阶段的工程造价预测。它是造价成本管理、投资计划编制、编制标底、项目承包以及向银行贷款的依据。开发建设项目投资估算程序如图16-2所示。

1．编制依据

方案中采取的各项防治措施大都属于水利工程、水土保持的范畴,其估(概)算编制原则上应采用水利行业的标准,水利行业没有的标准可参照项目所属行业或地方有关标准进行计算。水利行业投资概(估)算的编制主要采用以下依据:

《水利水电工程可行性研究投资估算编制办法》、《水利水电工程初步设计概算编制办法》、《水利水电建筑工程概算定额》、《水利水电建筑工程预算定额》、《水利水电工程设计概(估)算费用构成及计算标准》、《水利水电勘测设计收费标准》、《水利水电工程建筑安装工程间接费定额》、《水利水电工程其他费用定额》、《水土保持工程概(估)算编制规定》、《水土保持工程概(估)算定额》等技术规程、规范。

2．编制程序

按水土保持方案三个阶段的划分编制相应深度的投资文本。可行性研究阶段编制投资估算,初步设计阶段编制投资概算,具体的编制程序如下:了解工程情况,进行实地调查,要掌握概算中使用当地的定额资料;编制概算编写工作大纲;按大纲要求,编制基础价格、建筑工程及植物措施单价、材料、施工机械台班费、建筑和植物工程单价汇总表;结合工程项目编制建筑工程等各部分的概算;按主体工程实施进度,编制分年度投资、总概算和编写说明;编制完毕,经审查修改,做好资料归档、工作总结。

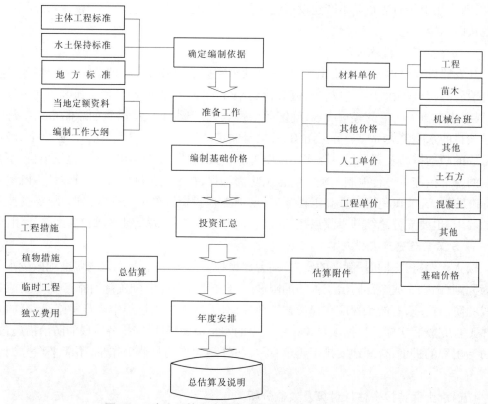

图 16-2　水土保持方案投资估算流程图(姜德文,2006)

3.总投资及年度安排

将各项防治措施的投资分类进行汇总,并用表分列,分类汇总。投资的年度安排依据防治措施的实施进度进行计算。在水保方案投资的年度安排上与常规的水保治理亦不同,多数情况下不能用投资的平均水平来安排,而是要根据防治水土流失的轻重缓急、建设项目的进展情况来安排,往往是拦挡防洪等工程优先上,投资也可能是前期多后期少,以尽早发挥水保措施的作用。

4.效益分析

开发建设项目水土保持效益主要以减轻和控制水土流失为主,通过对治理程度、拦渣量、林草植被覆盖率、土地整治情况的分析,根据调查了解的治理后的减水减沙资料,预测水土流失控制量、减沙量、减轻洪水危害、防止土地沙化及改善生态环境等方面的效益,以及做好水土保持对项目区防洪保安、增加经济收益的作用。

(六)方案实施的保证措施

(1)组织领导和管理措施。提出实施水保方案应建立健全领导协调组织、专职机构和配备工程技术人员的要求,以及水保方案实施的目标责任制,并提出实施、检查、验收的具体办法和要求。

(2)技术保证措施。提出实施水保方案应具备的各类专业技术人员的结构、来源、分工,以及施工监理组织、地方水行政主管部门的技术服务和监督、施工人员的技术培训。因技术等原因不能自行治理的,要加以说明,并提出委托实施的单位及其技术保证。

(3)资金来源及管理措施。说明投资来源,提出资金管理、使用、监督办法。按一些省

(区)规定,资金要专项管理,避免挪用或占用,并提出管理监督措施。

(4)监督保障措施。水土保持方案经批准后,生产建设单位应主动与地方水行政主管部门取得联系,自觉接受地方的监督检查,对影响重大的项目,还应成立专门的监督检查机构,以确保水保方案的实施。各级水土保持监督部门都要根据《水土保持法》和有关法律法规大胆执法,经常开展监督检查,促使开发建设单位主动编报水土保持方案并按照批准的方案进行实施。

第四节　开发建设项目水土流失防治

开发建设项目新增水土流失形式极为复杂,形成的原因和机制也不尽相同。有些形式是传统水土流失形式,工程建设活动仅是诱发或加剧了其发生发展的进程,但形成机制是基本相同的或相似的。对于这些形式的水土流失防治措施,可以根据水土保持相关的技术规范进行措施设置。同时根据开发建设项目水土流失量大的特点,适当调整和配置各种防治措施。有些水土流失形式是开发建设项目所特有的水土流失形式,完全由人为因素造成的,如非均匀沉降、采空塌陷等,形成成因和机制十分复杂,与工程设计、施工工艺和生产流程有密切关系,此类水土流失防治技术,要根据建设项目区的地貌类型、建设时序、造成水土流失特点、项目主体工程布局、防治责任区划分等进行分区,根据水土流失防治的轻重缓急,确定防治重点,提出水土保持措施的总体布局。确定水土保持的防治措施和主要技术指标。

开发建设项目区水土流失应因地制宜地采取拦渣、护坡、土地整治、防洪、防风固沙、防治泥石流、绿化等防治措施,使新增的水土流失及土地沙化得到有效控制。根据水土保持建设项目类型不同,介绍开发建设项目水土流失防治工程布局及措施配置。

一、公路、铁路等线形开发建设项目的水土流失防治

线形开发建设项目指公路、铁路、输油、输气管道、渠道等,其土壤侵蚀与防治有较多的共性。线形开发建设项目水土流失的特点:一般呈线状分布,其水土流失区也呈连续或不连续分布的线状区域;随主体工程线路长度的变化,空间跨度大,穿越土地类型多,水土保持措施配置复杂。公路、铁路等主体工程设计主要有路基、路堑、隧洞、桥梁、上山(坡)、下山(坡)、穿越河流、穿越洪水沟,辅助工程主要有料场(含取土场)、施工便道、弃渣场。此类项目防治措施主要是在水土保持因害设防、因地制宜的基础上,采取工程措施与生物措施相结合的原则进行配置。措施对位配置如下。

(一)主体工程的防治措施

在空间上,公路、铁路等建设项目穿越的水土流失类型区较多,必须根据不同类型区配置不同的防护工程和绿化工程。为美观和工程安全,线状建设项目需要对工程区域及其他生活、服务、管理区域进行绿化,包括特用林带、周边绿化、园林化种植、花卉种植、草坪布设等。主体工程两侧为保护工程安全所布设的防护措施有护坡工程、防洪工程、防风固沙工程、泥石流防治工程等。护坡工程主要采用工程护坡和植物护坡相结合措施护坡。防洪工程包括拦洪坝、排洪渠、排洪涵洞、防洪堤、护岸护滩、清淤清障。主体工程穿越风沙区时,需要配置防风固沙工程,主要包括沙障固沙、造林固沙、种草固沙、平整沙丘造地等措施。在泥石流多发区应配置泥石流防治工程,主要包括梯田、造林、种草、沟头防护、小型蓄排工程、谷

坊、淤地坝、格栅坝等措施。

(二)弃土、弃渣场的防治措施

公路、铁路、管道等线性开发建设项目主体工程在施工过程中将产生大量的弃土、弃渣，如果防治措施不力，极易受到水力或风力的侵蚀造成水土流失。弃土、弃渣场主要选在较近的荒山坡、沟道、河滩、台地处，水土保持防治措施主要采取护坡工程、拦渣(土)工程和覆土绿化工程。弃渣形成不稳定边坡时，配置护坡工程。拦渣工程包括拦渣坝、挡渣墙、拦渣堤。弃渣堆放在沟道时配置拦渣坝、堆放在河滩时配置拦渣堤，具体设计时应注意与河道治导线结合。弃土、弃渣场的生物措施主要采取土地复垦措施，再塑土地，进行绿化工程建设。

(三)取土采石、采沙场的防治措施

取土场一般选在线路周围较为荒芜的地区，属于易受侵蚀地区。施工过程中的取土使得当地的表面覆盖受到严重破坏，土壤裸露，土质松动，抗侵蚀力降低，是易于遭受水力和风力侵蚀的地区。除了必须解决好工程竣工后的永久性防护问题外，工程施工过程中也应采取一些临时性措施对其进行防护。取料场水土流失防治主要措施为：施工期设排水设施，排出径流，注意及时整平，施工结束后，进行土地整治、覆土工程和造林绿化工程。

(四)挖方、填方区的防治措施

建设区挖方地段的水土流失防治措施有挡渣(土)墙和覆土造林、护坡工程。护坡工程包括削坡开级、植物护坡、工程护坡、综合护坡、滑坡整治等，从水土保持角度出发应尽量配置工程与植物结合的综合护坡措施。

建设工程填方及半填半挖段水土流失防治措施为挡土(渣)墙、护坡工程和生物措施。主体工程以上边坡宜采用挡土墙和护坡工程，主体工程以下边坡采用渣面覆土造林，两侧绿化工程等措施。

(五)临时场地的防治措施

工程建设中的施工临时占地主要包括临时道路、临时生活区、拌和场、机械停放场、预制场等占用的临时性用地。据施工临时用地特点，可分为站场用地和道路用地两类。辅助设施临时性占地等都归入站场用地类。对于站场用地来说，由于一般情况下往往有房屋、水泥预制件、路堤等地形屏障以及地面堆积物和工程水泥残渣等，这一类施工占地基本上不会发生严重的土壤侵蚀。对土壤侵蚀敏感的主要是道路占地，根据其所在地区的不同，往往具有不同的地质特点，同样是经车辆的碾轧，可能有的路面会越轧越坚硬，有的路面会越轧越松软，从而使路面土壤也表现出不同的抗侵蚀能力。

临时用地土壤侵蚀的防治，包括施工期的临时防护及工程后的植被恢复等永久防护措施。在施工期间的临时施工设施周边，设排水沟，施工结束后及时拆除设施，改造其被占压、破坏的地表，恢复土地使用功能。

二、矿区水土流失防治

黄土高原矿产资源丰富，种类繁多，主要有煤、铁、铜、铝钒土、石膏、石油、盐等金属或非金属矿。近几年，国家和地方都加大了对大型煤田和矿山的投资，如神府煤田、准格尔煤田、河东煤田、长庆油田、陕北油田、中条山有色金属矿区、孝义铝土矿区等。黄土高原多为丘陵沟壑地貌，土厚、沟深、坡陡，矿藏资源埋藏较深，开采剥离量大，加之降雨不均，极易产生水土流失。矿区水土流失的特点是：弃渣(土)量大，工程对地下储水结构破坏大，地下采空区塌陷具有不确定性。水土流失类型主要有滑坡、崩岗、泥石流、采空塌陷等。矿区水土流失防治要充分考虑当地的自然条件和经济条件,以因地制宜,因害设防的原则,采用以生物措施为主,生物措施和工程措施相结合的防治措施,把矿区水土流失防治技术与土地复垦、生态重建技术结合起来,建立水土流失防治体系。

(一)矿区水土流失防治关键技术措施

1. 土地整治、恢复与植被重建技术

矿区水土流失是大面积破坏土地和植被的结果。因此,应首先恢复和整治被破坏的土地和各种废弃地,以保土为中心,恢复植被,采取有效措施提高复垦地的生产力,并保障其持续再生产,是矿区水土流失防治的核心技术问题。对采石迹地进行植被自然复垦保护,即对各矿点周围的排土场进行治理,以恢复植被、地表水系为主,使开采后的矿区景观与周围自然环境相协调。弃渣场防治措施主要有渣场整理、土地复垦整治与渣面植被再造措施。

2. 排蓄水工程

生产建设活动破坏原来的水文系统和水文平衡,易造成地面积水、渗漏、产流、汇流,导致沟蚀、崩塌滑坡、土地盐渍化、沼泽化,所以必须注重排水设施的配置。合理排放和蓄存地表径流,调控土体水分,是矿区水土流失防治的重要技术。

3. 边坡固定工程

人为形成的各类人工边坡极易因各种因素作用而失衡,产生各种重力侵蚀,除恢复和重建植被之外,根据边坡稳定性及其对周围的影响,采取相应的边坡固定工程是保障土地复垦成果、矿区生产和人民生命财产安全的关键技术措施。边坡固定工程要因地制宜、因害设防,采用工程措施和生物措施相结合的方法配置水土保持措施。

4. 挡渣(土)工程

矿区工程分为建设期和生产运行期,在建设期,主井、副井在掘进过程中均会产生大量的土石弃渣,工业设施建设也会产生大量的固体废弃物,在生产运行期,随着不断生产,将产生大量的固体废弃物,如不妥善堆放将会造成严重的人为水土流失。为防止泥石流、滑塌等灾害,每个矿点都应在堆弃表土和尾矿的下坡或小支毛沟中建立挡土墙或石谷坊和拦沙坝,以拦截本矿点大部分弃土石量。

5. 防洪及泥石流排导工程

大型矿区大量固体废弃物侵占河道,使行洪能力降低,汛期洪水危害严重,疏浚河道、修筑护堤,配合挡拦工程,进行有效地防洪防汛。在山区丘陵,坡面岩土体的破坏和沟道废弃物的堆积,为泥石流的形成创造了条件,在修筑各类挡拦工程建筑物的同时,必须考虑泥石流的排导工程,做到排拦结合,综合治理。

(二)霍林河矿区水土保持体系总体设计实例分析

1. 矿区概况

霍林河矿区位于内蒙古自治区霍林郭勒市和扎鲁特旗境内,地处大兴安岭南端山脊的西北坡,内蒙古科尔沁草原中心地带,呈北东、南西条带状展布,总体规划面积 503.14km²。由于露天煤矿本身的性质决定,在开发建设过程中都不可避免地要破坏大面积的地表植被和土壤,排放大量的固体废弃物,导致水土流失急剧增加,造成水土资源和环境的破坏。

2. 矿区开发建设后水土流失状况分析

根据对沙尔呼热一号露天矿现场调查,水土流失主要发生在外排土场、工业广场、道路

和农地等区域,其中排土场是水土流失最主要的发源地,侵蚀形式主要是以风、水蚀为主,其次为重力侵蚀。外排土场属于风、水复合侵蚀区,在冬、春季极易遭受风力侵蚀,而在夏季则以水力侵蚀为主。水力侵蚀以击溅、层次面蚀和沉陷侵蚀为主,排土场边坡主要以沟蚀和重力侵蚀为主,易发生泻溜与土砂流泻、坡面泥石流、崩塌和滑坡等水土流失类型。采掘场和内排土场属于风、水复合侵蚀区。霍林河矿区的露天矿均属于凹型露天矿,面蚀、沟蚀和重力侵蚀主要发生在工作边帮和工作平台上,以内部搬移和沉积为主,同时采掘场周边被开挖切断的原地面汇水沟渠仍可能将外部大量径流汇入采掘场,威胁生产安全。工业广场以风蚀和扬尘为主,道路系统以风、水蚀为主,矿区耕地以水蚀为主。

3. 水土流失防治分区

重点治理区为现在生产的沙尔呼热一号露天矿和近期即将开发建设的扎哈淖尔露天矿及沙区北露天矿的排土场、采掘场及坑口电厂的贮灰场以及后期接续的 11 个井工矿产生的矸石山和塌陷区。

综合防护区包括工业场地、矿区道路、铁路专用线、辅助生产设施、生活福利设施、农菜田、水源地等,以及远期的井工矿的工业场地、道路、铁路、辅助附属设施。这些区域土壤侵蚀量较重点治理区小,以风蚀为主,在这些区域布设生物措施,既可防治水土流失又可起到绿化美化的作用。

封育保护区包括林地、草地、露天矿区预留地、井工矿区预留地及其他暂不利用地等,这一区域水土流失轻微,但部分草场由于前期小煤窑无序开采、乱砍滥伐、盲目开荒等人为因素和自然因素造成沙化、退化现象普遍存在,因此要对封育保护区内林、草地加强管理,对林木要加强抚育,严禁乱砍滥伐,对草地禁止开荒,对沙化、退化草场采取人工改良措施,对封育草场可适度打草、轮牧、刈割利用。

4. 水土保持防治措施体系

由于霍林河矿区的服务年限长达272年,在不同的历史阶段具有不同的生产特点,其水土流失类型、强度、危害程度也不尽相同,治理措施也不尽相同。霍林河矿区的水土保持措施体系划分为近期和远期,近期水土保持防治措施见表16-3。

在不影响正常生产的前提下,水土保持措施体系要坚持重点治理与面上防护相结合,生物措施与工程措施相结合,以工程措施为先导,发挥其速效性和保障性,使新增人为水土流失在"点"上得以集中拦蓄和控制。在重点地段布设工程措施的同时,加强"面"上的生物措施建设和土地复垦,在改善生态环境同时,恢复和提高土地生产力,发挥生物措施的持久性和绿化、美化作用,充分开发利用生物措施的防护作用及经济价值,实现水土流失防治由被动控制到治理开发的根本转变,并达到生产、经济、环境可持续发展。

三、水电工程水土流失防治措施

水利水电工程,特别是大、中型水利水电工程的建设周期长,如黄河小浪底工程施工期为8年,长江三峡工程施工期长达17年,工程建设期间,遇到特大暴雨或大暴雨的机会很多,如果不采取措施,就会造成新的严重的水土流失;施工占地范围大,剥离表土多,堆存的表土大部分为疏松的细粉粒,遇到雨水极易造成流失;工程堆(弃)渣量大,大量松散的堆渣或弃渣,如不采取措施,也会产生严重的水土流失。

表 16-3　霍林河矿区近期水土保持措施体系(引自周龙义等,2003)

防治分区	地类		水土保持措施体系
重点治理区	露天矿区	排土场	排土场排水系统 平台挡水埂 平台整平、围堰、畦田化 平台覆土植树 边坡工程造林 周边防护林
		采掘场	采场内、周边防排水系统 护帮(生产过程中同步完成) 周边防护林
	坑口电厂	贮灰场	周边防护林
综合防护区	露天矿区		工业广场绿化、美化 生产辅助设施绿化、美化 行政福利设施绿化、美化
	坑口电厂		厂区绿化 公路防护林 铁路防护林 农田防护林排 水沟防护林 水源涵养林
封育保护区	林地		加强抚育、管理
	草地		封育改良、刈割利用

根据水电工程的特点,水土流失防治分区可划分为水利枢纽坝区、土石料场区、弃渣场区、交通道路、附属企业区和生活区、专项设施迁建区、移民安置区、库岸防护区等。

(一)水利枢纽坝区、厂区防治措施

坝区、厂区防治区,包括拦水坝和发电引水隧洞、发电厂房及升压站等永久占地。在岩石破碎、节理面发育地段,应考虑设置灌浆、衬砌、支护等措施,在厂区等地质较好地段,则宜采用工程防护和绿化美化措施。

(二)土石料场区防治措施

取料场采取表土回填,回填坑面复垦造林。开挖边坡削坡造林,同时为了预防上游来水的冲刷,修建排水系统。施工造成的裸露地面主要植物措施是恢复植被、布设绿化、美化措施。河道边、公路旁的少量堆积物采取清除的措施,弃土、渣场主要采取平台整平、边坡修整等措施。开采过程中土料场的水土保持措施,根据实地地形,对部分料场在开挖时,在其下游布设尼龙沙袋和开挖沉沙池。考虑到对料场的恢复利用,在基岩裸露部位进行覆土整治,必要时应采取拦挡措施。

(三)弃渣场防治措施

弃渣场防治区是水电工程建设项目水土流失防治的重点,弃渣场除设置一般的拦渣挡土墙外,还要考虑标准较高的围墙、围拦或编织袋装渣堆堵等方法,堆渣前宜在场内设置排水暗沟,边缘设置截水明沟。渣场使用完后进行覆土整治,达到恢复土地生产力的目的。

(四)交通工程区防治措施

交通工程区分临时便道和永久性道路,除采取一定植物措施外,应在便道内侧布置截水沟,必要时采用挡墙等防护措施。

(五)移民安置区防治措施

移民居住点建设区征地后实行统一规划,综合防护,加强水土保持措施,避免增加新的水土流失,水土保持设计主要采取工程措施和植物措施相结合的原则。移民开发区水土流失治理的重点是土地开发、坡地改造和荒山治理,设计采用植物措施保护、坡沟兼治、保土耕作等措施相结合,把综合治理与综合开发融为一体。对荒山应做好保护性开发,加快荒山、荒坡的绿化,改善生态环境,防止新的水土流失。

(六)专项设施迁建区防治措施

专项建设主要包括公路迁(改)建,输变电线改造和通信线路改造。在输电线,通信线路改造中,扰动地表面积不大但分散,产生水土流失量不大。该区裸地水土流失,主要为公路迁(改)建挖填边坡等造成新的水土流失。公路水土流失防治措施配置,已在公路、铁路等线形开发建设项目的水土流失防治中论述,这里不再复叙。

四、工厂及村镇建设区防治措施

建厂或建房的弃土弃渣不得任意向沟道倾倒,应结合厂区、庭院的平整充分利用弃土、弃渣。当利用弃土弃渣进行院内平台填方时,应分层夯实,边坡不宜太陡,应满足稳定要求。无论是建工厂还是建民房,都必须搞好其周围的护坡。护坡材料可以用石料也可以是草皮。护坡要确保边坡稳定、防冲的要求。在厂区道路两旁栽植绿化带,在空旷区建花园或绿化小区;庭院周围可栽植各种果树,发展庭院经济。

五、城镇企业区防治措施

(一)对城市垃圾进行统一管理和处理

城镇垃圾及工厂企业废弃物应统一管理、合理堆置,严禁向沟道、河流、水库倾倒。垃圾坑堆满后,应及时平整造地,做到既防止污染又合理利用。有条件的城市可建立垃圾处理厂,这样一方面可及时处理、合理堆置垃圾,另一方面还可做好废弃物的回收及再利用。

(二)工程措施

对企业产生的尾矿、煤灰、煤渣、煤矸石等固体废弃物,应因地制宜地采取工程措施综合治理。如修建尾矿库、拦灰库、拦渣坝、堆渣场等。灰渣堆满后,及时覆土造地,进行农林种植。沟道坝库堆满后应及时加高坝体,保证防洪安全。坝库高度达到规划坝高后,应及时利用自然泥沙淤积或人工覆土的办法,改造成耕地。

(三)综合利用

对于矿渣、尾矿、粉煤灰、煤矸石等,可因地制宜开展综合利用。

第五节　开发建设项目水土保持监测

一、水土保持监测的目的

开发建设项目水土流失监测主要是监测人为建设活动造成的水土流失量和对水土流失

的现状进行监视检测工作。水土保持措施监测主要是监测水土流失治理成果的数量、质量和效益。水土流失监测的目的是及时、准确、全面、系统地掌握水土流失现状、动态及相关信息,为开发建设项目水土流失防治提供依据。通过监测及时掌握建设生产过程中的水土流失,并通过政府监督和工程监理及时加以控制,使水土流失降低到最小程度。同时,通过对水土流失防治措施效果的监测,掌握水土流失的控制状态,提出相应的对策,督促生产建设单位严格落实水土保持"三同时"政策,使之采取切实有效的措施,最大限度地防治工程建设造成的水土流失。

二、开发建设项目水土保持监测的原则

(1)建设性项目的水土保持监测点应按临时点设置。生产性项目应根据基本建设与生产运行的联系,设置临时点和固定点。

(2)水土保持监测点布设密度和监测项目的控制面积,应根据开发建设项目防治责任范围的面积确定。重点地段应实施重点监测。

(3)水土保持监测点的观测设施、观测方法、观测时段、观测周期、观测频次等应根据开发建设项目可能导致或产生的水土流失情况确定。监测方案应进行论证,批准后方可实施。

(4)开发建设项目水土保持监测费用应纳入水土保持方案,基建期监测费用应由基建费用列支,生产期的监测费用应由生产费用列支。监测成果应报上一级监测网统一管理。

三、开发建设项目水保监测的项目和内容

(一)水土流失因子监测项目

地形、地貌和水系的变化情况;建设项目占用地面积、扰动地表面积;项目挖方、填方数量及面积,弃土、弃石、弃渣量及堆放面积;项目区林草覆盖度。

(二)水土流失状况监测项目

监测开发建设项目区水土流失面积变化情况,水土流失量变化情况,水土流失程度变化情况,对下游和周边地区造成的危害及其趋势。

(三)水土流失防治效果监测项目

监测项目区水土流失防治措施的数量和质量,林草措施成活率、保存率、生长情况及覆盖度,防护工程的稳定性、完好程度和运行情况,各项防治措施的拦渣保土效果。

(四)监测重点

(1)采矿行业。露天矿山的重点是排土(石)场和铁路或公路专用线,地下采矿重点是弃土弃渣、铁路或公路专用线和地面塌陷。

(2)交通铁路行业。主要是对施工过程中的水土流失进行监测,重点是弃渣、取土场、大型开挖破坏面和土石料临时转运场。

(3)电力行业。电厂施工建设过程水土流失监测以弃土弃渣、取石取土场为主。火力发电厂运行期以贮灰场为主,其他类型的电厂生产期可根据实际情况确定。

(4)冶炼行业。施工生产建设过程水土流失监测以弃土弃渣、取石取土场为主,运行期以添加料场、尾矿、尾沙、炉渣为主。

(5)水利水电工程。重点是施工期的弃土弃渣、取石取土场及大型开挖破坏面。

(6)建筑及城镇建设。重点是建设过程中的地面开挖、弃土弃渣、土石料临时堆放地。

四、开发建设项目水土保持监测方法

开发建设项目监测方法主要有地面观测法、调查监测法、巡查监测法、遥感监测法与"3S"技术、人工模拟法等方法,在编制监测专项报告时,应根据项目规模、项目影响范围等选择监测方法。小型工程宜采取调查监测或场地巡查监测相结合的方法;大、中型工程应采取地面监测、调查监测和场地巡查监测相结合的方法;规模大、影响范围广、有条件的特大型工程除地面监测、调查监测和场地巡查监测外,还可采用遥感监测的方法;水土流失影响因子和水土流失量的监测应采用地面监测方法;扰动面积、弃渣量、地表植被和水土保持设施运行情况等项目的监测应采用调查法和实测法;施工过程中时空变化多、定位监测困难的项目可采用场地巡查法监测。

(一)地面观测

1.小区观测

小区观测适用于扰动面、弃土弃渣等形成的水土流失坡面的监测。开发建设项目水土流失的小区观测布设应分不同情况对待,若开发建设项目区邻近地区有与之相同或相近地貌类型的水土流失观测资料,并能够代表原地貌的水土流失情况时,可不设原地貌(面)观测小区,若无此条件的应分别设置原地貌观测小区和扰动地貌(面)观测小区。原地貌小区应为标准小区。观测小区站址选择应具有代表性、可比性,且交通方便、观测便利。观测小区规格参照《水土保持监测技术规程》。

2.控制站监测

控制站监测适用于地貌扰动程度大,弃土弃渣基本集中在一个或几个流域范围内的开发建设项目。开发建设项目区邻近地区有地貌较为一致的控制站时,可不设原地貌控制站;若无相关控制站,则应设置1个原地貌控制站。扰动地貌控制站的布设和数量应根据实际情况论证确定。原地貌控制站选址应考虑流域的代表性,同时考虑交通。扰动地貌控制站址,若涉及多个小流域,也应具有代表性。控制站的设计应根据泥沙、水文、水力计算进行,设计方案应纳入水土保持方案。扰动地貌控制站建设与常规控制站的设计原理相同。多数开发建设项目弃土石量大,推移质量大,断面设计时,应注意测流槽尾端堆积。结构设计和建筑材料选择,应保证测流断面坚固耐用,防止弃土弃渣的冲击破坏。

3.简易水土流失观测场

简易水土流失观测场适用于项目区内分散的土状堆积物及不便设置小区或控制站的土状堆积物的水土流失观测。观测场应选择不同类型土状堆积物坡面,并应在坡度相同的原地貌设置对照。选址时应避免周边来水的影响。

4.简易坡面量测法

简易坡面量测法适用于暂不扰动的临时土质开挖面及土、土石混合或粒径较小的石砾堆垫坡面的水土流失量的测定。布设与选址时应选择能够存在一定时间的开挖面或堆垫面,时间最好为1年。量测场应具有代表性,面积应根据坡面情况确定,宜在坡面的上中下均匀布设或从坡顶至坡底全面量测。

5.风蚀量监测

风蚀量监测适用于风蚀区、水蚀与风蚀交错区开发建设项目的风力侵蚀的监测。选址时扰动地貌上应选择具有代表性的、不同地类的观测区,并选择平坦、裸露、无防护的原地貌作为对比区,进行比较分析。

6.重力侵蚀监测

重力侵蚀监测应针对开发建设项目造成的或可能造成的重力侵蚀,并根据设计文件及施工过程中的各种相关资料进行分析,必要时应进行调查和实测。

(二)调查监测

1.项目区水土流失因子监测

(1)采用实地勘测、线路调查等方法对地形、地貌、水系的变化进行监测。

(2)采用设计资料分析,结合实地调查对土地扰动面积和程度、林草覆盖度进行监测。

(3)采用调查和量测等方法,对沟道淤积、洪涝灾害及其对周边地区经济、社会发展的影响进行分析,保证水土流失的危害评价的准确性。

(4)采用查阅设计文件和实地量测,监测建设过程中的挖填方量及弃土弃渣量。

2.水土流失调查

调查监测法可分为普查调查、典型调查与抽样调查。普查调查适用于面积较小的面上监测项目的调查,典型调查适用于滑坡、崩塌、泥石流等的调查,抽样调查适用于范围较大的面上监测项目。矿区地面塌陷的面积、造成的危害监测应在分析企业有关预测和调查资料的基础上,进行必要的实地调查。

3.水土保持设施监测

应对施工过程中破坏的水土保持设施数量进行调查和核实;并对新建水土保持设施的质量和运行情况进行监测,大型水土保持工程设施应进行稳定性观测。

4.水土保持设施效益监测

水土保持设施效益监测包括保土效益、拦渣效益等。水土保持措施的保土效益测算应按《水土保持综合治理　效益计算方法》(GB/T15774—1995)规定进行。拦渣效益应根据拦渣工程实际拦渣量进行计算。扰动土地再利用、植被覆盖度等效益应通过调查监测法进行。

五、开发建设项目水土保持监理

开发建设项目在项目的可行性研究阶段和初步设计阶段,大部分工程进行了水土保持方案的编制。为了保证水土保持措施全面落实和达到设计效果,工程建设阶段、竣工验收阶段都必须增设或加强工程的水土保持监理。在我国,随着投资体制的改革,工程建设普遍实行了业主法人制、工程招投标制和工程监理制。对工程建设单位水土保持工作具有一定的强制性,必须通过加强水土保持方案管理和水土保持监理工作,才能保证开发建设项目水土保持方案的顺利实施。

(一)水土保持监理的内容

1.严格实施工程的水土保持方案

包括在项目建设区和直接影响区监理承包商是否按水保设计进行工程弃渣处理、防护、渣场整治和植被恢复;监理在料场、施工区等开挖面进行的各项开挖、回填、爆破、清场等活动所控制的范围及所采取的临时防护措施;监理临时占地的清理及复耕(或植被恢复)工作;监理移民安置区建设对水土流失的影响;监理各项水土保持措施的施工质量等。

2.严格按照工程监理的有关法规,执行"三控两管一协调"

在项目建设阶段应执行水土保持"三同时"制度,做到进度控制、投资控制、质量控制、合同管理、信息管理和组织协调,为业主服务,对工程负责。水土保持监理工程师要审核施工单位的水土保持质量保证体系、水土保持质量目标和管理体系、水土保持技术条件和技术力量;协助业主确认分包的施工单位的有关水土保持问题;审核工程施工组织设计中有关新增的水土流失问题;审核水土保持工程中的材料、设备等的质量;协助业主处理水土保持工程质量及事故的有关事宜;协助水行政主管部门进行工程竣工验收等。

(二)水土保持监理的方法

水土保持工程的监理方法与常规工程的监理方法基本相同,但因其监理的内容不同,水土保持有其特殊的监理方法。水土保持监理方法主要有以下几种:

(1)不定期监理。水土保持工程量较小的开发建设项目可采用不定期监理的方法。监理工程师不需在工程建设期都参与监理工作,只需在水土保持工程密集的时段进行监理及平时的不定期检查。

(2)定期监理。水土保持工程量较大或工程对水土流失影响很大的建设项目可采用定期监理法。监理工程师需要在工程准备阶段就开始进行监理工作,协助业主搞好水土保持工作。

(3)例会制度。按固定的时间,召开施工单位水土保持管理人员会议,进行总结,提出存在的问题和整改要求。

(4)年报(或季报)制度。根据工程建设工期的长短,施工单位向水保监理工程师提交年报(或季报)。水保监理工程师向业主提交相应时段的水保监理总结报告。

(5)指令文件。水土保持监理工程师通过签发通知单或备忘录等指出工程中出现的各种水土流失问题,提请施工单位注意。

第六节　水土保持方案管理

建立和完善水土保持方案报批制度,实现水土保持方案常规项目管理,是水土保持行政执法及管理走向法制化、规范化的要求和集中体现,是保障建设项目和水土保持有机结合、同步进行,进而实现国民经济和社会可持续发展的关键措施。

一、水土保持方案的报审程序

开发建设项目水土保持方案报告书和大纲均分送审稿和报批稿两种,在技术文件封面中注明。

(一)报送程序

铁道、国电、交通、煤炭、有色和水利部等联合发文就行业项目的水土保持做出了具体规定,大纲和报告书的报送按文件的要求办理。对于其他的建设项目要求如下:①大纲(送审稿)和大纲(报批稿)由建设单位报水利部水土保持司;②报告书(送审稿)由建设单位报水利部水土保持司,报告书(报批稿)由建设单位报请项目所在地省级水行政主管部门转报水利部。建设单位应于预审会议5天前将大纲或报告书(送审稿)送达有关专家。设计单位应按照预审会议专家提出的意见认真修改形成报告书(报批稿),首先送水土保持监测中心审核。建设单位应在收到批复文件后30日内将报告书(报批稿)送达项目所在地省、地、县三级行政主管部门。

(二)报批程序

水工程项目的水土保持方案在上报时,应有审批部门下一级地方水行政主管部门的初审意见;其他开发建设项目,应有与方案审批部门同级的建设项目行业主管部门的预审意见。

(三)方案的审验

水土保持方案上报到水行政主管部门后,应对方案的基本要求进行查验,主要有以下三方面的内容。

(1)编制水土保持方案的单位必须持有水行政主管部门颁发的《编制水土保持方案资格证书》,以及设计资格证书。

(2)必须按甲、乙、丙级规定的范围承担相应任务,越级编制的无效,也不得审批。

(3)必须按《开发建设项目水土保持方案技术规范》中规定的内容和深度进行编制,即新建、扩建项目应做达到可行性研究阶段深度的水土保持方案,已建、在建项目应做达到初步设计深度的水土保持设计,符合要求后才能组织审查。

二、水土保持方案的审批

(一)水土保持方案审查

水行政主管部门审批水土保持方案实行分级审批制度,越权审批的一律无效。中央审批立项的生产建设项目和限额以上技术改造项目水土保持方案,由国务院水行政主管部门审批。地方审批立项的生产建设项目和限额以下技术改造项目水土保持方案,由相应级别的水行政主管部门审批。乡镇、集体、个体及其他项目水土保持方案,由其所在县级水行政主管部门审批。县级以上地方人民政府水行政主管部门审批的水土保持方案,应报上一级人民政府水行政主管部门备案。跨地区的项目水土保持方案,报上一级水行政主管部门审批。上级水保监督机构可以委托下级水保监督机构审批和验收项目,对委托审批的建设项目,上级水保监督机构还有权进行重新审批。属上级审批的建设项目,下一级水保监督机构必须先进行审查,审查结束后提出修改意见,连同审查结果以书面形式及时上报,作为上级水保监督机构审批的重要依据。

各级水行政主管部门在接到方案(送审稿)后,应及时组织水土保持规划、设计、管理、概预算等方面的专家和建设项目行业主管部门、项目所在地的地方有关部门的专家组成水土保持方案审查组,对水土保持方案进行全面审查,提出书面审查意见,由方案编制单位对原方案进行补充和修改。水土保持方案审批程序如图16-3所示。

水土保持方案审查要点有:审查水土保持方案的防治责任,水土保持方案要既明确、又准确地提出和划定开发建设单位的责任范围,要按法律法规和技术规范的规定来确定,并应有图件说明,对水保方案中责任不明确的,审查时应进行论证并加以明确;审查防治方案,水土保持方案中应科学合理地提出分区防治的划分依据、分区治理的措施布局和重点,确定重点治理、管护、监督的区域和措施;审查技术措施,所采取的防治措施要得当,既要符合标准和规范,又要经济合理,不能一味追求高标准;审查投资计算,水土保持方案中水保工程的投资概预算编制依据、方法应符合有关规定。审查时要有专门概算编审人员进行审查,对各项费用逐一核定,并提出审查意见;审查实施措施,水土保持方案中应明确提出实施该方案的具体组织、管理、监督、技术保障、检查验收、经费管理使用等措施,以保证水保方案能按设计

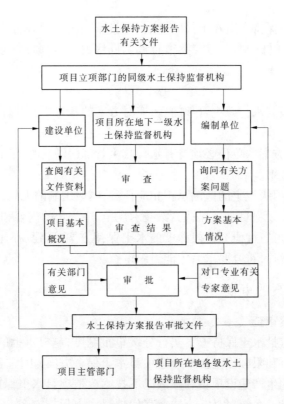

图 16-3　水土保持方案的审批程序(引自马和平,1997)

实施。

(二)水土保持方案审批

负责审批水土保持方案报告的水土保持监督机构,应当在收到水土保持方案报告书、水土保持方案报告表之日起,分别在 60 天、30 天内对其进行批复,逾期未提出异议又不批复的应视为批准,特殊性质或特大型建设项目水土保持方案的审批,其延长时限不得超过半年。凡由国家立项且工程总投资在 2 亿元以上或跨省(区、市)界的建设项目其水土保持方案必须报水利部审批。地方立项的建设项目,由相应级别的水行政主管部负责审批,在正式批复前也应进行预审。建设项目的审批应按法律依据、技术依据并参照专家评估意见和审查意见进行全面审查,审查合格的出具审批文件,同时颁发《水土保持方案合格证》。水保监督机构审批水土保持方案的文件,应抄送项目所在地的水保监督机构和同级计划、经济等有关部门。需要指出的是,建设项目的性质、生产工艺、规模、建设地点变动时,建设单位应及时提交修改的水土保持方案,按规定的审批程序重新报批。

三、水土保持方案的验收

为规范开发建设项目水土保持设施的验收工作,水利部于 2002 年颁发布了《开发建设项目水土保持设施验收管理办法》(以下简称《管理办法》)。各级水行政主管部门应按此管理办法,全面推进开发建设项目水土保持设施验收的规范化,把好竣工验收关。

(一)验收的依据与分类

开发建设项目水土保持设施验收的依据包括以下几方面:

(1)水土保持法律、法规、规章、规范和相关行业的工程技术标准。

(2)《开发建设项目水土保持设施验收管理办法》(水利部令第16号)。

(3)水行政主管部门批准的水土保持方案。

(4)水土保持方案实施工作总结报告。

(5)水土保持设施竣工验收技术报告。

(6)水土保持设施技术评估报告。

(7)开发建设项目水土保持设施验收审批表。

(8)水土保持方案设计合同、施工合同、监理合同,监理工程师签发的施工图纸和相关技术材料等。

水土保持设施验收可分为大型水土保持设施竣工验收和中小型水土保持设施竣工验收。大型开发建设项目水土保持设施的验收,可按水土保持方案确定的建设施工期限划分为单项验收、阶段验收和竣工验收。中小型水土保持设施的验收,符合验收条件的即可直接申报水土保持设施的竣工验收,一般不搞单项验收和阶段验收。

(二)验收条件

1.验收合格的条件

《管理办法》对开发建设项目水土保持设施符合下列条件的,方可确定为验收合格:

(1) 开发建设项目水土保持方案审批手续完备,水土保持工程设计、施工、监理、财务支出、水土流失监测报告等资料齐全。

(2)水土保持设施按批准的水土保持方案报告书和设计文件的要求建成,符合主体工程和水土保持的要求。

(3)治理程度、拦渣率、植被恢复率、水土流失控制量等指标达到了批准的水土保持方案和批复文件的要求及国家和地方的有关技术标准。

(4)水土保持设施具备正常运行条件,且能持续、安全、有效运转,符合交付使用要求,管理、维护措施落实。

《管理办法》规定:申请水土保持设施验收在满足上述基本条件的基础上,建设单位应编报《水土保持方案实施工作总结报告》和《水土保持设施竣工验收技术报告》。报告的具体内容和要求,在《管理办法》中都有明确的规定。

2.验收权限

水行政主管部门对开发建设项目水土保持设施的验收,实行统一管理、分级负责制度。水土保持设施的竣工验收由水土保持方案的原批准机关组织,不得越级验收。水利部负责由国家立项建设的项目验收,地方水行政主管部门负责由同级主管部门立项建设的项目验收。开发建设项目水土保持设施验收实行备案制度,下一级水行政主管部门组织的水土保持设施验收材料须报上一级水行政主管部门备案。

3.验收范围与内容

水土保持设施的验收范围应当与批准的水土保持方案和批复文件相一致,如责任区范围、包含的工程、达到的目标、实施进度等。竣工验收工作的主要任务是:检查水土保持设施的设计落实情况及建设进度、工程量及质量,核查水土保持投资到位及使用情况,调查和评价水土流失防治效果,落实水土保持设施的管理维护责任,对存在问题提出处理和改进意见。

4．验收指标

技术指标应达到批准的水土保持方案确定的目标。目前,水利部正在采用的量化指标,主要包括扰动土地的治理率、水土流失治理率、水土流失控制比、拦渣率、植被恢复率、植被率等6项指标。具体指标值可参考表16-4。

表16-4　开发建设项目水土流失防治指标(引自姜德文等,2003)

指标	建设类项目	生产类项目	说　明
扰动土地治理率(%)	90	90	扰动土地整治面积占扰动土地总面积的百分比
水土流失治理率(%)	80	80	水土流失防治面积占总面积的百分比
水土流失控制比	2.5	2.0	项目竣工时土壤侵蚀模数与容许土壤流失量的比值
拦渣率(%)	90	95	实际拦弃土弃渣量占弃土弃渣总量的百分比
植被恢复率(%)	90	90	植被恢复面积占可恢复植被面积的百分比
植被率(%)	15	15	项目竣工时林草面积占总面积的百分比

注:本表指标值为最低标准,对大型开发建设项目应适当提高;建设类项目主要包括公路、铁路、水利水电、管道工程等,生产类项目主要包括矿山企业、火电、建材等。

(三)验收程序

项目法人应首先进行自查初验,依据批准的水土保持方案和批复文件,会同水土保持方案编制单位、施工单位、监理单位等,对照检查各项水土保持设施的完成情况、质量和效果,在查验合格的基础上,编制总结报告和技术报告,以书面形式向水土保持方案批准机关提出验收申请。具有验收权限的水行政主管部门,应在接到验收申请后3个月内组织完成验收工作,包括技术评估和行政验收。

1．技术评估

(1)评估机构资质。《管理办法》规定,国家及省级负责验收的项目先进行技术评估后再验收。该评估类似于建设项目的初步验收,属技术性验收,评估的内容以技术方面为主。承担水土保持设施技术评估的中介机构必须具备相应的咨询评估资质。该资质由国家和省级计划部门及咨询协会颁发,分甲、乙、丙三级,分别可承担不同规模的项目咨询评估业务。开展咨询评估前应按合同法的规定,由项目法人与评估机构签订咨询合同,对双方的责任、义务等做出约定。咨询评估机构要对评估成果及结论负责。

(2)技术评估工作。水土保持设施验收技术评估一般应分工程、植物、财务、综合四个组分别开展工作。工程组主要负责水土保持方案中各类工程措施的工程量、质量、防护作用的技术查验,重点详查工程的数量应占总工程数量的20%以上,渣场、料场等抽查比例应更高,大型防护工程必须进行全面检查。植物组主要检查植物措施的实施部位、林草品种、种植方法等是否与设计相符,林草成活率、保存率、面积核实率等是否达到规定标准,查看防护效果。在全面检查各类植物措施的基础上,详查重点林草工程,详查比例不低于30%。经济财务组主要是检查项目法人的经济技术合同管理制度是否健全,计量和支付是否合理,水土保持投资到位、使用和管理情况,水土保持投资控制的成效,投资或决算与投资概估算的差别,分析节余或超概算的原因,对经济、合同、财务等提出检查意见。综合组主要是核实建设项目在施工期、竣工后的水土流失防治责任范围及面积,调查、查勘项目区水土流失及生态环境状况,调查评价水土保持防治目标的达到情况,水土保持设施的成效、防护作用,是否发生过水土流失灾害,水土保持设施施工中有无质量事故及其处理情况,水土保持设施在建设、施工、管理等方面存在的问题、遗留问题及处理意见,正式验收前还应完善的工作,今后进一步做好水土保持工作的建议等。

(3)总评估报告。根据各分组评估意见,对建设项目的水土保持设施数量、质量、成效等提出总体评估报告,对须由项目法人在正式验收前完善的工作提出明确意见。评估报告经与项目法人交换意见,进一步整理后上报负责组织验收的行政机关,作为验收的重要技术依据。如果技术评估认为不合格或未达到验收条件,负责验收的机关不应组织验收。

2.竣工验收程序

验收机关邀请有关单位和专家成立验收委员会,召开预备会,听取项目法人关于验收准备情况的汇报。召开验收大会,宣布验收会议议程,宣布验收委员会成员名单,听取项目法人的工作总结报告和技术报告,听取评估组的评估报告,听取方案编制、设计、施工、监理、监测单位的简要汇报,观看、查阅有关水土保持工程建设的声像、文字资料,质疑与解答。

检查建设现场,主要查看主体工程施工建设区、弃渣场地、取土取料场、施工道路、施工营地及生活区、附属设施区、拆迁及移民安置等区域的水土保持设施建成情况、环境状况。召开验收委员会会议,各方代表及专家发表验收意见,讨论并通过验收意见,验收结论必须经2/3以上的验收委员同意。宣读验收意见,验收委员及被验收单位的代表在验收成果文件上签字,主持单位小结。

对验收合格的项目,水行政主管部门应当及时办理验收合格手续,出具水土保持设施验收合格证书,作为开发建设项目竣工验收的重要依据之一。对验收不合格的项目,负责验收的水行政主管部门应当责令建设单位限期整改,直至验收合格。

参 考 文 献

[1] 王礼先,朱金兆.水土保持学(第2版).北京:中国林业出版社,2005

[2] 王治国,李文银,蔡继清.开发建设项目水土保持与传统水土保持比较.中国水土保持,1998(10)

[3] 姜德文.论开发建设项目水土保持方案.内蒙古水利,1997(1)

[4] 唐克丽,等.中国水土保持.北京:科学出版社,2004

[5] 陈法扬.论水土保持法制化问题.水土保持研究,2000,7(3)

[6] 刘震.总结经验 努力探索 不断推进水土保持预防监督的新发展.中国水土保持,2004(4)

[7] 鄂竟平.全面推进 依法行政 努力开创水土保持预防监督工作新局面.中国水土保持,2004(4)

[8] 中华人民共和国水利部.全国水土保持预防监督纲要(2004～2015)水保[2004]332号.2004

[9] 吴志峰,王继增,卓慕宁,等.区域水土保持规划中重点防治区的划定——以广州市为例.水土保持通报,2001(4)

[10] 陈汉先,陈涛.广东省水土保持“三区”划分方法探讨.中国水土保持,2001(6)

[11] 水利部水土保持司.加强水土保持生态建设 实现人口资源环境协调发展——《全国水土保持生态环境建设“十五”计划及2010年规划》简介,中国水利,2001(10)

[12] 黄自强,林文莲,徐玉华.浅谈开发建设项目水土保持设施验收方法.中国水土保持,2003(9)

[13] 水利部.开发建设项目水土保持设施验收管理办法.中国水土保持,2002(12)

[14] 黄河水利委员会水土保持局.黄土高原水土保持生态建设近期目标与重点措施.中国水土保持,2002(10)

[15] 赵惠萍.浅谈水土保持方案编制存在的几个问题.中国水土保持,2004(10)

[16] 罗万勤,陈平.关于编制开发建设项目水土保持方案的探讨.水土保持通报,1996,16(1)

[17] 王礼先,孙保平,余新晓,等．中国水利百科全书．水土保持分册．北京:中国水利水电出版社,2004

[18] 王治国、李文银,蔡继清．开发建设项目水土保持与传统水土保持的比较．山西水利,1998(1)

[19] 明家跃,戴利平,戴喜丽．高速公路水土保持方案应着重处理的几个问题．工程建设与档案,2005,19(3)

[20] 关君蔚．水土保持原理．北京:中国林业出版社,1995

[21] 李文银,王治国,蔡继清．工矿区水土保持．北京:科学出版社,2004

[22] 吴永红．线形开发建设项目水土保持监测技术．水土保持通报,2003 (4)

[23] 姜德文．开发建设项目水土保持方案有关技术问题探讨,中国水土保持,1997(5)

[24] 陈英智．浅谈开发建设项目水土保持监测．水利天地,2003(11)

[25] 开发建设项目水土保持方案编报审批管理规定．中国人民共和国水利部,1995

[26] 吕满堂,赵考生．编制开发建设项目水土保持方案及编制程序简介．河北水利水电技术,1998(1)

[27] 石明,刘小林,杨才敏,等．水土保持方案与水土保持规划的异同点．山西水土保持科技,1999(2)

[28] 姜德文．论水土保持方案编制与审查．中国水土保持,1998(5)

[29] 徐立峰．浅谈开发建设项目水土保持方案的编制．新疆环境保护,1999,21(3)

[30] 常茂德,王欣成,马慕铎,等．开发建设项目水土保持方案防治目标和重点．水土保持通报,1996,16(1)

[31] 代全厚,刘明义．浅谈开发建设项目水土保持方案编制．吉林水利,1997(10)

[32] 开发建设项目水土保持方案技术规范(SL204—98)．北京:中国水利水电出版社,1998

[33] 陈家才,王和平,王治国,等．开发建设项目水土保持方案的探讨．中国水土保持,1997(1)

[34] 于辉,孟繁斌,杨庆国．开发建设项目新增水土流失量的预测方法研究．水电站设计,2001,17(4)

[35] 李智广,曾大林．开发建设项目土壤流失量预测方法初探．中国水土保持,2001(4)

[36] 牛四平,刘志刚,杨才敏．开发建设项目新增水土流失预测探讨．山西水土保持科技,2002(4)

[37] 姜伟,郭丙庄．开发建设项目水土保持方案编制的几点思考．浙江水利科技,2004(4)

[38] 姜德文．论水土保持方案的质量评价体系．水电站设计,2000,16(3)

[39] 梅景华,周义成．内蒙古科尔康油田水土保持方案的防治目标、防治重点及治理措施．内蒙古水利,2004(2)

[40] 焦居仁．开发建设项目水土保持．北京:中国法制出版社,1998

[41] 张绒君,王晓,段菊卿．线形开发建设项目的土壤侵蚀与工程防治．水土保持学报,2002,16(5)

[42] 郑国相．高速公路水土保持方案编制的探索．水土保持科技情报,2000(2)

[43] 王长春,李明旭,贾洪纪．公路建设项目水土保持方案的编制．黑龙江水专学报,2000,27(2)

[44] 奚成刚,杨成永,许兆义．关于铁路工程中土壤侵蚀防护问题的思考．水土保持学报,2002,16(5)

[45] 周龙义,朱建新,张克树,等．霍林河矿区总体规划水土保持设计方案探讨．煤炭技术,2003,22(11)

[46] 陈家英．水电站建设项目水土保持方案若干问题的探讨．浙江水利科技,2005(3)

[47] 杨立波,贾洪纪,张宝和．大中型水库水土保持方案的编制．黑龙江水专学报,1998,25(4)

[48] 高冬兰,黄建玲．百色水库移民搬迁水土保持方案设计．广西水利水电,2002(增刊)

[49] 陈涛．北江大堤加固达标工程水土保持方案设计要点分析．中山大学学报(自然科学版),2001,40(增刊2)

[50] 霍进忱,穆连萍,王政．试论开发建设项目水土保持工程监理制度的实施．水利发展研究,2002,2(8)

[51] 王璞．试论开发建设项目水土保持工程监理制度的实施．吉林水利,2003(1)

[52] 马和平．水土保持方案的审批程序．中国水土保持,1997(8)

[53] 姜德文,曹善和．开发建设项目水土保持设施竣工验收程序和方法．中国水土保持,2003(12)